出土文獻譯注研析叢刊

沈寶春學術論文集
（古文獻卷）

沈寶春　著

目

次

《說文解字》成書「考之於逵」辨

一　前言

　　古文字研究的起點，在應用傳世典籍佐證考索時，常從東漢許慎所撰的《說文解字》（以下簡稱《說文》）追溯起。至於《說文》本身在說解文字形音義各方面的解釋或判斷時，根據的又是什麼？《說文・敘》載及許慎自道的編書體例，很明顯地托出他材料去取的來源和標準，所謂「稽譔其說」都是由「博采通人，至於小大，信而有證」來確立的，個中「博采通人」是總括詞，並不別出「賈侍中」。但到後來，除了將「賈侍中」和「通人」區隔開來外，還存在上、下層位的不同對待關係，前如清人段玉裁注的：

> 許君博采通人，載孔子說、楚莊王說、韓非說、司馬相如說、淮南王說、董仲舒說、劉歆說、楊雄說、爰禮說、尹彤說、逯安說、王育說、莊都說、歐陽喬說、黃顥說、譚長說、周成說、官溥說、張徹說、甯嚴說、桑欽說、杜林說、衛宏說、徐巡說、班固說、傅毅說，皆所謂通人也。而賈侍中逵，則許所從受古學者，故不書其名，必云賈侍中說。[1]

即把「賈侍中」從「通人」的行列中區分出來，判斷的準則是根據「書其名」和「不書其名」的名號處理方式不同，憑藉的原因是緣於許慎「古學」係師承賈逵這一脈絡來的。當然，這不是段玉裁的發明，也不是段前段後文字學家的創見，而是早在許慎兒子許沖在「建光元年（A.D.121）九月己亥朔二十日戊午」上安帝書中即有所述明，他說漢和帝時：

---

[1] 〔東漢〕許慎撰、〔清〕段玉裁注：《說文解字注》（臺北：藝文印書館，2005年10月），頁771。

> 詔侍中騎都尉賈逵，修理舊文，殊藝異術，王教一耑，苟有可以加於
> 國者，靡不悉集……臣父故大尉南閣祭酒慎，本從逵受古學，蓋聖人
> 不妄作，皆有依據……慎博問通人，考之於逵，作《說文解字》。[2]

段玉裁解釋「考之於逵」指的是「折衷於逵也」，也就是說，「博問通人」是第一層的資料攏收，而「考之於逵」則是屬第二層上位的，指的是許慎與老師賈逵商議斟酌「折衷」後的採取確認，兩者之間的說詞是有些許出入的。那麼，許慎撰作《說文》除了「博采通人」外，是否曾「考之於逵」？如何「考」呢？是「部分」還是「全部」？又若真的「考之於逵」，其目的和作用何在？環繞「考之於逵」的種種問題，即是本文亟欲探究釐清的。

二　《說文》有否「考之於逵」現象的分解

前哲時賢討論《說文》「博采通人」的文章相當多，但對於是否「考之於逵」則籠統帶過。細辨「博采通人」指涉的，理所當然，許慎是具有全然的汰取選擇判斷權，可以完全掌控全書的唯一作者；反之，假若許慎在考慮如何詮釋文字形義音的說法時，還要採取「考之於逵」的方式，也就是先將許慎與賈逵的師徒關係牽繫建立起來後，更進一層地，賈逵則據於「為師」的高位決定如何下指導棋，不管他是否屬掛名性質，此時許慎僅能屈居「合著」中第二作者的位階，那麼，其撰作的自主性、原創性則會受到相當程度的限制與影響，可能對文字形義音的說解就不是那麼絕然能自主地去定奪了。

照道理說，如果相信許沖上安帝書中的說法，許慎撰《說文》時確實曾「考之於逵」，即具有層次上的區別，屬於前後工夫的進程，許慎先初步蒐集資料作客觀呈現後，再與老師賈逵細細商量後才作主觀的判定確解，那麼

---

[2] 〔東漢〕許慎撰、〔清〕段玉裁注：《說文解字注》，頁 792-793。

以《說文》「至嘖而不可亂」的體例，字字有來歷的根據，理應在書中收錄的 9,353 字內，全部標舉出乃自「賈侍中」來的，或是採取全部概括承受，隱而不名。但事實上當檢閱《說文》14 卷時，有關這部分的材料並沒有找到相對應的證據。反而是與諸「通人」並列的「賈侍中」說，卻出現在《說文》的 16 處作（引文並附段《注》及頁碼）：

1、犧，宗廟之牲也。从牛，義聲。賈侍中說（段《注》：他皆偁名，獨賈逵偁官者，尊其師也），此非古字。（頁 53）

2、尟，是少也。是少，俱存也。从是少。賈侍中說（段《注》：此字說得諸侍中也）。（頁 70）

3、逴，前頡也。从辵，枼聲（段《注》：各本篆作𧾷，汲古改本作𧾷，解說作市聲，皆非也。今依《玉篇》正。《廣韻》八三十怗，先頰切，云迣逴，走也）。賈侍中說一讀若拾（段《注》：一疑衍，鍇本作一曰），又若郅（段《注》：手部撲字，《易》音有時設、息列、思頰三反不同，此讀若拾，則在七部，讀若郅，則在十二部，猶西、茜音皆岐也。《玉篇》口黠、竹季二切，則十五部）。（頁 75）[3]

4、蹢，蹢躅，逗足也。从足，啻聲。賈侍中說足垢也（段《注》：賈謂足垢為蹢躅）。（頁 83）

5、譞，慧也，从言，真聲。賈侍中說譞笑（段《注》：別一義）。一曰讀若振。（頁 100）

6、檹，木旖施也。從木，旖聲。賈侍中說，檹即椅也（段《注》：也，各本作木，今依《篇韻》）。可作琴（段《注》：賈說檹即椅字之異者也，椅可作琴，見〈衛風〉）也。（頁 253）

[3] 王貴元：《說文解字校箋》（上海：學林出版社，2002 年 12 月），頁 74 校云：「逴（迣），前頡也。从辵，朱聲。賈侍中說：一讀若枱，又若郅。北末切」，「前頡也，各本同，小徐本、《五音韻譜》作『前頓也』，《六書故》卷六引《玉篇》、《類篇》、《集韻》注皆同小徐本，當據正。讀若枱，各本同，小徐本作『讀若拾』。」

3

7、鼚，鼚枮而止也。从稽省，各聲，讀若晧。賈侍中說，稽、稈、鼚三字皆木名（段《注》：有木名稽，有木名稈，有木名鼚也，皆別一義）。（頁278）

8、囧，窗牖麗廔闓明也。象形。凡囧之屬皆从囧，讀若獷。賈侍中說讀與明同（段《注》：賈侍中說讀若芒也）。（頁317）

9、鼎，到眥也。賈侍中說（段《注》：偁官不偁名者，尊其師也），此斷眥到縣鼎字（段《注》：《廣韻》引《漢書》曰：『三族令先黥劓，斬左右趾，鼎首，菹其骨。』按今《漢書‧刑法志》作梟，蓋非孫愐所見之舊矣，鼎首字當用此，用梟於義無當。不言从到首者，形見於義，如珏下不言从二玉也，古堯切，二部）。（頁428）

10、厄，科厄，木卪也。从卪，厂聲。賈侍中說，㠯為厄，裹也（段《注》：別一義，不連科字）。一曰厄，蓋也（段《注》：又一義，不連科字）。（頁435）

11、豫，象之大者。賈侍中說，不害於物（段《注》：賈侍中名逵，許所從受古學者也。侍中說豫象雖大而不害於物，故寬大舒緩之義取此字），从象，予聲。䋵，古文。（頁464）

12、嬃，女字也。从女，須聲。楚詞曰：「女嬃之嬋媛。」賈侍中說，楚人謂姊為嬃（段《注》：賈語蓋釋《楚辭》之女嬃。王逸、袁山松、酈道元皆言女嬃，屈原之姊。惟鄭注《周易》屈原之妹名女須。《詩》正義所引如此。妹字恐姊字之譌）。（頁623）

13、毒，士之無行者（段《注》：各本作人無行也。今依顏氏〈五行志〉注所引正。士之無行者，故其字从士毋，古多叚毋為有無字，毋即無，婁之訓空也，亦从毋會意。毒之本義如此，非為嫪毒造此字也），从士毋（段《注》：會意）。賈侍中說（段《注》：按此四字當上屬讀之。今人下屬讀之，非也）。秦始皇母與嫪毒婬，坐

誅，故世罵婬曰嫪毐。讀若娭。（頁 632）

14、陒，危也。从𠂤，从毀省。徐巡曰為陒，凶也。賈侍中說，陒、濃度也（段《注》：此蓋亦賈侍中說古文〈秦誓〉也。侍中受《古文尚書》於塗惲，撰歐陽、大小夏侯尚書《古文尚書同異集》為三卷。陒與臬雙聲，臬者，射壇的也，有法度之意。《尚書·立政》篇臬訓法。《左傳》：「陳之藝極。」藝亦臬之叚借。依賈說則扤陒連文，扤當同抈，訓搖動）。班固說，不安也（段《注》：班固，字孟堅，右扶風安陵人……班為《白虎通義》，又為《離騷章句》，見於劉逵、張載所引，此說「陒，不安也」，恐亦說《尚書》語，許本之曰「危也」）。《周書》曰：「邦之阢陒。」讀若虹蜺之蜺。（頁 740）

15、亞，醜也。象人局背之形。賈侍中說吕為次弟也（段《注》：別一義。《易·上繫》：「言天下之至嘖而不可惡也。」荀爽惡作亞，云次也。《尚書大傳》：「王升舟入水，鼓鐘惡，觀臺惡，將舟惡。」鄭《注》：「惡讀為亞，亞，次也。」皆與賈說合）。（頁 745）

16、酏，黍酒也。从酉，也聲。一曰晭也。賈侍中說，酏為鬻清（段《注》：鬻，鍵也，俗作粥耳。鄭云：「酏飲，粥稀者之清也。」本此。凡鬻稀者謂之酏，用為六飲之一，厚者謂之饘，取稻米舉糫溲之，小切狼臅膏以與稻米為酏，用為醴人羞豆之實。《周禮》謂饘為酏。鄭既援〈內則〉以正之矣）。（頁 758）[4]

上舉 16 條體例，放諸其它徵引「通人」的體例，如《說文》中「蔓，艸也。从艸，要聲。《詩》曰：『四月莠蔓。』劉向說，此味苦，苦蔓也。」「蝝，復陶也。劉歆說：蝝，蚍蜉子。董仲舒說：蝗子也。从虫，象聲。」

---

[4] 又徐時儀據慧琳《一切經音義》引《說文》云：「賈祕書說日月為易字。」今本《說文》「祕書」前脫「賈」字，如增「易」字，則成 17 條。

「嗥，咆也。从口，皋聲。獆，譚長說，嗥从犬。」「収，竦手也。从屮，从又。凡収之屬皆从収。𠬞，楊雄說，収从兩手。」「斡，蠡柄也。从斗，倝聲。楊雄、杜林說，皆以為軺車輪斡。」「軎，車軸耑也。从車，象形。杜林說，轊，車或从彗。」[5]⋯⋯並無多大差別[6]，雖然楊明照在〈說文采通人說攷〉一文中，有「《說文》采通人說語式表」，區分「博采通人」的型式為：「甲、先舉其名而後引其說者」112 見，下分：用「曰」字之屬 31 見、用「云」字之屬 1 見、用「說」字之屬 65 見、用「作」字之屬 2 見、用「讀若」之屬 3 見、用「以為」之屬 10 見；「乙、先引其說而後舉其名者」凡 17 見，下分：用「說」字之屬 16 見、用「所說」之屬 1 見，所謂「顧厥體例，未定於一」[7]，但觀察許慎在徵引「賈侍中說」時，卻大致上整齊一致地採「先舉其名而後引其說」的用「說」體例，唯第 2 條「𢽶」字徵引「賈侍中說」後無說，與解說系統稍別耳。然觀其端肅恭謹之情，也隱隱約約地流露出來。

但是，我們也注意到在徵引眾多通人的說法中，許慎也未必採取賈達的意見，也即是有進一步「考之於達」的處理方式，如上引「賈侍中說」的第

---

[5] 〔東漢〕許慎撰、〔清〕段玉裁注：《說文解字注》，頁 31、672、62、104、725、732。

[6] 所謂「通人」，西漢王充《論衡》主張：「通書千篇以上，萬卷以下，弘暢雅閑，審定文讀，而以教授為人師者，通人也。」即指博覽古今，學識淵博，或通文字音韻訓詁者，這其中有「早於許慎的，他不囿于一家之說『博采』之；有與許慎同時代的，他不計名位『博問』之⋯⋯而後去粗取精，從中整理出自己所需要的東西。」參見蔣澤楓：〈許慎博采通人、兼顧今古文經的治經方法對經學發展的貢獻〉，《通化師範學院學報》，2008 年第 9 期，頁 51；而追究「通人」說法的，從明代楊慎《六書索隱》羅列 28 通人後，見〔明〕楊慎：〈敘〉，《六書索隱》（濟南：齊魯書社，1997 年），《四庫全書存目》，經部·小學類，第一百八十九冊，頁 355。學者討論者眾，若清人段玉裁、桂馥、王筠；近人馬敘倫、楊明照、馬宗霍、江舉謙、陸宗達、姚孝遂、蔡信發、余國慶、鍾如雄、殷寄明、宋建華⋯⋯不勝枚舉，而通人成數不一，說法各異，可參宋建華：〈論《說文》通人之範疇〉，《第十三屆中區文字學學術研討會論文集》，花蓮：國立東華大學中國文學系，2011 年 5 月 14 日，頁 7-23。

[7] 楊明照：〈說文采通人說攷〉，《考古社刊》，1937 年第 6 期，頁 287-288。然楊氏據慧琳《音義》《易》注引《說文》「賈祕書說，日月為易。」以「既皆稱為『賈侍中』矣，而復有『賈祕書』之殊號」，單文孤證，與 16 見「賈侍中說」齊整說法不同，可商。

14 條就明顯地呈顯出如斯現象。當許慎在解釋「隉，危也」的字義時，前後平列採擷了「徐巡曰為隉，凶也」、「賈侍中說，隉、隍度也」、「班固說，不安也」，而在這三種說法中，一如段玉裁所指出的，許慎竟然不是採用老師「賈侍中」的說法，反而是採納了「班固」的意見，這就是段玉裁注解中挑明的「此說『隉，不安也』，恐亦說《尚書》語，許本之曰『危也』」。從中亦不免令人對許沖在建光元年上安帝書中所謂的「慎博問通人，考之於達」的說法產生一些疑慮，有所游移了。尤其許慎在徵引通人諸多說法時，用的專門術語是「曰」、「云」、「說」、「所說」、「作」、「讀若」、「以為」，卻不用帶有討論、商量、辨析性質的「語」（即論，段《注》採毛、鄭說，語即禦，一人辯論是非謂之語，與人相答問辯難亦謂之語）、「謂」（即報，指論人論事得其實）、「論」（即議，指言語循其理得其宜）、「議」（指言得其宜）[8]諸詞，特別是許慎所徵引「賈侍中」全部用「說」字，別無它辭，《說文》以「說」為「說釋」，段玉裁認為即「悅懌」、「說釋者，開解之意，故為喜悅」（當然「說」還有另一義為「一曰談說」，段《注》認為「疑後增此四字」[9]），那麼，許慎用「賈侍中說」本屬一種愉悅受教不敢贊一辭的載錄，其本身是缺乏討索論辯的空間。

當然，《說文》中也依稀保有一些論辯的蛛絲馬跡，在絕大部分客觀引述傳世典籍與古今通人的材料中，屬吉光片羽、鳳毛麟角的，雖能作實質的辨析、批判和論證，但實質上是存有問題的，如《說文》中有「耿」、「疊」2 例說「耿，耳箸頰也。從耳，烓省聲。杜林說：耿，光也。從火，聖省聲。凡字皆ナ形又聲，杜說非也。」[10]徐鍇曰：「凡字多右形左聲，此說或後人所加，或傳寫之誤。」[11]又「疊，扊疊也。讀若朝。楊雄說，扊疊，蟲名。杜

---

[8] 以上諸解參〔東漢〕許慎撰、〔清〕段玉裁注：《說文解字注》，頁 90、92。

[9] 〔東漢〕許慎撰、〔清〕段玉裁注：《說文解字注》，頁 94。

[10] 〔東漢〕許慎撰、〔清〕段玉裁注：《說文解字注》，頁 597。

[11] 王貴元：《說文解字校箋》（上海：學林出版社，2002 年 12 月），頁 521。

林以為朝旦，非是。从壘，从旦。」[12]段《注》說明許慎用「以為」的作用是在「說假借之例」，並指明其出自杜林所撰的《倉頡故》，更舉屈原賦與《左傳》證成杜林的「古段壘為朝本無不合，許云非是，未審。他處亦未見此例也」，更舉「構」、「幹」的引杜林說而「未辯其非是」[13]來說明「壘」字的說解是個特例，故或疑「後人所加，或傳寫之誤」，又疑「他處亦未見此例」，且引杜林、引楊雄而未見引「賈侍中說」，那麼，許沖所謂的「慎博問通人，考之於逵」的說法，則更增添一層疑慮了。

三　許沖「考之於逵」與「博問通人」說的考察

若檢閱《後漢書·鄭范陳賈張列傳》中賈逵的傳記，並未明顯提及他與許慎的關係，甚至從他後來所舉薦的人來看，是「安貧好學，隱居教授」的「東萊司馬均」和「性仁孝，及親歿，遂隱處山澤」的「陳國汝郁」[14]，也未見許慎之名。那麼，依據列傳的記載，賈逵既是當世的「通儒」，曾先後兩次收過弟子，第一次是在東漢章帝建初元年丙子（A.D.76），當時章帝徵詔賈逵「入講北宮白虎觀、南宮雲臺」，因「帝善其說」，故「令逵自選《公羊》嚴、顏諸生高才者二十人，教以《左氏》，與簡紙經傳各一通」；另一次是在東漢章帝建初八年（A.D.83），「乃詔諸儒各選高才生，受《左氏》、《穀梁春秋》、《古文尚書》、《毛詩》，由是四經遂行於世。皆拜逵所選弟子及門生為千乘王國郎，朝夕受業黃門署，學者皆欣欣羨慕焉。」[15]也就是說，許慎有可能是在這兩次的其中一次與賈逵建立起師徒關係的，若據許慎在《說

---

[12] 王貴元：《說文解字校箋》，頁 599。
[13] 〔東漢〕許慎撰、〔清〕段玉裁注：《說文解字注》，頁 686。
[14] 韓復智、洪進業：《後漢書紀傳今註》（五）（臺北：五南圖書出版股份有限公司，2003年10月），卷三十六，頁 2266-2277。
[15] 韓復智、洪進業：《後漢書紀傳今註》（五），頁 2269、2274、2276。

文》中引述通人說法必稱「賈侍中說」擬測，賈逵係在漢和帝永元八年丙申（A.D.96）從左中郎將「復為侍中，領騎都尉。內備帷幄，兼領祕書近署」，那麼，推估許慎師承賈逵，恐怕是在第二次東漢章帝建初八年（A.D.83）的時候似乎較接近史實。

但是，有關許慎的事蹟和生卒年歷來說法相當的紛歧[16]，造成解讀上相當的困難，此非本文討論的重點。還好的是，關於賈逵的生卒年、許慎撰寫《說文》跨越的起訖點，以及許沖上〈《說文》表〉的日程，就有比較明確且絕對的時間載記，如根據張震澤《許慎年譜》及嚴可均、洪頤煊諸家說法，列表如下：

紀年	西元	賈逵事蹟	許慎事蹟
章帝元和元年甲申	84	55 歲居衛士令	18 歲從賈逵受古學。（張）
和帝永元 2 年庚寅	90	61 歲	24 歲草創《說文》。（張）
和帝永元 8 年丙申	96	67 歲為侍中騎都尉兼領秘書近署修理舊文	30 歲。（張） 許君從賈逵受古學，草創《說文》。（嚴、洪）
和帝永元 11 年己亥	99	70 歲與魯丕相難	33 歲。（張）

---

[16] 關於許慎生平事蹟與生卒年的各家說法，可參閱丁福保纂輯、楊家駱主編：《說文解字詁林正補合編》（臺北：鼎文書局，1983 年 4 月），第一冊，頁 1288-1338，如嚴可均〈許君事蹟攷〉、林頤山〈許慎傳補遺〉、錢大昕〈許慎傳漏略〉、陶方琦〈許君年表〉與〈許君年表攷〉、諸可寶〈許君疑年錄〉……等；以及近人張震澤：《許慎年譜》（瀋陽：遼寧大學出版社，1986 年 8 月），如《辭源》標許慎生卒年為東漢光武帝建武 6 年生，安帝延光 3 年卒（A.D.30-A.D.124），係從〔清〕惠棟《後漢書補注》引〔唐〕張懷瓘《書斷》、〔宋〕洪适、〔清〕錢大昕《廿二史考異》皆作此；另《辭海》標許慎生卒年作東漢明帝永平元年生，桓帝建和元年卒（A.D.58-A.D.147），嚴可均〈許君事蹟攷〉、陶方琦、諸可寶從此說，張震澤《許慎年譜》則以東漢明帝永平 10 年（A.D.67）許慎生，桓帝建和 2 年卒（A.D.148），年 82。皆各有依據，主張亦不相同。

和帝永元 12 年庚子	100	71 歲	34 歲，《說文解字》成，作後敘。（張） 始撰《說文》。（洪）
和帝永元 13 年辛丑	101	72 歲卒	35 歲還郡為功曹。（張）
安帝建光元年辛酉	121		55 歲，遣子上《說文》。（張） 《說文解字》成，上之（洪）。

亦即根據《後漢書》卷三十六〈鄭范陳賈張列傳〉的記載，賈逵於「（和帝）永元十三年卒，時年七十二。朝廷愍惜，除兩子為太子舍人。」[17]並有贊語與評騭云：「逵所著經傳義詁及論難百餘萬言，又作詩、頌、誄、書、連珠、酒令凡九篇，學者宗之，後世稱為通儒。然不修小節，當世以此頗譏焉，故不至大官。」「論曰：『鄭、賈之學，行乎數百年中，遂為諸儒宗，亦徒有以焉爾。桓譚以不善讖流亡，鄭興以遜辭僅免，賈逵能附會文致，最差貴顯。世主以此論學，悲矣哉！』」那麼，賈逵卒於東漢和帝永元十三年，年七十二歲是相當明確不存異議的。

另根據《說文·後敘》：「粵在永元，困頓之年，孟陬之月，朔日甲申」下段玉裁注云：「漢和帝永元十二年，歲在庚子。《爾雅》曰：歲在庚曰上章，在子曰困頓。《爾雅》曰：正月為陬月。《後漢書》賈逵於漢和帝永元十三年卒，時年七十二。然則許之撰《說文解字》，先逵卒一年，用功伊始，蓋恐失隊所聞也。自永光庚子至建光辛酉，凡歷二十二年，而其子沖獻之。」[18]又錢大昕云：「慎為賈逵弟子無疑，漢儒最重師承而史略不及之，此其疏也。攷〈賈逵傳〉永元三年為左中郎將，八年復為侍中騎都尉，十三年卒。是慎

---

[17] 韓復智、洪進業：《後漢書紀傳今註》（五），頁 2278。

[18] 〔東漢〕許慎撰、〔清〕段玉裁注：《說文解字注》，頁 789。

撰《說文》時,逵尚無恙。」[19]以及陶方琦主張的:「許沖〈表〉云『臣父慎本从逵受古學』,許君〈自敘〉曰:『《書》孔氏、《詩》毛氏、《春秋》左氏』,即從逵受古學之據也。賈逵以建武八年生,以永平十三年卒見本傳,許君艸《說文》在永元十二年,是時逵尚未卒,故許沖〈表〉又云:『慎博聞通人,攷之于逵,作《說文解字》。』」[20]若以《說文》「十四篇,五百四十部也,九千三百五十三文,重一千一百六十三,解說凡十三萬三千四百四十一字」試作比較,所引「賈侍中說」者不過 16、7 字如上文所列,所占比例實不及《說文》全書字數的千分之二(0.18%),九牛一毛,並未凸顯師說的份量,況所引解說放在「十三萬三千四百四十一字」來比較也就更幽微了,王國維〈兩漢古文學家多小學家說〉曾說:「今全書載賈侍中說十有七條,皆專論文字,與經文無涉。」[21]從中似乎隱約透露出「考之於逵」說法的破綻,雖然是許慎《說文》最常徵引的對象,但數量如此稀少,或可推知「許君艸《說文》在永元十二年」的說法應是可信度高些的,而在短短一年之間,又是賈逵年老體弱之時,即使許慎想「考之於逵」,事實上也不太可能的。

那麼,許沖為什麼要在東漢安帝「建光元年九月己亥朔二十日戊午」所上的〈《說文》表〉中說:「先帝(謂孝和帝)詔侍中騎都尉賈逵,修理舊文,殊藝異術,王教一耑,苟有可以加於國者,靡不悉集……臣父故大尉南閣祭酒慎,本從逵受古學。蓋聖人不妄作,皆有依據。今五經之道,昭炳光明,而文字者,其本所由生。自周禮漢律,皆當學六書,貫通其意。恐巧說衺辭使學者疑,慎博問通人,考之於逵,作《說文解字》。」[22]如果回到賈逵本傳

---

[19] 〔清〕錢大昕:〈許慎傳漏略〉,丁福保纂輯、楊家駱主編:《說文解字詁林正補合編》,頁 1293。

[20] 〔清〕陶方琦:〈許君年表攷〉,丁福保纂輯、楊家駱主編:《說文解字詁林正補合編》,頁 1293。

[21] 王國維〈兩漢古文學家多小學家說〉,丁福保纂輯、楊家駱主編:《說文解字詁林正補合編》,第一冊,頁 1302。

[22] 〔東漢〕許慎撰、〔清〕段玉裁注:《說文解字注》,頁 792-793。

試圖作個理解，許沖的用意除了確立賈逵、許慎彼此間的師承關係，用以祛除「巧說衰辭使學者疑」外，最主要的目的，是想藉助賈逵「侍中」的位階，搭建起皇帝鄭重識知的橋樑，借勢使力，以類採《莊子》「重言」的方式，來拉抬托襯許慎的學術聲望與所著書的份量，是帶有推薦、引介的性質，並為許慎著書立說的意義與價值作保證，也即是為增添許慎著作的說服力和權威性，而假借賈逵在皇帝心目中的地位，以彰顯許書的可貴。因為賈逵既在「和帝永元三年，以為左中郎將。八年，復為侍中，領騎都尉。內備帷幄，兼領祕書近署，甚見信用」[23]，若留意到文中「甚見信用」的評語，再瞭解漢代「侍中」秩比二千石（《漢官秩》云千石），是皇帝身邊的侍從官，其職責乃贊導眾事，顧問應對，或當皇帝出駕時的隨從。賈逵既為「侍中」，又兼管羽林騎兵的「騎都尉」，並身兼典掌皇帝近旁的機構，是一位能直接面見處理皇帝機宜，並得到相當程度的倚重和禮遇的近臣，以他「為諸儒宗」的「通儒」地位，許沖當然不會輕易放過這一層關係，以取得當今皇上對《說文》的重視與推許，縱然落個依傍攀附之嫌，但以「慎已病」的處境堪憐情況，其子許沖借「考之於逵」的媒介，也屬人情之常，無可非議了。

另一問題是，許慎於〈敘〉中自道譔作《說文》的材料來源係「博采通人」，用的字眼是「采」字，即段玉裁解釋的「採取」，指的是「禾成秀人所收」與「木成文人所取」，再進一步擴充到「稽攷詮釋，或以說形，或以說音，或以說義，三者之說皆必取諸通人」[24]的採擷過程，是本身具有判斷選擇自主性強的字眼；可是，移到許沖上〈《說文》表〉中卻變成「慎博問通人，考之於逵」，就崩解成層次有高低，進程有前後的兩句，且移「采」之花成為接「問」之木，那許慎就必須放棄撰作間選擇決斷的自主性，一一訊問後而「折衷於逵」。問題是，《說文》所採的「通人」時間跨度頗長，涵蓋

---

[23] 韓復智、洪進業：《後漢書紀傳今註》（五），頁 2276-2277。
[24] 〔東漢〕許慎撰、〔清〕段玉裁注：《說文解字注》，頁 270、771。

面又廣[25]，即連「兩漢」時期的「通人」如司馬相如、董仲舒、歐陽喬、京房、劉向、楊雄、桑欽、宋弘、爰禮、劉歆……許慎都無從「問」起，如何能「問」？或許他曾徵詢過老師賈逵的意見，但拿許慎與許沖在〈敘〉中所吐露的事實來推敲，恐怕許慎所說的「博采通人」才能如實的反映《說文》撰作的情況和擷採廣大縱深的體例，至於許沖上〈《說文》表〉中因潛藏亟欲達成的目標，在用詞上未免矯矜托高以致失實，就無法精準地表述許慎撰作的功勳，反過頭來說，卻將許慎「尊師」的情結推到一定的極致了。

四　結語

　　總而言之，請循其本，許慎古學係師承賈逵而來毋庸置疑，《說文》引述「賈侍中說」的確是「博采通人」中條目最多的，從中可窺知兩人間師徒關係的緊密，《說文》不稱「賈逵」而稱「賈侍中」一如傳統認知的，係把「賈侍中」從「通人」的行列中區分出來，透過「書名」和「不書名」的名諱處理方式用以「尊師」。但是，許慎在徵引通人諸多說法時，用的專門術語是「曰」、「云」、「說」、「所說」、「作」、「讀若」、「以為」，卻不用帶有討論、商量、辨析性質的「語」、「謂」、「論」、「議」諸詞，特別是許慎所徵引的「賈侍中」全部用「說」字，別無它辭，《說文》既以「說」為「說釋」，本屬一種愉悅受教不敢贊一辭的載錄，其本身是缺乏討索論辯的空間；何況從《說文》「隉，危也」的分解中，許慎既採擷徐巡、賈侍中及班固的看法，最後選擇的是班固而不是「賈侍中」，那麼，許沖指陳的《說文》曾「考之於逵」的真相，是值得細細追究再行討論的。

　　回頭檢視有關賈逵、許慎生平的記載，並與《說文》內容相互參證，則許慎師承賈逵推想應該是在東漢章帝建初八年（A.D.83）較接近史實；若以

---

[25] 如宋建華分「黃帝時期、春秋時期、兩漢時期」三類一一討論。宋建華：〈論《說文》通人之範疇〉，《第十三屆中區文字學學術研討會論文集》，頁 7-23。

艸擬《說文》是在永元十二年（A.D.100），距離賈逵永元十三年卒不過短短一年，賈逵以七十後的耆耄體衰之年，縱然許慎欲謦欬相隨，親問親答執弟子之禮以折衷賈逵對 9,353 字的意見，似乎也不盡人情。那麼，許沖在東漢安帝「建光元年九月己亥朔二十日戊午」所上的〈《說文》表〉作「慎博問通人，考之於逵」的主要作用，其實只是假托賈逵近侍陪臣的「侍中」位階與皇帝間的親近關係，採《莊子》「重言」的方式，來拉高許慎所著書在當朝皇帝心目中的學術份量，亦即《後漢書》的論曰：「鄭、賈之學，行乎數百年中，遂為諸儒宗，亦徒有以焉爾。桓譚以不善讖流亡，鄭興以遜辭僅免，賈逵能附會文致，最差貴顯。世主以此論學，悲矣哉！」[26] 以賈逵雖「最差貴顯」但「為諸儒宗」的「附會文致」，才能支撐許慎在經學漸趨式微的年代，還能「以詔書賜召陵公乘許沖布四十匹，即日受詔朱雀掖門，敕勿謝」的榮寵。況從許慎自道的，於通人說法取用的方式是「采」而不是「問」，《說文》中呈現出來的既缺乏「考之於逵」的實證，當以平列方式，將「賈侍中說」放在「博采通人」的行列中，而不應調高位階，獨出「考之於逵」的重言型式，來托高賈逵在《說文》創制過程中的參化能量，反而抹滅了許慎孤詣卓立的劃時代貢獻矣！

原文發表於「香港中文大學中國語言及文學系五十周年系慶活動——承繼與拓新：漢語語言文字學國際學術研討會」，香港：香港中文大學中國語言及文學系，2012 年 12 月 17-18 日；收入何志華、馮勝利主編：《承繼與拓新：漢語語言文字學研究》（上卷），香港：商務印書館，2014 年 12 月，頁 303-317。（高佑仁校對）

---

26 韓復智、洪進業：《後漢書紀傳今註》（五），頁 2291。

從《說文解字》到《康熙字典》
──以釋「小兒」諸字為對象的考察

一　前言

　　眾所周知，《說文解字》（以下簡稱《說文》）（A.D.100）是中國現存最早形音義具足的字書，根據許慎與子許沖的說法，此書內容包羅萬象，窮盡人事，所謂「萬物咸覩，靡不兼載」、「世閒人事，莫不畢載」[1]，以故到清代，仍舊視它為「六藝之淵海，古學之總龜，視《爾雅》相敵，而賅備過之，《說文》未明，無以治經。」[2]並推崇「《說文》為天下第一種書，讀遍天下書，不讀《說文》，猶不讀也。但能通《說文》，餘書皆未讀，不可謂非通儒也。」[3]將《說文》所涵蓋的層面，推到賅備遍通的廣度。

　　至於清康熙五十五年（1716）成書的《康熙字典》，是公推為集歷代字書之大成的官修字典，比諸《說文》所收 9,353 字多約 4 倍，收字達 47,035 字[4]，數量龐大，收羅完備。根據〈御製《康熙字典》序〉所說的，此書「悉取舊籍，次第排纂，切音解義，一本《說文》、《玉篇》，兼用《廣韻》、《集韻》、《韻會》、《正韻》。其餘字書，一音一義之可採者，靡有遺逸。至諸書引證未備者，則自經史百子，以及漢晉唐宋元明以來詩人文士所述，莫不旁

---

[1] 〔東漢〕許慎撰、〔清〕段玉裁注：《說文解字注》（臺北：藝文印書館，2005 年 10 月），頁 772、794。以下所用版本依此。

[2] 〔清〕嚴可均：〈序〉，《說文校議》（臺北：廣文書局，1972 年 11 月），頁 1-2。

[3] 〔清〕王鳴盛：〈說文解字正義敘〉，丁福保纂輯、楊家駱主編：《說文解字詁林正補合編》（臺北：鼎文書局，1983 年 4 月），第一冊，頁 328。

[4] 左大成：〈《漢語大字典》的收字問題〉，《辭書研究》，1987 年第 1 期，頁 22-26。〔清〕陸以湉《冷廬雜識》卷二所計為 47,035 字，並不包括古文 1,995 字在內，1976 年《漢語大字典》湖北收字組核查統計《康熙字典》實收 47,043 字。

羅博證，使有依據。」[5]從中可知，《康熙字典》雖是依仿梅膺祚《字彙》、張自烈《正字通》體例所作，但其中最基本原始的依據，還是從《說文》、《玉篇》來的，尤其是在六書之學、古文、釋義的部分，更是以《說文》為基準，其他的字書、韻書、經史子集雜書則是輔助性質，兼採並用。

然而，將《說文》與《康熙字典》比併觀察討論的，大抵從部首的歸併面向切入，如薛惠琪的〈《說文解字》與《康熙字典》部首比較研究〉、李淑萍的《《康熙字典》及其引用《說文》與歸部之研究》、瞿繼勇的〈《康熙字典》與《說文解字》部首歸併的對比分析〉諸文[6]；或是著重在對《康熙字典》形音義引例的勘誤補正部分，如清代王錫侯《字貫》、王引之《字典考證》、《字典校字錄》、英浩《字典校錄》、日本渡邊（部）溫〈訂正《康熙字典》〉、王力〈《康熙字典》音讀訂誤〉、李知文〈《康熙字典》疏誤補正輯要〉、孫壽瑋〈《康熙字典》訛誤試析〉……[7]皆是。但正如王力所主張的，理想的字典是以「字義」為主[8]，如果從字義的角度出發，以一個主題為主，定字定量作分析比較，以歷經一千六百年（100-1716）的時間，兩書在釋義的層面上發展演變的軌跡如何？有否移動播遷而擴充義項？有否停滯不前勾留原義？千年歲月掖助補苴了什麼？倒是值得比較。

[5] 〔清〕張玉書、陳廷敬等撰：《康熙字典》（香港：中華書局，2005 年 10 月），頁 1-3。以下所用版本依此。

[6] 薛惠琪：〈《說文解字》與《康熙字典》部首比較研究〉，《康寧學報》，1999 年第 2 期，頁 47-61；李淑萍：《《康熙字典》及其引用《說文》與歸部之研究》（桃園：國立中央大學中國文學研究所博士論文，1999 年）；瞿繼勇：〈《康熙字典》與《說文解字》部首歸併的對比分析〉，《內江師範學院學報》，2006 年第 3 期，頁 53-56。其餘有關《康熙字典》研究概況，可參李淑萍：〈《康熙字典》研究概況〉，《《康熙字典》研究論叢》（臺北：文津出版社，2006 年 3 月），頁 3-7。

[7] 劉志成：《中國文字學書目考錄》（成都：巴蜀書社，1997 年 8 月），頁 448-452；李知文：〈《康熙字典》疏誤補正輯要〉，《貴州文史叢刊》，1997 年第 2 期，頁 72-75；孫壽瑋：〈《康熙字典》訛誤試析〉，《張家口師專學報（社會科學版）》，1996 年第 1 期，頁 28-31＋5，又載《河北科技圖苑》，1996 年第 3 期，頁 49-51。

[8] 王力：〈理想的字典〉，《王力文集》（濟南：山東教育出版社，1990 年），第十九卷，頁 38。

觀《說文》曾以「人」是「天地之性最貴者也」，清段玉裁《注》中引〈禮運〉說：「人者，其天地之德，陰陽之交，鬼神之會，五行之秀氣也。」又曰：「人者，天地之心也。」以故「天大，地大，人亦大焉」[9]，那麼，若鎖定「人之初」的「小兒」為關注考察對象，則許慎對「小兒」所採錄的字數如何？有何認知？涵蓋層面為何？那裡頭反映何如的漢人集體認知與集體書寫的留存？而集字書大成的《康熙字典》又如何保留或擴充？如何如實反映歷史累積層沓的諸般成果，以下將進行歸納分析，以便觀察。

二　《說文》與《康熙字典》有關小兒釋義諸字的考察

小兒乃人類生命生長的開始，而對這種生命生長的開始階段，《說文》與《康熙字典》投注如何的關懷與概括，反映出漢至清代如何的整體記憶書寫？茲先依序羅列《說文》釋義中有關「小兒」或「兒」諸字，並及《康熙字典》中相對應的說解，列表如下：

序號	字例	說文解字	康熙字典
1	呱	小兒嗁聲。从口，瓜聲。《詩》曰：「后稷呱矣。」段《注》：「〈咎繇謨〉：『啟呱呱而泣。』」（口部，頁55）	《唐韻》古胡切。《集韻》、《韻會》、《正韻》攻乎切，並音姑。《說文》：「小兒嗁聲。」《書·益稷》：「啟呱呱而泣。」班固〈幽通賦〉：「妣聆呱而刻石。」《集韻》或作「嘩」。 ○又《集韻》烏瓜切。音窊。義同。　○又叶胡誤切，音護。《詩·大雅》：「鳥乃去矣，后稷呱矣，實覃實訏，厥聲載路。」（丑集上，口

9　〔東漢〕許慎撰、〔清〕段玉裁注：《說文解字注》，頁369、496。

			部，頁110）
2	啾	小兒聲也。从口，秋聲。段《注》：「〈倉頡篇〉：『啾，眾聲也。』《三年問》：『啁噍之頃。』此假噍為啾也。」（口部，頁55）	《唐韻》、《正韻》即由切。《集韻》、《韻會》將由切，並音遒。《說文》：「小兒聲也。」《廣韻》：「啾唧，小聲。」　○又屈原〈離騷〉：「鳴玉鸞之啾啾。」註：「王逸云：『啾啾，鳴聲。』」　○又《集韻》與「噍」通，詳「噍」字註。或書作「𠷣」。○又字秋切，音酋。小聲。　○又《集韻》、《類篇》並莊交切，音巢。小兒聲。或作「𠸪」。《楚辭·招隱士》：「歲暮兮不自聊，蟪蛄鳴兮啾啾。」（丑集上，口部，頁125）
3	喤	小兒聲。从口，皇聲。《詩》曰：「其泣喤喤。」段《注》：「啾謂小兒小聲，喤謂小兒大聲也。如〈離騷〉『鳴玉鑾之啾啾』、《詩》『鍾鼓喤喤』、『喤喤厥聲』，則泛謂小聲大聲。」（口部，頁55）	《唐韻》、《集韻》、《韻會》、《正韻》並胡光切，音黃。《說文》：「小兒聲。」《詩·小雅》：「其泣喤喤。」【按】《釋文》：「喤，音橫。華彭反，又云呼彭反。」聲也，不云音皇，故《廣韻》亦缺此一音，然叶韻自當讀皇。　○又《廣韻》戶盲切。《集韻》、《韻會》、《正韻》胡盲切，並音橫。義同。　○又《詩·周頌》：「鐘鼓喤喤。《傳》：「喤喤，和也。」【按】《釋文》：「喤，華彭反。」徐音皇，又音宏，三音皆可讀。　○又《集韻》：「諠也，怒也。」　○又《詩·周頌》：「喤喤厥聲。」【按】《釋文》：「喤，華盲反。」又音「橫」，又音「皇」，三音皆可讀。　○又《廣韻》虎橫切。《集韻》呼橫切，並音諻。　○又《廣韻》：「諻，呻也。」

			《集韻》：「誼也。」 ○又《通雅》：「引喤，即驪唱也。梁制，令、僕、中丞各給威儀十人，武冠絳韝，皆呼入殿，引喤至階，一人執儀囊不喤。」 ○又《集韻》虎晃切，音恍。喤呷，眾也。（丑集上，口部，頁127-128）
4	喧	朝鮮謂兒泣不止曰喧。从口，亘聲。 段《注》：「《方言》：『喧，痛也。凡哀泣而不止曰喧。朝鮮洌水之閒少兒泣而不止曰喧。』」（口部，頁55）	《唐韻》況晚切。《集韻》、《韻會》火遠切，並音烜。 ○揚子《方言》：「喧，痛也；凡哀泣而不止曰喧。燕之外鄙、朝鮮洌水之閒小兒泣而不止曰喧。」 ○又《詩・衛風》：「赫兮喧兮。」《傳》：「喧，威儀容止宣著也。」《禮・大學》作「喧」。 ○又《集韻》：「懼也。」 ○又人名。《春秋・隱元年》：「天王使宰喧來歸惠公仲子之賵。」 ○又〈僖二十八年〉：「衛元喧出奔晉。」 ○又《集韻》、《韻會》並許元切，音萱。 ○又《集韻》：「懼也。」 ○又《韻會》：「權也。」 ○又《列子・力命篇》：「墨尿、單至、嘽喧、憋懯四人相與遊於世。」註：「張湛曰：『喧，汗緩貌。』殷敬順曰：『寬綽貌。』」（丑集上，口部，頁115-116）
5	唴	秦晉謂兒泣不止曰唴，从口，羌聲。 段《注》：「《方言》：『自關而西，秦晉之閒，凡大人少兒泣而不止謂之唴。哭	《唐韻》丘尚切。《集韻》丘亮切，並音曉。《說文》：「秦晉謂小兒泣不止曰唴。」《廣韻》：「唴哴，小兒啼也。」揚子《方言》：「秦、晉之閒，凡大人小兒泣而不止謂之唴。哭極

19

		極音絕亦謂之哯，平原謂 啼極無聲謂之哯哴。』」 （口部，頁55）	音絕，亦謂之哯。」（丑集上，口部， 頁121）
6	咷	楚謂兒泣不止曰嗁咷。从 口，兆聲。 段《注》：「《方言》：『楚謂 之嗁咷。』按嗁字見上。」 （口部，頁55）	《廣韻》、《集韻》、《韻會》、《正韻》 並徒刀切，音濤。《說文》：「楚謂兒 泣不止曰嗁咷。」又《易·同人》： 「九五同人先號咷而後笑。」 ○ 又《集韻》他吊切，音糶。義同。 ○又亭歷切，音狄。《前漢·韓延 壽傳》：「歌者先居射室，望見延壽 車，嗁咷楚歌。」註：「咷，音滌濯 之滌。」（丑集上，口部，頁115）
7	喑	宋齊謂兒泣不止曰喑。从 口，音聲。 段《注》：「《方言》：『齊宋 之間謂之喑，或謂之惄。』 按喑之言瘖也，謂啼極無 聲。」（口部，頁55）	《唐韻》、《集韻》、《韻會》於金切。 《正韻》於禽切，並音陰。《說文》： 「宋齊謂兒泣不止曰喑。」 ○又 《六書故》：「失聲不能言謂之喑。」 《文子·上篇》：「皋陶喑而為大 理。」《後漢·袁閎傳》：「遂稱風疾， 喑不能言。」《風俗通義》：「無聲響， 徒喑喑而已。」 ○又《廣韻》、《集 韻》、《韻會》、《正韻》並烏含切。 音諳。《廣韻》：「啼泣無聲。」 ○ 又《集韻》：「一曰大呼。」 ○又 《集韻》於錦切，音飲。《莊子·知 北遊》：「自本觀之，生者，喑醷物 也。」註：「喑醷，聚氣貌。」《音 義》：「喑，李音飲，郭音闇，陸音 蔭，又於感反。」 ○又《集韻》、 《韻會》、《正韻》並鄔感切，音埯。 又《集韻》烏紺切，音暗。義並同。 ○又《廣韻》、《集韻》、《韻會》、

			《正韻》並於禁切，音蔭。《廣韻》：「聲也。」《史記・淮陰侯傳》：「項王喑噁叱咤，千人皆廢。」 ○又《集韻》：「《方言》：『啼極無聲，齊宋之閒謂之喑』。或作『噾』。」（丑集上，口部，頁126）
8	嶷	小兒有知也。從口，疑聲。《詩》曰：「克岐克嶷。」段《注》：「〈大雅〉『克岐克嶷。』毛曰：『岐，知意也。嶷，識也。』按此由俗人不識嶷字，蒙上岐字改從山旁耳。高注《淮南》曰：『軫軜之軜，讀如克岐克嶷之嶷。』《太元》作懝。《釋文》『懝，牛力切。又音擬。』擬然有所識別也。」（口部，頁55）	《唐韻》魚力切。《集韻》鄂力切，並音嶷。《說文》：「小兒有知也。」《廣韻》：「《詩》：『克岐克嶷。』」【按】今《詩・大雅》作「嶷」。《集韻》或作「嶷」、「懝」、「譺」。 ○又《集韻・止韻》偶起切，音擬。聲也。 ○又《廣韻》、《集韻》並魚記切，音譺。義同。 ○又《廣韻》：「嗅嶷，無聞見也。」 ○又《集韻》：「一曰給也。又一曰笑貌。」（丑集上，口部，頁140）
9	咳	小兒笑也。從口，亥聲。段《注》：「〈內則〉云：『孩而名之』，為作小兒笑而名之也。」（口部，頁55）	咳，古文。孩，《唐韻》戶來切。《集韻》、《正韻》何開切，並音頦。《說文》：「小兒笑也。《史記・扁鵲傳》：「曾不可以告咳嬰之兒終日。」註：「咳嬰，言嬰兒初知笑者。」 ○又《禮・內則》：「父執子之右手，咳而名之。」《疏》：「謂以一手執子右手，一手承子之咳而名之。」《集韻》或作「𡥏」，「噫」。 ○又《集韻》柯開切，音該。 ○《史記・倉公傳》：「受其脈書上下經五診奇咳。」註：「『奇咳』，言奇秘非常術也。」《釋文》：「奇音羈，咳音該。」

			【按】《前漢・藝文志》有《五音奇胲用兵》二十六卷、《淮南子・兵略訓》：「刑德奇賌之數。」《廣韻》作「奇侅」，亦作「奇賅」。咳、胲、賌、侅、胲五字皆通。 ○又與「該」同。《晏子・外篇》：「頸尾咳於天地，然而澇澇不知六翮之所在。」 ○又《玉篇》若代切，音慨。《禮・內則》：「不敢噦噫嚔咳。」《釋文》：「咳，苦愛反。」《莊子・漁父篇》：「幸聞咳唾之音。」《前漢・宣元六王傳》：「大王誠賜咳唾。」《正韻》：「聲欬」亦作「咳」。（丑集上，口部，頁115）
10	趧	留意也。从走，里聲，讀若小兒咳。 段《注》：「咳，今本作孩，誤。許用小篆也。戶來切。一部。」（走部，頁65）	《廣韻》戶來切。《集韻》何開切，並音孩。《說文》：「趧，留意也。」《類篇》：「一曰將走有意留。」 ○又《集韻》魚開切，音皚，義同。 ○又枯回切，音恢。《類篇》：「邪足也。」（酉集中，走部，頁1145）
11	詢	往來言也。一曰小兒未能正言也。一曰祝也。从言，匋聲。詢、詢或从包。 段《注》：「大牢切，古音在三部。」（言部，頁98）	《唐韻》、《集韻》並大牢切，音陶。《說文》：「往來言也。一曰小兒未能正言也。一曰祝也。」 ○又設詢，詳「設」字註。 ○又詢諭，詳「諭」字註。 ○又人名，與詢、必詢，見《宋史・宗室表》。 ○《說文》或作「詢」。《集韻》或作「嗊」。（酉集中，言部，頁1093）
12	靸	小兒履也。从革，及聲。 段《注》：「〈急就篇〉有靸，《釋名》曰：『靸，韋履深	《唐韻》蘇合切。《集韻》息合切。《韻會》、《正韻》悉合切，並音趿。《說文》：「小兒履也。」《玉篇》：

		頭者之名也。』」（革部，頁109）	「履也。」《釋名》：「鞈，韋履深頭者之名也。鞈，襲也，以其深襲覆足也。」《譚子化書·序》：「杖鞈而去。」 ○又《集韻》息入切，音鄒。義同。 ○《集韻》：「亦作鞜鞈。」（戌集中，革部，頁1314）
13	瓣	小兒白眼視也。从目，辡聲。 段《注》：「依《廣韻》補視字。」（目部，頁133）	《唐韻》蒲莧切，音瓣。《說文》：「小兒白眼也。」 ○又《廣韻》匹莧切。《集韻》普莧切，並音盼。義同。或曰視貌。（午集中，目部，頁748）
14	笘	折竹箠也。从竹，占聲。穎川人名小兒所書寫為笘。 段《注》：「折竹為箠，箠之便易者也」，「此別一義，篇下曰：『書僮竹笘也』，用此義。《廣雅》『笘，籭也。』」（竹部，頁198）	《唐韻》失廉切。《集韻》詩廉切，並音苫。《說文》：「折竹箠也。又穎川人名小兒所書寫為笘。」 ○又《集韻》七甘切。又《集韻》、《類篇》並處占切，音襜。義並同。 ○又《廣韻》丁協切。《集韻》託協切，並音帖。簡也。 ○《集韻》的協切，音堞。笘，籤籭也。（未集上，竹部，頁807）
15	瘒	臥驚也。一曰小兒號瘒瘒。一曰河內相評也。从瘒省，从言。 段《注》：「《廣雅》曰：『瘒，覺也。』義相近。今江蘇俗語曰睡一瘒」，「別一義也。瘒瘒者，號聲」，「又別一義也，評者，召也。今字作呼。相召曰瘒，如言咄少鄉良苦，言嚘大姝之比。河內人語如此。」	《廣韻》、《集韻》並呼骨切，音忽。《說文》：「臥驚也。」《廣韻》：「覺也。」《玉篇》：「小兒啼瘒瘒也。一曰河內相呼也。」 ○又《正字通》：「瀞，原音豁。誤。」（寅集上，宀部，頁218-219）

		（瘰部，頁 351）	
16	瘛	小兒瘛瘲病也。从疒，恝聲。 段《注》：「〈急就篇〉亦云『瘛瘲』。師古云：『即今癇病。』按今小兒驚病也。瘛之言掣也，瘲之言縱也。〈藝文志〉有〈瘛瘲方〉」，「徐鉉等曰：《說文》無恝字，疑从疒，从心，恝省聲也。尺制切，十五部。」（疒部，頁 356）	《唐韻》、《集韻》並尺制切，音掣。《說文》：「小兒瘛瘲病也。」〈急就章〉（春案：此處作「章」，他處則作「篇」）：「癰疽瘛瘲痿疲痕。」又《前漢・藝文志》：「有瘛瘲方。」○又人名。《前漢・功臣表》：「宋子惠侯許瘛。」○又《集韻》尺列切，音掣。義同。○又胡計切，音繫。《博雅》（春案：此作《博雅》，應作《廣雅》）：「瘛，瘲也。」《釋文》：「瘛，乎計反。」（午集中，疒部，頁 705）
17	冃	小兒及蠻夷頭衣也。从冂，二其飾也。 段《注》：「謂此二種人之頭衣也。小兒未冠，夷狄未能言冠，故不冠而冃。荀卿曰：『古之王者有務而拘領者矣。』楊《注》：『務讀為冒。拘與勾同。』《淮南書》曰：『古者有鍪而綣領以王天下者。』高《注》：『古者蓋三皇以前也。鍪著兜鍪帽，言未知制冠。』按高《注》兜鍪二字蓋淺人所加，務與鍪皆讀為冃，冃即今之帽字也。後聖有作，因冃以制冠冕，而冃遂為小兒蠻夷頭衣。」（冃部，頁 357）	《唐韻》莫到切。《集韻》莫報切，並音帽。《說文》：「小兒頭衣也。」徐曰：「今作冒。」○《玉篇》或作「帽」。○又《集韻》莫候切，音茂。覆也。（子集下，冂部，頁 56）

18	鬐	楚謂小兒嬾鬐。从臥食。 段《注》：「《玉篇》作『楚人謂小嬾曰鬐。』此有兒，衍字也。」（臥部，頁392）	《廣韻》尼戹切。《集韻》尼厄切，並音疒。《玉篇》：「炙餅餌也。」 ○又《說文》：「楚謂小兒嬾曰鬐。」（戌集下，食部，頁1349）
19	襁	負兒衣。从衣，強聲。 段《注》：「居兩切。按古緥綯字从系不从衣，淺人不得其解，而增襁篆於此。段令許有此字，當與襸篆為類矣，當刪。說詳系部。」（衣部，頁394）	《唐韻》居兩切。《集韻》舉兩切。並音鏹。《玉篇·衣部》：「襁褓，負兒衣也。」《論語·子路》：「則四方之民襁負其子而至矣。」何晏註：「負者以器曰襁。」《疏》：「《博物志》云：『襁，織縷為之，廣八寸，長丈二，以約小兒於背』。」《漢書·宣帝紀》：「曾孫雖在襁褓，猶坐收繫郡邸獄。」李奇註：「襁，絡也。以繒布為之，絡負小兒。」顏師古註：「即今小兒繃也。」元·周伯琦《六書正譌》：「通作繈，非。」（申集下，衣部，頁1051）
20	兒	孺子也。从儿，象小兒頭囟未合。 段《注》：「子部曰：『孺，乳子也。』乳子，乳下子也。〈褓記〉謂之『嬰兒』，女部謂之『嬰婗』。兒孺雙聲，引伸為凡幼小之偁」，「謂篆體囟也。囟者，頭會匘蓋也。小兒初生，匘蓋未合，故象其形。汝移切，十六部。」（儿部，頁409）	兒，《唐韻》汝移切。《集韻》、《韻會》、《正韻》如支切，並爾平聲。《說文》：「孩子也。象形，小兒頭囟未合。」 ○又《韻會》：「男曰兒，女曰嬰。」 ○又《韻會》：「兒，倪也。人之始，如木有端倪。」 ○又〈倉頡篇〉：「兒，嬬也。謂嬰兒嬬嬬然，幼弱之形也。」 ○又《韻會》：「姓也。漢有兒寬。」 ○又《唐韻》五稽切。《集韻》、《韻會》研奚切。《正韻》五黎切，並音霓。姓也。《前漢·藝文志》：「兒良一篇。」註：「師古曰：『六國時人也。』」〈兒寬傳〉：「兒寬，千乘人也。」

			○又《韻會》：「弱小也。通作倪。」《孟子》：「反其旄倪。」（子集下，儿部，頁53）
21	胞	兒生裹也。从肉包。段《注》：「包謂母腹，胞謂胎衣。〈小雅〉：『不屬于毛，不離于裏。』《箋》云：『今我獨不得父皮膚之氣乎。獨不處母之胞胎乎。』《釋文》：『胞音包。』今俗語同胞是也。其借為脬字，則讀匹交切，脬者，旁光也。腹中水府也。」（包部，頁438）	《廣韻》匹交切。《集韻》、《韻會》、《正韻》披交切，並音拋。《說文》：「兒生裹也。」《博雅》（春案：此作《博雅》，應作《廣雅》）：「人四月而胞。」《莊子·外物篇》：「胞有重閬，心有天游。」註：「胞，腹中胎。閬，空曠也。」《前漢·外戚傳》：「善臧我兒胞。」師古註：「音苞，謂胎之衣也。」 ○又《戰國策》：「夫癘雖癰腫胞疾。」 ○又《廣韻》布交切。《集韻》、《韻會》班交切，並音包。又《集韻》方鳩切，否平聲。義並同。 ○又《集韻》、《韻會》並蒲交切，與「疱」同，肉吏也。《禮·祭統》：「夫祭有畀煇胞翟閽者。」《莊子·庚桑楚》：「湯以胞人籠伊尹。」《前漢·百官公卿表》：「胞人、都水、均官三長丞。」註：「胞與庖同。胞人，主掌宰割者也。」 ○又《五音集韻》匹貌切，音奅。面生氣也。（未集下，肉部，頁907）
22	魌	鬼服也。一曰小兒鬼。从鬼，支聲。《韓詩傳》曰：「鄭交甫逢二女魌服。」段《注》：「衣部曰：『袚，鬼衣也。』《周禮》：『大喪廞裘』，《注》曰：『廞，興	《廣韻》、《集韻》並渠羈切，音奇。《說文》：「鬼服也。一曰小兒鬼。」《韓詩外傳》：「鄭交甫逢二（春案：《康熙字典》誤作「士」）女魌服。」張衡〈東京賦〉：「八靈為之震慴，況魌蚔與畢方。」註：「魌，小兒鬼。」

		也。若《詩》之興。謂象似而作之。凡為神之偶衣物必沽而小耳。』」《漢舊儀》：『顓頊氏有三子，生而亡去為疫鬼：一居江水為瘧鬼，一居若水為魍魎蜮鬼，一居人宮室區隅善驚人為小兒鬼。』按此條〈東京賦〉注所引較完，亦尚有奪字。《後漢書・禮儀志》注所引則不可讀。〈東京賦〉：『八靈為之震慴，況魃蜮與畢方。』薛解云：『魃，小兒鬼也。畢方，父老神也。』」（鬼部，頁440）	○又〈急就篇〉：「射魃辟邪除群凶。」註：「射魃謂天剛卯也，以金玉及桃木刻而為之，一名欬改，其上有銘，而旁穿孔，系以綵絲，用繫臂焉。亦所以逐精魅也。」 ○又《唐韻》、《集韻》並奇寄切，音芰。又《集韻》巨綺切，音技。義並同。（亥集上，鬼部，頁1388-1389）
23	緥	小兒衣也。从糸，保聲。段《注》：「衣部曰：『褓，緥也。』〈斯干〉：『載衣之裼。』《傳》曰：『裼，褓也。』褓，緥之俗字。古多云小兒被也。李奇曰：『小兒大藉。』師古曰：『即今小兒繃。』古多叚借保葆字。」（糸部，頁661）	《廣韻》博抱切。《集韻》、《韻會》補抱切。《正韻》博浩切，並音保。《說文》：「小兒衣也。」註：「臣鉉等曰：今俗作褓，非是。」《前漢・宣帝紀》：「曾孫雖在襁緥。」註：「孟康曰：『緥，小兒被也。』」《後漢・申屠剛傳》：「始免襁緥。」註：「緥，被也。」（未集中，糸部，頁859）
24	蝄	蝄蜽，山川之精物也。淮南王說，蝄蜽狀如三歲小兒，赤黑色，赤目、長耳、美髮。从虫，网聲。《國語》曰：「木石之怪夔、蝄蜽。」	《唐韻》文兩切。《集韻》文紡切，並音網。《說文》：「蝄蜽也。淮南王說：蝄蜽，狀如三歲小兒，赤黑色，赤目、長耳、美髮。」《魯語》：「木石之怪曰夔、蝄蜽。」註：「蝄蜽，

		段《注》：「精物者，《易》所謂精氣為物也。主謂精氣結成之物。鬼部曰：『魖，老精物也』，或作物精，非是。精氣為物，謂精靈之聚者。游魂為變，謂飄揪者，皆鬼神之情狀也。《國語》：『木石之怪曰夔、蝄蜽，水之怪曰龍、罔象。』韋《注》：『蝄蜽，山精。好斅人聲而迷惑人也。』杜注《左氏》罔兩曰水神，蓋因上文螭訓山神，故訓罔兩為水神。猶韋因《國語》水怪為龍、罔象。故謂蝄蜽為山精也。許兼言山川為長矣。又賈注《國語》曰，罔兩、罔象、言有夔龍之形而無實體。許云精物，殆亦與賈說異。」（虫部，頁679）	山精，好斅人聲而迷惑人也。」張衡〈南都賦〉：「追水豹兮鞭蝄蜽。」註：「蝄蜽，山川之精物也。」 ○《韻會》：「蝄蜽，《周禮》作方良，《史記‧孔子世家》作罔閬，《左傳》作罔兩。」《六書正譌》：「別作魍魎。」（申集中，虫部，頁1010）
25	髫		《唐韻》徒聊切。《集韻》、《韻會》、《正韻》田聊切，並音迢。《說文》：「小兒垂結也。」《玉篇》：「小兒髮。」《後漢‧伏湛傳》：「髫髮厲志。」註：「《埤蒼》曰：『髫，髦也。髫髮，謂童子垂髮也。』」《干祿字書》：「俗作齠。」（亥集上，髟部，頁1381）

從上表可知，一方面，《說文》所收錄關涉到「小兒」義項的字例很少，9,353 字中不過 24 字而已，比例微乎其微，僅占全書的 0.26%，從數量上約略透顯出漢人漠視人生初始的小兒階段。另一方面，若從內容來考察，24 字分布在《說文》的「方以類聚，物以群分，同條牽屬，共理相貫」中，口部字 9，其他走、言、革、目、瘝、广、曰、臥、衣、儿、包、鬼、糸、虫部各 1 字。走部「趑」為明示「讀若小孩咳」的音讀，「魖」與「蜽」則涉及虛想的鬼神世界，可以不論外，在漢人現實的文字視界中，有關「小兒」及「兒」的字例所關注的層面大抵有三：

其一為占比例最高的口部字，集中體現在小兒的口腔文化上，從上表序號 1-7 各字，詳細區分從朝鮮、秦晉、宋齊到楚的小兒嗁泣哭聲，以及「啻」字「一曰小兒號啻啻」的解釋，顯見這是小兒最令人關注，也是最惱人、擄獲人們疼惜的強度最高特徵，具有其普遍性。

其二則圍繞在身體特徵與認知上，如小兒的生裹胞衣、小兒的頭囟未合、有關聞知、笑、未能正言、白眼視、嬾鬢和如小兒的癭瘲疾病上，其焦點未集中，視界則是擴散的。

其三則在與小兒有關的服具上，如小兒書寫用的「笘」、用作頭衣的帽子、背負小兒的襁和緥，關注是放在撫育和教養上，字例也很少，各 1 例。

由此可見漢人的文字視界中，描述概括小兒與兒的書寫層面擴散在食、衣、疾病及教育上，但最有共識的則在生理感官層面上，尤其是小兒的嗁哭聲，地域分布廣，造字特別多，具有其特殊性。

但《說文》本係形書，主要是解釋文字本形本義本音之作，書中大抵一音一義即可；而一千六百年後的《康熙字典》性質目的卻有所不同，除了作為「萬物百事之統紀」，「承學稽古者得以備知文字之源流」外，對歷代字書，凡「一音一義之可採者，靡有遺逸。至諸書引證未備者，則自經史百子，以及漢晉唐宋元明以來詩人文士所述，莫不旁羅博證，使有依據」。所以，其

收字要求豐贍完備，急速成長四至五倍之多，《說文》所無如表中序號 25 所收《說文新附》的「髻」字都在囊括之列。另外，《康熙字典》在編排形式上也有大幅度的改變調整歸併，如上表 20 字的歸部雖與《說文》同，然如窟不入寢部而入宀部，冃不入冃部而入冂部，饕不入臥部而入食部，胞不入包部而入肉部，此四部則與《說文》有殊，部首相對簡省，以求檢索方便。當然，關於《康熙字典》與《說文》間部首的淵源轉變，時賢論述已多，毋庸贅述[10]。其實，上表中《康熙字典》採集了諸如《玉篇》、《釋文》、《唐韻》、《廣韻》、《集韻》、《韻會》、《正韻》等字書韻書，這本是文學之士審音辨韻，為文賦詩所擅長的；但就分析字形結構而言，則為所短，諸例中並不多見。至於將《康熙字典》字音字義的分化演變，條分縷析，舉證歷歷，此從現代版《康熙字典》、《康熙字典通解》[11]諸類書所呈現的，可看得更加分明。

本來，「以音統義」是《康熙字典》駕馭綱紀繁多的音義的排列原則，亦即書前〈凡例〉中敘及的編纂體例：

> 字兼數音，先詳考《唐韻》、《廣韻》、《集韻》、《韻會》、《正韻》之正音作某某讀；次列轉音，如正音是平聲，則上去入以次挨列。正音是上聲，則平去入以次挨列。再次列以叶音，則一字數音，庶無掛漏。字有正音，先載正義，再於音之下，詳引經史數條，以為證據，其或音同義異，則於每音之下分列訓義。其或音異義同，則於訓義之後，又云某韻書作某切，義同。庶幾引據確切，展卷瞭然。[12]

在釋義方面，《康熙字典》建構的本義基本上是循《說文》而來，只有

---

[10] 關於《說文》540 部首歸併到《康熙字典》214 部首，有「重形之部歸併於單一形體之部首」、「因形體近似而合併為一」、「義類相關之部合併」、「以共同偏旁來歸併」、「割裂字形，以相同筆畫（部件）來歸併」五類，詳見蔡信發：《兩岸字典部首、字序之比較研究》（臺北：國科會專題成果報告，1994 年），頁 25-71；又李淑萍：〈《康熙字典》部首觀念之傳承與修正〉，《康熙字典》研究論叢，頁 89-165。

[11] 〔清〕張玉書原撰、馮濤主編：《現代版《康熙字典》》（北京：九洲圖書出版社，1998 年 11 月）；張力偉等：《康熙字典通解》（長春：時代文藝出版社，1997 年 8 月）。

[12] 〔清〕張玉書、陳廷敬等撰：〈康熙字典凡例〉，《康熙字典》，頁 2。

在《說文》無字，釋義不顯豁或今世不用時，則另取他書為說，或襲用《字彙》、《正字通》條目而不引。李淑萍曾談及《康熙字典》解義時引用《說文》概況，分「採《說文》之義為首要義項」、「採《說文》之義為其次義項」及「不採《說文》之義」三種[13]，如果把釋義的焦點擺放在《康熙字典》引用《說文》攸關小兒諸字上考察，可觀察到諸字根據一如凡例所說，將音義的分化演變軌跡呈現得條理井然，淋漓盡致，總結大成。但我們也注意到，「喧」字舉《方言》：「喧，痛也；凡哀泣而不止曰喧。燕之外鄙、朝鮮冽水之閒小兒泣而不止曰喧。」而不用《說文》；「襁」字舉《玉篇》：「襁褓，負兒衣也。」也不用《說文》。或是半舉《說文》半舉《廣韻》、《玉篇》，如「寱」字既引《說文》：「臥驚也。」又引《廣韻》：「覺也。」《玉篇》：「小兒啼寱寱也。一曰河內相呼也。」或是前引《玉篇》後引《說文》，如「鬻」字先引《玉篇》：「炙餅餌也。」再引《說文》：「楚謂小兒懶曰鬻。」即是。甚至刪削了《說文》的文本，窄化詞義，如彐字刪「蠻夷」二字即是，有逸出李氏所概括的情況。

尤可注意的是，《康熙字典》在引用《說文》後作詞義的孳乳假借舉證發揮之餘，其實對小兒視界的推衍擴充，認知深化，闡明情感，普施教化的各個層面，進展不多，從中是否也可略推從漢到清初，「小兒」其實是被忽視的弱勢群體，中國人在這個部分著力其實不多也不深，文字的世界正透露出如斯的訊息。

三 結語

在一胎化及少子化的今日，試著回過頭去檢驗字書之始東漢許慎撰寫的《說文》，圍繞在「小兒」議題的文字其實數量很少，僅 24 字，占 0.26

---

[13] 李淑萍：《《康熙字典》研究論叢》，頁 175-183。

％；而內容也集中體現在感官反應及身體特徵的認知上，尤其關注小兒的嗁泣聲更甚於其他，至於情感細緻的區處描述，德智體群各方面的教養陶鑄，以及各種小兒疾病的診治，則付諸闕如。可見在漢人的文字視界中，概括小兒的文字書寫層面是擴散在食、衣、疾病及教育上，但最有共識的則在感官反應上，尤其是小兒的嗁哭聲，地域分布廣，造字特別多，具有其特殊性。而《康熙字典》在此部分能蒐羅補苴的好似也不多，推測除了時代背景因素，人們關注的核心不在小兒，以至於千年命脈臍帶相牽的字書字典也僅能反映出如斯的現實，然透過字書字典試圖回溯本身或許是有罅隙的，但反過來說，這不也折射出小兒天真單純沒有複雜曲婉深致的一面。

原文發表於「海峽兩岸《康熙字典》學術研討會」，山西晉城：中國訓詁學研究會、中國文字學會、葉聖陶研究會、晉城市政府、陽城縣政府主辦，2007 年 5 月 25-27 日，收入北京師範大學辭書研究與編纂中心、山西皇城相府集團中華字典博物館編：《中華字典研究》第一輯，北京：中國社會科學出版社，2009 年 1 月，頁 207-217。（邱郁茹繕打／邱郁茹、龐壯城校對）

論《汗簡》、《古文四聲韻》引
李商隱《字略》書名異稱溯因

一　前言

　　《全唐詩》曾收錄盛唐時期杜甫在〈李潮八分小篆歌〉中，歷數文字從創造到隸書的形體變遷說：「蒼頡鳥迹既茫昧，字體變化如浮雲。陳倉石鼓又已訛，大小二篆生八分。秦有李斯漢蔡邕，中間作者寂不聞。」[1]用詩歌凝鍊的體類，為配合格律字數押韻上的選擇和限制，來敘述文字形體的演變當然不能涵蓋周全，但杜甫已觀察到字體的變化確如浮雲，形游無定著，由石鼓文、大篆、小篆逕接八分隸書，跳過蝌蚪文（即古文），表露出當世詩人的字體發展史觀。

　　中唐章應物的〈石鼓歌〉也曾歌詠石碣說：「忽開滿卷不可識，驚潛動蟄走云云」，無奈地承認自己對石鼓文的認知是「滿卷不可識」，存在文字認知上的障礙，並進一步與秦刻石比觀說：「秦家祖龍還刻石，碣石之罘李斯跡。世人好古猶共傳，持來比此殊懸隔。」[2]他則觀察到石鼓文與秦刻石的分殊差異，彼此「懸隔」，但也不提蝌蚪文（古文）；反觀同是中唐的韓愈，雖然承認自己在文字專業的學養不足，〈石鼓歌〉詩中慨嘆石鼓文的「辭嚴義密讀難曉，字體不類隸與蝌。」[3]個中卻已拈出蝌蚪古文，指出石鼓文字

1　〔清〕曹寅、彭定求等：《御定全唐詩》（北京：商務印書館，2005 年 1 月），《文津閣四庫全書》，第四百七十五冊，卷二百二十二，頁 710。

2　〔清〕曹寅、彭定求等：《御定全唐詩》，《文津閣四庫全書》，第四百七十五冊，卷一百九十四，頁 625。

3　〔清〕曹寅、彭定求等：《御定全唐詩》，《文津閣四庫全書》，第四百七十六冊，卷三百四十，頁 218。唯蘇軾在〈鳳翔八觀〉詩序中言及：「自傷不見古人，而欲觀其遺跡」的寫作動機，其中八觀涉及到鳳翔的八處名勝古蹟，有名的〈石鼓文〉與〈詛楚文〉都側躋其列。〈石鼓歌〉中蘇軾也表明自己在文字識讀上的困難度，比諸韓愈有過之而無不及，詩首云：「冬十二月歲辛丑，我初從政見魯叟。舊聞石鼓今見之，文字鬱律蛟蛇走。細觀初以指畫肚，欲讀嗟如箝在口。韓公好古生已遲，我今況又百年後。強尋偏旁推點畫，時得一二

體與隸書、蝌蚪文彼此之間的殊異，間接透露出韓愈對三種字體其實是有所掌握的[4]。

那麼，當文學史概括各朝代獨領風騷的文體時，經常冠上秦文、漢賦、唐詩、宋詞、元曲……的名義，獨占鰲頭式的亮度卻不免抹滅或排擠到文學家的其它可能，尤其是跨專業領域的。回顧秦、漢時代，文學家與文字學家的分野不是那麼清楚，舉如李斯與小篆、司馬相如與《凡將篇》、揚雄與《方言》的關係，兩者兼長，互相涵攝。如果想追溯唐代詩人對負載為文能量的文字本身形體流變有何認知？前面所引的只是吉光片羽，一鱗半爪，根據現存的資料是很難窺其全豹的，而詩人與字書作跨域聯結，且有助於考察與勾勒的，則是存留在宋或清人「上窮碧落下黃泉」的輯佚或字書中，如晚唐詩人李商隱（813-858）[5]的《字略》，即有宋人著錄和清人輯佚。但《字略》一書的作者與書名卻存在著錄不一的現象，在宋代字書《汗簡》與《古文四聲韻》的徵引中已有出入，何者為是？如何解讀個中存在的差異，即是本文切入的重點。

二　李商隱《字略》作者書名異稱現象

按《舊唐書》、《新唐書》都載有李尚隱與李商隱的傳記[6]，但兩書兩傳

遺八九。我車既攻馬亦同，其魚維鱮貫之柳。」見〔北宋〕蘇軾：《東坡全集》，《文津閣四庫全書》（北京：商務印書館，2005 年 1 月），第三百七十冊，卷一，頁 19。

[4] 〔北宋〕夏竦：《古文四聲韻》（臺北：學海出版社，1978 年 5 月），頁 2-3〈序〉云：「唐正元中，李陽冰子開封令服之，有家傳《古孝經》及漢衛宏官書兩部，合一卷，授之韓愈。愈識歸公，歸公好古能解之，因遺歸公。」顯見韓愈也曾習「古文」。

[5] 此據何林天：〈李商隱生平探討〉，《山西師大學報（社會科學版）》，1982 年第 2 期，頁34-38。

[6] 〔後晉〕劉昫等：〈文苑下・李商隱傳〉，《舊唐書》（臺北：臺灣商務印書館，1981 年 1月），卷一百四十下，頁 1463；〈良吏下・李尚隱傳〉，《舊唐書》，卷一百二十五下，頁 1389。〔北宋〕歐陽脩、宋祁等：〈李尚隱傳〉，《新唐書》（臺北：臺灣商務印書館，1988 年 1 月），卷一百三十，頁 1136；〈文藝列傳下・李商隱傳〉，《新唐書》，卷二百零三，頁 1499。下引二書出此，不再注出。

中都未提及《字略》一書，尤其《舊唐書·經籍志》著錄小學一百五部凡七百九十七卷，與《新唐書·藝文志》中「小學類六十九家一百三部七百二十一卷」[7]，則連《字略》一書都未採入。直到北宋郭忠恕（930？-977）於宋太宗太平興國二年（977）著《汗簡》[8]，所徵引的七十一種古文資料中，赫然出現「李尚隱·《集略》」之目，唯書內或稱《字略》、或稱《集字》、或稱《字指》[9]，書名並未統一；其後夏竦（985-1051）於北宋仁宗慶曆四年（1044）撰成《古文四聲韻》五卷，所徵引的材料比諸《汗簡》多二十七種，存九十八目，其卷內徵引皆改作「李商隱《字略》」，別無殊名異稱，全書體例一致。至清人馬國翰（1794-1857）所輯的《玉函山房輯佚書》第三冊「經編·小學類」書目補中，雖收有「李氏《字略》，唐·李商隱。原闕。」諸語，撰人書名雖是承自夏氏說法，但實際索覓《字略》原書，則已蕩然無存，僅存其目而已，即李慈銘（1830-1895）《越縵堂讀書記》所說的「有錄無書」，如同治甲戌（1874）二月初七條云：「閱玉函山房所輯小學諸書，較任氏《小學鈎沈》為詳，而有錄無書者……李商隱《李氏字略》一卷，共八種。」又光緒乙亥（1875）十二月二十五日云：「寫《玉函山房輯佚書》書跋訖。其小學類依目錄尚缺《義雲章》及《李氏字略》」，光緒辛巳（1881）三月初七日又云：「閱玉函山房輯本小學諸書，其《開元文字書義》、《義雲章》、李商隱《李氏字略》三種，有錄無書，擬補輯之。」[10]可見李商隱《字略》在清

---

[7] 文懷沙主編、陝西震旦漢唐研究院編纂：《四部文明·隋唐文明卷》（西安：陝西人民出版社，2007年8月），《宋本舊唐書》，卷二十六，總頁535-536；《新唐書》，卷四十七，總頁382-383。

[8] 沈寶春：〈段、桂注證《說文解字》古文引《汗簡》、《古文四聲韻》的考察〉，「漢學研究之回顧與前瞻」國際學術研討會，臺北：國立臺灣師範大學國文學系，2006年4月8-9日，收入《漢學研究之回顧與前瞻國際學術研討會論文集（國立臺灣師範大學創校暨國文學系創系六十週年紀念）》，臺北：國立臺灣師範大學國文學系，2006年4月，頁218-219。

[9] 〔北宋〕郭忠恕撰、〔清〕鄭珍箋：《汗簡箋正》（臺北：廣文書局，1974年3月），頁22。

[10] 〔清〕李慈銘：《越縵堂讀書記》（臺北：世界書局，1975年7月），下冊，頁1140-1141。另中冊，頁543同治乙丑（1865）七月初四日「字學三書」條中云：「蓮士以《字學三書》為贈，三書者：宋郭忠恕《佩觿》、賈昌朝《群經音辨》、元李文仲《字鑑》也。張、唐、二徐以後，宋、元之世，推三君為精小學。然郭氏此書，已多沿訛測臆之談。……郭、李

末輯佚書中並未單行成卷，以故李慈銘頗「擬補輯之」，至於馬氏所輯為何，目前所知，也就不得其詳了。[11]

可是，《字略》係出自中唐名臣李尚隱（666-740）之手？抑或晚唐詩人李商隱的字學遺作？《汗簡》與《古文四聲韻》的記載是有出入的。清人鄭珍已指出：「《集略》，編中或稱《字略》，或稱《集字》，或稱《字指》。尚隱，《古文韻》作商隱。按：《唐書》尚隱、商隱皆有傳，不言箸是書。《宋史·藝文志》有李商隱《蜀爾雅》三卷。陳振孫《直齋書錄》云：『《館閣書目》按：李邠鄲云：「商隱采蜀語為之。」』郭氏所采，或即商隱此書中字。」[12] 亦即《字略》一書牽涉到書名、作者及著述緣由的三個問題，曹建國、張玖青曾撰〈李商隱《字略》真偽考辨〉一文[13]，對《字略》的作者問題及撰集緣由作過細密的考索分辨，並確立《字略》為晚唐名詩家李商隱的字學佚文，說法大抵真實可信[14]，毋庸贅述，唯個中尚存一二問題頗值得再細細追究，有待釐清。

首先，是鄭珍已指出的「《集略》，編中或稱《字略》，或稱《集字》，或

兩書俱有訛字，不及賈書之善。」說法也可參酌。
[11] 〔清〕馬國翰：《玉函山房輯佚書》（上海：上海古籍出版社，1990 年 12 月），第一冊，頁 17；又如〔清〕林尚葵：《廣金石韻府五卷附字略一卷》（臺南：莊嚴文化事業有限公司，1997 年 2 月影印中國科學院圖書館藏清康熙刻朱墨套印），《四庫全書存目叢書》，經部·小學類，第一百九十九冊，頁 630。「㪯古書傳」中存有「李商隱《字略》」目錄，唯頁 631-638「纂集《玉篇》偏傍形似釋疑文字」中欄有「字略」二字，但非能確指為李商隱《字略》一書，疑應如該篇題所示者。其書最末有云：「《廣金石韻府》五卷（浙江巡撫採進本），國朝林尚葵、李根同撰。尚葵，字朱臣，莆田人。根，字阿靈，晉江人。是書用朱、墨二色，校以四聲部次，朱書古文、籀、篆之字；墨書楷字碩之，亦各註其所出，乃因明朱時望《金石韻府》而作，故名曰『廣』。然所指諸書，今已什九不著錄，尚葵等何自得觀？今核所列之目，實即夏竦《四聲韻》而稍摭薛尚功之書以附益之。觀其備陳羣籍，而獨遺疎書之名，則諱所自來，故滅其迹可知也。」由此可見清時李商隱《字略》也屬「各註其所出」的「諸書」中，「今已什九不著錄，尚葵等何自得觀？」的那種，亦襲自夏氏書而未註明者。
[12] 〔北宋〕郭忠恕撰、〔清〕鄭珍箋：《汗簡箋正》，頁 22-23。
[13] 曹建國、張玖青：〈李商隱《字略》真偽考辨〉，《文學遺產》，2004 年第 3 期，頁 54-60。
[14] 王丹：〈《汗簡》、《古文四聲韻》研究綜述〉，復旦大學出土文獻與古文字研究中心：http://www.gwz.fudan.edu.cn/Web/Show/767，發布日期：2009 年 4 月 25 日（瀏覽日期：2019 年 1 月 25 日）。

稱《字指》」的問題，亦即《汗簡》為何引用《字略》一書時，稱名並不一致，出現用詞參差不嚴謹的問題。若歸納《汗簡》六卷古文中，其出處作「李尚隱《字畧（略）》」者，有卷一「珉」、「蕨」，卷三「厥」、「旗」、「杳」，卷四「虔」，卷五「漁」、「盜」，卷六「蛾」、「鶿」、「辯」、「牘」凡12字，卷二無收字；而作「李尚隱《集字》」者，有卷一「延」、「駛」，卷二「鷫」、「葟」，卷三「卿」，卷四「髯」、「耀」，卷六「鍛」、「馗」凡9字，卷五無收字；其作「李尚隱《字指》」者，有卷二「絹」僅1字；而作「李尚隱《集略》」者，有卷三「曆」字，也僅1字；僅作「《字畧》」者，有卷一「舉」，卷二「軔」、「族」，卷三「腥」、「宜」、「魏」凡6字，可見《字略》僅出現在前三卷；有作「《字指》」者，如卷三「𤬅」，卷四「惇」，卷五「肇」等凡3字。其中，僅作「《字畧》」的「舉」、「軔」、「族」、「腥」、「魏」5字《古文四聲韻》言出自「李商隱《字略》」可證，「宜」字《古文四聲韻》則言出自《字略》並無「李商隱」諸語；而《汗簡》出自「《字指》」的「𤬅」、「惇」、「肇」3字，則《古文四聲韻》皆不收，總數28字[15]。以此觀之，若檢驗鄭珍的說法，可知《汗簡》諸稱名例中，以「李尚隱《字畧（略）》」最多12字，其次為「李尚隱《集字》」9字，再次為僅作「《字畧》」者6（實為5）字，而作「李尚隱《字指》」及「李尚隱《集略》」者皆僅1字，但不宜僅作「《字指》」。假若書名以字數多寡來命名，則「李尚隱《字畧（略）》」是當仁不讓的；又設若以卷次排序先後命名，依然是「李尚隱《字畧（略）》」取得優先權的，那麼，鄭珍書首所用「郭忠恕脩《汗簡》所得凡七十一家事蹟」中作「李尚隱《集略》」乃出自卷三「曆」1字而已，就不知有何深義和根據而取得冠首之名？至若從各卷書名錯落不一的情況試加以推想，如卷一有《字略》、《集字》二稱；卷二有《字略》、《集字》、《字指》三稱；卷三有

---

[15] 按曹建國、張玖青〈李商隱《字略》真偽考辨〉，頁60言：「郭忠恕《汗簡》明言引李尚隱《字略》（在《汗簡》中，郭忠恕稱李尚隱《字略》，又稱李尚隱《集字》，李尚隱《字指》，頗不統一）的僅二十四字，遠遠少於《古文四聲韻》。」但實際上應有28字。

《字略》、《集字》、《集略》三稱；卷四、卷六與卷一稱名同，卷五僅《字略》一稱，顯見郭氏所據材料零散不一，來源不同，稱名互異，隨手拈取，各卷前後不能照應，即《汗簡》卷第一所謂「諮詢鴻碩，假借字書，時或採掇，俄成卷軸」的類型，間接折射出是書未定的面貌；以故後來夏竦撰《古文四聲韻》時，要全書統稱為「李商隱《字略》」，別無殊名異稱，免生混淆了。

三　李商隱《字略》撰述時間與書名異稱溯因

按曹建國、張玖青雖在〈李商隱《字略》真偽考辨〉一文[16]中確立了《字略》為李商隱所作[17]，但李氏撰集《字略》於何時？緣何撰集？後人稱引書名為何會出現差異？文中卻沒有進一步的說明，今在有限的資料中，試作釐清，以窺端倪。

其實以李氏二人的政治聲望與道德名聲推估，或許北宋時人對李尚隱（666-740）的推崇和接受度要比李商隱略勝一籌，因為李尚隱是中唐有威名的大臣，此從兩唐書的傳記也可略窺一斑，辨其高下。《舊唐書》卷一百八十五下將李尚隱歸入「良吏」傳中，並言其：「性率剛直，言無所隱，處事明斷。其御下，豁如也。又詳練故事，近年制敕，皆暗記之，所在稱為良吏。」又說：「尚隱三為憲官，輒去朝廷之所惡者，時議甚以此稱之。」[18]從

---

[16] 曹建國、張玖青：〈李商隱《字略》真偽考辨〉，《文學遺產》，2004年第3期，頁54-60。

[17] 〔清〕汪啟淑認為「李尚隱作商隱」係屬《古文四聲韻》的「傳寫之異」，見〔北宋〕夏竦：《古文四聲韻》，頁354；另參馬瑞、張燕：〈李商隱撰並書〈王翊元夫婦墓誌〉研究中的幾個問題〉，《人文雜志》，2016年第6期，頁72，曾舉墓誌中「卒」、「殺」、「歸」異體推斷「李氏在字形上之精妙」，而說：「李商隱嘗作《字略》一書，原書早佚，而部分散見於《汗簡》和《古文四聲韻》。而墓誌所見，亦有部分來自古文。有此根基，李氏何以能大量採用古字、俗字，也就容易理解了。」相關討論可參鍾明善：〈從〈王翊元夫婦墓誌銘〉看李商隱的詩文與書法〉，《西安交通大學學報（社會科學版）》，2011年第4期，頁70-74；劉儒：〈唐代墓誌撰人、書人、題額者及相關問題考探〉，《文博》，2013年第1期，頁66-71＋35；張玖青：〈試論新出李商隱撰書〈太原王公墓誌銘〉〉，《武漢大學學報（人文科學版）》，2013年第4期，頁97-102。

[18] 〔後晉〕劉昫等：〈良吏下·李尚隱〉，《舊唐書》，卷一百八十五下，頁4822-4823。

政治層面的良窳優劣，形塑出時人口耳傳頌的「諍諍良臣」典範，並博得「良吏」的美名，「時議甚以此稱之」；反觀晚唐詩人李商隱的一生，則懷才不遇，陸沉下僚，雖自言：「余也五郡知名，三河負氣。」（《樊南文集補編‧道興觀碑銘》）或如崔珏當時有〈哭李商隱〉詩云：「詞林枝葉三春盡，學海波瀾一夜乾」、「虛負凌雲萬丈才，一生襟抱未曾開」[19]，可見他兼跨詞林、學海的重要地位與崇高評價，可惜是「虛負」的未開襟抱；另在裴廷裕〈東觀奏記〉中談溫庭筠兼及李商隱也說：「庭筠字飛卿，彥博之裔孫也。詞賦詩篇，冠絕一時，與李商隱齊名，時號溫、李。」[20]可知李商隱在當世文壇上已負有盛名。以至宋‧贊寧《高僧傳‧智玄傳》也說：「李商隱者，一代文宗，時無倫輩。」[21]推估這文壇盛名從晚唐至宋代依然喧騰不輟，如北宋初年風行的西崑體，就是以李商隱的詩為上乘的。可是，《舊唐書》卻評其「無持操，恃才詭激，為當塗者所薄，名宦不進，坎壈終身」[22]，可見從政治仕宦與道德操持上言之，時人甚或宋人對李商隱是存有一種惋慨與鄙薄兼揉而成的矛盾心態。當然，若考慮史傳本身就是一種選擇性的再現，由誰寫歷史？為什麼目的寫歷史？敘寫者的歷史觀點都會牽動到載記的內容，尤其是在正史的史評中。也就是說，兩人在當時是各擅勝場，但可能李尚隱的正面形象要比李商隱略勝一籌，甚至地位名望是高出許多的，那麼，將李「商」隱誤成李「尚」隱，除了是形近而誤的可能性外，最有可能是正面形象加值的結果，更何況唐代文學家給人的印象，似乎與文字學家是難以兼攝，不生瓜葛的，如前引杜甫、韋應物、韓愈詩所自道或承認的。

但注意觀察最早收錄李商（尚）隱《字略》的郭忠恕傳記，《宋史》本

---

[19] 〔唐〕崔珏：〈哭李商隱〉，〔清〕曹寅、彭定求等：《御定全唐詩》，《文津閣四庫全書》，第四百七十六冊，卷五百九十一，頁 922。

[20] 〔唐〕裴廷裕：〈東觀奏記〉，《筆記小說大觀》（揚州：廣陵書社，2007 年 12 月），頁 161。

[21] 〔北宋〕贊寧：《宋高僧傳》（臺北：文津出版社，1991 年 8 月），頁 132。

[22] 〔後晉〕劉昫等：〈文苑下‧李商隱〉，《舊唐書》，卷一百九十下，頁 667。

傳中倒有一段頗值得推敲，傳說他從小就「工篆籀」，到「周廣順中，召為宗正丞兼國子書學博士，改周易博士。……（宋）太宗即位，聞其名，召赴闕，授國子監主簿，賜襲衣、銀帶、錢五萬，館於太學，令刊定歷代字書。」[23]也即是《汗簡》卷第一記載的「臣頃以小學涖官，校勘正經文字，緣是諮詢鴻碩，假借字書，時或採掇，俄成卷軸」，亦即郭氏在宋太宗即位之初，是「以小學涖官」的，負責的職務是「校勘正經文字」，方法是「諮詢鴻碩，假借字書」，採集的方式是「時」、「或」，推想可能是時斷時續，比較缺乏系統。那麼，《汗簡》書中徵引有關李商隱《字略》的相關資料，理應是他在擔任「國子監主簿」時期，有機會接觸珍藏在「太學」裡的「歷代字書」，李商隱《字略》即其中之一，是他在對校時所需摹挲勘正的材料，可見郭氏能蒐羅李氏《字略》，乃職責本分所在，有其參酌的環境條件與校勘的諸多依據，唯不知是他「時斷時續」才造成書名的參差？抑或是《字略》本身材料零散，不成卷帙，以致瞻前忘後，造成徵引書名的迭有出入？

反觀夏竦撰《古文四聲韻》並非出於職務所需，而是興趣使然，《宋史》記載他學問廣博，天資明敏，云：「（竦）資性明敏好學，自經史百家、陰陽律曆外，至佛老之書，無不通曉」，尤其對古文字存有一份學習熱情，所謂「竦以文學起家，有名一時，朝廷大典策屢以屬之。多識古文，學奇字，至夜以指畫膚」的情狀[24]。夏氏以個人稟性喜好的因素，為「識學」之資，廣蒐博求古文奇字的資料，並於慶曆四年（1044）上書仁宗皇帝說明編纂《古文四聲韻》的緣由：

　　聖宋有天下，四海會同。太學博士周之宗正丞郭忠恕首編《汗簡》，

---

[23] 〔元〕脫脫：《宋史》（臺北：臺灣商務印書館，1988 年 1 月），總頁 5303。

[24] 〔元〕脫脫：《宋史》，總頁 3578、3581。又根據林進忠：〈當代書法發展的面向風尚〉所言，此與「地上學書」、「以荻畫灰」、「被中畫腹」、「倚井欄為書」、「寫後沖洗再寫」等相類，確是書法文化中有意義的書寫行為過程。《中國藝術報》，2011 年 7 月 18 日，http://www.cflac.org.cn。

究古文之根本。文館學士句中正刻《孝經》，字體精博。西臺李建中總貫此學，頗為該洽。翰林少府監丞王維恭寫讀古文，筆力尤善。殆今好事者傳識古文，科斗字也。臣逮事先聖，久備史官，祥符中，郡國所上古器多有科斗文，深懼顧問不通，以忝厥職，緣是師資先達，博訪遺逸，斷碑蠹簡，搜求殆徧，積年踰紀，篆籀方該，自嗟其勞，慮有散墜，遂集前後所獲古體文字，準唐《切韻》分為四聲，庶令後學易於討閱，仍條其所出，傳信于世。[25]

當然，文中也必須誠惶誠恐地表明他「深懼顧問不通，以忝厥職」的款款忠貞心跡，故先作職務所需的準備，全面而認真的搜集古文資料，尤其要注意他特地標榜出所有資料都「條其所出」外，並要求能「傳信于世」，可見其態度是謹嚴的，要求是「信」實的，非散漫輕忽可擬。那麼，方諸郭氏「時」、「或」的隨機性所主張的《字略》是李尚隱的說法，可能夏氏所標舉的《字略》作者是李商隱的說法是較牢靠且具說服力的。

可是，李商隱《字略》成於何時？是如鄭珍所主張的從《蜀爾雅》書中擷取而來[26]的嗎？曹建國、張玖青繼承此說[27]，但並未明言其撰成的時間點。反之，亦有質疑《字略》係出自《蜀爾雅》者，如黃錫全在《汗簡注釋》中言《汗簡》收錄李商隱《字略》計約四十三文，其中有的字形不僅有據，而且來源甚古，並舉「旗」、「盜」字形同古璽、「族」則類似〈石鼓文〉、「鏃」同曾侯乙墓竹簡，「因此，這些字不一定是出自《蜀爾雅》，很可能是尚（商）隱另有集古文奇字之專書名曰《集字》，或稱《集畧》、《字畧》或《字指》，

---

[25] 〔宋〕夏竦：《古文四聲韻》，〈序〉，頁 4-6。

[26] 〔北宋〕郭忠恕撰、〔清〕鄭珍箋：《汗簡箋正》，頁 22-23 云：「《集略》，編中或稱《字略》，或稱《集字》，或稱《字指》。尚隱，《古文韻》作商隱。【按】《唐書》尚隱、商隱皆有傳，不言箸是書。《宋史‧藝文志》有李商隱《蜀爾雅》三卷，陳振孫《直齋書錄》云：《館閣書目》按：李邯鄲云：『商隱采蜀語為之。』郭氏所采，或即商隱此書中字。」

[27] 按曹建國、張玖青〈李商隱《字略》真偽考辨〉一文中云：「清人鄭珍作《汗簡箋正》，在論及《字略》的作者時，他認為是李商隱，並推測《字略》收字是採自李商隱的另一種文字學著作《蜀爾雅》。」

郭氏據之采錄。」[28]也即是說，李商隱《字略》是另有來源，並非《蜀爾雅》一書可以包孕的。

回過頭看看曹建國、張玖青的論證說：「唐人重視文字勘正工作及字樣之書的興起……初唐著名文字訓詁大家顏師古考定《五經》文字，撰成《五經定本》頒行於世，作為經學定本的依據。顏氏在校勘《五經》的同時，將異體文字錄出，撰成《字樣》一書。其書今佚，據《舊唐書·顏師古傳》，知顏氏所做的工作是『專典刊正所有奇書難字。眾所共惑者，隨宜剖析，曲盡其源。』又據顏元孫〈干祿字書序〉云：『元孫伯祖故秘書監，貞觀中刊正經籍，因錄字體數紙，以示讎校楷書。當代共傳，號為顏氏《字樣》。』」又云：「唐代傳抄古文的興起與古文集字書的大量出現。字隨世變，這是文字的時代性……舊字體依然會以一種非主流的形式出現於人們的生活中。古文字即是如此。作為一種字體，古文是漢代人對小篆以前字體的籠統稱呼，其主體為戰國時的六國文字……唐天寶三年，唐玄宗就曾詔集賢殿學士衛包改定古文《尚書》為今文……《字略》收字則以古文為主，其出現固然有著深刻的社會原因，但也有一種介入雅好的因素在內，同時也是個人學識的標誌。此外，與《干祿字書》等相比，《字略》等集字書大概不會有什麼體系上的要求，如《干祿字書》以正、通、俗三體分類收字，具有一定的體例；而《字略》等書大概是隨手抄錄，遇則抄之，並非刻意為之。」[29]這分析是相當精準的，但個中尚可進一步追溯、確認、闡發的。

顏元孫撰成《干祿字書》緣於〈序〉中指出的「元孫伯祖故秘書監，貞觀中刊正經籍，因錄字體數紙，以示讎校楷書」，李商隱《字略》的撰集過程應與此類似。以此推想，李商隱《字略》的成書，也應該是在擔任「秘書省校書郎」、「秘書省正字」及「太學博士」的職務下，才可能具足這樣的環境條件。因為唐代「秘書省」屬文化事務管理機構，掌理經籍圖書，兼修國

---

[28] 黃錫全：《汗簡注釋》（武漢：武漢大學出版社，1993 年 12 月），頁 46-47。
[29] 曹建國、張玖青：〈李商隱《字略》真偽考辨〉，《文學遺產》，2004 年第 3 期，頁 54-60。

史。而「秘書省校書郎」和「秘書省正字」正是負責「讎校典籍，刊正文章」的工作，李商隱在唐開成二年（837）中進士，開成四年（839）經吏部試判任秘書省校書郎，正九品上階，「官階雖不高，但唐人重清要，秘書省校書郎是一個清要的美職」[30]。不久，他被調為弘農尉。開成五年（840）辭去弘農尉，移家關中，過著閒居的生活。唐武宗會昌二年（842），以書判拔萃授秘書省正字，正九品下階。[31]會昌六年（846），李商隱當時正任職秘書省正字，一年後辭秘書省正字，於唐宣宗大中元年（847）三月七日離京赴桂，「開始他一生三度的使府沉淪」[32]。大中五年（851）「回到長安，任國子監博士，講授經學」。[33]這仕宦的經歷從他的詩也可管窺一斑，如有名的〈無題〉詩云：「昨夜星辰昨夜風，畫樓西畔桂堂東。身無彩鳳雙飛翼，心有靈犀一點通。隔座送鉤春酒暖，分曹射覆蠟燈紅。嗟余聽鼓應官去，走馬蘭臺類斷（轉）蓬。」注引杜佑《通典》云：「御史大夫所居之署謂之憲臺，後漢以來亦謂之蘭臺寺。按：義山釋褐秘書省校書郎，王茂元辟為掌書記，得侍御史，故用此蘭臺事。」[34]或是〈代秘書贈弘文館諸校書〉云：「清切曹司近玉除，比來秋興復何如？崇文館裏丹霜後，無限紅梨憶校書。」[35]詩中透露出他在擔任秘書省為「圖籍秘書」作校勘的工作時，操持的是一種「聽鼓

---

[30] 〔北宋〕王禹偁：《小畜集》（臺北：臺灣商務印書館，1986年7月），《文淵閣四庫全書》，卷二十，頁196〈商於驛記後序〉載：「會昌中，刺史呂公領是郡，新是驛。請翰林學士承旨、戶部侍郎韋琮文其記，太子賓客柳公權書其石，秘書郎李商隱篆其額，皆一時之名士也。」可見李商隱為「秘書郎」能篆書，唯「會昌」二至六年，李商隱應是擔任「秘書省正字」而非「秘書郎」，若非泛稱，則係誤舛。

[31] 以上所引見何林天：〈李商隱生平探討〉，《山西師大學報（社會科學版）》，1982年第2期，頁36。唯《李義山詩譜》以開成二年丁巳「擢進士第，釋褐秘書省校書郎」，有〈代祕書贈弘文館諸校書〉詩，見〔唐〕李商隱：《李義山詩集》（臺北：臺灣學生書局，1973年10月），頁36-37。

[32] 黃世中：〈李商隱論（上）〉，《溫州師範學院學報（哲學社會科學版）》，2001年第1期，頁24。

[33] 見何林天：〈李商隱生平探討〉，《山西師大學報（社會科學版）》，1982年第2期，頁37；唯李商隱《李義山詩集》頁43則入「大中六年壬申」條云：「補太學博士」。

[34] 〔唐〕李商隱：《李義山詩集》，頁188。

[35] 〔唐〕李商隱：《李義山詩集》，頁317。

應官」的無奈心態，是因風而吹不由自主的「轉蓬」命運，以這種仕宦「轉蓬」的心態情狀折射到《字略》一書的編纂時，我們才能理解何以郭忠恕引書稱名時，會出現李尚隱《集略》、《字略》、《集字》、《字指》一書數名的情況，因為那是李商隱在類「轉蓬」的任職秘書省校書郎、秘書省正字、太學博士時，不同時間下的不同產物，是處於時斷時續，「秘書偶錄，以備檢閱，非詳為著書也」的處境，有點類似校勘獺祭參考性質用的字書稿。也因前後任職時日短促，也不遑潛研細究周全纂集，加上係屬職務所需，志非囿於此，以故北宋初年郭忠恕撰《汗簡》時，看到的應是《字略》最初的原貌，是零散不統一、稱名各異的底本；而至夏竦後來撰《古文四聲韻》時，所根據的或許是已經整理過的歸納匯聚本，才會以李商隱《字略》統括之。這在曹建國、張玖青談〈李商隱《字略》真偽考辨〉文中，是曾提及李商隱撰《字略》除見於《古文四聲韻》外，「尚見於鄭樵《通志》。在《通志》中，鄭樵列舉的古文字書有衛宏《古文官書》、郭顯卿《古文奇字》、郭忠恕《古文雜字》、《汗簡》、崔希裕《纂古》、李商隱《古文略》、裴光遠《集綴古文》、張輯《集古文》、夏竦《古文四聲韻》等。從這種記載體例來看，鄭樵似乎見到過他所著錄古文字書的原書，而不像是僅從《汗簡》或《古文四聲韻》中摘抄幾種書名了事（如果是這樣，他應該將朱育《集字》等一併抄錄才算合理）。此外，明人焦循《焦氏經籍志》、楊慎《古字韻》《古音駢字》、閔齊伋《六書通》，清人畢弘述《修訂六書通》均提到李商隱《字略》，而非李尚隱《字略》。」[36]可見宋代之後所見的版本，除鄭樵《通志》所稱的李商隱《古文略》外，名稱已然統稱為李商隱《字略》，而且都屬於彙集諸本後的定於一尊本了。

---

[36] 曹建國、張玖青：〈李商隱《字略》真偽考辨〉，《文學遺產》，2004 年第 3 期，頁 54-60。

四　《汗簡》、《古文四聲韻》所收李商隱《字略》的異同

　　曹建國、張玖青曾比較過郭忠恕《汗簡》和夏竦《古文四聲韻》徵引李商隱《字略》的情形，並批駁清人全祖望在《鮚埼亭集》卷三十一〈古文篆韻題詞〉中所云《古文四聲韻》只是「取《汗簡》而分韻錄之，無他長也」、「絕無增減異同于《汗簡》」[37]的說法並不正確，舉「同引一本書，《汗簡》與《古文四聲韻》所引也不盡相同，或《汗簡》多，或《古文四聲韻》多，這說明《古文四聲韻》絕非照抄《汗簡》。《古文四聲韻》引李商隱《字略》的有四十九字，而郭忠恕《汗簡》明言引李尚隱《字略》（在《汗簡》中，郭忠恕稱李尚隱《字略》，又稱李尚隱《集字》，李尚隱《字指》，頗不統一）的僅二十四字，遠遠少於《古文四聲韻》。有些字，在《古文四聲韻》中明言出自《字略》，而在《汗簡》中，或出現，但不是被冠以李尚隱《字略》，或是根本就不見於《汗簡》，如『觸』、『膶』等。據此我們可以認定，夏竦並非僅僅依據《汗簡》而抄錄《字略》，他當是見到《字略》原書或另有依據，如此，則夏氏改易李尚隱為李商隱，自當有據。」[38]實際上，郭忠恕《汗簡》明言引李尚隱《字略》（如前言，《汗簡》中卷一有《字略》、《集字》二稱，卷二有《字略》、《集字》、《字指》三稱，卷三有《字略》、《集字》、《集略》三稱，卷四、卷六與卷一稱名同，卷五僅《字略》一稱）者，非僅「二十四字」，當如文末所附「《汗簡》、《古文四聲韻》引李商隱《字略》出處表」所示，則共二十八字。

　　至於「《古文四聲韻》引李商隱《字略》的有四十九字」的說法基本無

---

[37] 〔清〕全祖望：《鮚埼亭集》，《四部叢刊正編》（臺北：臺灣商務印書館，1979 年 11 月），卷三十一，頁 327〈古文篆韻題詞〉：「然予觀是書（春按：指夏竦《古文四聲韻》）所引遺編八十八家，以校郭氏《汗簡》未嘗多一種，其實即取《汗簡》而分韻錄之，無他長也。蓋《汗簡》之部居一本《說文》，而是書則本《廣韻》，乃絕無增減異同于《汗簡》，則是書雖不作可也。」實則夏書增補甚多，或許全氏所見版本與今本有異耶？

[38] 曹建國、張玖青：〈李商隱《字略》真偽考辨〉，《文學遺產》，2004 年第 3 期，頁 54-60。

誤，唯需說明澄清的是，根據文末所附「《汗簡》、《古文四聲韻》引李商隱《字略》出處表」顯示，字例序號 11 與 43「腥」字重複出現計入才算足四十九字。個中尚有《汗簡》作「《字略》」而《古文四聲韻》作「李商隱《字略》」者，如序號 4「舉」、8「軔」、9「族」、11「腥」、14「魏」字即是；或《汗簡》作「李尚隱《集字》」而《古文四聲韻》作「《字略》」者，如序號 6「鸝」字；有《汗簡》作「李尚隱《字略》」而《古文四聲韻》作「《籀韻》」者，如序號 22「盜」字；亦有《汗簡》作「林罕《字略》」而《古文四聲韻》作「李商隱《字略》」者，如序號 40「殿」字；而字表中序號 29 以下收「輝」、「蕎」、「徒」、「齊」、「顛」、「侈」、「辨」（春按：字形同序號 26「辯」）、「齊」（春按：字形與序號 32 不同複出）、「蕙」、「慎」、「巽」、「奓」、「芇」、「伏」、「觸」、「述」、「歇」、「跡」、「石」、「璧」、「躍」共 21 字，則獨見於《古文四聲韻》作「李商隱《字略》」而不見《汗簡》收錄。至於序號 46「日」字《古文四聲韻》僅作「《字略》」，而黃錫全《汗簡注釋》則視同「李商隱《字略》」[39]者，個中分歧，未能全然齊整者如是。

本來，「唐代科舉，無論是貢舉還是詮選，書法都被列為重要科目或作為任用的先決條件」，其中的「明書，簡稱書科，又名明字，考試的內容主要是文字學和雜體書法」[40]，而所謂的「文字學和雜體書法」，根據清人戈守智（1720-1786）在《漢谿書法通解》的說法：「唐則八法既廣，五體復煥。校字有官，習書有（弘文）館」，沈培方校證「五體復煥」時說「五體」指的是：「一曰古文，廢而不用；二曰大篆，惟《石經》載之；三曰小篆，印璽旛碣所用；四曰八分，《石經》碑碣所用；五曰隸書，典籍表奏，公私文疏所用。」[41]也就是說唐朝時「古文」已經「廢而不用」，當時能嫻習的士人

---

[39] 黃錫全：《汗簡注釋》，頁 405。又可參文末附表「《汗簡》、《古文四聲韻》引李商隱《字略》出處表」。

[40] 楊軍：〈論唐宋科舉制度對書法的影響〉，《美術觀察》，2006 年第 6 期，頁 116。

[41] 〔清〕戈守智編、沈培方校證：《漢谿書法通解校證》（臺北：木鐸出版社，1987 年 4 月），頁 10；鄭峰明：《褚遂良書學之研究》（臺北：文史哲出版社，1989 年 6 月），頁 36-58。

也很少，故戈守智又說：

> 開元文字，仍述《字統》，隸書之下，以篆為宗。大曆張參，更定「五
> 經」，聿開成中，《九經》以充，然皆淹沒古字，咸以隸從。蓋《石經》
> 自漢始校，至魏而重光，一整於隋，三更於李唐。開成以來，棄古字
> 於草芥，崇今隸以軒冕。至於經生不識篆籀之文，博士不知傳家之典，
> 吁！可怪也。[42]

所謂「開成以來，棄古字於草芥，崇今隸以軒冕」，可見唐文宗開成（836-
840）年間經生對待「古文」的漠忽學風；另據何琳儀《戰國文字通論》「《汗
簡》和《古文四聲韻》概說」中所論：「壁中書之類的古文經轉抄本，唐代
獨有存者。如李陽冰曾把《古文孝經》和《古文官書》合為一卷，前者即古
文經。又如唐天寶三年玄宗詔集賢學士衛包改定《古文尚書》為『今文』（《新
唐書・藝文志》）。其古文本藏於秘府，外界不復誦習。」[43]可見「古文」典
籍大抵「藏於秘府」，外人不易見得，更不用說接觸摹挲學習校勘的機會了。
然而，回顧李商隱的一生，他因擔任「秘書省校書郎」、「秘書省正字」及「太
學博士」的職務，才能擁有接觸秘府藏書的特殊管道，方便纂集古文材料；
相對而言，明經出身的李尚隱則循一般途徑，或屬「經生不識篆籀之文，博
士不知傳家之典」，他要想搜羅古文奇字，應有其未能或不便的局限。而檢
驗李商隱能在唐開成之後的會昌、大中年間，陸陸續續編纂《字略》相關諸
書，已屬鳳毛麟角的不同流俗之舉。雖然他是在「聽鼓應官」，勉為其難的
情態下編輯，所謂「知之者不如好之者，好之者不如樂之者」，而處在這種
應卯而非好樂自發的心態下，可能會限制住他在字學上的深度尋索與持續
發展，雖然李商隱的詩歌反射出「沉博決麗，陰柔淒絕」的藝術風格[44]，個

---

[42] 〔清〕戈守智編、沈培方校證：《漢谿書法通解校證》，頁10。
[43] 何琳儀：《戰國文字通論（訂補）》（南京：江蘇教育出版社，2003年1月），第二章第五
節「《汗簡》和《古文四聲韻》古文」，頁69引韓愈《韓昌黎集》卷十三〈蝌蚪書後記〉云：
「識開封令服之者，陽冰子，授余以其家蝌蚪《孝經》、漢衛宏《官書》，兩部合一卷。」
[44] 黃世中：〈李商隱論〉，《溫州師範學院學報（哲學社會科學版）》，2001年第1期，頁22。

中的「博絕」，換個角度，似也可從文字學養的通博廣肆，選取精絕來如擬形塑，即所謂「以才學為詩」的「學」的成分滋養。更進一步說，若以延展古文命脈的接續點上來評騭看待李商隱《字略》，其實是深具意義和價值的，但不容否認《字略》一書潛藏「收字多有訛誤」的問題，如黃錫全《汗簡注釋》已然指出的「珉」、「鸃」、「族」、「葷」、「旗」、「卿」、「膌」、「絹」……的或譌或誤，也就瑕不掩瑜，可以接受了。

五、結語

　　總而言之，雖然曹建國、張玖青在〈李商隱《字略》真偽考辨〉一文中，考據出《字略》作者應為晚唐詩人李商隱，至於《字略》一書何以在其後不久的宋人著錄古文字書，如《汗簡》與《古文四聲韻》內，卻出現書名不一致的異稱現象，文中則未曾論及。本文試圖透過《字略》成書的背景與緣由追溯，以便解讀造成此種現象的可能原因，進一步探討《字略》處在唐代古文字式微，在廢而不用的境況下，李商隱就職官所便從事古文字的蒐集彙聚，以古文的蒐集延續上應有其歷史意義與價值，唯就字學本身的闡釋與發皇上，可能因李氏處於「轉蓬」任職秘書省校書郎、秘書省正字、太學博士下，不同時境不同思考，斷斷續續因「秘書偶錄，以備檢閱，非詳為著書」的情況，以校勘獺祭參考性質的字書稿，因前後任職時間短，不遑潛研細究周全纂集，以故「收字多有訛誤」，再加上屬職務所需，志非囿於此，故能專精凝神肆力於闢拓古文字學的天地，也就有所局限。而推想宋代郭忠恕《汗簡》所根據的《字略》，或屬李商隱任職三階段不同時期的原稿本，故書名出現稱引不一的現象；至於夏竦《古文四聲韻》所見，則疑為後來已匯聚成一的版本，故全書援用稱呼一致，別無異名矣！

附表　《汗簡》、《古文四聲韻》引李商隱《字略》出處表[45]

序號	例字	《汗簡》	《古文四聲韻》	《古文四聲韻》出處	《汗簡箋正》與《汗簡注釋》說解
1.	珉			李商隱《字略》（頁64）	出李尚隱《字略》。更篆從古文民，當作，寫誤。（鄭頁56）珉並出李尚隱《字略》。鄭珍認為「更篆，從古文民，當作，寫誤」。〈妾蚉壺〉民作。〈三體石經〉古文作。夏韻真韻錄作。（黃頁73）
2.	蕨			李商隱《字略》（頁299）	出李尚隱《字略》。更篆從癥或體。（鄭頁67）蕨，李尚隱《字略》。鄭珍認為「更篆，從癥或體。」（黃頁84）
3.	延			李商隱《字略》（頁86）	出李尚隱《集字》。更篆仿〈嶧山碑〉作。（鄭頁105）鄭珍云：「，正之誤，魏孝昌二年元窟造像記有延字，從正從廴作延，是六朝俗字。」《說文》延、延二字音義同，而與延字義近音別。此形本是延字，注「延」當是因後來延、延、延三字混通之故。如〈延光三年洗〉之延作、〈桐柏廟碑〉「延熹六年」之延作延、〈孔廟碑〉作延等。以延為延也可能是受隸變影響，誤正為正。（黃頁114）

45 此處《汗簡》「例字」係依〔北宋〕郭忠恕撰、〔清〕鄭珍箋：《汗簡箋正》，「《汗簡箋正》說解」亦同，並於引文末標注「鄭頁碼」；而「《汗簡注釋》說解」，則採黃錫全《汗簡注釋》說法，並標注「黃頁碼」以示區別；「《古文四聲韻》」例字則根據〔北宋〕夏竦《古文四聲韻》，「《古文四聲韻》出處」乃注明其作「李商隱《字略》」者的頁碼。

					出李尚隱《集字》。〈三體石經〉古文作延，所从之延與此形同。〈蔡侯鐘〉延作延。乙即彳、乙所變。鄭珍以為「更篆」，非也。（黃頁123）
4.	舉			李商隱《字略》（頁156）	出《字略》。从与又，蓋與古文省。（鄭頁131） 鄭珍云：「从与又，蓋『與』古文省。」〈鰲鎛〉與作，〈侯馬盟書〉作，〈中山王鼎〉作，本从舁从牙，信陽楚簡、《說文》古文省變作、。此又省从彳。古文字中从彳與从彳彳每不別，如對字作（〈盠侯鼎〉）、又作（〈牆盤〉），宄字作（〈智鼎〉）又作（〈兮甲盤〉），羞字作（〈魯伯鬲〉），又作（〈師旋簋〉）等。〈三體石經〉古文省作。舉本从與聲，舉、與二字每可假借。如〈中山王壺〉「奐擘使能」，借與為舉。長沙馬王堆漢墓帛書《經法》、銀雀山漢墓竹簡《孫子兵法》舉作與。馬王堆漢墓帛書《戰國縱橫家書》與又作舉。夏韻語韻錄《古孝經》舉作、《古老子》作、李商隱《字略》作、《古論語》作。此當注李商隱《字略》。（黃頁146-147）
5.	馹			李商隱《字略》（頁213）	出自李尚隱《集字》。馹疾字古止作吏，別加馬。《說文新附》仍从吏。此用俗體以古文馬作之，非。（鄭頁132） 夏韻志韻錄李商隱《字略》作。杜錄作，从吏。鄭珍云：「馹疾字古

				止作吏，別加馬。《說文新附》仍從吏。此用俗體以古文馬作之，非。」此當從杜錄，從吏。（黃頁 148）
6.	鷫			《字略》（頁289）	出自李尚隱《集字》。編中肅字例改冉從川。夏以其形出《古孝經》。郭氏當載聿部。今聿部闕失不可攷。更篆（鄭頁 161） 夏韻屋韻錄《古孝經》肅作，錄《說文》作，錄李商隱《字略》鷫作，今本《說文》肅字古文作，後心部錄裴光遠《集綴》嘯作，此形原當作。〈蔡侯鐘〉譸作，〈王孫鐘〉肅作，〈王孫誥鐘〉變作，上列諸肅形均古肅譌變。鄭珍云：肅字「郭氏當載聿部，今聿部闕失不可考。」據〈牆盤〉「肅哲康王」之肅作，則甲骨文至今尚未確釋之（《甲骨文編》附錄上四八）應是古鷫字。（黃頁 171）
7.	絹			李商隱《字略》（頁244）	李尚隱《字指》。縛字也。《說文》縛，白鮮色。絹，繒如麥稍。二字本別。據《周禮·內司服》釋文縛，《聲類》以為今作絹字。《儀禮·聘禮》釋文縛，《聲類》以為今正絹字。是以縛為古絹之正文，誤自晉李登始，尚隱沿之。（鄭頁 164） 夏韻線韻錄李商隱《字略》作，是。《玉篇》縛同縛。《說文》「縛，白鮮色」。「絹，繒如麥稍。」縛、絹二字本別。鄭珍云：「據《周禮·內司服》釋文縛，《聲類》以為今作絹字，《儀

				禮‧聘禮》釋文縛，《聲類》以為今正絹字，是以縛為古絹之正文，誤自晉李登始，商隱沿之。」（黃頁173）
8.	軔			李商隱《字略》（頁233）	出《字略》。移篆（鄭頁177）《說文》軔字正篆作軔。此車形橫書，軔在車左。車形橫書、豎書不別，如疊文作，〈坅父簋〉作，〈盂鼎〉作，〈師兌簋〉作，省作（乙324）、（甲1003）、車（〈子禾子釜〉）等。刃形在左，類似初字或作（〈王孫壽甗〉）、割字或作（〈昷伯盨〉）等。（黃頁185-186）
9.	族			李商隱《字略》（頁285）	出《字略》。止部收《古尚書》炗。此當作炗，《集韻》本之。炗外加丂，不詳何字之省。（鄭頁212）族字古作（後下42.6）、（〈班簋〉），變作（〈不易戈〉）、（〈陳喜壺〉）、（侯盟）等。此形乃族字譌誤。古从仄之字每每譌从此，如旂字變作（〈邾公釛鐘〉）、旅字變作（〈薛子仲安匜〉）、遊字變作（〈蔡侯龖盤〉）、旆字變作（〈楚王酓章戈〉）等。此形所從之（夏韻作）乃由形譌誤，即由而，再譌作。石鼓有字作，當釋為族（詳古研15.141）。《字略》有可能是本自石鼓。（黃頁214-245）
10.	菫			李商隱《字略》（頁112）	出李尚隱《集字》。《說文》虉係菫之正篆，从宝聲。此右旁宝之譌，左更篆从部首。（鄭頁219）

				鄭珍云：「《說文》雖係茊之正篆，從圭聲。此右旁圭之譌，左更篆從部首。」《侯馬盟書》往作徍，〈三體石經〉古文作徍。此形當作雞。（黃頁220）
11. 腥			李商隱《字略》（頁121）	出《字略》移篆《說文》胜乃腥臭、腥熟本字。與從星之腥訓「星見貪豕令肉中生小息肉」不同。（鄭頁237） 鄭珍云：「《說文》胜乃腥臭、腥熟本字，與從星之腥訓『星見食豕令肉中生小息肉』不同。」此假胜為腥，與馬王堆漢墓帛書《老子》乙本卷前古佚書假胜為姓類似。（黃頁236）
12. 厥			李商隱《字略》（頁298）	出李尚隱《字略》。夏作歕。（鄭頁247） 夏韻月韻錄作歕，蓋《義雲章》歕形省，即欮字。欮為《說文》瘚字或體，音厥。《內經》、《釋名》瘚作厥。（黃頁244）
13. 旗			李商隱《字略》（頁39）	出李尚隱《字略》。更篆從丌部所載史書其。（鄭頁257） 古陶旗作斻（齊錄7.1），古璽作斻、斻、斻、斻等（璽文7.3），此形類同，夊即屮、屮譌變，丌與其同。銀雀山漢墓竹簡《孫臏兵法》旗作斻，形與此同。鄭珍已為「更篆」，非是。（黃頁252-253）
14. 魏			李商隱《字略》（頁215）	出《字略》，巍字也，省鬼女，下乃山形傳寫不完。魏亦元是巍省。（鄭頁271） 甲骨文有嵬（拾12.9）、嵬（續

53

					3.43.2)、𣲖（乙 55）等字，夏淥先生「疑為委積的『委』字」（《學習古文字隨記・釋𢆶》）。〈中山王鼎〉「是以寡人𢆶任之邦」之「𢆶」作𢆶。徐中舒、伍仕謙先生認為「𢆶，此魏字簡化為𢆶，與《侯馬盟書》趙簡化為肖同。此處作委任之委解」（見張守中《中山王𪘒器文字編》）。黃盛璋先生認為此形乃是巍字省略，即截取魏字左邊「魏」上部「禾」，從禾從山，假為魏字。〈中山王鼎〉「𢆶」亦取「委」上部而加匸為「委」（古研 7.85）。馬王堆漢墓帛書《春秋事語》魏字作𢆶，與此類似。鄭珍云：「巍字也，省鬼女，下乃山形，傳寫不完，魏亦原是巍省。」（黃頁 264）
15.	曆	𣆴	麻（歷）	李商隱《字略》（頁 309）	出李尚隱《字略》。篆治也，與曆別。（鄭頁 272）〈毛公鼎〉麻作𣆴，假為歷。《說文新附》「曆，麻象也。從日，麻聲。《史記》通作歷。」是麻、歷、曆音近假借。（黃頁 265）
16.	杳	窅	窅窅	李商隱《字略》（頁 174）	𥥍出李尚隱《字略》。《說文》窅，深目也。從穴中目。烏皎切。音與杳同。義則各字，混作一，非。又更篆從本書目。（鄭頁 290）《說文》窅字正篆作𥥦，「深目也，從穴中目。」鄭珍云：窅「音與杳同，義則各字，混作一，非。又更篆，從本書目。」按，此假窅為杳，如同雲夢秦簡假繇為徭、假榣為搖、假鼠為

				予等,乃音近假借。(黃頁281)
17.	卿			李商隱《字略》(頁115)	出李尚隱《集字》。蓋元作𡖊,升𡖊之卯於上。郭誤認上連作門,遂成此形。夏作圇尤非。(鄭頁294) 卿、鄉古同字作𡖊(前4.21.5)、𡖊(《仲冉簋》)、𡖊(《衛盉》)、𡖊(信陽楚簡)等,中从皀,又从食作𡖊(《歔簋》)、𡖊(《師虎簋》)、𡖊(《邾公釛鐘》)、𡖊(《中山王壺》)等。鄭珍認為此字「蓋原作𡖊」,甚是。夏韻庚韻錄《古孝經》作𡖊,接近古體,錄此文作𡖊,亦誤。(黃頁285)
18.	𩕏			李商隱《字略》(頁131)	出李尚隱《集字》。篆𩕏正字。(鄭頁341) 形同《說文》正篆。𩕏即額字俗體。(黃頁320)
19.	虔			李商隱《字略》(頁88)	出李尚隱《字略》。从古虍更篆。(鄭頁345) 〈毛公鼎〉虔作𢦏,〈蔡侯鐘〉作𢦏,〈者沪鐘〉作𢦏,古陶作𢦏(香錄5.2)。此虍形同目錄。(黃頁325)
20.	耀			李商隱《字略》(頁250)	竝出李尚隱《集字》。右初字也,夏作𤎻是。此與日部曜作𣊭同一時俗字,注當作燿。(黃頁390) 夏韻笑韻錄此文作𤎻是,此寫脫一畫。《侯馬盟書》狄作𤎻,〈三體石經‧僖公〉古文作𤎻,古璽𤎻作𤎻(類編439),前日部錄曜字作𣊭,此𤎻形類同。𤎻本褐字初文,因音近假為狄或翟,參見走部趯。耀即燿俗字。(黃頁363)

| 21. | 漁 | (圖) | (圖) | 李商隱《字略》（頁44） | 出李尚隱《字略》。斁見《周禮》，省作斂，見〈西京賦〉，皆漁別體。此從鱻，今字書皆不載。《一切音義》卷六云：「漁，古文斁。」蓋漢後字書有之，尚隱所本。（鄭頁436）

鄭珍云：「斁見《周禮》，省作斂，見《西京賦》，皆漁別體。」古漁字或從彳作(圖)（卣文）、(圖)（〈遹簋〉）、(圖)（〈石鼓文〉），斁作(圖)（〈沈兒鐘〉）。從一魚二魚不別。從彳與從攴同，如啟字作(圖)（〈番生簋〉）、也作(圖)（〈召卣〉），扶字作(圖)（〈叔卣〉）、也作(圖)（《說文》古文）。《一切經音義》六：漁，古文斁。（黃頁401） |
| 22. | 盜 | (圖) | (圖) | 《籀韻》（頁256） | 出李尚隱《字略》。夏韻盜下錄《籀韻》有(圖)字，與此皆閡之誤。閡讀若縣當是，尚隱音次。次、縣音同，其書次誤為盜，郭不能識別爾。（鄭頁472）

出李尚隱《字略》。夏韻号韻錄《籀韻》盜作(圖)，鄭珍認為「與此皆閡之誤」，甚是。甲骨文鬥本作(圖)（粹1324），象二人爭鬥形，金文鬭作(圖)（〈九年衛鼎〉），鬥形譌似門。古璽(圖)（璽彙0734）、漢印(圖)（漢印徵補12.1），均乃閡，門乃鬥譌誤（詳古研12.1）。《說文》「閡，讀若縣」。盜本次聲（詳釋林）。次、縣、閡古韻同屬元部。此假閡為盜。鄭珍不知盜從次聲，以為「其書次誤為盜，郭不能識別爾」。（黃頁432） |

23.	蛾	𪓾	李商隱《字略》（頁97）	出李尚隱《字略》。從古我，更篆。（鄭頁496） 出李尚隱《字略》。從古我，我形變化說見我部。（黃頁448）
24.	蟺	𧓊	李商隱《字略》（頁76）	出李尚隱《字略》。左當作𧓊，編中每省如此。（鄭頁516）
25.	鎩	鎩	李商隱《字略》（頁303）	李尚隱《集字》。從力部殺形，依此旁，上字其竝出李氏書歟？（鄭頁522） 曾侯乙墓竹簡有鎩字，此形乃其譌變。右形與力部殺形譌同。《說文》「鎩，鈹有鐸也。從金，殺聲」。（黃頁470）
26.	辯	𥛟	李商隱《字略》（頁241）	出李尚隱《字略》。更篆從本書言。（鄭頁549） 出李尚隱《字略》。〈辨簋〉辨作𥛟、𥛟，〈作冊魖卣〉作𥛟。此形所從之言、辛同石經。（黃頁490）
27.	馗	𠦝	李商隱《字略》（頁36）	出李尚隱《集字》。（鄭頁539） 出李尚隱《集字》。《玉篇》旭，古文馗。疑此形即𠦝，從二九。自、呂並當𠦝形譌誤。以𠦝為馗，與下字同。如依此形，則是𨐜，從自從九（黃頁483）
28.	牗	𤎫（牖）	李商隱《字略》（頁63）	李尚隱《字略》。牗乃牖之誤，二字更從古寅，疑亦郭氏為之。（鄭頁554） 李尚隱《字略》。夏韻真韻錄此文作𤎫，釋為牖，牗乃牖寫誤。〈秦公簋〉作𤎫。月、夕義近，《說文》從夕作𤎫，「敬惕也。從夕，寅聲」。（黃頁

				494）
29.	輝	煇	李商隱《字略》（頁41）	當从宀部所列，〈王庶子碑〉軍作𡩋，寫誤。（鄭頁390） 鄭珍云：「當从宀部所列〈王庶子碑〉軍作𡩋，寫誤。」鄭說是。（黃頁363）
30.	苶	茶	李商隱《字略》（頁43）	篆（鄭頁67） 苶，形同《說文》正篆。（黃頁84）
31.	徙	徙	李商隱《字略》（頁51）	古文往，夏以為往，是。（鄭頁101） 鄭珍云：「古文往，夏以為往，是。」按夏韻摸韻注出「李商隱《字略》」，亦誤為「徙」，鄭珍誤檢。往字變化參見前「往」字。徙寫誤。（黃頁118）
32.	齊	—	𪗅	李商隱《字略》（頁53）	（黃頁259、453可參）
33.	顛	傎	𩓣	李商隱《字略》（頁83）	《穀梁傳》為已傎矣，乃漢別出顛倒字，此从古真。（鄭頁303） 顛傎，《穀梁·僖二十八年傳》「以為晉文公之行事，為已傎矣」之「傎」，即「顛倒」字。《詩·賓之初筵》箋：「無使顛仆」，釋文「顛，本作傎」。鄭珍云：「乃漢別出顛倒字，此从古真。」夏韻仙韻注出〈華嶽碑〉。（黃頁292）
34.	侈	—	㐲	李商隱《字略》（頁147）	夏韻紙韻錄李商隱《字略》侈作㐲，此脫注。此形蓋夅譌，如〈詛楚文〉夅作㐲。大、人偏旁義同，如〈秭伯簋〉幾作𢆶，而〈幾父壺〉作𢆶。《說文》奢字籀文作㐲，商承祚先生認為「㐲」為古文「侈」，而「奢」通「侈」（古研 5.221），馮本注侈。（黃頁258）

35.	辨	一	[篆形]	李商隱《字略》（頁173）	見序號26例字。辯[篆形]，〈辨簋〉辨作[篆形]、[篆形]，〈作冊魅卣〉作[篆形]。此形所從之言、辛同石經。（黃頁490）
36.	齊	一	[篆形]	李商隱《字略》（頁224）	一（黃頁259、453可參）
37.	蕙	一	[篆形]	李商隱《字略》（頁225）	
38.	慎	[篆形]	鼓	李商隱《字略》（頁234）	古辥本同。（鄭頁249）慎[篆形]，敦、嚴、九、雲、武、豐本慎作[篆形]，薛本同。〈邾公華鐘〉慎作[篆形]，《說文》古文作[篆形]，〈三體石經〉古文作[篆形]。此形同石經。（黃頁246）
39.	巽	[篆形]	[篆形]	李商隱《字略》又〈王庶子碑〉（頁237）	亦撰字。《說文》𢌞，从丌从頋。云：「此《易·巽卦》為長女為風者。」是孟氏古文《易》巽作𢌞字，此形當本作[篆形]，蓋書百形為𦣻，升覓下儿于上。此與夏竝誤，夏注李商隱《字畧》又〈王庶子碑〉，此于二者必注一種，今脫。（鄭頁185）按古頁可省作[篆形]，如〈邾鐘〉頡作[篆形]，秦陶文顛作[篆形]等。頁又可作[篆形]，如〈五祀衛鼎〉顏作[篆形]，古璽頭作[篆形]等。[篆形]當顛之首變，原蓋作[篆形]。夏韻㥃韻注出李商隱《字略》又〈王庶子碑〉，此脫。（黃頁192）
40.	殿	一	[篆形]	李商隱《字略》（頁242）	出林罕《字略》。前人部已收《華嶽碑》殿作[篆形]，此誤從彳，參見前。夏韻霰韻注出李商隱《字略》（黃頁328）

41.	命	一	(篆)	李商隱《字略》（頁 254）	
42.	芇	一	(篆)	李商隱《字略》（頁 255）	
43.	腥	一	(篆)	李商隱《字略》（頁 271）	見序號 11 例字。
44.	伏	(古)	(篆)	李商隱《字略》（頁 274）	似从吷，口下犬也。書取勻正耳。（鄭頁 303） （黃頁 291、295、472 可參）
45.	觸	一	(篆)	李商隱《字略》（頁 291）	
46.	日	(古)	(篆)	李商隱《字略》（頁 294）	《說文》：銍，到也。人質切，與日同音，非即日字，《爾雅》釋文：馹，郭《音義》云：本或作遷。《聲類》云：亦馹字，以銍為日者，是必六朝後人因馹有遷之別體，遂以遷之臺當馹之日，謬。遷亦非馹字。《說文》遷，近也。人質切，與馹同音，因借作遷。（鄭頁 440） 日並出諸家碑，此形不異上文。夏韻質韻注「字略」，即李商隱《字略》。（黃頁 405）
47.	述	(古)	(篆)	李商隱《字略》（頁 296）	迷同。从矞，遹字也。《爾雅》：「遹，自也」。釋文「遹」，孫云古「述」字，此所本。「迷」寫誤，夏注「述」是。此與上迷字夏韻是「李商隱字略」，此脫。（鄭頁 101） 迷(古) 〈牆盤〉遹作(古)，〈遹簋〉作(古)，〈默鐘〉作(古)，〈善夫克鼎〉作(古)，此形譌誤。夏韻術韻錄作(古)，原形當作(古)或(古)。（黃頁 119）

48.	歇	一	（篆形）	李商隱《字略》（頁 299）	
49.	跡	一	（篆形）	李商隱《字略》（頁 312）	
50.	石	（篆形）	（篆形）	李商隱《字略》（頁 314）	秖字也。從古文石 更篆 。（鄭頁 270）從禾從古石，即秖字，《說文》正篆作秖，曾侯乙墓竹簡石作（篆形），《說文》磬字古文作（篆形）。鄭珍以為「更篆」。（黃頁 264）
51.	璧	（篆形）	（篆形）	李商隱《字略》（頁 315）	更篆 從古《尚書》辟，見人部。（鄭頁 56）〈珊生簋〉二璧作（篆形），〈齊侯壺〉作（篆形），〈三體石經〉辟字古文作（篆形），〈鳳羌鐘〉作（篆形）。（篆形）乃辟（𤰝）譌誤。人部《尚書》辟如此。夏韻昔韻錄作（篆形）。（黃頁 73）
52.	躍	（篆形）	（篆形）	李商隱《字略》（頁 325）	篆 趠躐也，踊躍正字。躍訓迅也，亦有踊義。（鄭頁 85）鄭珍認為此形是「篆，趠躐也，踊躍正字。躍訓迅也，亦有踊義。」此假躐為躍。（黃頁 101）

原題為〈論晚唐詩人的字學——以李商隱《字略》為例〉，發表於國立成功大學中國文學系主辦、國立臺灣大學中國文學系合辦：「古典召喚與現代詮釋學術研討會——臺大、成大中文論壇」，臺南：國立成功大學中國文學系，2012 年 4 月 21 日，頁 225-244；修改後收入〔日〕東方學研究論集刊行會編集：《東方學研究論集（高田時雄教授退休紀念）〔中文分冊〕》，京都：臨川書店，2014 年 6 月 2 日，頁205-219。（邱郁茹校對）

論戴侗《六書故》的金文應用

一　前言

　　眾所周知，宋代著錄金石文字是相當昌盛的，其不僅僅是用在本身作孤力獨至的研究，甚且旁涉到其它科目，以茲作為參證比觀的材料，如朱熹在《詩集傳》中，已試著用「古器物款識（銘）」來跟詩義相發明，若〈大雅·行葦〉「以祈黃耇」句下注的：

> 祈，求也。黃耇，老人之稱。以祈黃耇，猶曰「以介眉壽」云耳。古器物款識云：「用蘄眉壽，永命多福」；「用蘄眉壽，萬年無疆」，皆此類也。

或在〈大雅·既醉〉「高朗令終」句下注：

> 朗，虛明也。令終，善終也。〈洪範〉所謂「考終命」，古器物銘所謂「令終」、「令命」是也。

以及〈大雅·江漢〉：「虎拜稽首，對揚王休，作召公考，天子萬壽。」下解釋句意說：

> 對，答。揚，稱。休，美。考，成……言穆公既受賜，遂答稱天子之美命，作康公之廟器，而勒王策命之詞，以考其成，且祝天子以萬壽也。
>
> 古器物銘云：「郟拜稽首，敢對揚天子休命，用作朕皇考龔伯尊敦，郟其眉壽萬年無疆。」語正相類，但彼自祝其壽，而此祝君壽耳。[1]

在在都試著透過實物資料來跟傳世載籍相比類參證，並藉由詞例的解析，分別其異同，以見載籍的實出有據。而宋人的一點企圖和用心，也於斯可見。宋人對古器物銘的重視，可由趙明誠所撰的《金石錄·序》文中略窺一斑，他說：

---

[1] 〔南宋〕朱熹：《詩集傳》（臺北：中華書局，1991 年 3 月），頁 193、218。

余之致力於斯，可謂勤且久矣，非特區區為玩好之具而已也！蓋竊嘗以謂《詩》、《書》以後，君臣行事之跡，悉載於史，雖是非褒貶出於秉筆者私意，或失其實。然至其善惡大節，有不可誣，而又傳之既久，理當依據。若夫歲月、地理、官爵、世次，以金石刻考之，其抵牾十常三四。蓋史牒出於後人之手，不能無失；而刻詞當時所立，可信不疑。[2]

他的觀念是認為，若以金石文字來稽考參證史實經傳，不管是歲月、地理、官爵、世次，其徵信度是較傳世載籍還要來得高的，甚且可信不疑。

然觀銅器銘文應用在文字的考索追溯上，本是東漢許慎撰《說文解字》以來，認為重要而無法觸及的一個傳統想望。[3]許慎實際上也未嘗引用，這倒成了千古以來的一種遺憾！後來的文字學家，設若有此認知，適其風雲際會，亦無不思亟予補足勘正，如唐乾元間，李陽冰號稱中興篆籀，篆書間頗與傳世銘文相合，故或疑其曾用此等材料，惜其詳不可得而說之耳！[4]其後至宋，昌盛的金石學，給予文字學家具體而豐碩的素材。戴侗當宋、元之際，在其撰作《六書故》時，[5]是既不走傳統路線，以依循慣例的標準字體——

[2] 〔北宋〕趙明誠：〈序〉，《宋本金石錄》（北京：中華書局，1991 年 1 月影印古逸叢書三編），頁 2。

[3] 按《說文解字》，卷十五〈敘〉中雖然說：「郡國亦往往於山川得鼎彝，其銘即前代之古文，皆自相似。」但實際上並未收錄鼎彝中文字，龍宇純先生推測其原因，認為有「可能因為當時無拓墨之法，許君目驗者少，字形又大抵與篆籀不異，故說文未收鼎彝中文字。」見龍宇純：《中國文字學》（臺北：學生書局經銷，1987 年 9 月），頁 389。

[4] 龍宇純《中國文字學》頁 384 中嘗論李陽冰說：「平情而論，李氏固多荒誕武斷之處，亦非一無足稱。如以朩字象木之形，不從許君從中之說；以龠字從三口象眾竅，解冊為眾管如冊之形；皆不可易。而改[illegible]為[illegible]，改[illegible]為[illegible]，改[illegible]為[illegible]，改[illegible]為[illegible]，改[illegible]為[illegible]，改[illegible]為[illegible]，改[illegible]為[illegible]，改[illegible]為[illegible]，改[illegible]為[illegible]，並與今所見兩周金文或同或近。可見其刊正說文，非止於刊正俗書的違誤，又用古文字改正秦篆之失。其所用材料不可考，如鼎字或即用說文京房說（案實際恐是據古文字改），其餘亦必有所據，決不能閉門造車，出而盡與轍合。一般以為古文字研究始於宋代，於今看來，李氏實已導夫先路，在文字學史上的地位，實應重新予以評價。」唯李氏並無具體引證或明言出自銅器款識處，指實恐有猜謎射覆之譏，故疑者闕疑，其詳不可得而說矣！

[5] 〔南宋〕戴侗《六書故》一書，據趙鳳儀〈序〉，謂是書刻於元仁宗延祐七年（1320），書刻於元世，距其成書時大約已六十年，見錢劍夫：《中國古代字典辭典概論》（北京：商

小篆為文字的主體，卻思以更古的文字——鐘鼎彝器上的文字著手，來恢復原始的文字形構，而他的這種企圖和嘗試，便成為固守小篆形體者攻訐撻伐的對象，如元吾邱衍在《學古編》中說：

> 侗以鍾鼎文編此書……形古字今，襍亂無法。

清代《欽定四庫全書總目提要》也說：

> 惟其文皆從鍾鼎，其註既用隸書，又皆改從篆體，非今非古，頗礙施行。[6]

以迄於今，學者之間對戴氏亦鮮有好評，如高明在《中國古文字學通論》裡評論說：

> 戴侗編撰《六書故》的意圖，也是要以六書分析字體結構，從而闡釋文字的意義。但是，由於立論粗疏，分析研究不夠謹嚴慎重，彼此之間自相矛盾。雖自言糾正前人誤失，實際上自行謬誤甚於前人，尤以臆造古文攻擊《說文》，結果作繭自縛，殊無足觀。[7]

就認為戴氏所用的古文係屬「臆造」，而且是「作繭自縛，殊無足觀」的。

當然，也有學者別抒己見，認為戴氏是相當了不起的一位文字學家，個中尤以唐蘭最為推崇，他說：

> 他於《說文》在徐本外，兼采唐本、蜀本，清代校《說文》的人所不能廢。但他用金文作證，用新意來解說文字，如「鼓」象擊鼓，「壴」字纔象鼓形之類，清代學者就不敢采用，一直到清末，像徐灝的《說文段注箋》等書纔稱引。其實，他對文字的見解，是許慎之後，惟一

務印書館，1986 年 1 月)，頁 269；高明：《中國古文字學通論》(北京：文物出版社，1987 年 4 月)，頁 18 中，則以其書「成」於元仁宗延祐七年，當依趙〈序〉，以「刻」為是。唯依錢氏所說成書約六十年推之，則書成於南宋；而據〔明〕凌迪知：《萬姓統譜》(臺北：新興書局，1971 年 4 月據明萬曆己卯年〔1579〕刻本凌稚哲先生原本汲古閣藏板影印)，卷九十九，頁 6 (1387) 所載，戴侗「年踰八十卒」。疑其書成於宋，至遲在宋、元之際已完成。

6 前後二引文俱見〔南宋〕戴侗：《六書故》(臺北：臺灣商務印書館，1976 年據故宮博物院藏文淵閣本景印)，《四庫全書珍本》六集，頁 1-2。按：書中「鐘」、「鍾」混用無別，「从」、「從」互用，今引文皆依原書。

7 高明：《中國古文字學通論》，頁 22。

的值得在文字學史上推舉的。[8]

認為戴氏的成就，是許慎以後，惟一值得在文字學史上推舉的。

那麼，在評論呈兩極化的情況下，貶之者譏為「殊無足觀」；褒之者認為是許慎後「惟一值得推舉」的，前賢於此，雖欲折衷二說，以其書自有得失，似乎不應全盤否定[9]；或說他「頗有創見，可惜不為人所重視」[10]。然空泛的評騭，是於事無補的。《四庫提要》雖然說評家對他的「詆諆甚至，雖不為不中其病，然其苦心考據，亦有不可盡泯者，略其紕繆而取其精要，於六書未嘗無所發明」的話，但針對爭執的焦點，我們還是要回到問題的本身來探討。而觀察諸家爭論的焦點，本在他盡舍篆隸，獨以鐘鼎文為本，但鐘鼎文不一定有的地方，他卻自亂其例，以小篆補足。[11]當然，希冀把《六書故》中所有的字做個通盤的檢討，在這小小的篇章中，似乎力有未逮。但至少，可憑藉他明引鐘鼎彝器銘文之處去探討掌握，那麼，雖不近，亦庶幾矣！所以，就先看看戴侗在《六書故》中應用金文的情形吧！

二　戴侗《六書故》中應用金文的情形

其實，戴侗寢饋約三十年之功才撰成的《六書故》，基本撰作態度上，

---

[8] 唐蘭：《中國文字學》（臺北：開明書局，1974 年 11 月），頁 22；又唐蘭：《中國文字學》（上海：上海古籍出版社，1979 年），頁 22。而黃德寬、陳秉新在《漢語文字學史》（合肥：安徽教育出版社，1990 年 11 月），頁 124 中，則認為唐蘭的評價，「戴氏是受之無愧的」。唯清人稱引戴侗應用金文作證，以新意來解說文字，並非自徐灝始，桂馥在《說文解字義證》「受」字下引「戴侗曰：鐘卣之文皆從舟。」朱駿聲在《說文通訓定聲》「癸」字下也引「戴氏侗曰：古鼎文作✦，按即戣字，三鋒矛也。因為借義所專，復加戈傍。」見丁福保纂輯、楊家駱主編：《說文解字詁林正補合編》（臺北：鼎文書局，1983 年 4 月），第四冊，頁 572；第十一冊，頁 684。
[9] 錢劍夫：〈戴侗《六書故》和王安石《字說》平議〉，《中國古代字典辭典概論》（北京：商務印書館，1986 年 1 月），頁 269。
[10] 周祖謨：〈中國文字學發展的歷史·宋元間的六書之學〉，《語言文史論集》（臺北：五南圖書出版有限公司，1992 年 11 月），頁 390。
[11] 韓相雲：〈緒論〉，《六書故引說文考異》（臺北：臺灣師範大學國文研究所碩士論文，1986 年 5 月），頁 1-2。

是非常謙沖而嚴謹的。在《六書故・六書通釋》中，他也曾約略的把自己撰
作的觀點表白出來說：

> 及秦焚書，先王之跡一燼不齱。自篆而八分，自八分而行楷，訛以傳
> 訛，繆以孳繆，至于今日，文亂極矣，況於名乎！由千載之下，遡千
> 載之上，以探不傳之學，其難已矣！闕其所疑，固以俟知者。

> 侗於六書，其所不知，蓋闕如也，不敢鑿也。以鑿為知，其於疑也，
> 可以無闕矣！……其鑿彌深，其知彌遠，此侗之先君子所以拳拳於六
> 書，而侗之所以不敢鑿為之說也。

> 予書非能盡物也，姑著其有徵而信者焉。其所不知，以俟知者。若夫
> 怪誕之說，故所弗取也。

> 侗之為是書也，亦以當名辨物，正言斷辭，通天下之志而已矣！非敢
> 夸辨博，而自為一家言也。

> 予為六書三十年而才苟完，每參校一部，攤書滿案，左采右獲，手罷
> 目眩，輒撫書而歎曰：焉以是為哉！

> 吾書非一家言也，不吾鄙者，繩愆糾繆，匡其不及，而補其闕，以成
> 不刊之典，竊有望於後之君子焉！[12]

所以，他除了以闕疑、不敢穿鑿、著其徵而有信、弗取怪誕、不夸辨博的嚴
謹謙沖態度自持外，並以此觀照《說文解字》，覺察到其實許慎在撰寫《說
文解字》時，一樣有其主客觀的形格勢禁，不能求備的限制，故說：

> 吾先人教學文者，必先六書；學六書者，必考於《說文》。顧其書牽
> 復於絕學之後，裁成於一人之手，猶未免有遺。[13]

是《說文》既「牽復於絕學之後」，那是客觀的限制；且「裁成於一人之手」，
那是主觀的限制，總括來說，是「未免有遺」的。況且《說文》形構的主要

---

[12] 〔南宋〕戴侗：〈六書通釋〉，《六書故》，《四庫全書珍本》六集，頁2、11、15、18、22、
24。

[13] 〔南宋〕戴侗：〈六書通釋〉，《六書故》，《四庫全書珍本》六集，頁15。

根據是小篆，而小篆有時為了遷就形勢的整齊，未免在點畫位置的安排上損其本真。那麼，欲知「制字之本」，有時非得從其它徵而有信的材料上著手不可，於是戴氏選了當時「可見一二」的「古鐘鼎文」（金文）來還原文字的形構本初，並精確地舉了幾個例子證明說：

> 六書始於象形、指事，古鐘鼎文猶可見其一二焉。許氏書祖李斯小篆，徒取形勢之整齊，不免增損點畫，移易位置，使人不知制字之本。⊙本象日之圜，而點其中以象日中之微黑，居偏旁之左者，橢其形以讓其右，而小篆遂作日、日。
>
> ⅅ本象初月，闕其左以遜於日，小篆作𡗜，乃與肉無別。⅍、⅍象其峰之隆殺，謂而為山、𡶶。𧰨、𧰨本象其四足而尾，謂而從巾。𤆪、𤈷本象其岐尾，謂而從火。凡此之類，皆迷失其本文者也。故予考之於古，苟典刑之猶在者，必備著之。[14]

所以為了了「知制字之本」，他對「典刑猶在」的鐘鼎文也就情有獨鍾，「必備著之」。但也並非盲目地全然收錄，不加抉擇，他在「鐘鼎之文多巧」的前提下，雖取證不少，但卻不全然相信，態度還是相當謹慎小心的，觀其說：

> 凡字有從多而省者，趨於巧便也；從省而多者，趨於巧繆也。鍾鼎之文多巧；符璽之文多繆。鍾鼎之文，予所取證者不少，然不盡信者，以其人自為巧也。[15]

就是在「不盡信」的觀念底下，對金文的別擇也就趨於謹飭。那麼，他的說辭與他的實際應用情形是不是能相互縮合呢？我們試著來檢驗《六書故》中他實際應用金文的情形，並拿它來跟近來研究金文稍稍顯露成果的典籍——《金文編》[16]、《金文詁林》、《金文詁林補》及《金文詁林讀後記》[17]等，

---

[14]〔南宋〕戴侗：〈六書通釋〉，《六書故》，《四庫全書珍本》六集，頁16。

[15]〔南宋〕戴侗：〈六書通釋〉，《六書故》，《四庫全書珍本》六集，頁20。

[16] 以下係以容庚編著：《金文編》（北京：中華書局，1989年8月）為比較的依據。

[17] 以下係根據周法高：《金文詁林》（京都：中文出版社，1981年10月）；又周法高：《金文詁林補》（臺北：中央研究院歷史語言研究所，1982年5月），中央研究院歷史語言研究

在各條的按語中略作比較，並在比較之前，先將這些資料強作一個不很周延的分類，而得如下的情形：

（一）徵引金文以證字形者

戴侗在《六書故》一書中，絕大部分徵引金文的目的，是用來作為字形原始的證明，所謂「知制字之本」的，進而對字形的流變訛錯作個訂正，並修正它的六書歸屬，如：

1、世　世……《說文》曰：「從卅而曳長之，亦取其聲。」按：〈商癸卣〉世直作卅。（卷一，頁3）

　　按：《金文編》卅大抵作ᗐ，世則作ᗷ（卷三，頁136-137），未見戴氏所引字形。唯李孝定亦以世、卅一字，古蓋借卅為世，後始稍變其形體。[18]

2、文　Ｘ……象文理錯乂。Ｘ，〈商癸彝〉文；Ｘ，〈瞀鼎〉文。（卷一，頁6）

　　按：《金文編》所收「文」字形構甚多，戴氏所引〈商癸彝〉之形，類《金文編》所收〈文父丁匜〉作Ｘ、〈引觥〉作Ｘ、〈豆閉簋〉作Ｘ；而〈瞀鼎〉之形則類似〈遹簋〉作Ｘ、〈庈弔鼎〉作Ｘ（卷九，頁636-637），是戴氏所說可從。

3、人　Ｒ……象形。Ｒ，〈主孫彝〉文；Ｒ，〈孟孫丁彝〉文。《說文》Ｒ、Ｒ分二部……按：Ｒ、Ｒ非二字，特因所合而稍變其勢……分而為二者，誤也。（卷八，頁1）

　　按：人字《金文編》大抵作Ｒ〈人般甗〉、Ｒ〈鈻鎛〉（卷八，頁555-556），與戴氏所舉差近。

4、復　复……《說文》曰：「畐省聲。」按：鐘鼎文福、復皆以畐為聲，

所專刊之七十七；李孝定：《金文詁林讀後記》（臺北：中央研究院歷史語言研究所，1982年6月），中央研究院歷史語言研究所專刊之八十。

[18] 李孝定：《金文詁林讀後記》，頁56。

非畐也。（卷八，頁 13）

按：《金文編》福作 福〈秦公鎛〉、禍〈國差繪〉（卷一，頁 9）；復作 復〈小臣邁簋〉（卷二，頁 111），所從並不完全相同，戴氏略誤。

5、言 舌……《說文》曰：「辛聲。𡘋，古文。」𡘋，〈中信父敦〉文；𡘋，〈父癸方鼎〉文；𡘋，〈言父爵〉文。（卷十一，頁 17）

按：言字《金文編》作 舌〈鬲比盨〉、舌〈中山王嚳鼎〉二形（卷三，頁 138），戴氏所舉相差懸遠。

6、惟 惟……鍾鼎文凡惟皆作 惟。（卷十三，頁 10）

按：戴氏所舉現象當是，《金文編》說：「佳，《說文》：『鳥之短尾總名也。象形。』段玉裁云：『按經傳多用為發語之詞，《毛詩》皆作維，《尚書》皆作惟，今文《尚書》皆作維。』金文孳乳為唯、為惟、為維。」（卷四，頁 251）然其字形作 惟，與《金文編》所收〈弔上匜〉作 惟（卷四，頁 253）差近而略不同。

7、爭 爭……象兩手爭一物。爭，〈晉姜鼎〉文。《說文》從受從厂，引也。曲說也。（卷十五，頁 2）

按：《金文編》無爭字，所引〈晉姜鼎〉文則與《金文編》所收〈毛與簋〉作 爭釋與相近（卷三，頁 166）。

8、受 受，秦鐘志文；受，〈師毛卣〉文……上予而下受也。《說文》受從受，舟省聲。按鐘、卣之文皆從舟，《說文》亦云舟聲，而受之上乃作冃，蓋受之譌也。（卷十五，頁 12）

按：受字金文皆作上予下受，中間從舟不省。《金文編》受字大抵作 受〈亞中若癸簋〉、受〈矢方彝〉（卷四，頁 274），並無作隻手者。戴氏所云「鐘卣之文皆從舟」，說不可移，唯其描摹之形並不精確。

9、敦 敦，都昆切……又都內切，盛黍稷器也。《周官》曰：「共珠盤玉敦。」〈昏禮〉曰：「黍稷四敦，皆蓋。」亦作 敦，〈楸季敦〉文，

從皀。（卷十五，頁 18）

按：《金文編》所收敦字，一為不從攵的〈齊侯敦〉作𦤉；一為〈陳猷
釜〉的𩱱（卷三，頁 218）。戴氏所收〈楸季敦〉之𩱱，疑係簋字
的形譌，而戴氏誤以為一字。

10、鹿 𢉖……鹿攴角，象其角足也。𢉖，〈單彝〉、〈癸彝〉文。（卷十
八，頁 4）

按：《金文編》所收鹿字，繁者如〈命簋〉作𢉖；略者如〈貉子卣〉作
𢉖（卷十，頁 680），戴氏所引作𢉖，又更省略矣。

11、尗 朮……豆也。象豆莢。別作菽。𣎳，〈尗寅匜〉文。（卷二十二，
頁 19）

按：𣎳與朮字形較遠，戴氏所舉金文疑係金文習見之𣎳，楊樹達以為即
《說文》之弔字，象矰繳之形，金文則假弔為叔。[19]戴氏以𣎳為尗，
似不切近。

12、覃 𤰶……𤰶，〈晉姜鼎〉文；𤰶，《說文》古文；𤰶，《說文》篆文。
（卷二十六，頁 4）

按：《金文編》覃字列𤰶、𤰶、𤰶、𤰶四形（卷五，頁 380），戴氏所舉，
與第二形較近。並類《金文編》釋簟所從之𤰶〈番生簋〉字（卷五，
頁 296）。

13. 医 𠥂……《說文》曰：「盛弓矢器也。」……《說文》從匸。按：
靈原父得張中医銅器，有蓋，識文作𠥂，正作𠥂。（卷二十七，頁 1-
2）

按：《說文》医從匸作𠥂無誤，唯戴氏以𠥂為医，若非描摹失真，即釋
字有誤。《金文編》無医字，有医作𠥂，匧作𠥂（卷十二，頁 845），
其形皆與戴氏所引不合。況金文矢作𢀇（卷五，頁 369），尚未見作

---

[19] 楊樹達：《積微居小學述林》（臺北：大通書局，1971 年 5 月），頁 94-95。

卌者，戴氏舉例有誤。

14、昊 ⟨圖⟩，健芋切。⟨圖⟩，張中医文。膳饗之饌昊也。从鼎省，从収。（卷二十八，頁11）

按：昊字《金文編》收從貝與從鼎二形作⟨圖⟩〈智鼎〉、⟨圖⟩〈函皇父盤〉（卷三，頁162）。戴氏所說，甚其有據。

15、盨 ⟨圖⟩……盛黍稷之器也……《說文》又作⟨圖⟩，从竹从皀从皿。⟨圖⟩，古文从匚飢（春案：「飢」應作「飤」）。⟨圖⟩，古文或從軌。⟨圖⟩，亦古文。⟨圖⟩、⟨圖⟩，〈叔高父盨〉；⟨圖⟩、⟨圖⟩，並師奕父；⟨圖⟩，〈寅盨〉。（卷二十八，頁12）

按：《金文編》盨字大抵從皀從殳作⟨圖⟩（卷五，頁296），戴氏所羅列金文當係盨字，《金文編》作⟨圖⟩〈周雒盨〉、⟨圖⟩〈伯汈其盨〉（卷五，頁341）。

16、亯 ⟨圖⟩。《說文》曰：「獻也。从高省，⊟象進熟物形。」⟨圖⟩，《說文》曰篆文；⟨圖⟩，〈晉姜鼎〉文；⟨圖⟩，〈公緘鼎〉文……今書作享。

按：……《說文》从高甚無義，疑象形。（卷二十八，頁20）

按：戴氏疑享為象形，較《說文》為長，觀《金文編》享字作⟨圖⟩〈盨文〉、⟨圖⟩〈盂鼎〉、⟨圖⟩〈殳季良父壺〉之形（卷五，頁377-378），與戴氏所引形近。吳大澂謂象宗廟之形[20]，本為祭享之所，引申而有祭享之義。是亦以象形視之。

17、皀 ⟨圖⟩……《說文》曰：「⟨圖⟩，穀之馨香。象嘉穀在裏中，匕所以扱之。或說皀，一粒也。作讀若香（春案：應為「又讀若香」）。」孫氏皮及切。按：鄉從皀，〈齊侯鍾〉鄉作⟨圖⟩；〈宋君夫人鼎〉餗作⟨圖⟩；〈楸季敦〉、〈伯庶父敦〉、〈邾敦〉、〈牧敦〉其旁皆从⟨圖⟩。盨亦從⟨圖⟩，疑此特皀字象形，其下偽（春案：為「譌」字之誤）而為匕也。（卷

---

20 〔清〕吳大澂：《說文古籀補》（臺北：藝文印書館，1967年），頁29。

二十八，頁21）

按：戴氏從鄉、餗、敦、簋相關諸字中分析偏旁，而疑🔲為象形，雖敦
不從🔲，戴氏或許辨釋未精。然🔲為食器，亦即簋之象形，《說文》
從匕之說，本不正確，而戴氏精思遠至，所疑頗允。

18、彝　🔲，〈單癸彝〉文……🔲，〈商癸彝〉；🔲，〈父辛彝〉。彝蓋三
足，其左象流，其右象耳，下象足，加収者，兩手臼之也。（卷二十
八，頁41）

按：彝字《金文編》收字頗多，大抵作🔲形，簡作🔲〈鳥王俯鼎〉、🔲
〈🔲卣〉形（卷十三，頁864-871），戴氏所舉，形構略異。

19、斗　🔲……酌器也。象形。🔲，〈漢綏和壺〉文；🔲，〈孝成鼎〉文；
🔲，徐本《說文》。（卷二十八，頁42）

按：戴氏所舉，與《金文編》斗作🔲、🔲（卷十四，頁928）形近。

20、也　🔲，〈鉅伯仲姞也〉……沃盥器也，有流以注水，象形。亦作
🔲，又作匜。（卷二十八，頁44）

按：戴氏所謂沃盥器之也即匜，《金文編》作🔲，或從皿作🔲，或從金
作🔲，或從金從皿作🔲（卷十二，頁843-844），而無從匚作匜者。
唯李孝定以金文匜係假它為之，🔲乃它之象形；🔲，卜辭作🔲，
乃女陰之象形字，二者不能混為一字。[21]

21、戈　🔲……🔲，鍾鼎識文。斧之長柲者也。《說文》曰：「從戈，乚
聲。」按：戈乃象形。（卷二十九，頁13）

按：戴氏說戈為象形，是斧之長柲者，說實不可易。唯其形與《金文編》
作🔲、🔲（卷十二，頁830）稍有不同。

22、射　🔲……手弓加矢，射之義也……譌為射、為躲。《說文》曰：
「射從身從矢弓，弩發於身而中於遠也。」篆文從寸，寸，法度也。

---

[21] 李孝定：《金文詁林讀後記》，頁431。

按：射之從身絕無義，考之古器銘識然後得其字之正。蓋左文之弓矢譌而為身，右偏之又譌而為寸也。文字之傳譌而鑿為說者，凡皆若此矣！（卷二十九，頁 19）

按：射字《金文編》作✝️，或從又作✝️（卷五，頁 369），其形譌錯，誠如戴氏所說。

23、癸　✝️，〈癸鼎〉文，✳️、✳️。居誄切。《說文》曰：「冬時水土平，可揆度也。象水從四方流入地中。癸承壬，象人足。✳️，籀文從癶從矢。」按：《說文》之說甚鑿而不通，《書》云：「一人冕，執鈗。」孔氏曰：「兵也。」以〈癸鼎〉之文觀之，殆似三岐矛。篆、籀皆傳寫之譌也。（卷二十九，頁 29-30）

按：癸字於《金文編》中形體不一，戴氏所舉〈癸鼎〉文與《金文編》中〈都公鼎〉作✳️相近，唯不見✝️形者，而有✝️、✳️二形近之（卷十四，頁 980-981），恐係摹寫未精所致。李孝定以癸字朔誼不能確指，「戴侗以為鈗之古文，〈顧命〉鄭注鈗為三鋒矛，戴氏據以說癸，實為近之」。[22]

24、樂　✳️……✳️，〈許子鐘〉文；✳️，〈分寧鐘〉文；✳️，〈商鐘〉文。金石絲竹八音之謂樂。上象鐘鼓崇牙，下象其虡。《說文》曰：「五聲八音總名。象鼓鞞，木，虡也。從木。」按：樂非從木，以古鐘文考之，其下蓋象虡，上象鐘鼓之屬。（卷二十九，頁 30）

按：戴氏謂樂字上象鐘鼓之屬，下象虡，乃從有限的銅器銘文可掌握處說之，其形與《金文編》所收✳️〈齊鞄氏鐘〉（卷六，頁 398-399）相似。唯今人得見甲骨文，知樂字或當如羅振玉所說，是木上施弦，琴瑟之象[23]。張日昇以樂字原從✝️，譌作✝️，繁作✳️……象鼓鞞木

---

[22] 李孝定：《金文詁林讀後記》，頁 492。
[23] 羅振玉：《殷虛文字類編》（臺北：文史哲出版社，1979 年 10 月），卷中，頁 40。

虞之說則誤。[24]是戴氏所列金文之形則是，唯其論略則非。

25、壴（春案：戴侗「壴」誤作「豈」）　堂，鍾鼎文；豈，籀文。豈，
《說文》曰：「陳樂立而上見也。從屮從豆。」……李陽冰曰：「屮
取象草木出地之形，豆取象陳籩豆之狀。」按：壴（春案：戴侗「壴」
誤作「豈」），樂器類，草木籩豆非所取象。其中蓋象鼓，上象設業
崇牙之形，下象建鼓之虡，屮之象亦從屮，非屮也。伯曰：「疑此即
鼓字。鼓，擊鼓也，故從支。」（卷二十九，頁 30）

按：壴本鼓的初文，戴氏之說確而有見。許說雖未失本誼，唯釋形卻誤。

26、冊　卌……卌，〈郘敦〉文。編策以為書記也。象形……《說文》
曰：「冊，符命也，諸侯進受於王也。象其札一長一短，中有二編之
形。古作篇。」……一長一短，乃傳寫文飾之變，〈郘敦〉乃其本文
也。（卷二十九，頁 35）

按：自甲骨、金文觀之，冊字形構有長短整齊一致者，亦有作一長一短
者[25]，本勿庸拘執。唯從現在見到的秦簡看，一冊之中簡長短一致
[26]，是戴氏以一長一短，乃傳寫文飾之變，亦為有據。

27、同　同……《說文》曰：「合，會也。從亼從口。」……冋，〈郘敦〉
文。按：同，疑從口，亼聲，同，口之合也。（卷三十一，頁 19）

按：《金文編》所收同字皆作（卷七，頁 545），從凡從口，非從亼。
楊樹達以會意視之，言「凡口為同，猶亼口為合也。」[27]戴氏所引
金文，《金文編》屬之冂即冋字（卷五，頁 374-375）。

28、冕　冕……首服之上也。……，〈郘敦〉文。（卷三十一，頁 20）

---

[24] 周法高：《金文詁林》，頁 3773（6.112-768）。

[25] 中國社會科學院考古研究所編：《甲骨文編》（北京：中華書局，1989 年 3 月），考古學
專刊乙種第十四號，頁 87；容庚編著：《金文編》，卷二，頁 126。

[26] 王延林：《常用古文字字典》（上海：上海書畫出版社，1987 年 4 月），頁 115。其意也
以「字中一長一短應是書寫時造成」。

[27] 楊樹達：《積微居小學述林》，頁 92。

按：《金文編》不收旒字，戴氏釋為旒，又無說解，未知所據。

29、㫃　ㄓ、ㄓ，鐘鼎文；ㄓ，《說文》曰古文。旗旒之通名也。ㄓ象旗杠，其上注刃，旁象旗旒之颺。《說文》曰：「象形及象旗旒之旒。」（卷三十一，頁35）

按：㫃字《金文編》收ㄓ、ㄓ二形（卷七，頁461），象旒杠與旗旒偃蹇飛颺之形。戴氏作ㄓ者恐係摹寫不周，試觀從㫃之字亦無省作ㄓ者。

30、余　余……《說文》曰：「語之舒也。舍省聲。」按：金石文多作余。（卷三十二，頁5）

按：《金文編》所收〈秦公鎛〉余字正如戴氏所舉作余（卷二，頁52）。

31、皇　皇……皇、皇、皇、皇、皇，並鐘鼎文。《說文》曰：「大也。從自，自，始也。」（卷三十三，頁1）

按：《金文編》所收皇字形體多樣作皇〈令簋〉、皇〈秦公簋〉、皇〈邾王義楚耑〉、皇〈鄀侯簋〉、皇〈鄦戠簋〉（卷一，頁21-23），與戴氏所舉近似。

32、民　民……《說文》曰：「戎，古文民。眾萌也。從古文之象。」戎，鐘鼎文。（卷三十三，頁3）

按：《金文編》收〈中山王𗬖壺〉民字作民，〈王孫鐘〉作民（卷十二，頁813），稍稍失真。

33、九　九……《說文》曰：「象之變也。象屈曲究盡之形。」九，〈欒鼎〉文；九，〈晉姜鼎〉文。（卷三十三，頁6）

按：《金文編》所收九字大抵亦如此，作九〈盂鼎〉、九〈�鎛〉（卷十四，頁949-950）。

34、乃　乃……《說文》曰：「乃，曳辭之難也。象氣出難。乃，古文。乃，籀文。」乃，鐘鼎文。乃，李陽冰篆。（卷三十三，頁10-11）

按：《金文編》所收〈應公鼎〉乃字作 ![figure]（卷五，頁 317），與戴氏所舉
　　相似，唯頭筆較直耳。

35、甹　![figure]。《說文》曰：「亟詞也。從甹……」按：甹，鐘鼎文 ![figure] 從丁，
　　疑從甹，丁聲。（卷三十三，頁 11）

按：![figure]字《金文編》作 ![figure]（卷五，頁 320），下從丂，非丁。

36、百　![figure]……《說文》曰：「百從白，古作 ![figure] 從自，白亦自也。從一
　　白。數，十百為一冊，相章也。」按：伯從人，白聲；百亦當以白
　　為聲，鍾鼎文凡百皆直作白。以白為自，鑿而不通；以白為聲，明
　　而有徵。（卷一，頁 4）

按：觀《金文編》百字的基本型式作 ![figure]（卷四，頁 249），與白字作 ![figure]
　　形（卷七，頁 552）有別，是戴氏所疑，尚有可議。李孝定雖以百
　　字「從自之說，已為不經」[28]。然自亦有作白者，如〈![figure]仲父匜〉：
　　「自乍寶它」之自作 ![figure]，與百所從近似。

37、委　![figure]……宛委不自持貌。垂省聲。《說文》曰：「委，隨也。從女
　　從禾。」徐鉉曰：「委，曲也。取禾穀垂穗委曲貌。」按：委從禾無
　　義，鍾鼎文皆作 ![figure]，乃从垂省譌為禾也。（卷九，頁 18）

按：《金文編》所收從女諸字未見委字（卷十二，頁 783-813），疑戴氏
　　所據有誤。

38、妻　![figure]、![figure]……夫之正室曰妻。《說文》曰：「婦與夫齊者也。從
　　女從中從又。持事，妻職也。![figure]，古文。」按：鍾鼎文妻從齊，蓋齊
　　聲。（卷九，頁 22）

按：《金文編》所收妻字作 ![figure]、![figure]（卷十二，頁 793），與戴氏所舉近似，
　　而與齊之作 ![figure] 者（卷七，頁 487）相遠。故其據以推論妻從齊聲

---

[28] 李孝定：《金文詁林讀後記》，頁 128。王延林：《常用古文字字典》，頁 225 中雖以「卜
辭銘文中借白為百，一百作 ![figure]，二百作 ![figure]。」但並不正確。

者，恐不可信。

39、若 〔字〕……如也，順也。《說文》曰：「〔字〕，擇菜也。從草從右。右，手也。」〔字〕，日出東方暘谷所登榑桑。〔字〕，木也。象形。〔字〕，籀文。」……古鐘鼎文凡若皆作〔字〕，蓋從口而〔字〕聲，〔字〕譌而為〔字〕爾。籀文從叒口，即若字也。（卷十一，頁43-44）

若 〔字〕……夸象木而三其枝，蓋所謂若木者，《說文》譌而為三又也。古鍾鼎文皆作夸，無從又者。若之義從口，夸聲。籀文乃叒之譌也；從艸右則又自籀而譌也。（卷二十四，頁4）

按：戴氏所說若、叒、夸字之形構流變已較《說文》略勝一籌，而未達乎一間。《金文編》收〔字〕為若（卷一，頁38）；以〔字〕為叒，象人踞坐、舉手理髮使順之形[29]；隸變作若，遂與從艸右之若混而為一矣[30]！至謂象木而三其枝者，疑為桑字較切。

40、龍 〔字〕……鱗蟲之長，困居而天行。《說文》唐本從肉從飛及童省；徐本曰：「從肉飛之形，童省聲。」又曰：「象宛轉飛動貌。」〔字〕，〈遲父鍾〉，象形。〔字〕、〔字〕，並古文。（卷十八，頁1）

按：戴氏以龍為象形，已較許說為長。然龍《金文編》作〔字〕（卷十一，頁759），與戴氏所舉之形相距甚遠。

41、年 〔字〕……穀成熟也。《詩》云：「自古有秊。」《春秋》曰：「大有秊。」〔字〕，鐘鼎文，人聲。（卷二十二，頁9）

按：《金文編》所收年字有從人、從千、從王三體，當以從人為主，從千、從王皆其變（卷七，頁501-506）。觀〈寵乎簠〉：「乎其萬年永用」與〈甫人盨〉：「其萬年用」皆作「萬人」，乃假「人」為「年」，知戴氏據鐘鼎文證年為人聲，實甚有見。

---

[29] 李孝定：《甲骨文字集釋》（臺北：中央研究院歷史語言研究所，1974年10月），中央研究院歷史語言研究所專刊之五十，第六冊，頁2053。
[30] 容庚編著：《金文編》，卷六，頁413。

42、舍　會……行所止舍也。……舍有委積行李之齎，必有垣墻，故从口，令聲。《說文》曰：「市居曰舍。从亼中，象屋也。口，象築也。」

按：古鍾鼎文凡余皆單作令，舍蓋余聲。（卷二十六，頁25）

按：張日昇、李孝定綜合諸家之說，亦以舍字殆從余聲為是[31]，故戴氏據金文以說字形結構，頗有精當。

上舉四十二條中，完全精當者十一條，可辨為有誤者九條，餘者介乎精當與略誤之間，或為摹寫失真所致，或沿襲宋人的判斷失誤所致，或出於作者本身的誤判，但其確有誤者，不過占21%而已。

（二）徵引金文證字形而及於字義者

當戴氏徵引金文，其目的不僅止於知其本形，尚且探及它的字義時，雖於字義存而不論，然亦歸於此條目下：

1、易　易……易從日，亼從云，因象以著義，亼易之義居可識矣！易，〈晉姜鼎〉文。《說文》曰：「從日從一從勿。開也。一曰飛揚。一曰長也。一曰強者眾兒。」鄭漁仲曰：「從旦從勿。太易朝升，勿勿然散兒。」侗按：二說皆支離牽強。（卷二，頁12）

按：戴氏所舉金文與《金文編》所收〈沇兒鐘〉作易形近（卷九，頁667）；至其義則難明，戴氏以許、鄭二說不夠周延，是而疑者闕疑，存而不論，亦示其慎也。

2、广　广……《說文》曰：「因广為屋，象對剌高屋之形。讀若儼然之儼。」……按：《說文》以交覆深屋訓宀；以因广為屋訓广，皆曲而不通。予考古鍾鼎文，見宀之立文，因悟广之義，二字之義煥然，不待箋釋而著焉！（卷二十五，頁3）

按：戴氏以广、宀二字可由鍾鼎文中見文悟義，广、宀皆為屋形，而從

---

[31] 周法高：《金文詁林》，頁3405（5.677-0962）；李孝定：《金文詁林讀後記》，頁207。

其形構亦可知其居住建築的形式有別，故戴氏謂其「不待箋釋而著焉」。

3、高　髙……《說文》曰：「高，崇也。象臺觀高形。」亯，〈叔高盉〉文；亯，〈陀鼎〉文。伯曰：楚子問城之高厚。城有高厚之義，故取享之上以為高，取享之下以為厚。（卷二十六，頁3）

按：《金文編》高作髙（卷五，頁374）；亯作亯（卷五，頁375），是戴氏混二者為一，宜其釋形說義略嫌比附。

4、午　午……午，〈父乙鼎〉文；午，〈庚午鬲〉文。斷木為午，所以舂也。亦作杵，加木。……《說文》曰：「午，啎也。五月陰氣午逆易，冒地而出，與矢同意。啎，逆也。从午。」按：《說文》之說，鑿而不通。所以知其為午臼之杵者，舂从午从臼，此明証也。（卷二十八，頁7）

按：戴氏透過舂字偏旁的分析，以杵說午，就其字形言之，不為無見，後來林義光在《文源》中亦有類似的說法。李孝定言：「吳其昌氏據金文午字字形，遂以矢鏃說之，他家以杵解午者，則據契文立說，……就契文字形言之，象『杵』之說，不為無見。」[32]而戴氏已論之先矣！

5、庚　庚，〈庚鼎〉文。庸……《說文》曰：「西方，象秋時萬物庚庚有實也。庚承己，象人臍。」鄭漁仲曰：「鬲之類也，亦三足。」
按：許氏之說傅會牽彊，庚蓋鍾類，故庸从之。（卷二十九，頁34）

按：戴氏以庚為鐘類，郭若沫則以為係有耳可搖之鉦樂器[33]，二人之說相近；唯《金文編》作庸形居多（卷十四，頁969），而未見作如〈庚鼎〉之形者。

6、用　用……書傳通以為施用之用。用，〈宣盨〉文，以此為鍾。《說

---

32 李孝定：《金文詁林讀後記》，頁500。

33 郭沫若：〈釋干支〉，《甲骨文字研究》（北京：人民出版社，1952年），頁10-11（169-171）。

文》曰：「用，可施行也。從卜從中。衛宏說。⊞，古文。」一說此本鏞字，象鍾形，借為施用之用。（卷二十九，頁46）

按：戴氏別創新解，以用本鏞字，後來諸家，如李純一、楊樹達、蔣禮鴻、李孝定諸家說解，皆承其嵩緒，而竟其委[34]。戴氏隻眼別具，由此可見。

7、王　王……《說文》曰：「王，天下所歸往也。董仲舒曰：三畫而連其中為王。三者，天、地、人也。參通之者，王也。孔子曰：一貫三為王。玉，古文。」王，鐘鼎文。李陽冰曰：「中畫近上，王者，則天之義。」鄭漁仲曰：「盛，王本義也。象物自地而出敷盛也。」

按：一貫三之說太巧，非孔子之言也。且中畫近上，李氏雖曲為之說，終未通。鄭氏之說亦迂。或曰能一下土之謂王。（卷三十三，頁1）

按：王字說解，諸家頗異其辭，戴氏辨析，亦見其矜慎，而不強為必然。所舉金文則與《金文編》所列王〈橋伯簋〉類似（卷一，頁18）。

是七條之中，唯一條有誤，也不過占14%耳。

（三）徵引金文詞例字形以證假借者

戴氏除徵引金文字形外，尚能應用詞例來印證古書習見詞語係為假借現象者，如：

1、眉　𥃩、眉……目上毛也。象形。古鍾鼎文眉壽之眉作𥄉、𥅡、𥄾，其字從𦣞，殆釁字也。釁有門音釁是也，故亦有眉音。古書多假借，《荀子》：「面無須麋。」借用麋字。（卷十，頁12）

按：戴氏以眉壽作釁壽是假借現象，金文中習見，是不可易之論。而眉

---

[34] 周法高：《金文詁林》，頁2041（3.883-0450）-2051（3.893-0450）；李孝定：《金文詁林讀後記》，頁112。

壽與䛦壽又俱為假借[35]，則戴氏尚未及分辨。

2、隹　🐦……短尾鳥也。今俗以短後為隹。🐦、🐦，〈孔父鼎〉文；🐦，〈父丁鼎〉文。……鐘鼎文皆借此為惟字。（卷十九，頁 18-19）

按：卜辭銘文習見假隹為語詞的惟，戴氏所據無誤。然《金文編》所收隹字皆無作點睛者（卷四，頁 251-255）。

3、雝　🐦……借為和鳴雝雝之雝……又云：「鎬京辟雝。」毛萇曰：「水旋丘如璧曰辟雝。」舅馴曰：「按：譙周曰：成王作辟上宮，周器之銘多有曰王在雝上宮者。辟、雝蓋二宮名也。」古鼎銘又曰：「惟三月初吉王寅，王在和宮。大夫始錫作彝。」又曰：「王在辟宮，獻工錫章。」雝，和也。和宮殆雝宮之異名與？漢儒本因邕水而生璧邕之說，後之沿襲者遂加广為廱，其失滋甚矣！」（卷十九，頁 22-23）

按：戴氏引舅馴之說，舅馴其人則史傳方志並無載及，生平未詳，而說雝為和，係為假借，說亦可從。

戴氏對假借的認知，強調「本無而借它」，尤其發現虛詞十之八九皆假借，是非常精當的[36]，上舉此三條雖未深論，而所舉例，亦甚允洽，其失誤已幾微。

（四）徵引金文詞例以證文字通用者

戴氏或有徵引他家說，應用金文詞例來證明二字通用者，如下一條：

1、不　🐦，方于切。……又敷悲切。通為丕，字書云：「丕顯哉！文王謨。丕承哉！武王烈。《詩》云：不顯不承。」舅馴曰：「《詩》中不顯之類，皆當讀如丕。〈秦和鐘〉銘曰：『不顯皇祖』。〈詛楚文〉曰：

---

[35] 李孝定：《漢字的起源與演變論叢》（臺北：聯經出版事業公司，1986 年），附錄〈釋「䛦」與「沫」〉，頁 267-283。

[36] 黃德寬、陳秉新：《漢語文字學史》，頁 123-124。

『不顯大沈文湫，不顯大神巫咸，不顯大神亞駝。』此最可証者。」
（卷三十三，頁 20）

按：戴氏引舅駟之說，用金文詞例以與經籍、〈詛楚文〉相發明，說不
通為丕，是也。

（五）徵引金文字形證同字或體者

戴氏或有徵引器物之名而未能明見其字形者，觀其意是在證明《說文》
二字係屬同字或體，不應析為二部，如：

1、鬲　鬲、鬲……煮器也。〈考工記〉曰：「陶人為鬲，實五觳，厚半
寸。脣寸，三足，象形，旁象兩耳。亦作鬲。」《說文》曰：「鬲，
鼎屬，實五觳。斗二升曰觳。象腹交文，三足。或作䰜，從瓦。漢
令作䰍，從瓦，麻聲。」「䰜，歷也。古文。亦鬲字。象熟飪五味氣
上出也。」孫氏䰜、鬲同音。按：䰜、鬲一字，猶孚與子、首與百，
不當分為二。〈亞父己鬲〉。（卷二十八，頁 7）

按：戴氏此例所引金文似闕漏，故意不甚明，唯《金文編》所收鬲字（卷
三，頁 170-173），未見與戴氏所舉形體相合者。而以䰜、鬲一字，
《說文》不當分為二部，當是。

（六）徵引器物證其字同而材質異者

戴氏此條目雖不徵及金文本身，只徵引及器物之名，但觀他的用意，是
在證明器物材質的不同，也不需別立新字，其字當同，如：

1、豆　豆、豆……盛菹醢醯醬之器也。象形。《說文》曰：「豆，古食
肉器也。豆，古文。梪，木豆也。」《爾雅》曰：「木豆謂之豆；瓦
豆謂之登。」按：豆或瓦、或木、或金、或玉，不當別立字。〈考工

記〉：「旊人為豆，實三而成觳，崇尺。」是豆亦以瓦也。古器之遺
者，如〈祖癸豆〉、〈姬寏母豆〉，皆銅豆也。〈明堂位〉曰：「殷玉豆。」
是豆亦以玉也。（卷二十八，頁18）

按：《金文編》所收豆器凡五，曰：〈 豆〉、〈父丁豆〉、〈鑄客豆〉、〈周
生豆〉、〈大師虘豆〉，字亦作豆、豆（卷五，頁330），是戴氏所言
無誤。

（七）徵引金文字形而證其形制者

戴氏或有引他家說，透過金文字形而分辨器物形制者，雖非己出，然間
接表白其看法的，如：

1、戈　　……黃長睿〈銅戈辨〉曰：「戈之制，有內，有胡，有爰。詳
此銅戈之制，兩旁有刃橫置，而末銳若歛鋒者，爰也。爰之下，磬
折稍刌而漸直，若半頸之垂胡者，胡也。胡之旁，有接柲之迹者，
內也。爰形正橫，而鄭氏以為直刃，《禮圖》所畫若茅槊然，誤矣！
戈，擊兵也，可句可啄而非所以刺也，是以衡而弗從，鄭氏亦謂：
已倨，則胡微直而邪多；以啄人，則不入；已句，則胡曲。以啄其
人，則創不決。既謂之啄，則若鳥咮然，不應其刃向上而直也。觀
夏、商彝器銘文，有作人形執戈者、何戈者，其戈皆橫如斧鉞，而
銳若鳥咮。胡垂柲直，與此銅戈之制同，此最可證。」或曰戈自象
其形，非從戈。（卷二十九，頁12-13）

按：黃伯思《東觀餘論·銅戈辨》以彝器銘文證戈援係橫刃，而勘正鄭
氏、《禮圖》之誤[37]，觀諸出土戈器，戈實象形，說不可易。

---

[37] 林清源：《兩周青銅句兵銘文彙考》（臺中：東海大學中國文學研究所碩士論文，1987年
4月），頁40-44。

三　結語

　　藉由上面的枚舉分析，若以戴氏引用金文凡五十七處的比例來看，其引用金文來證明字形者，凡四十三條（若字包含兩條），約占 75%，而其失誤亦不過 21%；而證字形兼及於字義者有七條，約占 12%，而其失誤亦不過 14%；以證假借者三條，約占 5%，而其失誤幾近於 0%；以證文字通用、同字或體、材質異而字同、及證器物形制者各一條，約占 2%，以僅一條，比例甚微，可不深論，然亦所論多允洽者。故以內容觀之，其徵引金文的最大目標，如其所言，還是用在「知制字之本」上的，故證字形的比例最重，證字形兼及字義者次之。偶或有逾越處，還是緊緊扣住文字本身的。

　　至其應用金文的數量如何？就明顯徵引處觀之，本來五十七條是不算多的，但拿它來跟清代說文四大家中的段玉裁、桂馥、朱駿聲比一比，段氏在《說文解字注》中的應用不過八條[38]，桂馥於《說文解字義證》中應用了三十條[39]，朱駿聲則在《說文通訓定聲》及《補遺》中應用了十一條[40]，與三家比起來，戴氏算是很多了。

　　至其應用金文的質量如何？就上面按語所分析的來看，他失誤的比例是在 10%～20% 之間，算是非常允當的，而這種失誤，很多是肇基於宋人著錄摹寫時的不精確，而在這種不精確的字形底下，他還能作千古不刊的判斷，誠屬不易啊！而且，他能透過羅列金文字形、分析金文中所從字之偏旁、借用金文詞例來比勘……多樣化的方式，讓文字的初形本義能找到更適切

[38] 沈寶春：〈論段玉裁《說文解字注》的金文應用〉，《第一屆國際清代學術研討會論文集》，高雄：國立中山大學中國文學系、中國文學研究所，1993 年 11 月，頁 629-648。

[39] 沈寶春：《王筠之金文學研究》（臺北：臺灣大學中國文學研究所博士論文，1990 年 6 月），頁 35-36；沈寶春：《王筠之金文學研究》（臺北：花木蘭文化工作坊，2008 年 9 月），《古典文獻研究輯刊》七編第 14 冊。

[40] 〔清〕朱駿聲：《說文通訓定聲・補遺》，丁福保纂輯、楊家駱主編：《說文解字詁林正補合編》，單字、舝字、敢字、飤字、憋字、液字、羕字、需字、也字、匰字、癸字條下。

的解釋，這種工夫與用心，是應該予以肯定的。況且，他的態度是相當謹慎小心的，在「著其徵而有信」的情況下，闕疑、不敢穿鑿、弗取怪誕、不夸辨博，戴氏雖嚴飭謙沖，評論家似乎不當吝於遲來的掌聲吧！所以，唐蘭的稱譽是有些過當，而高明的「作繭自縛，殊無足觀」，就顯得有些偏激了。

原文發表於《第五屆文字學全國學術研討會論文》（初稿），臺北：國立政治大學中文系，1994 年 5 月 7 日，頁 271-296；後收入中國文字學會主編：《文字論叢》第二輯，臺北：文史哲出版社有限公司，2004 年 4 月，頁 259-285。（張宇衛繕打／邱郁茹校對）

從黃生與方以智的交集面談明末清初的小學風貌

一

　　當我們披覽《四庫全書總目提要》（以下簡稱《提要》）子部雜家類時，看到《提要》對方以智撰的《通雅》五十二卷及卷首三卷備極稱贊，認為他的博洽和考據精核，是明中葉以後的楊慎、陳耀文、焦竑諸人所難望其項背，而「在明代考證家中，可謂卓然獨立」的。[1] 又在後面黃生所撰的《義府》二卷下說：「生於古音古訓，皆考究淹通，引據精確，不為無稽臆度之談。……雖篇佚無多，其可取者，要不在方以智《通雅》之下。」[2]準此評騭，隱然可知《提要》對黃生的推許，是遠遠超過明中葉後的楊慎、陳耀文、焦竑諸人之上，至其可取者，竟可與方氏相頡頏。察黃生所撰《義府》不過兩卷，加上《字詁》一卷，傳世之作比起記誦之博，著作之富公論推明代第一的楊慎，值如九牛一毛。[3]而與方以智《通雅》相較，數量足足差了二十五倍，

---

[1] 〔明〕方以智：《通雅》（臺北：臺灣商務印書館，1972 年），《四庫全書珍本》三集，第七百五十六冊，首附《提要》云：「《通雅》五十二卷，明方以智撰。……是書皆考證名物象數，訓詁音聲。……明中葉以後，以博洽著者稱楊慎，而陳耀文起而與爭。然慎好偽說以售欺；耀文好蔓引以求勝。次則焦竑，亦喜考證，而習與李贄游，動輒牽綴佛書，傷於蕪雜。惟以智崛起崇禎中，考據精核，迥出其上。……雖其中千慮一失，或所不免，而窮源溯委，詞必有徵，在明代考證家中，可謂卓然獨立者矣！」

[2] 〔明〕黃生撰、黃承吉合按：《字詁義府合按》（北京：中華書局，1984 年 11 月），附錄，頁 278-279。

[3] 王文才：《楊慎學譜》（上海：上海古籍出版社，1988 年 8 月），頁 140〈升庵著述錄〉：「《明史‧楊慎傳》云：『明世記誦之博，著作之富，推慎第一。詩文外，雜著至一百餘種，並行於世。』蓋世所公論，故史有定評。」而關於黃生的著作，在閔爾昌編纂的《碑傳集補》據《徽州府志》說其著作有《一木堂詩稿》十二卷、《文稿》十八卷，《內稿》二十五卷、《外稿》三十卷；所輯有《一木堂字書》四部、《雜書》十六種；所評有《古文正始》、《經世名文》、《文筏》三十卷、《詩筏》二十卷、《杜詩說》十卷。生所著《一木堂集》，乾隆年間奉旨銷燬，其所評輯諸書，亦多散失，所存僅《字詁》一卷、《義府》兩卷、《杜詩說》十卷。《字詁》、《義府》二書收入四庫書，然世亦鮮有行者。參見閔爾昌：《碑傳集補》，

而質量上竟有如此的分量，博取如斯的美名，原因何在？是否《提要》的重
點是將他擺在「考究淹通，引據精確」上，而與方氏的「考據精核」作比較
呢？章太炎也曾說過：「儀徵劉光漢，贈余《字詁》、《義府》，明黃生作也。
其言精确，或出近世諸師之上。……唯小學，亦自黃氏發之，孰謂明無人乎？
顧獨唱而寡和耳。」[4]則認為黃生不只超越前人，更「出近世諸師之上」，而
且在傳統小學所涵蓋的文字、聲韻、訓詁的各個層面，都能啟發來哲，而讚
美其「精確」。或如錢玄同所說：「前代關於語言文字學的著作，創見最多的，
不過黃扶孟（生）的《字詁》與《義府》，方密之（以智）的《通雅》，王石
臞（念孫）的《廣雅疏證》，朱允倩（駿聲）的《說文通訓定聲》數書而已。」
[5]錢氏竟推許黃生與方、王、朱並稱創見四傑，且將黃氏列在方氏之前。而
他的創見根基何在？或許跟考據也有關係吧！也許有人持相反之議，認為
「小學由黃生發之」並「非的論」，[6]而視章氏之說為「矜奇」。[7]

　　這就切入到我們意欲探究的主題，如以考據的小學立場來說，在二人交
集面上所擬構出的小學是如何交會、消融、轉化與創新，而這能不能彰顯出
時代的特有面貌呢？觀向來論述方以智所撰的《通雅》，是根據古代的語言
材料來說明音義相通之理，兼論方言俗語，是創見極多，而對清代的學者有
不少啟示。[8]與顧炎武一樣，成了清代小學的「啟蒙大師」[9]，是清代語文學

周駿富主編：《清代傳記叢刊》（臺北：明文書局股份有限公司，1985 年 5 月），第一百二
十二冊，綜錄類五，卷三十六，頁 122-256。並可參閱支偉成：《清代樸學大師列傳》（臺
北：明文書局股份有限公司，1985 年），頁 012-093。
[4] 章炳麟：《太炎文錄初編·說林下》，《章氏遺書》（臺北：世界書局，1958 年 7 月），下
冊，卷一，頁 117。
[5] 朱起鳳：《辭通》（臺北：開明書局，1960 年 4 月），卷首附錢玄同〈序〉，頁 1-2。
[6] 林慶彰：〈晚明經學的復興運動〉，《書目季刊》，1984 年第 3 期，頁 3。
[7] 陳登原：〈明人經學〉，《國史舊聞》（臺北：明文書局股份有限公司，1984 年 3 月），頁
1446，第 548 節。
[8] 周祖謨：〈清代的訓詁學〉，《語言文史論集》（臺北：五南圖書出版有限公司，1992 年 11
月），頁 405-412；周祖謨：〈中國訓詁學發展的歷史〉，《語言文史論集》，頁 465-488。
[9] 胡奇光：《中國小學史》（上海：上海人民出版社，1987 年 11 月），頁 229。

「因聲求義」一大特點中的開先河人物。[10]無疑的是把《通雅》看作是小學
——語文學的一環,而不似《提要》把它歸入「雜家」類的。反觀與之相儔
的黃生,除了《提要》與章氏、錢氏的推許特舉之外,似乎就鮮少有人注意
及。這或許如黃氏族孫黃承吉在〈字詁義府合按後序〉中所說的,黃氏雖有
《黃生文稿》、《三禮會篇》、《杜詩說》,「至《字詁》、《義府》二書,學者皆
未之見。……乃戴東原太史耳公名未見公書,迫屬當事訪求而後得者。蓋當
時此二書存亦甚僅,微太史力莫能出也,不出則二書亦湮沒久矣。……徽郡
名儒,戴氏之前有江氏,江氏之前有公。公書罕傳,故他方不知公之人;而
公名甚籍,則近郡無不知公之有書。」[11]是黃生《字詁》、《義府》二書在清
初是相當「罕傳」,是「學者皆未之見」,以致於「他方不知公之書」的。既
然如此,則其在構擬清初小學風貌上似不若方以智來得顯露,以故在傳統文
字學史或訓詁學史中,黃生就落落寡聞,甚至寂寂無聞了。

　　唯二氏項背相望的同遭亡國之痛,同樣不為異族增添光環,同樣在小學
的領域中前驅後繼,那麼,我們在檢驗或企圖回復明末清初那一段小學的風
貌時,似乎不應再遺忘這位處山村溪舍的「古逸民通人之儔輩」。前此,黃
氏族孫黃承吉曾在表彰黃氏學術時,將黃氏與顧炎武、方以智相比擬,而論
到黃氏與方氏之異同優劣時說:

　　而或者以當公之時,桐城方密之太史稍長於公,其學詎視公為紲,何
　　乃獨張公學?曰:方氏之學於明人中為淹通,於漢學中為膚外,從來
　　不明漢學者。其書雖至博而不能精,其途乃極紛而卒不知要歸於一。
　　蓋博學有時亦可以佐治經,而每多可以溷治經。畛域須明,學術乃判。
　　公之《義府》,博學也,所以《四庫》以與《通雅》同入於雜家,謂
　　「可取者不在方以智下」。惟《提要》此語,乃指《義府》一書而言,

10　胡裕樹主編:《中國學術名著提要‧語言文字卷》(上海:復旦大學出版社,1992年7月),
　　頁172-175。
11　〔明〕黃生撰、黃承吉合按:《字詁義府合按》,頁263-264。

若《字詁》則入於小學類而在經部，《提要》並未嘗以此書亦與以智相較，則以經部中之小學為生所獨擅，非如徒為博學者之訓詁終疏。故《提要》云：「生致力漢學」，是明明以漢學分際予生，而謂其異於明人。在兩書原相互相成，而《提要》則各還其類。……要之，方書在明季實為轉移風氣之先，故《通雅》《提要》謂其「在明代考證書中，可謂卓然獨立」。公學則為本朝經術昌明之始，故《字詁》《提要》謂其「致力漢學，於六書訓詁尤所專長，不同明人之勦說」。……是故方學雖宏，非知體要；公書雖約，具見精微。辭氣異同，毫釐千里。此公書之分際也。[12]

則認為《提要》把《義府》與《通雅》相比較，以見「可取者不在方以智之下」，至若《字詁》則生所獨擅，是方氏所望塵莫及者，故列入尊崇的經部裡。方氏書在明季是「轉移風氣之先」，而黃氏書則開有清一代「經術昌明之始」，兩人在學術上的階段性地位是不可等同而論的。

當然，黃生的《字詁》、《義府》二書的撰寫當在《通雅》之後，而二人著作的緊密銜接，正是窺測時代轉折之間學風移轉陶鑄的契機。本文擬從黃生《字詁》、《義府》二書引用方氏《通雅》的條目中，略微勾勒明末清初政權轉移之時小學的一點風貌，雖不免以偏概全，有管窺蠡測之陋，唯一臠知鑊味，察微知著，或可試加辨析拼湊，而描繪出當時小學的約略風貌，以及二氏治小學的異同，至其優劣，則為餘事云。

二

今欲從黃生與方以智為學的交集面來凸顯出明末清初之時小學在轉型階段的風貌，以及二人為學的方法與取徑若何？並釐清方氏之書於明季乃

12　〔明〕黃生撰、黃承吉合按：《字詁義府合按》，頁271。

開風氣之先，而黃氏之書則為清代經術昌明之始？則首先當從二人論著之交集面來比觀同異，而於其中尋繹其蛛絲馬跡來。觀黃氏《字詁》、《義府》二書，撰就係在《通雅》之後，書中徵引《通雅》之處，或逕以書名《通雅》稱呼，或以名號兼書名用「方以智《通雅》」、「方桐山《通雅》」來稱呼，或簡單的僅用其名號曰「方桐山」或「桐山」來稱呼，[13]下面所列各條目，即是明確指出徵引到《通雅》的資料，為了比較的方便，也把方氏《通雅》的原文附之在下：

> 1、宋衛朴明敻術，《通雅》謂測量之法，掛空取線而算之也。按：《方言》「度高曰揣」，疑即此字。（《字詁》頁 47〈敻術〉）

> 按：《通雅》卷四〈釋詁‧古雋‧支閡猶敻礙也〉條云：「〈陳遵傳〉：『一旦敻礙。』敻音絹。隗囂『多設支閡』，支與敻皆言其有枝角，易里礙也。虞詡謂太守『乞不拘閡』，即礙也。後〈方術傳‧序〉：『雖云大道，其硋或同。』隋設無閡大會於太極殿，注：閡與礙同。《法言》曰：『無所繫輆。』智亦曰礙也，俗作碍。測術有曰敻術者，言里於空中而算得之。」（頁 29）又卷四十〈算數‧敻術即今之測量器也〉條云：「祖暅之綴術，宋衛朴專明敻術。敻音夐，挂也。挂空取線而算之，總曰綴術。今測量器作一方版，安兩耳紐，一隅

---

13 按方以智（1611-1671），安徽桐城縣人，字密之，號鹿起，又號曼公。入清為僧，更名大智，字無可，別號弘智、藥地、浮山愚者、愚者大師、極丸老人等，人稱藥地和尚。事跡見《清史列傳》卷六十八、《清史稿》卷五百、《國朝書畫家筆錄》卷一、《國朝畫識》卷十四、《國朝書人輯略》卷十一、《小學考》卷六。陳高春：《中國語文學家辭典》（鄭州：河南人民出版社，1986 年 3 月），頁 270。而在林慶彰：《明代考據學研究》（臺北：學生書局，1986 年 10 月），頁 486 附注中言：「以智別號甚多，早年稱浮山愚者、龍眠愚者、宓山、鹿起山人；明亡後，改稱吳秀才，又稱吳石公；流寓嶺南時，稱愚道人、愚者智、笑翁；逃禪梧州之初，法名行遠，號無可；至天界，改名大智，又稱弘智。此外，另有五老、藥地、浮庭、墨歷木立、愚者大師、㽙盧大師、郇筍參上人、極丸老人、浮度智、閒翁。唯未見以「桐山」名其號者，不知黃生何據？或以其籍貫地望而名之耶？然以《義府》卷下〈央瀆〉所引「方以智《通雅》」與《字詁‧靂霍》條所引「方桐山《通雅》」例之，知方桐山即方以智也。

繫線，目穿兩耳紐，以直物杪，則線必下垂，視其所直分數，以三率乘除之，其神捷並不須方版矣。三率者，異乘同除法也。以第二率、第三率相乘，得數以第一率為法除之。變測者，第一率、二率相乘，而以三率之數分除知之。然凡乘除，無往而非三率也。若事務人數，歲月數，工直數，則用重測。凡學者屏欲尊精，乃能慧解。如精耗病散，則目光為日光、水光所奪，必迤且支而不準。」（頁5）

2、《說文》：「霍，飛聲也。雨而雙飛者，其聲霍然。」是《說文》即以此為霍字矣。然諸書用霍靡字又音髓。劉安〈招隱士〉「煩艸霍靡」，〈石崇傳論〉「春畦霍靡」，韓愈〈城南聯句〉「春游轢霍靡」。《廣韻》：「霍靡，艸木弱貌。」此以聲狀形，宜其不可為呼郭切也。今書地名、人姓之類多用霍，獨《史記·樊噲傳》之霍人，《正義》注先累、蘇果、山寡三反，以為即太原郡之葰人。〈地理志〉葰人縣，如淳音瑣，師古又山寡反。按《正義》初切之先累，即髓音也。《韻會》諸家紙、藥二韻兼收霍，而霍則止一音。蓋霍之為葰，止見〈樊噲傳〉注，人多略之故耳。方桐山《通雅》曾考及此，以為佳音追，唯、誰、雖從之，故霍、霍本音荽。而音崔者，攉因榷、鸖因鶴形近也。予謂不然，今之單用霍者，亦豈因崔而誤哉？且方不取《說文》，故於霍之音訓概不致察。予雖知霍本呼郭切，而髓音又無可通之理。久乃思而得之，蓋霍、霍本二字，各音各義，後以互用遂成兩訛，至今久假不歸耳。霍從佳，其音當為髓，或為荽。霍本鳥飛聲，借為地名，又因借為人姓，後省便作霍。既為借義所奪，其本音本訓遂失，而於字之當用霍者，反作霍。蓋地名、人姓用之者多，故取省便熟識之字。艸木

霍靡，用之者少，故取隱僻稀見之字。久之，張三遂認為李四，
李四反變為張三矣。幸霍字本音於《史記》注猶存一線，使人得
以追其兩誤之由。此殆如流客久成土著，雖不能遄歸故鄉，然得
知本身之所自來，亦一快也。（《字詁》頁 53-54〈霍霍〉）

按：《通雅》卷二〈疑始・論古篆古音・葰霍之音〉云：「《史記・絳
侯世家》：『從高帝擊反韓王信於代，降下霍人。』注：『邑名，音
鎖。』〈樊噲傳〉：『從攻韓王信於代，自霍人以往至雲中。』注作
『葰』人，音雖。孫愐音鎖。又數瓦切，則雖之轉聲也。《漢・地理
志》『太原郡葰人縣』，郝京山曰：『《爾雅》大山宮，小山霍。謂大
山在外圍繞小山，即鎖義也。』郝公鑿矣！此乃葰音轉鎖，豈有鎖
義乎？又曰：『《說文》葰，可以香口，即霍音。』按：《說文》：『葰，
薑屬。』乃荽也，即今之芫荽，其味辛臭。古人有氣觸者統謂之香，
豈定霍香？考霍亦苗之總名，偶以之名霍香。郝公通人，何復勉強
如此？智按：霍自有雖音，何也？葰之音雖，謂其綏綏然。《儀禮・
既夕》：『茵者用荼，寔綏澤焉。』綏即胡荽，澤，蘋澤之類，如澤
蘭也。《文選・雪賦》：『霍霍霏霏』，霍音雖。〈晉石崇傳論〉：『春
畦霍靡。』《梁書・武陵王紀傳》：『殿柱生花，霍靡可愛。』蓋霍、
霍從隹，隹本職追切，唯、誰、睢、雖等從之，應有葰音。其音鶴
者，因與崔近也，故攉因攉，鸛因鶴而得其音。後人沿習《說文》，
聞霍音葰，則以為奇。即〈雪賦〉之『霍霍』，今作『霍霍』，亦以
崔讀之，而不考其本注音雖矣。」（頁 11-12）又卷十六〈地輿・地
名異音〉云：「葰人，葰、數瓦切，梅氏音鎖，本音雖。即荽字，荽
也。葰人縣，屬上黨郡，〈絳侯世家〉霍人注音鎖，〈樊噲傳〉霍人
注作葰人，蓋霍本有雖音，見《文選注》。」（頁 8）

3、汝南郡有銅陽縣，孟康音絅紅反，《左傳》注、《後漢書》並音絅。
孫《韻》銅字下注云：「又直蒙、直柳二切。」戴氏侗定為徒紅、
篆蛹二切。《韻會補》定為音冢。桐山云：「銅從同，自音同。其
音絅者，皆訛失〈地志〉下『紅反』二字故也。」予謂音絅者固
非，音直蒙者亦未為是。蓋銅必音侗，故以討紅為反，訛討為絅，
故直蒙、篆蛹因之。存絅遺紅，故直柳、丈九因之。桐山不悟絅
字之訛，謂古人口齒同、重相溷，引《後漢書》爐之作烔為證。
然《字彙》烔音他紅、徒弄二切，不與爐同音。豈可以重、童之
衝衕、鍾鐘而牽入同字哉？（《字詁》頁 69〈銅〉）

按：《通雅》卷十六〈地輿・地名異音・瞿陽縣屬汝南郡〉條云：
「汝南有銅陽縣，孟康曰：『銅為絅紅反。今新蔡有銅水，方子謙
上聲音絅，誤。』」（頁 6）又卷一〈疑始・專論古篆古音・銅誤音
絅〉條云：「汝南郡有銅陽縣，應劭曰：在銅水之陽。孟康曰：銅，
音絅紅反。襄四年《左傳》：『獻在繁陽。』《注》：『在銅陽縣南。
銅音絅。』每訝其奇。《後漢書》：『陰興子慶封銅陽侯。』注：『銅
音絅。』孫恬東韻銅字下云：『又直蒙、直柳二切。』《字彙》：『銅，
丈九切。』此皆〈地理志〉注之音絅紅而訛，失其下『紅反』兩字
也。戴氏定為徒紅、篆蛹二切。《韻會》補定音冢，則緣絅紅而改
為上聲也。銅從同，自音同。推因古人口齒同、重相混，如種、種
通用；衝、衕，鍾、鐘皆是一聲。《後漢書》引爐爐為烔烔，可證今
人所爭而是正者，皆守晉、唐之音釋也。」（頁 11）

4、《後漢書・光武紀》：「冠幘而服婦人衣，諸于繡鑷。」《注》：「字

書無䘿字，司馬彪《續漢書》作𧝓。並音其物反。」按：本書〈五行志〉亦載此事，云「皆幘而衣婦人衣，繡擁𩭵。」此䘿即𩭵之誤，《注》並不解，而前《注》第云「或繡下有擁字」而已。以意度之，字既從髟，疑是婦人衣領。領後承髮，故惟婦人則加繡以飾之，若男子而服此，是服妖矣。又按《通雅》云：「《廣記》載，韓晉公見少年單練𩭵，即段成式之單練𩭵，與䘿同謂今之半臂也。」予謂此字當作𧝓，蓋𧝓從屈，有短義，半臂之式必短也。今作𩭵者，意《廣記》與成式喜用僻字耶？（《義府》頁168〈諸于繡䘿〉）

按：《通雅》卷三十六〈衣服．彩服．諸于繡䘿半臂也〉條云：「〈光武紀〉：『三輔吏士東迎更始，見諸將過，皆冠幘而服婦人衣，諸于繡䘿，莫不笑之。』〈元后傳〉：『獨衣絳緣諸于。』師古曰：『諸于，大掖衣，即袿衣之類。』是今之披風敞袖也，《說文》因作諸衧。繡䘿注：字書所無。智按：《廣記》載韓晉公見少年單練𩭵，即段成式之單練𩭵，與䘿同謂今之半臂也。《方言》：『無緣之衣謂之䘣𧝓。』亦謂下無繞衿之帬緣，非長衣也。戎衣有罩甲，所謂重衣，在上而短者，前似袿衣，或肩有袖，至臂臑而止，今曰齊肩，邊關號曰襠褃，又謂之褂子。漢以無袂衣曰襠，則今呼正自合古。魏明帝常被縹綾半褎，楊阜諫。其制正與諸于、半臂近，更始將一時掠取裁著之耳。鶡衣亦帽，罩於外也，後周后服鶡衣、鳺衣，則蘇綽所造，因鳺名而立字。《南史．輿服志》有鷩、鳪、鶡、鳺四色，鶡，白色也。鳺與鳺相訛。」（頁23-24）

5、《荀子》：「入其央瀆。」《注》：「中瀆也。今人家出水溝。」按：《左傳》：「規偃豬。」《注》：「偃豬，下濕之地。規，度其受水多

少。」方以智《通雅》以為即今之陽溝是也。愚繹其名，央當即讀偃。舜妃女英，《大戴記》作女匽，其音可見。瀆當讀為竇，《左傳》：「晨自墓門之瀆入。」《注》：「音豆。」又偃、豬當有二義：豬為水所停，偃乃其出水處。《後漢書·董卓傳》：「潛從隄下過」，軍謂之潛，可知為暗度。而所謂「入其央瀆」與「自墓門之瀆入」，語亦顯矣。（《義府》頁 206〈央瀆〉）

按：《通雅》卷三十八〈宮室·央瀆匽豬陰溝也漏井滲坑也〉條云：「匽，隱曲也。《傳》曰：規匽豬。《周禮》曰：『為其竇匽。』鄭氏曰：『匽豬，霤下地。今陽溝。』升庵曰：『漏井，今滲坑。匽豬，今陰溝。《御覽》引《莊子》逸篇：羊溝之雞稱。』按：《荀子》有『央溝』，〈魯靈光賦〉『言漼騰涌于陰溝』。今以塼墁下溝曰陰；明作溝者曰陽。〈地官〉注謂御溝植楊曰楊溝。《中華古今注》曰：『羊喜觸藩，為溝隔之曰羊溝。』此皆強說也。《荀子》：『入其央瀆。』《注》：『中瀆也。』即人家水溝。央、羊、楊皆陽之借聲。」（頁19）

6、〈都鄉正衛彈碑〉洪氏考〈食貨志〉注及衛宏〈漢宮舊儀〉，知此係守令為民均徭科例，而民頌其功德之碑。〈志注〉云：「更卒，謂給郡縣一月而更者。正卒，謂給中都官者。」《漢儀》云：「民年二十三為正，一歲為衛士，一歲為材官。」中，謂京師。都官，謂諸官府之役，此對郡縣而言。此碑額云「都鄉正衛彈碑」，正謂正卒，衛謂衛士，舉正卒以見更卒，舉衛士以見材官。都謂中都，鄉謂郡縣。彈者糾正其事，改力役為僱役，此碑之所由立也。趙氏目為都鄉正街，景伯已刊其誤。近方桐山偶見《周禮注》之街

彈室，遂引《金石錄》為證，而謂《水經》、《隸釋》並誤作衛，由未見《周禮注》。此蓋先入鄭《注》為主，特喜趙氏街彈二字之合。故雖洪氏引據如此之詳，而亦不之審也。又按：洪氏引〈劉熊碑〉云：「愍念烝民，勞苦不均。為作正彈，造設門更」，以為與此碑合。然二事又自不同。〈劉碑〉下云：「富者不獨逸，貧者□□□。」此不論貧富，以身值役，挨門遞更也。此碑云：「臨時雇募，不煩居民。」乃令民出錢，官自募人。正是宋時差役、雇役二項，在漢時則各聽郡縣之便，朝廷不為一定之例耳。（《義府》卷下頁 243-244〈隸釋·都鄉正衛彈碑〉）

按：《通雅》卷三十八〈街彈在鄉之旗亭也過所猶今之遞舖〉條云：「里宰以歲時合耦于鋤。注：『鋤者，里宰治處也。若今街彈之室，在街置室檢彈一里之民，于此合耦，使相助佐。』《金石錄·漢都鄉正街彈碑》在汝州界故昆陽城中，歲月略可觀，蓋中平二年正月。而其額題〈都鄉正街彈碑〉，莫知其為何碑也？《水經》魯陽縣有〈南陽都鄉正衛彈碑〉，平氏縣有〈南陽都鄉正衛彈勸碑〉，《隸釋》亦以為〈衛彈碑〉，蓋未考此注也。〈酸棗令劉然碑〉云：『愍念烝民，勞苦不均，為作正彈。造設門更，司關以節傳出之。』注：『傳，如今移過所文書。』」（頁 23）

先說明一點的是，上舉六條資料，雖不足以窺全豹，因為在《字詁》所收的一二二條中，引用到《通雅》的僅有三條，約占 2.4%；而在《義府》所收的三九九詞條中，引用到《通雅》的也只有三條，占的比例是微少的，尚不及百分之一，僅 0.8% 而已，但在其引用的字條或詞條中，卻不乏具代表性的，若以基本構成建築物的磚石來看待，這些字條或詞條實已具足了取樣的價值，而且透過它們，尚可約略地勾勒出二人在小學風氣的轉折承接之

時所特具的風貌。至於《通雅》五十二卷卷首三卷共五十五卷中，黃氏的徵引尚不及其中一卷多，為何這麼少？亦是值得探究的課題。

試觀第一條資料的交集主題——叀術，明顯的可看出其目的的轉換與不同，方氏所「屏欲尊精」慧解的，是偏重在測量的方法與數理的所謂質測上，這是方氏所擅長的，也是西學東漸的產物。當然，方氏並不以質測的實事求是為究竟，而追尋更高更深層次的「通幾」，即他說的：「萬曆年間，遠西學人詳於質測，而拙於通幾。然智士推之，彼之質測猶未備也。」及「太西質測頗精，通幾未舉」[14]，也就是走由文字而天文曆算的科學而義理哲學的方向；但觀黃氏所擷取的，卻不是天文曆算或哲學義理這方面的，而改由義音構築用以懷疑追索文字的初形本義上，走的竟是純粹小學的塗轍。二人雖同從宋衛明的叀術而來，但《通雅》又循此而往引祖暅的綴術論說；而《字詁》卻轉換到引用《方言》來提出新的看法。細審黃氏在提出新的主張時，態度是相當保留謹慎的，假設則是非常新穎而大膽。雖然叀字近因甲骨、金文出土的助益佐證，諸家釋義解形也有別於《說文》，[15]而黃氏能在清初有限的憑藉下，提出如斯的懷疑與主張，誠屬不易，但兩人在取徑與方法態度的殊別，也於斯可見。

至於第二條資料，是《提要》舉以為黃生「未安」之處，其說曰：

> 間有數字未安者，如謂霍字但有先累反之本音，霹字但有呼郭反之本音。今考《玉篇》、《廣韻》霹字下註息委、呼郭二切，霍字下注止有呼郭一音。[16]

是《提要》據《玉篇》、《廣韻》以說黃氏「未安」的音讀，但最重要的卻不是它們的音讀在《玉篇》或《廣韻》中收了沒有？而是在此條目中，黃承吉

---

[14] 〔明〕方以智：〈自序〉，《物理小識》（臺北：臺灣商務印書館，1978 年）；又〔明〕方以智：《通雅》，卷首二，頁 6。

[15] 關於叀字的解釋，可參李孝定：《甲骨文字集釋》（臺北：中央研究院歷史語言研究所，1974 年 10 月），第四，頁 1417-1433。

[16] 〔明〕黃生撰、黃承吉合按：《字詁義府合按》，頁 277，附錄《提要》。

認為「方不取《說文》」的一句是至關緊要語，乃判別方、黃二氏「漢學」
與否的最主要依據，他說：

> 方氏書中，乃又有「許氏未盡漢學」一語，致為難解。夫許氏身為漢
> 人，有何謂之漢學，更何所謂「未盡漢學」？若如方說，則必許學更
> 出漢上而周秦矣，斯言豈反足以議許？蓋必如許氏然後乃實為漢學，
> 方不能喻，故即公書中亦云「桐山不取《說文》」。而方書中乃實以《說
> 文》為應駁，謂漢人為太多事。蓋方意不過目《說文》為諸家字書中
> 之一種，而公則以許氏創為《說文解字》，與聖人制文字成萬世之用
> 相提並論，此則公學與方氏區別之分際。要之，方書在明季實為轉移
> 風氣之先，故《通雅》、《提要》謂其「在明代考證書中，可謂卓然獨
> 立」。公學則為本朝經術昌明之始，故《字詁》、《提要》謂其「致力
> 漢學，於六書訓詁尤所專長，不同明人之勦說」。且於《杜詩說》下，
> 亦兼謂其「《字詁》、《義府》深於小學」，是雖入《義府》於雜家，而
> 其為漢學無異。[17]

方、黃二氏的漢學與否我們暫且按下，先看看此條論議的焦點。方氏在此條
中所取證的材料，先是從史傳注疏入手、次取時人郝敬言語加予批駁，後則
依文字的諧聲偏旁來定其本音。比觀黃氏論說的依據，首則拈出《說文》，
後則取證經史集部本文注疏，及方氏依諧聲偏旁論證的本音，而於其後歸本
於《說文》，以推闡其譌變假錯之跡。是可知方氏係「尋其枝葉，略其本根」，
中心點是不在《說文解字》上，所謂「方意不過目《說文》為諸家字書中之
一種」；而黃氏則剛好相反，是直取根本，岔枝布葉，密葉繁枝，歸於本根，
還是以《說文》為根本，此即所謂「以許氏創為《說文解字》，與聖人制文
字成萬世之用相提並論」的觀點。二家的取徑與態度又是有別的，以故黃承
吉力辯的漢學與否，似乎也不是空穴來風，全無憑據的。唯可注意的是，兩

17　〔明〕黃生撰、黃承吉合按：〈字詁義府合按後序〉，《字詁義府合按》，頁273。

人都認為形聲字具有相同的諧聲偏旁，其音讀也應相同，這似乎讓我們聯想到往後段玉裁在《說文解字注》後面所附的〈古十七部諧聲表〉的依約影子。而黃氏對《說文解字》的重視，加上對文字初形本義的留意，作《字詁》、《義府》本身所彰顯出的意圖或許不曾直接表白過，但隱約之間已透露出《說文解字注》式的前影。

　　細察二氏之論，或許甲骨文辭例可與黃氏之說相發明。甲骨文有從雨從三隹的「靃」字，其在卜辭中係當地名用，辭例往往作：

　　癸未卜，在靃，貞：王旬亡猲，在六月甲申，祭祖甲，魯虎甲　（《續》3、29、3）

　　□在靃鈇□王卜曰：吉　（《前》2、15、7）

　　癸亥卜，在靃，貞：王旬亡猲　（《簠徵》·地望、9）

至於從一隹的「霍」字，在卜辭辭例中卻與作三隹的靃不同，其辭曰：「貞雨其霍」、「貞雨不霍」（《合集》12817正）[18]。雖然甲骨文偏旁多寡隨意，故自來視靃為靃之省文，[19]而霍又為靃之省文，唯以辭例不同觀之，二字於甲骨文顯然是有分別的，況二字同時並存，而非前後出現，或可推知黃氏之說亦不無道理。《說文》以靃為會意字，本不以形聲視之，是亦不以諧聲偏旁為其音讀，故其釋義說形為「飛聲也。雨而雙飛者，其聲靃然。」而黃氏以二字「各音各義，後以互用遂成兩訛，至今久假不歸」的說詞，也似乎合理多了。

　　再看第三條資料，方氏首先辨證鮦音紂之譌，次以諧聲偏旁承認鮦應音同，而何以有「紂紅反」的音讀，是由重、童二字的諧聲轉換現象中推因古人口齒同、重相混。本來這個推理的發現是在錢大昕提出〈舌音類隔之說不可信〉[20]之前，而考察方氏所舉字例可知其別在聲母，童為定母字，重為澄

---

[18] 姚孝遂主編：《殷墟甲骨刻辭類纂》（北京：中華書局，1989年1月），中冊，頁663。

[19] 〔明〕方以智：《物理小識》，第四，頁1351。

[20] 〔清〕錢大昕〈舌音類隔之說不可信〉云：「古無舌頭、舌上之分，知徹澄三母，以今音

母字。而舌上音「澄」母與舌頭音「定」母在上古時代唸的是一樣的，這例舉實已略具錢說的雛形，也是頗有先見之明的。唯以此例彼，用來等同銅的音「紂紅反」或音冢，舉爐作烔為例，則稍嫌造次。反觀黃氏則謹慎的以文字的形譌來處理，並辨析方氏之非。持平論之，方氏是未免推演太過，不夠周延，以今所見從同之字觀察，除銅字《廣韻》收直冢、直柳二音外，餘皆作徒紅切，則銅字形單影隻，不足以證，故不若黃氏之說來得平實穩當。唯方氏從經籍的異文中去整合諧聲偏旁的相通與音讀的轉換，其實也給後來的古音研究帶來一些啟示吧！

就第四條資料來觀察，二人所論述的交界面在「䙚」字上，方氏係依據《廣記》與《方言》來談其義為「半臂」；黃氏則以本證的方式先將《後漢書》的〈光武紀〉與〈五行志〉作一比較，以見䙚為髾之誤，並以髾的意符是彡而推闡其意為「婦人衣領」，至於《廣記》半臂之釋的褊字係以衣屈會短義，而將髾、褊二字之義分別對待。唯觀《說文》長部收肆字或體作「髦」，似不應將䙚字視為髾的誤字。姑不論二者對字義的解釋與文字的分別是否恰當，然就其應用方法的良窳來說，黃氏能用本證互校，似較方氏略勝一籌。唯衡之對方言材料的重視與掌握，則黃氏似又未若方氏來得左右逢源。若細加尋繹，方氏似較側重語言，黃氏則較偏向文字的性度也幽微的反映出來。再細審此條文義，前文的「諸于」既如方氏所說為披風敞袖，則後面的行文依古人的修辭慣性說，以不重出為宜，是若依方氏之見而釋為「半臂」，則行文複沓，再拿來釋讀如〈五行志〉所作「繡擁髾」之語，則更為不詞。以故黃氏所別，盱衡文理，或較浹洽。

再觀第五條資料，係攸關音義假借的。方氏引《左傳》、《周禮》鄭注及楊慎之說，而以央、羊、楊為陽的假借來說明「央瀆」為「陽溝」；黃氏同

讀之，與照穿床無別也。求之古音，則與端透定無異。」見〔清〕錢大昕：《十駕齋養新錄》（臺北：臺灣商務印書館，1987年3月），卷五，頁111-117。

樣利用字音以央讀為偃，瀆讀為竇，係偃竇二字的假借，意為陰溝。二說有陰、陽絕對的不同。《兼明書》謂：「凡溝有露見其明者，有以土填其上者。土填其上者，謂之陰溝；露見其明者，謂之陽溝。」[21]又《名義考》曰：「陰溝，水入地潛行；陽溝，水出地顯行，見不見之別耳。」[22]此雖不免以今律古。若以《荀子·正論》中所說的：「今人或入其央瀆，竊其豬彘，則援劍戟而逐之，不避死傷。」既為竊，當以暗潛為之，焉能光明正大從能見之陽溝進去？唯今人或以瀆為竇，而央恐為穴之誤。[23]若以二人論假借的情況觀之，央與羊、楊、陽皆陽部韻，而央與匿或偃的韻部，一陽部，一元部，兩韻部相差較遠，如以假借的條件中，有基於讀音同近的關係來說，此條所反映的，可看出黃氏在音韻上的造詣，似較方氏弱些，此為何有「字」詁，有「義」府，而獨在「音」方面闕如的緣故吧！

在最後第六條釋讀碑文的資料中，可看出二人各有所據，著眼點則在碑文字作「街」或作「衛」較貼切上。方氏是據《金石錄》，以為即《周禮注》里宰治處的「鉏」，亦即為在街置室檢彈一里之民的「接彈室」，故以作「街彈」為宜。黃氏則依據洪适《隸釋》以〈食貨志注〉及衛宏的《漢官舊儀》配合碑文本身的釋讀，先從其時代背景制度上去考量，並分辨方氏與之合同對待的〈劉熊碑〉文，與制度和此碑的差異，而認為作「衛彈」如《水經注》所作為是。[24]視其辨析審度，以碑文與載籍的密合度來裁斷，實較方氏綿密

---

[21] 〔五代〕丘光庭：《兼明書》（臺北：臺灣商務印書館，1984 年），《文淵閣四庫全書》，卷五，頁9。

[22] 〔明〕周祈：《名義考》（臺北：臺灣商務印書館，1984 年），《文淵閣四庫全書》，卷四·地部，頁2。

[23] 鐘泰、高亨皆以「央」為「穴」之誤；劉師培謂「瀆」當作「竇」，古通。李滌生：《荀子集釋》（臺北：學生書局，1984 年9 月），頁409。

[24] 無名氏撰、〔北魏〕酈道元注、〔清〕楊守敬、熊會貞疏：《水經注疏》（南京：江蘇古籍出版社，1989 年6 月），卷三十一，頁 2585-2586〈滍水〉條云：「有魯山，縣居其陽，故因名焉。王莽之魯山也。昔在于楚，文子守之，與韓構難，戰有返景之誠。內有〈南陽都鄉正衛為碑〉。」《疏》云：「《周禮》于鉏合耦以勸農，漢人于街彈之室糾彈不法。昆陽當亂喪之餘，徭役煩苦，郡守、縣令，班董科條，收其舊直，臨時雇募，不煩居民，立碑於街彈公所以頌其德也。洪氏云，趙氏誤認衛字為街，改名〈街彈碑〉，亦引衛宏《漢官舊儀》

而切實。而這種對金石與典章制度的考據，實帶動了有清一代研究的風潮。

三

　　透過上面六個交集面的各別向度分析，似可粗疏的勾勒出二人治學取徑論據的些許不同，而間接的反映出明末清初轉型期的小學風貌。當然，方氏在編纂《通雅》與黃氏在撰寫《字詁》、《義府》的用意或許有那麼一些不同，但二者的基本架構都還是以字或詞為探索單位則無二致。只不過方書包羅萬象，品類眾多，數量龐大，陣容堅強，是百科全書的架勢。雖然學術有那麼一點跟著作「等身」的數量攸關，但最重要的依然是它的質量。方氏的《通雅》是在數量上搶了一些優勢，可黃氏卻占了「後出轉精」的質量便宜。不管方氏撰《通雅》的年代是在明萬曆年間或清康熙年間，或如李葆嘉所說的明崇禎十年（1637）至十二年（1639）《通雅》初稿撰成，而遲至清順治九年（1652）全書才定稿，唯刊行傳世還要到康熙七年（1668）才茲事底定。[25]若以成書的年紀論之，方氏生於明神宗萬曆三十九年（1611），《通雅》一書由醞釀、錄編、修改、綴集到定稿前後歷二十餘年，是方氏從二十餘歲寫到四十餘歲的作品；黃氏則生在明熹宗天啟二年（1622），若以《字詁》、《義府》二書引用到《通雅》的情況推測，而《通雅》的刊行流布又是在康熙七年之後，則黃氏之書疑應是四十餘歲或更後的作品。二人之書的不同點在，《通雅》是由明入清朝代過渡興替下的作品，若以全書泰半部分成於明亡之

為證，無論街彈見于《注》、《疏》，若衛士乃正卒一歲以後所遷之名，又一歲為材官騎士。《百官志註》云：凡八月，都尉、令、長、相、丞、尉課試殿最，非若正卒，亭長之所得糾彈也。況去士字，似不成語。予意仍題街彈為得。洪氏《碑目》云，《水經》作衛為，趙作街彈。按《水經》魯陽縣有〈南陽都鄉正衛為碑〉，衛為似人姓名，在魯陽，非昆陽也。如以衛字屬之上文，則為碑二字題額，又何說乎？」
25 詳見李葆嘉：〈方以智撰刊《通雅》年代考述〉，《辭書研究》，1991 年第 6 期，頁 121-126。

前論之，一般人都將它視為明代考據學的集大成之作，[26]此何以《提要》及《通雅》各卷署常要作「明方以智撰」的緣故吧！至於黃生所撰的《字詁》、《義府》，則應純粹是清代初葉的產物，以故我們可以透過這些書在交集時所反映出的各個層面來探討明末清初的小學風貌。今試將上面所分析的各條內容加予歸納，而從外在形式與內在肌理來體現二人學術取徑的異同，間接表現出明末清初小學的轉折脫胎過程，此可分下列幾點來論述：

（一）就整體來觀照，方氏之學尚存有明人炫博好奇的習氣，以兼通經學、小學、天文、地理、典制、數學、動植物、醫學……等來誇示博綜淹通的學問，如以《通雅》一書的涵蓋面來說，光名目即有：〈音義雜論〉、〈讀書類略〉、〈小學大略〉、〈詩說〉、〈文章薪火〉、〈疑始‧論古篆古音〉、〈釋詁〉、〈天文〉、〈地輿〉、〈身體〉、〈稱謂〉、〈姓名〉、〈官職〉、〈事制〉、〈禮儀〉、〈樂曲樂舞〉、〈器用〉、〈衣服〉、〈宮室〉、〈飲食〉、〈算數〉、〈植物〉、〈動物〉、〈金石〉、〈諺原〉、〈切韻聲原〉、〈脈考〉、〈古方解〉等，真是上獵天文，下涉地理，自然人文，無不包舉。但在貌似淹通博綜的學問底下，卻難掩為炫博好奇而產生的繁枝密葉，本根不必顯的蕪雜蔓引之弊；反觀黃生所撰的《字詁》、《義府》，概以字詞為主，並不分門別類，僅《義府》書後特就《金石錄》、《隸釋》、《水經注》、《冥通記》四書另標名目作考證釋義。而其論學，並不以誇博炫奇為能，是專就文字詞句作精謹嚴密的覈實工夫，確立根本，再作布枝衍葉的推闡演繹，是已具備了清人就事論是，專門而純粹的為學旨趣。尤其在覈術的論證上，我們明顯的看出通質測與轉文字的著重點的不同，雖然他們的態度基本上都是實事求是的，[27]但一則拓其博大，一則鑽其專約，取徑是大有不同的。以故黃承吉要批評說「方

---

[26] 林慶彰：《明代考據學研究》，頁486。

[27] 陳祖武：《清初學術思辨錄》（河北：中國社會科學出版社，1992年6月），頁21、27-28、29。又謝國楨：《明末清初的學風》（臺北：仲信出版社，1980年），頁17、39-49。

氏之學於明人中為淹通，於漢學中為膚外」，「其書雖至博而不能精，其途乃極紛而卒不知要歸於一」。

（二）雖然黃生的學問有些是從方以智而來，但卻不受其牽引掣制，條條皆能核實取證，獨抒己見，此何以錢玄同要說黃生是前代關於語言文字學的著作中，「創見最多」的首位。也間接的反映出黃生不輕信盲從與蓬勃明晰的創發能力，而這種不輕從盲信的態度，也是清代小學的一個特徵。

（三）以論證的對象言之，方氏似較偏重語言，而黃生則較注重文字。方氏也因注重語言的關係，非常留心音義間的關係，從而注意到音的變化問題與方言的採錄辨證。黃氏也因較偏重文字，所以對《說文解字》相對的就較留意，雖不株守，但卻是取茲以為依憑的先件，這無疑是立了小學中務根基、正門徑的礎石，也間接帶動乾、嘉時期「家家許、鄭，人人賈、馬」的風潮。兩人的偏重點也形成了清代小學的兩大主流點，如以清代語文學的最大成就「以音求義，不限形體」[28]的情況來說，二人雖埋了一些種子，但因黃氏本身對音韻方面的著墨不多，以故在這方面的啟蒙地位不得不讓賢；唯以文字的立場來看，清代在《說文解字》的研究上是占主流大宗的地位，我們只要看丁福保所編纂的《說文解字詁林正補合編》所收錄的蔚然成林的論著，就知道何以黃承吉要說黃氏是清朝「經術昌明之始」及章太炎所說的「唯小學，亦自黃氏發之」的原因了。唯需訂正的是，黃氏的著作並不代表有明一代，實質上，不管是著作年代或時代精神與方法，它們都純粹是清初的產物。

（四）如方氏《通雅》大型百科全書式的，以務博矜學為勝的撰書傾向衡諸

---

[28] 丁邦新：〈以音求義，不限形體——論清代語文學的最大成就〉，《第一屆國際清代學術研討會論文集》（高雄：國立中山大學中國文學系、中國文學研究所，1993 年 11 月），頁9-23。

有清一代並不風行，反倒是像黃氏的精約謹嚴，讀書札記式的體例在有清一代卻不絕如縷，《字詁》，尤其是《義府》，總讓我們似乎看到了如王念孫、王引之父子《讀書雜志》、《經義述聞》、《經傳釋詞》、《廣雅疏證》的綽約書影。

（五）二氏對金石學，尤其對碑文典章制度的考證，也影響到有清一代全面金石學的蓬勃開展。

（六）影響並不僅止於外在的形式，尚有內在的精神氣息。明人的放恣與清人的謹嚴，二者的揉合我們在方氏的著作上還嗅得出來那種鉛華未盡的混合氣息；至於黃生，我們讀到的，已是清人專精覈實、嚴謹出新、純粹治學的本色。換個角度說，方氏的小學是由明過渡到清的一個具體而微的縮影；而黃生則隱約呈現出清代樸學的芽蘗椎輅，鉛華褪盡，脫胎換骨的風貌。時代的烙印，似乎從兩人的著作上，也約略的吐露出各自的精神風華和不同的治學旨趣呀！

　　透過上面方、黃二氏論述小學的內外層面分析，而得到如斯的結論，不管前賢時哲對二氏治學優劣的評騭若何，至少本文的企圖是在稍稍窺見那一轉折到初成時期的小學幽微肌理上，而恰如余颺在〈炮莊序〉文中說的：「天下之道，不舉兩端，不能見一端；不舉外景，不能見內景。」[29]故本文乃略舉兩端以見其一端之道，舉外景而窺其內景矣！

　　原文發表於《第四屆清代學術研討會論文集（初稿）》，高雄：國立中山大學中國文學系，1995 年 11 月 18-19 日，頁 197-214。（陳厚任繕打／郭妍伶校對）

---

[29] 〔清〕余颺：〈炮莊序〉，〔明〕方以智：《藥地炮莊》（臺南：莊嚴文化事業有限公司，1995 年 9 月影印四川省圖書館藏清康熙此藏軒刻本），《四庫全書存目叢書》，第二百五十七冊，頁 5。

論段玉裁《說文解字注》的金文應用

一 前言

一九六二年，于省吾曾在《歷史研究》第六期中發表一篇題為〈從古文字學方面來評判清代文字、聲韻、訓詁之學的得失〉的論文[1]。論文基本上是以「古文字學」的觀點來立論，認為段玉裁的《說文解字注》如擬諸清代說文其它三大家——桂馥、王筠、朱駿聲來說，其對文字、聲韻、訓詁之學的創始鑿空之功、卓識懸解之力，實非三家所能及。可惜的是，于氏的論據，並非真能從「古文字」本身的應用情況出發，而仍拘守傳統對說文四大家的看法，致使諸家應用「古文字」的情況也不能隨文而略為顯現，進而提出適切的新憑據與新見解。尤其是在前人對段氏的稱譽推崇，過乎對其批評與指瑕時，似勿庸錦上添花；而若能就「古文字」本身的應用情況來作解析，以另一角度來觀段氏真能「功深力邃」、「高深莫罄」，集諸家之大成[2]？或許有不同的評斷。且就這一層面來說，于氏文中似未處理注意到，竊以為此乃美中不足之處。

考察前人對段氏在《說文解字注》中是否應用過「古文字」，素來的觀念是模糊不清的，如羅振玉曾在〈說文古籀補跋〉文中，對段玉裁的不懂引用金文來辨析助證文字有一番的慨嘆說：

> 予冠歲受小學，篤好金壇段氏《注》。顧疑當時吉金文字之學已昌盛，而段君於許君所載古、籀文，未嘗援據吉金款識為之考訂，以為美猶有憾。[3]

---

[1] 于省吾：〈從古文字學方面來評判清代文字、聲韻、訓詁之學的得失〉，《歷史研究》，1962年第 6 期，頁 135-145。

[2] 〔清〕江沅：《說文解字音均表》（臺北：藝文印書館，1965 年影印皇清經解續編南菁書院刊本），弁言。

[3] 羅振玉：〈說文古籀補跋〉，丁福保纂輯、楊家駱主編：《說文解字詁林正補合編》（臺北：鼎文書局，1983 年 4 月），第一冊，頁 446。

在這段文字中，不難察覺到羅氏隱約之中所透露出來的，對《說文解字注》在精深廣博之外，好像跟當時整個學術風氣的脈動有些不能配合的矜慎保守，而感到有些遺憾惋惜。尤其令羅氏深惑不解的是，以當時吉金文字的昌盛，果能善加利用，其在文字初形本義的追溯上，是個相當貼切而助益良多的輔弼利器，為何段玉裁「未嘗援據吉金款識為之考訂」呢？當然，羅氏此語，究竟是針對「未嘗」來說的？抑或是以其標準來說，段氏或許援據了吉金款識，但並不能「為之考訂」而視同「未嘗」？抑或段氏雖汲引證用，但羅氏在蒐尋識鑑未精的情況下，故雖少有而誤以為「未嘗」？不然，段氏何以輕易就放棄此項有利的素材呢？關於這些問題，是需要對應用的事實先作一番的搜尋與整理，才能進一步來探究。

唯類似羅氏般的模糊認知，卻在往後敘述清代研究許學諸家的論著上形成公論，常常把段玉裁從「挈斠篆籀，取證金文」的行列中剔除出去，如沈家本所說：

> 近自乾隆以來，群重許學，治之者亦人才輩出，以嘉慶、道光中為尤盛。段玉裁深於經術，每字必溯其源；桂氏馥蒐集宏富，能會其通；王氏筠承諸家之後，參以金石，義例益精。[4]

明顯的在文中不提段氏「參以金石」，而只說他「深於經術」。如斯見解，觸目可及，如丁山在撰〈〈王菉友先生年譜〉後序〉時，也將段氏提出來比觀，而說他：

> 段氏寢饋許書，三十餘年，凡經籍異文，文字形音相通之理，綜其條例，辨其幾微，上探造字原則，下極古籀形變，六轡在握，刪定大徐，所改訂者不僅傳刊之誤，有時糾及許君原作，點畫之微，竟與商周古刻神契。當時學者遂大共非訾其勇于改古矣……方清之盛也，鐘鼎之學復熾，阮、吳諸家始以《說文》疏通鼎銘，繼以鼎銘印證經傳。至

---

[4] 沈家本：〈說文校議議序〉，丁福保纂輯、楊家駱主編：《說文解字詁林正補合編》，第一冊，頁83。

吳大澂《字說》直據鼎銘刊許書正篆與故訓之誤,近世古文字學家皆
奉為圭臬。尋其前躅,則菉友先生《釋例補正》實啟其蒙。是奮筆刊
篆變之訛者,段氏創其範疇,菉友先生始證以古代銘刻。古文字學得
有今日輝煌成績者,段、王先生導夫先路,功相埒也。[5]

也將「據鼎銘刊許書正篆與故訓之誤」的先導,歸王筠名下,是言菉友先生
「始」證以古代銘刻,而段氏的精思深至,「點畫之微」,竟能「與商周古刻
神契」,而非目驗躬及。這種種的論調,是否可信?事實真相又如何?則當
有一番的釐清與說明。

二　段玉裁在《說文解字注》中的金文應用

今考段玉裁在《說文解字》卷十五的〈敘〉中「郡國亦往往於山川得鼎
彝,其銘即前代之古文,皆自相似。」注云:

> 郡國所得秦以上鼎彝,其銘即三代古文,如《漢書·郊祀志》上,有
> 故銅器,問李少君,少君曰:此器齊桓公十年陳於柏寢。已而案其刻,
> 果齊桓公器。又美陽得鼎,獻之,有司多以為宜薦見宗廟,張敞按鼎
> 銘勒而上議。凡若此者,亦皆壁中經之類也。「皆自相似」者,謂其
> 字皆古文,彼此多相類。[6]

注中所根據的,乃史籍中所記載的出土情況與學者勘定的結果,而於銘文本
身卻隻字未及,僅言「按鼎銘勒」耳;加上段氏書係隨文作注,限於體例,
注中也未能將他對金文的態度與研究的方法表白而出。但他卻在自撰文集
《經韻樓集》的一篇題為〈薛尚功歷代鐘鼎彝器款識法帖二十卷寫本書後〉
中,對金文的態度與觀點有較明確的說法:

5　丁山:〈《王菉友先生年譜》後序〉,〔清〕王筠:《清詒堂文集》(濟南:齊魯書社,1987
年2月),附錄,頁213-214。
6　〔東漢〕許慎撰、〔清〕段玉裁注:《說文解字注》(臺北:黎明文化事業股份有限公司,
1975年10月),卷十五上,頁18(769)。

郡國往往於山川得鼎彝，其銘即前代之古文，皆自相似。是六經以古文傳，而所謂古文者，即如商周鼎彝之書，今世學者或未能知之也。許叔重之為《說文解字》也，以小篆為主，而以其所知之古文大篆附見。當許氏時，孔壁中《書》、《禮》未得立於學官，鼎彝之出於世者亦少，許氏所見有限，偶載一二，亦其慎也。許氏以後，三代器銘之見者日益多，學者摩挲研究，可以通古六書之條理，為六經輔翼。[7]

他認為鐘鼎彝器銘文的功用在「可以通古六書之條理，為六經輔翼」，對文字的構形原理與疏通經籍的疑滯之處，是非常具有價值的輔翼工具，所以用兩條實例來加予證明，其一是引用金文來證明詩義隱晦難明之處說：

《毛詩》言「鞗革」者四，傳曰：「鞗，轡首飾也。革，轡首也。」鞗字不見於《說文解字》，《說文解字》曰：「鋚，一曰轡首銅也。」攷《博古圖·周宰辟父敦》銘三，皆有攸革字。薛氏此書〈周伯姬鼎〉有攸勒字，〈寅簋〉有鋚勒字，岐陽石鼓有鋚勒字，外此焦山古鼎亦有攸勒字，合而觀之，知鋚省作攸，攸即攸，假借為鋚字。勒省作革，以鋚飾勒，猶唐宋人所云金勒，故〈蓼蕭〉毛《傳》曰：「鋚，轡首飾也。勒，轡首也。沖沖，垂飾貌。」不知何時，施革於攸下改為鞗字，而於毛《傳》：「鋚，轡首飾也。」刪去「首飾」二字，使詩義晦於千古，非三代銘詞屢見，安所考證哉！[8]

其二則藉助金文來辨別文字的正俗云：

又如古言均，今言韻。韻字不見於《說文解字》，而徐鉉新增有之。予作〈六書音均表〉，用韵字不用韻字。或曰：韻正韵俗，爾何從俗也？予曰：古言音均，後人分別入音部，宜以从音从匀，匀亦聲之字

---

[7] 〔清〕段玉裁：〈薛尚功歷代鐘鼎彝器款識法帖二十卷寫本書後〉，《段玉裁遺書·經韻樓集》（臺北：大化出版社，1977年5月），卷七，頁6（980）。

[8] 〔清〕段玉裁：〈薛尚功歷代鐘鼎彝器款識法帖二十卷寫本書後〉，《段玉裁遺書·經韻樓集》，卷七，頁6（980）。

為近是，而韻字較遠。今薛氏此書卷一內載董武子所藏〈商鐘〉銘有韻字；卷六內載方城范氏所藏〈周曾侯鐘〉銘有韻字。古文有之，較諸韻字，孰雅孰俗矣！舉此二事，用見古文之當攷，而古器之不可忽如。[9]

姑不論其所證的然否，僅觀其對金文的態度是持肯定贊同的，所謂「非三代銘詞屢見，安所考證哉」，所謂「古文之當攷，而古器之不可忽如」是也。段氏以此態度，適逢乾、嘉時期，著錄傳拓金文的風氣正興，《說文解字注》書既完成於清仁宗嘉慶十二年（1807），而於嘉慶二十年（1815）五月始刊梓傳布於世[10]。前於此者，著錄鐘鼎彝銘之書有：天都黃晟亦政堂曾於乾隆十八年（1753）修補寶古堂本呂大臨《考古圖》十卷、王黼《博古圖錄》三十卷；嘉慶元年（1796），錢坫刊行《十六長樂堂古器款識考》四卷；二年（1797），阮元重刊薛尚功《歷代鐘鼎彝器款識法帖》二十卷；七年（1802），阮氏重行刊刻王厚之《鐘鼎款識》一卷；九年（1804），阮氏又刻成《積古齋鐘鼎彝器款識》十卷。前文中提及段氏曾親見薛尚功的《歷代鐘鼎彝器款識法帖》與《博古圖錄》，《經韻樓集》尚載及二篇〈與阮芸臺書〉[11]，書中雖未提及鐘鼎彝銘之事，唯段氏於阮氏所刊行之書當不致於了不相涉或全無所悉。是段氏所處的環境，疑正如羅氏所稱的「當時吉金文字之學已昌盛」的情況。

　　身既處於如此的客觀環境下，段氏本人主觀上又不排拒金文，那麼，事實又是如何？今試檢索《說文解字注》，這段氏寢饋許書三十餘年的力作，可發現其援據所謂的「吉金款識」或「古代銘刻」——亦即金文的用例卻相當地稀少，僅得如下諸條：

---

9 〔清〕段玉裁：〈薛尚功歷代鐘鼎彝器款識法帖二十卷寫本書後〉，《段玉裁遺書・經韻樓集》，卷七，頁 6-7。

10 〔東漢〕許慎撰、〔清〕段玉裁注：《說文解字注》，卷十五下，頁 14（759）。

11 〔清〕段玉裁：〈與阮芸臺書〉，《段玉裁遺書・經韻樓集》，卷三，頁 16-17（908）；卷八，頁 20-21（1014-1015）。

1、薪字「茻也。從茻，斳聲」下注云：「古鐘鼎款識多借為祈字。」（一下‧茻部）

2、䜌字「亂也。一曰治也。一曰不絕也。從言、絲」下注云：「治絲益棼，絲亦不絕，故從絲會意。宋景公之名，《左傳》作欒，〈古今人表〉作兜欒，〈宋世家〉作頭曼。趙宋祕閣有〈宋公䜌錬鼎〉，與《竹書》宋景公䜌合。」（三上‧言部）

3、對字「對，對或從士，漢文帝以為責對而為言多非誠對，故去其口以從士也」下注云：「鍇曰：士，事也，取事實也。按：《篇》、《韻》皆作士，未知孰是？趙氏明誠曰：據古鐘鼎皆作對，是漢文亦從古耳，非肍更也。」（三上‧丵部）

4、勒字「馬頭落銜也」下注：「此云落銜者，謂落其頭而銜其口，可控制也。引伸之為抑勒之義。又為物勒工名之義。《廣韻》云：『石虎諱勒』，呼馬勒為轡，此名之不正也。《爾雅》：『轡首謂之革』，革即勒之省。馬絡頭者，轡所係也，故曰轡首。《毛詩》儵革，皆當依古金石作『攸勒』、『鋚勒』。毛《傳》曰：『攸，轡首飾也。革，轡首也。』自上句奪首飾二字，而莫得其解。」（三下‧革部）

5、殹字「擊中聲也」下注：「此字本義亦未見。西部醫從殹，王育說殹『惡姿也』，一曰殹『病聲也』，此與擊中聲義近。秦人借為語詞，〈詛楚文〉：『禮使介老將之以自救殹。』薛尚功所見秦權銘：『其於久遠殹。』〈石鼓文〉：『汧殹沔沔。』權銘『殹』字，琅邪臺刻石及他秦權、秦斤皆作也，然則周秦人以殹為也可信。《詩》之兮字，僞《詩》者或用也為之，三字通用也。」（三下‧殳部）

6、「也，秦刻石也字」下注：「〈秦始皇本紀〉：『二世元年，皇帝曰：金石刻，盡始皇帝所為也。今襲號，而金石刻辭，不稱始皇帝，其於久遠也，如後嗣為之者，不稱成功盛德。』《顏氏家訓》載開

皇二年，長安掘得秦鐵稱權，有鐫銘，與《史記》合。『其於久遠也』，也字正作〔图〕，俗本訛作世。薛尚功《歷代鐘鼎款識》載秦權一，秦斤一，文與《家訓》大同，而權作〔图〕，斤作殹，又知也、殹通用，鄭樵謂秦以殹為也之證也。蓋與兮同，兮、也古通，故《毛詩》兮、也二字，他書所稱互易，〈石鼓〉：『汋殹沔沔。』『汋殹』即『汋兮』。」（十二下·乀部）

7、匜字「古器也」下注：「畢尚書沅得〈智鼎〉，豈其器即匜與？」（十二下·匚部）

8、鋚字「鐵也，一曰：鑾首銅也」下注：「別一義，〈小雅〉：『儵革沖沖』，毛《傳》曰：『儵，鑾也。革，鑾首也。』按：『儵，鑾也』，當作『儵，鑾首飾也』，轉寫奪去二字耳。下文云：『沖沖，垂飾貌』，正承鑾首飾言。許釋鋚為鑾首銅，鋚即儵字。《詩》本作攸，轉寫誤作儵，攸、革皆古文假借字也。古金石文字作『攸勒』，或作『鋚勒』。鑾首銅者，以銅飾鑾首也。……鋚勒，謂以銅飾鑾之近馬頭處，垂之沖沖然也。」（十四上·金部）[12]

　　就這八條，以《說文解字》所收 9,353 字來說，比例甚微，尚且不及千分之一，幾近乎無。而在八條中，第四條又可與第八條合觀，第五條又可與第六條合觀，實僅存六條，是其比重更形輕微。也因為甚輕微的關係，以故前人也未嘗注意及，本是理所當然。就中須當辨者，是有無的課題，「輕微」並不等於「未嘗」，「甚少」也不等同「全無」。

　　段氏既以《說文解字》為小學家「言形之書」，而其稱引，無論引經或引群書，無論其博采通人或引證方言，其目的不外證說文字之形、音、義三方面，故嘗自言：

　　凡言某說者，所謂博采通人也。有說其義者，有說其形者，有說其音

---

[12] 〔東漢〕許慎撰、〔清〕段玉裁注：《說文解字注》，頁 28、98、104、111、121、634、642、709。

者。[13]

類比觀之，其引用鐘鼎銘文的目的，疑亦不外乎是。今細審諸例中，其用以證字形者，有「對」一條；其用以證字義者，有「匫」一條；而用以證史書人名者，乃「䜌」一條；其言文字之假借者，「蘄」為「祈」一條；其用兼證形義者，若「鋚」、「勒」、「殹」、「也」四條。是大抵以證說字義為多，其真能用以證說字形者甚少。

至其徵引的書籍著錄，除前見及的《博古圖錄》與薛尚功的《歷代鐘鼎彝器款識法帖》外，文中尚提到趙明誠的《金石錄》與時人「畢尚書沅」所搜藏的〈曶鼎〉。若以所引器目觀之，除趙宋祕閣所收藏的〈宋公䜌餗鼎〉及〈曶鼎〉、秦權、秦斤外，餘皆用泛稱的「古鐘鼎款識」、「古鐘鼎」、「古金石」、「古金石文字」，稱引並不精確謹嚴。如〈宋公䜌餗鼎〉銘文六字作：「宋公欒之餗鼎」，段氏前有《歷代鐘鼎彝器款識法帖》（名作〈宋公欒鼎〉）、《嘯堂集古錄》（名作〈䜌鼎蓋〉）、《博古圖錄》（名作〈欒鼎蓋〉）及《續考古圖》（名作〈宋公餗鼎〉）[14]諸書著錄銘文或釋文，然段氏卻獨採《金石錄》所載：

> 右〈宋公䜌鼎〉銘，元祐間得于南都，藏祕閣。底蓋皆有銘。按：《史記》世家，宋公無名䜌者，莫知其為何人也。[15]

及薛書的：

> 春秋帝乙之後，微子為宋公，都商邱大辰之墟。自微子至景公蓋三十六年獲麟之歲。景公者，名欒。是所以為宋公欒也。[16]

合以《竹書》而證成史傳人名之不誣。今尚可見於〈宋公䜌簠〉及〈宋公䜌

[13] 〔東漢〕許慎撰、〔清〕段玉裁注：《說文解字注》，卷一下，頁1（22）。
[14] 〔美〕福開森：《歷代著錄吉金目》（北京：中國書店，1991年3月），頁811。
[15] 〔北宋〕趙明誠：《宋本金石錄》（北京：中華書局，1991年1月據古逸叢書三編影印），卷十一，頁286。
[16] 〔北宋〕薛尚功：《薛氏鐘鼎款識》（臺北：孫威賓，1967年10月鳳吟閣據嘉慶二年〔1797〕阮元刊本），卷九，頁6。

戈〉中，自來認為是春秋末期宋國國君，即《左傳》昭公二十年：「癸卯，取大子欒與母弟辰、公子地以為質。」《注》云：「欒，景公也。」《史記·宋微子世家》作頭曼，於周敬王四年（516B.C.）即位，卒於周貞定王十八年（451B.C.），在位六十六年[17]。段氏綜合二說，而參以己見，所考當是。

至若〈曶鼎〉，阮元《積古齋鐘鼎彝器款識》嘗著錄，銘文凡四百零三字，言「鎮洋畢秋帆尚書沅藏，銘分三節，秋帆畢公得之西安」。[18]姑不論段氏以文字名家，而釋「曶」為「曶」字為然否？僅以「曶」字於此鼎銘文中之文義觀之，當作人名用，已顯而易見，況以金文稱器名之體例言之，器上大抵為作器人名，今段氏盲昧至極，竟疑其為匵器，雖為擬議未決之辭，然而卻隱約透顯出其對金文的認識是有些不足的。朱駿聲已見及此，曾於《說文通訓定聲》履部第十二匵字條下批駁之曰：

> 古器也，從匚，回聲。字亦作匵。太倉畢秋帆尚書曾得〈曶鼎〉一，自是人名。此字從匚，殆非鼎屬。[19]

略審〈曶鼎〉銘文中，若「佳王元年六月既望乙亥，王才周穆王大室。王若曰：曶，令女更乃祖考司卜事，易女赤◎市旂，用事。」井叔易曶赤金鋊。」[20]皆如朱氏所說「自是人名」，其名尚見於〈曶尊〉、〈曶壺〉中，乃西周中期後段人。而段氏不明銘文體例，亦當通曉詞義，其既為「鼎」，焉能復疑其器為「匵」乎？則比附之過，莫此為甚。察微知著，亦可略窺其金文之功力與素養矣。

至以艸蘄之「蘄」於古鐘鼎款識中借為「祈」字之說法亦辨析未精。雖則《莊子·養生主》中有「不蘄畜乎樊中」蘄用為祈的用法，但古之用為「祈」者，無一例外都作「廞」，並不從艸。論其用，則假為「祈」是絕無可疑的，

17　吳鎮烽：《金文人名彙編（修訂本）》（北京：中華書局，2006年8月），頁210。

18　〔美〕福開森：《歷代著錄吉金目》，頁909。

19　〔清〕朱駿聲：《說文通訓定聲》（臺北：藝文印書館，1966年7月），第四冊，頁2512。

20　嚴一萍：《金文總集》（臺北：藝文印書館，1983-1984年），第二冊，頁706-713。

而「用祈眉壽」、「用祈眉壽萬年無彊」乃成為嘏辭習用語。[21]考察段氏所據，或本宋戴侗的《六書故》，卷二十四芹字下言「古作䇓」，又云：「䇓亦與祈通用。」[22]而對字形，後來王筠在《說文釋例》中亦有一番辨解：

> 䇓字本不從屮也。《博古圖》〈晉姜鼎〉作䇓，〈伯碩父鼎〉作䇓，〈史頵父鼎〉作䇓，〈叔液鼎〉作䇓；《考古圖》〈周姜敦〉二器，一作䇓、一作䇓，〈遲父鐘〉作䇓，〈伯戔頹盤〉作䇓，然則此字當是從單從㫃，㫃亦聲，且即㫃之古文。㫃建於車，故從單。而諸銘則借聲為祈字也。知然者，《說文》：「祈，求福也。」〈伯碩父鼎〉銘：「用䇓匃百祿眉壽」，䇓匃連言，明乎借䇓為祈也。〈齹公緘鼎〉銘：「用气眉壽」，亦可證。而〈齊侯鎛鐘〉、〈齊侯鐘〉皆云：「用㫃眉壽」，㫃即㫃也。〈師器父鼎〉作䇓，尤為明白。〈帛繼彝〉作䇓，則斤用反文也。䇓、㫃均借為祈，以其同從斤聲也。即可徵㫃為䇓之省文也。諸銘中從㫃、㫃者，即《說文》㫃字。從㫃者，即《說文》旅古文㫃之上半。鐘鼎旅字固作㫃也，其從屮、中者，即訛為從屮之緣起矣。[23]

即將字形之淵源譌變與詞例之應用比觀，擬諸段《注》，既有徵而加詳，而能補足段《注》僅止於現象的呈現，未遑細辨形義的流轉。

復觀第三條對字，乃考索文字的本初形構者，唯非原創，係根據趙明誠的《金石錄》，《金石錄》卷十一〈大夫始鼎銘〉云：

> 右〈大夫始鼎〉銘。案：《說文》對字本從口，漢文帝以為責對而為言多非誠對，故去其口以從士。今驗茲鼎銘及周以後諸器款識，對字

---

[21] 祈字說解紛紜，可參見周法高：《金文詁林》（京都：中文出版社，1981 年 10 月），頁 109-114 祈字條；周法高：《金文詁林補》（臺北：中央研究院歷史語言研究所，1982 年 5 月），中央研究院歷史語言研所專刊之七十七，頁 169-171；李孝定：《金文詁林讀後記》（臺北：中央研究院歷史語言研究所，1982 年 6 月），中央研究院歷史語言研究所專刊之八十，頁 5-6。

[22] 〔南宋〕戴侗：《六書故》（臺北：臺灣商務印書館，1976 年據故宮博物院藏文淵閣本景印），《四庫全書珍本》六集，第九冊，卷二十四，頁 23 下。

[23] 〔清〕王筠：《說文釋例》（臺北：世界書局，1984 年 10 月），卷十五，頁 9。

最多，皆無從口者，然則古文大篆固已不從口矣。又疑李斯變古法作小篆，對字始從口。至文帝復改之耳。然書傳不載，未敢遂以為然也。[24]

段氏以漢文帝係從古而非肍更，乃從善如流，擷取趙氏之說以見其初形，然細辨之，對字在甲骨文中形作 𦥑《前》4.36.4、𦥑《佚》657，既非從口，亦非從士，[25]唯段氏未見甲骨卜辭，似亦不可深責。

至於論「也、兮、殹」三字通用，雖然段氏所根據的金文已遲至秦代，為時較晚，也並非用在論文字的初形本義上，而是論文字在應用時的通假現象。乃根據權、斤、石鼓與〈詛楚文〉的詞例互易之，並驗諸經籍，應用類比的方式證明，說當有據。

第四條與第八條「鋈勒」連文的形義，觀其在《經韻樓集・薛尚功歷代鐘鼎彝器款識法帖二十卷寫本書後》一文中所論據的，較《說文解字注》中為詳，大抵因受「注書」體例的限制，輾轉旁舉，羅列有據，能釐清經傳千古之懸解，今學者亦多從其說。[26]

是就段氏《說文解字注》中所引證的金文觀之，其應用的材料並不豐贍，所用的例證也甚輕微，或所謂「偶載一二，亦其慎也」的表徵。而段氏對金文的掌握也不甚精熟，雖能有釐清經傳形義之精識，然而真能用在文字本身以探究初形本義者卻甚少。唯當不致於如羅氏所說的「未嘗」援據吉金文字，諸家辨識蒐尋未至之說，亦可休矣。

三　段玉裁與戴侗應用金文的比較

可以取來跟段氏稍作比觀的，是段氏於校改《說文解字》之際，頗採其

24　〔北宋〕趙明誠：《宋本金石錄》，卷十一，頁 291。

25　中國社會科學院考古研究所編：《甲骨文編》（北京：中華書局，1989 年 3 月），考古學專刊乙種第十四號，卷三・五，頁 99。

26　李孝定：《金文詁林讀後記》，頁 106。

說的戴侗。戴氏當宋之時，得彝器出土日盛之便，傳拓著錄之書較多，致使宋人於說解文字形音義時，挾其開創懷疑之精神，大肆於鐘鼎銘文之徵引，用以破字創義，個中尤為彰顯較著者，若戴侗於《六書故》一書中，曾刻意引用金文來辨解文字之初形本義。觀段氏《說文解字注》中時常引及戴侗的《六書故》，如三上言部的「詢，訟也。」下注說：

> 訟，各本訛說，今依《篇》、《韻》及《六書故》所據唐本正。《爾雅・釋言》、〈小雅〉、〈魯頌〉《傳》、《箋》皆云：「詢，訟也。」按下文系之云：「訟，爭也。」《說文》之通例如此。

六上木部「本，木下曰本。從木從丁。」注云：

> 此篆各本作㮍，解云：「從木，一在其下。」今依《六書故》所引唐本正。本、末皆於形得義，其形一從木上，一從木丁，而意即在是，全書如此者多矣。一記其處之說，非物形也。

又「末，木上曰末。從木從丄。」下注：

> 此篆各本作㮽，解云：「從木，一在其上。」今依《六書故》所引唐本正⋯⋯《六書故》曰：「末，木之窮也。因之為末殺、末減、略末。又與蔑、莫、無聲義皆通（春案：《六書故》作「故因之為末殺、末減、末暑、末蔑。末、蔑、莫聲相通，故又與蔑、莫同義」）。《記》曰：『末之卜也』，《語》曰：『吾末如之何』、『末由也已』。」[27]

可知段氏確實看過《六書故》，且對它有一番的理解與肯定，尤其是戴氏所引用的唐本，大抵是段氏校改《說文解字》的依據。唯可疑的是，根據《四庫全書提要》所論戴侗《六書故》中的字形是：

> 其文皆從鐘鼎，其註既用隸書，又皆改從篆體，非今非古，頗礙施行。[28]

面對這種體制，元人早就批評它「甚誤學者」，為書一厄，如吾邱衍《學古編》所說：

---

[27] 〔東漢〕許慎撰、〔清〕段玉裁注：《說文解字注》，頁100訟字；頁251本、末字。

[28] 〔南宋〕戴侗：《六書故》，《四庫全書珍本》六集，第九冊，提要頁1-2。

侗以鍾鼎文編此書，不知者多以為好，以其字字皆有，不若《說文》
與今不同者多也。形古字今，襍亂無法，鍾鼎偏旁不能全有，卻只以
小篆足之。或一字兩法，人多不知，如⟨圖⟩本音睘，加門不過為寰字，
乃音作官府之官；邨字不從寸木，乃書為村，引杜詩「無村眺望賒」
為證，甚誤學者。許氏引經，漢時猶用篆隸，乃得其宜。今侗亦引經，
而不能精究經典古字，及以近世差愫等字引作正據；鎊、鍾、犂、鋸、尿、
屎等字，以世俗字作鍾鼎文；夗字解尤為不典，到此書為一厄矣！[29]

乃認為戴氏所據字形說解，大抵形古而字今，不倫不典，雜亂而無章法，以
致詆毀甚至。然當時亦有以為「好」者，一如吾邱衍所指陳的。然戴氏《六
書故》中應用金文之處甚多，其明言採自鍾鼎彝器銘文者，有卷一的「世」、
「百」、「文」，卷二的「易」，卷八的「人」、「復」，卷九的「委」、「妻」，卷
十的「眉」，卷十一的「言」、「若」，卷十三的「惟」，卷十五的「佳」、「雖」，
卷二十二的「年」、「朮」，卷二十四的「夸」，卷二十五的「广」，卷二十六
的「高」、「覃」、「舍」，卷二十七的「医」，卷二十八的「午」、「鬲」、「具」、
「盫」、「豆」、「喜」、「皀」、「彝」、「斗」、「也」，卷二十九的「戈」、「戌」、
「射」、「癸」、「樂」、「壴」、「庚」、「冊」、「用」，卷三十一的「同」、「冕」、
「弙」，卷三十二的「余」，卷三十三的「王」、「皇」、「民」、「九」、「乃」、
「粵」、「不顯」等凡五十七條[30]，其較段氏應用金文幾乎多達七倍，以時代
而論，段氏約生五百年後，所見纂多，取證較便，反而在應用上更形萎縮，
幾乎棄之而勿取，其因何在？觀戴氏應用金文，或以證字形，或以證字義，

---

[29] 〔南宋〕戴侗：《六書故》，《四庫全書珍本》六集，第九冊，提要頁2。
[30] 〔南宋〕戴侗：《六書故》，《四庫全書珍本》六集，第九冊，卷一，頁3、4、6；卷二，
頁11；卷八，頁1、13；卷九，頁18、22；卷十，頁12；卷十一，頁17，44；卷十三，
頁10；卷十五，頁2、12、18；卷十八，頁1、3；卷十九，頁18、22；卷二十二，頁8、
18；卷二十四，頁4；卷二十五，頁3；卷二十六，頁3、4、25；卷二十七，頁2；卷二十
八，頁6、7、10、12、17、20、21、41、41、44；卷二十九，頁13、13、19、29、29、30、
34、35、46；卷三十一，頁19、20、35；卷三十二，頁5；卷三十三，頁1、1、3、5、10、
11、20。

或以證字音，或以證形制……應用多方，不一而足。唯其字形容或有描摹失
真，如世應作🌱而作卅（卷一，頁3），彝應作🔹而作🔹（〈父辛彝〉，卷二
十八，頁40），龍應作🔹而作🔹（〈遲父鐘〉，卷十八，頁1），然其剖析字形
原本，辨解字義流變，卻能極盡應用金文之能事，而推闡出迥特精絕的看法，
如以「鐘鼎文凡百皆直作白」曰：

> 《說文》曰：「百從白，古作百從自，白亦自也。從一白。數十百為一
> 冊，相章也。」按：伯從人白聲，百亦當以白為聲。鍾鼎文凡百皆直
> 作白，以白為自，鑿而不通；以白為聲，明而有數。（卷一，頁4）

徵諸卜辭銘文，的確借白為百[31]；而以「尺」、「𠆫」為一，及以「人聲」說
「年」曰：

> 人 🔹，如鄰切。象形。🔹，〈主孫彝〉文。🔹，〈孟孫丁彝〉文。《說
> 文》尺、𠆫分二部，尺象臂脛形，籀文也。𠆫仁人也，古文奇字人也。
> 按尺、𠆫非二字，特因所合而稍變其勢，合於左者，若伯若仲，則不
> 變其本文而為尺；合於下者，若�若見，則微變其本文而為𠆫，分而
> 為二者，誤也。（卷七，頁1）

> 秊 🔹，泥賢切。穀成熟也。《詩》云：「自古有秊」，《春秋》曰：「大
> 有年」，🔹，鐘鼎文人聲。（卷二十二，頁9）

二說已較前人略勝一籌[32]；至若下列諸條云：

> 午 🔹，昌與切。🔹，〈父乙鼎〉文；🔹，〈庚午鬲〉文。斷木為午，所
> 以舂也……《說文》曰：「午，牾也。五月陰氣午屰，昜冒地而出，
> 與矢同意。」……按：《說文》之說鑿而不通，所以知其為午臼之杵
> 者，舂從午從臼，此明證也。（卷二十八，頁7）

---

31 王延林：《常用古文字字典》（上海：上海書畫出版社，1990年4月），頁225。
32 徐中舒主編：《甲骨文字典》（成都：四川辭書出版社，1990年9月），卷七，頁783。

皀 $\hat{\varrho}$，許良切。《說文》曰：「$\hat{\varrho}$，穀之馨香。象嘉穀在裏中，匕所以扱之。或說皀，一粒也。作讀若香（春案：應為「又讀若香」）。」孫氏皮及切。按：鄉從皀，〈齊侯鍾〉鄉作 鄉，〈宋君夫人鼎〉餗作 餗，〈㮲季敦〉、〈伯庶父敦〉、〈邠敦〉、〈牧敦〉其旁皆從 $\hat{\varrho}$，鼎 亦從 $\hat{\varrho}$，疑此特皀字象形，其下偽而為匕也。（卷二十八，頁21-22）

戉 戉，王伐切。戉，鍾鼎識文。斧之長柲者也。《說文》曰：「從弋，乚聲。」按：戉乃象形，徐鉉曰俗作鉞，非。（卷二十九，頁13）

射 射，食夜切。手弓加矢，射之義也。又貪亦切。譌為射為躲。《說文》曰：「射，從身從矢，弓弩發於身而中於遠也。篆文從寸，寸，法度也。」按：射之從身絕無義，考之古器銘識然後得其字之正，蓋左文之弓矢譌而為身，右偏之又譌而為寸也。文字之傳譌而鑿為說者，凡皆若此矣。（卷二十九，頁19）

癸 癸，〈癸鼎〉文，癸。癸，居誄切。《說文》曰：「冬時水土平，可揆度也。象水從四方流入地中，癸承壬，象人足。癸，籀文從癶從矢。」按：《說文》之說甚鑿而不通，《書》云：「一人冕，執戣。」孔氏曰：「兵也」，以〈癸鼎〉之文觀之，殆似三岐矛，篆、籀皆傳寫之訛也。（卷二十九，頁29）

壴（春案：戴侗「壴」誤作「豈」） 壴，鍾鼎文；壴，籀文。壴，《說文》曰：「陳樂立而上見也。從中從豆。」……李陽冰曰：「中取象草木出地之形，豆取象陳籩豆之狀。」按：壴（春案：戴侗「壴」誤作「豈」），樂器類，草木籩豆非所取象。其中蓋象鼓，上象設業崇

牙之形，下象建鼓之虞。岜之象亦從屮，非中也。伯曰：「疑此即鼓
字，鼓，擊鼓也，故從支。」（卷二十九，頁 29-30）

庚　鬲，〈庚鼎〉文。甫，古行切。《說文》曰：「西方，象秋時萬物
庚庚有實也。庚承己，象人臍。」……按：許氏之說傅會牽彊，庚蓋
鍾類，故庸從之。（卷二十九，頁 34）

其說「午」為「杵」，說「㠯」為象形；說「戉」為象「鉞」形；說「射」
左為弓矢，右偏從又；「癸」疑三岐矛之「戣」；說「壴」中為鼓，上象設業
崇牙之形，下象建鼓之虞；「庚」蓋樂器鐘類……諸說皆能襯托出《說文解
字》部分說形釋義上的支離破碎與詞窮，而為晚近學者所樂於採用或與晚出
公論若合符節[33]，故精思遠至，善據金文，也並非全如吾邱氏所詆毀，仍有
其事實依據與匠心獨運之處。然段氏於戴書引用金文之處，卻完全漠然以
對，一概不取，僅於「龍」字「⺆，肉飛之形」下注說：

⺆、肉二字依《韻會》補，無此則文理不完。《六書故》所見唐本作從
肉從飛、及從童省。按：從飛，謂⻊飛省也；從及，謂⻊反古文及也。
此篆從飛，故下文受之以飛部。[34]

完全無視於戴氏在應用金文時對初形本義的創獲，觀段氏所採於《六書故》
者，大抵為《六書故》所引用的唐本，唯《六書故》所據的唐本本不可信，
而段氏據以校改小篆，前人已評其「自信太過，流於武斷」[35]，亦如周祖謨
所說：

許書久經傳寫，訛誤自多。段氏校改，有些是比較可靠的，或者是符

---

[33] 如李孝定《金文詁林讀後記》，頁 492 中有：「癸字古作✕，其朔誼不能確指，戴侗以為
戣之古文，〈顧命〉鄭注戣為三鋒矛，戴氏據以說癸，實為近之。」郭沫若：〈釋干支〉，《甲
骨文字研究》（北京：人民出版社，1952 年），頁 10-11（169-171）中以庚為鉦之初字。說
與戴氏差近。

[34]〔東漢〕許慎撰、〔清〕段玉裁注：《說文解字注》，卷十一，頁 588 龍字。

[35] 林慶勳：《段玉裁之生平及其學術成就》（臺北：中國文化大學中國文學研究所博士論文，
1979 年），頁 301。

合許書體製的，但有些就缺乏足夠的根據，那就應該以不改為是。案
《六書故》所引唐本不可信，本、末都是屬於指事字一類，不是會意
字。秦泰山刻石，本字與《說文》相同，段氏不察，誤據戴侗書改變
相傳的寫法，未免武斷。[36]

段氏的校改《說文解字》，多據戴侗唐本。唯其別擇不精，判斷力不足，竟
捨棄了戴氏原創卓絕的應用金文之處，而偏採不足徵信的唐本。其保守矜
慎，妄於去取，或係受如吾邱衍般對《六書故》的傳統看法影響，亦正如桂
馥所分辨的：

唐、宋以來，小學分為兩派：遵守點畫者，《五經文字》、《九經字樣》、
《干祿字書》、《佩觿》、《復古編》、《字鑑》是也；私逞臆說者，王氏
《字說》、周氏《六書正訛》、楊氏《六書統》、戴氏《六書故》、趙氏
《長箋》是也。[37]

是吾邱衍對文字的狷守遵拘，恰巧與戴侗的狂臆逞新是個極強烈對比，道不
同不相為謀，亦無怪乎吾邱衍對戴侗並無好評。段氏於金文一道，本不精熟，
加諸受傳統對「私逞臆說」的排斥制約，為示矜慎，未經目驗，於其取證不
夠旁通周延者，則寧闕而勿用噫？由微知著，此亦約略透顯出宋、清學者為
學態度的不同點吧！

四　結論

自來對段玉裁《說文解字注》是推崇備至，稱許其人為許書的功臣，贊
美其書為文字的指揮，既博大而又精深，是「千七百年來無此作」[38]的，此
是就整個《說文解字注》來觀察，所謂瑕不掩瑜，當是平情之論；唯就應用

---

[36] 周祖謨：〈論段氏說文解字注〉，《問學集》（北京：中華書局，1966年1月），頁871。
[37] 〔清〕桂馥：《說文解字義證》（濟南：齊魯書社，1987年12月），卷五十，頁22（1342）。
[38] 〔清〕王念孫：〈說文解字注序〉，〔東漢〕許慎撰、〔清〕段玉裁注：《說文解字注》，頁
1。

金文本身來說，段氏卻有違張之洞指陳的：

> 段氏鈎索比傅，自以為能冥合許書之恉，勇於自信，欲以成一家之言，
> 故破字創義為多。[39]

相反的，他太過謹慎，接觸著錄金文的書太少，又受傳統對「私逞臆說」的
撻伐陰影所拘限，以致在文字形義上能「破字創義」的並不多。但也非如羅
振玉所想像的，「未嘗」援據吉金款識為之考訂，只是應用的數量有限，側
於九三五三字中，亦不過九牛一毛，況肆力未至，精義未出乎！羅氏也因誤
認他未嘗援據吉金款識來考訂文字，甚至連吉金款識的書也未嘗觸及，以故
在段玉裁校改《說文解字》的小篆體制時，更驚異的說：

> 段先生注《說文解字》，改正古文之上下二字為二二，段君未嘗肆力於
> 古金文，而冥與古合，其精思可驚矣。[40]

可是他參覽過薛尚功的《歷代鐘鼎彝器款識》，在薛書的卷七〈盅和鐘〉有
銘釋作「奄有下國」的，其「下」正作「二」；卷十〈公緘鼎〉銘釋作「王
在下保雕」的，其「下」也作「二」；卷十〈穆公鼎〉銘釋作「天降亦喪于
上」的，其「上」正作「二」。[41]是段氏所改是與「古合」，或是根據薛書來
的，並不可明知，然並非「冥」耳；羅氏說他「未嘗肆力於古金文」，是貼
切的說詞，但只說對一半，段氏不是「未嘗」。羅氏既審辨檢索未精，才會
有「冥與古合」、「精思可驚」之語，而遺誤後學者亦在此。

　　而欲推斷段氏何以應用金文如此微少，釋形說義創獲不多的原因，本屬
捕影追風之事，其忖測也甚難，今試略舉其可得而窺者為如下數點：

（一）就外在形勢觀之，當時雖著錄刊行金文的風氣正興，唯就取證引用上
　　　來說，依然是相當的困難。僅觀段氏真能應用著錄金文書目，不過《博

---

[39] 〔清〕張之洞：〈說文解字義證序〉，丁福保纂輯、楊家駱主編：《說文解字詁林正補合
編》，第一冊，頁225。

[40] 羅振玉：《增訂殷墟書契考釋》（臺北：藝文印書館，1981年影印1927年東方學會本）
卷中，頁13。

[41] 〔北宋〕薛尚功：《薛氏鐘鼎款識》，卷七，頁2下；卷十，頁5下；卷十，頁13下。

古圖》和《歷代鐘鼎彝器款識法帖》而已,《金石錄》並沒有銘文與釋文。至次畢沅的〈智鼎〉,根據段氏所引,似乎亦未嘗見及銘文,致有遭譏之詞。

（二）就個人主觀的態度審之,段氏雖體察到金文在對六書條理與詮釋六經的疑義上輔翼甚多,但客觀上他的取材既有困難,又加上過於矜慎與拘守,受傳統觀念影響,不敢妄肆「臆說」,寧願闕如,具此保守性,當然,所得的成果也就有限了。

（三）段氏對金文根本上「未嘗肆力」,對金文體例的不夠嫻熟,一講「智」字,則窘態畢露,左支右絀。寧願少用,一示謹嚴,或亦為可藏拙。

（四）段氏校改《說文解字》,大抵緣自戴侗,唯其為傳統成見所囿,棄其所長,擷其所短,取信所引唐本,而不徵及其所引用的金文,致使在文字初形本義之分解上坐失良機,即此方面,段氏的保守、拘泥與謹慎,與戴氏的恣肆無憚,任逞臆說,卻具懷疑與原創的精神,是個對比。

（五）《說文解字注》係注書體例,非為考釋金文而作,應用徵引金文只是「輔翼」的性質,宜其數量較少。

所以,歷來對段玉裁在應用金文方面的說法,大抵是不精確的。他既在《經韻樓集·薛尚功歷代鐘鼎彝器款識法帖二十卷寫本書後》中完全應用金文來考證經義與文字,且在《說文解字注》中也比重輕微的零星應用,是前人說他「未嘗」援據吉金款識是不允當的,甚而完全把他剔除在應用金文的行列之外,也是蒙蔽了事實,當是取大體而言之。唯就段氏應用金文的情況論之,「功深力邃」、「高深莫罄」、「能集大成」之語,還是用在稱述他對經籍的掌握上較貼切!

原文發表於《第一屆國際清代學術研討會論文集》（初印本），高雄：國立中山大學中國文學系，1993 年 11 月 20-21 日，頁 431-450；又收入《第一屆國際清代學術研討會論文集》，高雄：國立中山大學中國文學系、中國文學研究所，1993 年 11 月，頁 629-648。（高佑仁、邱郁茹校對）

段注轉注音轉說探究

一　前言

　　「六書」名稱最早由《周禮・地官・保氏》[1]拈出，並與「五禮」、「六樂」、「五射」、「五馭」、「九數」依序列舉，位居第五但缺乏說解。及至漢人分解細目，尤以許慎《說文解字》（以下簡稱《說文》）能作進一步敘明。但許慎以四言一句，二句押韻的解說形式施諸於其它五書尚可理解，唯用在「轉注」上卻開啟無限爭端，這從攸關「轉注」諸說各逞己見，分門別派[2]的景況也可略窺一斑。

　　歷來申說檢討轉注論者，一律都將清代說文四大家，人稱南段北桂的南段──段玉裁轉注說歸諸於「互訓派」的義轉說而鮮少有異議[3]。至於專文討論段玉裁轉注說者，已有學者留意到段氏轉注說的複雜性，如 1985 年楊蓉蓉在〈段玉裁的轉注理論〉一文中，已指出「考」、「老」兩字一例，與其他五書不諧。且兩字既是互訓字，又是疊韵字，也是同部首字與從屬字，「考」又是「老」省文注聲字，故憑兩字不足以互訓當之。並以段氏認為「轉注以義為主，義不外乎音，故轉注亦主音。轉注取諸同部異部者各半」。而段玉裁承認轉注有同部首、異部首，同韵、異韵，兩字、多字，本義、引申義、假借義多種類型，並指出：腫、痛，疊韵相轉注；更、改，雙聲相轉注；多、

---

[1] 〔西漢〕毛亨傳、〔東漢〕鄭玄注、〔唐〕賈公彥疏：《重栞宋本周禮注疏附校勘記》（臺北：藝文印書館，1979 年 3 月），第三冊，頁 212。

[2] 舉如劉春卉：〈轉注述評〉，《貴州教育學院學報（社會科學版）》，2001 年第 6 期，頁 51 中，分同部說、互訓說、聲類說、形聲說、反正說、同部省形說、聲符注形說、假借說、引申說等等，並歸納為主形派、主義派和主聲派。

[3] 如黎千駒：〈歷代轉注研究述評〉，《湖南城市學院學報》，2008 年第 4 期，頁 27-28；許錟輝：〈轉注造字說析議〉，《第二十一屆中國文字學國際學術研討會論文集》，臺北：東吳大學中國文學系，2010 年 4 月 30 日-5 月 1 日，頁 4。

夥轉注，本于方音造字；舟、船轉注，基于古今語言不同等等[4]，都非「互訓派」的義轉說所能概括承受的；或是鍾明立在〈段玉裁轉注理論試析〉一文中，指出段氏認為的轉注有二義：一為互相為訓，二為以同意之字為訓。但在談轉注的類型時，卻又分析出「轉注字中，亦有雙聲和疊韵關係的，段氏間或明言」的「雙聲和疊韵」類型，如《說文》：「潄，於水中擊絮也。」段《注》：「亦謂之漂。《史記》韓信釣於城下，諸母漂。漂與潄雙聲為轉注。」《說文》：「掘，搰也。」段《注》：「二篆疊韵轉注。」「漂」、「潄」同為滂紐，雙聲；「掘」、「搰」同為物部，疊韵。亦或注明「雙聲互訓」、「疊韵互訓」的，如《說文》：「畤，躇也。」段《注》：「足部曰：躇者，畤躇、不前也。畤躇為雙聲字。以躇釋畤者，雙聲互訓也。」《說文》：「恔，憭也。」段《注》：「疊韵互訓。」「畤」、「躇」同為定紐，雙聲；「恔」、「憭」同為宵部，疊韵。[5]已然仔細地觀察到段氏轉注說的這些特殊類型，但也僅止於類型的整理，並未作進一步的整理與追索探究。

也因為大家所認知的段玉裁轉注說歸屬於「互訓派」的義轉說，從而批判推闡他的也站在這立足點上，如李傳書所說的：「段氏對轉注的解釋，從文字學的角度來看，未免過於寬泛，而且混淆了許慎所說的『類』和『首』的概念。而且，互訓為訓詁學術語，轉注為文字學術語，將二者混而為一，顯然不大科學合理。」[6]但是，誠如楊、鍾二氏所說，段氏轉注說並非全然皆屬「互訓派」的義轉說，其中有「雙聲轉注」、「疊韵轉注」、「雙聲互訓」、「疊韵互訓」的類型，卻是大家忽略不談的，本文即針對此再作全盤的分析歸納與探索其來龍去脈。

4　楊蓉蓉：〈段玉裁的轉注理論〉，《辭書研究》，1985 年第 5 期，頁 18-28＋101。
5　鍾明立：〈段玉裁轉注理論試析〉，《古漢語研究》，2002 年第 1 期，頁 30。
6　李傳書：〈段玉裁的轉注論及其運用〉，《長沙電力學院社會科學學報》，1997 年第 3 期，頁 119。李氏認為段玉裁完全把六書的轉注和詞義訓釋的互訓等同起來。

二 段玉裁轉注「音轉說」的類型

如果盧鳳鵬對《說文》互訓詞的統計沒錯的話，其廣義互訓詞條例共 256 組 512 條，即訓釋 512 字，占《說文》9,353 字的 6%，其中「單詞互訓」有 199 組 398 字，占《說文》互訓條例的 80%[7]，也即是說，段玉裁轉注「互訓說」的主張底下，當有 512 個轉注字，256 組互為訓釋的轉注情況，其中《說文》段《注》明言為「雙聲轉注」、「疊韵轉注」、「雙聲互訓」、「疊韵互訓」諸字例茲分屬如下：

（一）段注「雙聲轉注」例

1、《說文》：「琱，治玉也。」段《注》：「〈釋器〉：玉謂之雕。按：琱、琢同部雙聲相轉注。《詩》、《周禮》之追、〈大雅〉之敦弓，皆與琱雙聲也。」（一上‧玉部）段《注》琱音都僚切，古音在三部；琢音竹角切，三部。按：琱字古音端紐幽部；琢字古音端紐屋部[8]，二字雙聲。

2、《說文》：「潎，於水中擊絮也。」段《注》：「亦謂之漂。《史記》韓信釣於城下，諸母漂。漂與潎雙聲為轉注。漂，孚妙切。《玉篇》及曹憲注《廣雅》乃合潎、漂爲一字，同切孚妙，誤矣。」（十一上二‧水部）段《注》潎音匹蔽切，十五部；漂音匹消切，又匹妙切，二部。按：漂字古音滂紐宵部；潎字古音滂紐月部，二字雙聲。

3、《說文》：「𪚩，龍也。」段《注》：「雙聲轉注。」（十一下‧龍部）段《注》龍音力鍾切，九部；𪚩音郎丁切，十一部。按：霝（𪚩）字古音來紐耕部；龍字古音來紐東部，二字雙聲。

---

[7] 盧鳳鵬：〈《說文解字》互訓詞研究〉，《貴州文史叢刊》，1998 年第 4 期，頁 56。

[8] 以下古音參見郭錫良：《漢字古音手冊》（北京：北京大學出版社，1986 年 11 月），頁 166、30；169、43；279、289；38、125；151、157；45、94；27、35；51、104；90、196；103、173；163、168。

（二）段注「疊韵轉注」例

1、《說文》：「蔡，艸丰也。」段《注》：「丰讀若介，丰字本無，今補。四篇曰丰、艸蔡也；此曰蔡、艸丰也，是爲轉注。艸生之散亂也，丰、蔡疊韵。」（一下‧艸部）段《注》蔡音蒼大切，十五部；丰音古拜切，十五部。按：丰字古音見紐月部；蔡字古音清紐月部，二字疊韵。

2、《說文》：「老，考也。」段《注》：「〈序〉曰：五曰轉注，建類一首，同意相受，考、老是也。學者多不解。戴先生曰：老下云考也；考下云老也。許氏之怡，爲異字同義舉例也。一其義類，所謂建類一首也。互其訓詁，所謂同意相受也。考、老適於許書同部。凡許書異部而彼此二篆互相釋者視此。……老、考以疊韵爲訓。」（八上‧老部）段《注》老音盧皓切，古音在三部；考音苦浩切，古音在三部。按：考字古音溪紐幽部；老字古音來紐幽部，二字疊韵。

3、《說文》：「掘，捐也。」段《注》：「二篆疊韵轉注。」（十二上‧手部）段《注》掘音衢勿切，十五部；捐音戶骨切，十五部。按：掘字古音羣紐物部；捐字古音匣紐物部，二字疊韵。

4、《說文》：「蝸，蝸、蠃也。」段《注》：「此複舉篆文之未刪者也。當依《韵會》刪。蠃者，今人所用螺字。〈釋魚〉曰：蚹蠃、蜬蝓。鄭注《周禮‧醢人》：蠃，蜬蝓。許上文蠃下亦云：一曰蠃，蜬蝓，此物亦名蝸。故《周禮》、《儀禮》蠃醢，〈內則〉作蝸醢，二字疊韵相轉注。薛綜〈東京賦〉注曰：蝸者，螺也。崔豹曰：蝸，陵螺。蝸本咼聲，故蝸牛或作瓜牛。徐仙民以力戈切蝸，似未得也。力戈乃蠃字反語耳。今人謂水中可食者爲螺，陸生不可食者曰蝸牛，想周、漢無此分別。」（十三上‧虫部）段《注》蝸音古華切，十

七部；蠃音郎果切，十七部。按：蝸字古音見紐歌部；蠃字古音來

紐歌部，二字疊韵。

（三）段注「雙聲互訓」例

1、《說文》：「跱，踷也。」段《注》：「足部曰：踷者，跱踷不前也。跱、

踷爲雙聲字。此以踷釋跱者，雙聲互訓也。心部曰鴛箸，足部曰蹢

躅，《毛詩》曰跼躅，《廣雅》曰蹢躅、跢跦，皆雙疊聲韵而同義。」

（二上‧止部）段《注》跱音直离切，一部；踷音直魚切，五部。

按：跱字古音定紐之部；屠（踷）字古音定紐魚部，二字雙聲。

2、《說文》：「幔，幎也。」段《注》：「幎，各本作幕，由作幂而誤耳，

今正。凡以物冡其上曰幔，與幎雙聲而互訓。」（七下‧巾部）段

《注》幔音莫半切，十四部；幎音莫狄切，古音在十一部。按：幔

字古音明紐錫部；幔字古音明紐元部，二字雙聲。

（四）段注「疊韵互訓」例

1、《說文》：「讀，籀書也。」段《注》：「籀，各本作誦，此淺人改也，

今正。竹部曰：籀，讀書也。讀與籀疊韵而互訓。」（三上‧言部）

段《注》讀音徒谷切，三部；籀音直又切，三部。按：讀字古音定

紐屋部；籀字古音定紐幽部，二字雙聲，幽、屋旁對轉，宜入雙聲

互訓。

2、《說文》：「丰，艸蔡也。」段《注》：「艸部曰：蔡，艸丰也。疊韵互

訓。」（四下‧丰部）段《注》丰音古拜切，十五部；蔡音蒼大切，

十五部。按：此與（二）1條同，而彼處作「韵轉注」。

3、《說文》：「忮，憭也。」段《注》：「疊韵互訓。按《方言》：忮、快

也。東齊海岱之閒曰忮。《孟子》：於人心獨無忮乎？趙《注》：

恔，快也。快卽憭義之引申，凡明憭者、必快於心也。」（十下·心部）段《注》恔音吉了切，又下交切，二部；憭音力小切，二部。

按：恔字古音見紐宵部；憭字古音來紐宵部，二字疊韵。

由上述丰、蔡二字例可知，「疊韵轉注」即「疊韵互訓」，而從歸納中反映出段《注》明言音轉類型有：言「雙聲轉注」者3例；言「疊韵轉注」者4例；言「雙聲互訓」2例；言「疊韵互訓」3例，凡12例，只不過占廣義互訓詞256組中的4%耳。當然，這不包括段氏雖未明言，實際上卻有音轉的成分在，如「完、全轉注，同在十四部」的情況。也無怪乎大家忽略段《注》明言音轉的類型而鮮少提及，進而將段氏轉注說完全歸諸於「互訓派」的義轉說了。

另一方面，段《注》尚有稱為「左右轉注」此種類型者，如《說文》卷七下·瓠部：「瓠，匏也。」段《注》：「包部曰：匏，瓠也。二篆左右轉注。」瓠音胡誤切，五部；匏音薄交切，古音在三部，瓠乃匣紐魚部，匏為並紐幽部，二字音韵不近。而段《注》所謂的「左右轉注」一詞，恐係從唐賈公彥《周禮》疏中言：「云轉注者，考、老之類是也。〔建〕類一首，文意相受，左右相注，故名轉注」[9]之說而來，指的是義轉說。

三 段玉裁轉注「音轉說」溯源

楊蓉蓉嘗言「段玉裁的轉注說本於其師戴震，戴震轉注說的產生則是基於唐宋元明的轉注學說」[10]，也就是追本溯源，段氏轉注說係前有所承，由前哲時賢諸說餘緒而推闡發揮，此從段氏《說文解字注》中，〈敘〉文「轉注者，建類一首，同意相受。考、老是也。」注云：

9　〔西漢〕毛亨傳、〔東漢〕鄭玄注、〔唐〕賈公彥疏：《重栞宋本周禮注疏附校勘記》，頁213；又頁223〔清〕阮元〈周禮注疏卷十四校勘記〉云：「建類一首，此本及閩本脫『建』，據監、毛本補。」
10　楊蓉蓉：〈段玉裁的轉注理論〉，《辭書研究》，1985年第5期，頁18。

建類一首，謂分立其義之類而一其首，如《爾雅・釋詁》第一條說始是也。同意相受，謂無慮諸字意恉略同，義可互受相灌注而歸於一首，如初、哉、首、基、肇、祖、元、胎、俶、落、權輿，其於義或近或遠，皆可相訓釋而同謂之始是也。獨言考、老者，其㬌明親切者也。老部曰：老者，考也。考者，老也。以考注老，以老注考，是之謂轉注。蓋老之形从人毛匕，屬會意。考之形从老丂聲，屬形聲。而其義訓則為轉注。全書內用此例不可枚數。……轉注之說，晉・衛恆、唐・賈公彥、宋・毛晃皆未誤，宋後乃異說紛然。戴先生〈荅江慎修書〉正之，如日月出矣，而爝火猶有思復然者，由未知六書轉注叚借二者，所以包羅自《爾雅》而下，一切訓詁音義而非謂字形也。玉裁按：衛恆《四體書勢》曰：轉注者，以老注考也。此申明許說也，而今《晉書》譌為老，壽考也，則不可通。毛晃曰：六書轉注，謂一字數義，展轉注釋而後可通。後世不得其說。[11]

文中提及晉衛恆、唐賈公彥、宋毛晃以及其師戴震，尤其推崇其師「戴先生〈荅江慎修書〉正之，如日月出矣，而爝火猶有思復然者」，那麼，段氏關於轉注為互訓的說法外，音轉說又是從何而來？如果回到戴震的振聾發瞶之作〈答江慎修先生論小學書〉，是否可窺見端倪呢？觀戴氏於〈答江慎修先生論小學書〉中云：

《說文》所載九千餘文，當小學廢失之後，固未能一一合于古。即《爾雅》亦多不足據……就茲一字，《爾雅》失其傳，《說文》得其傳。觸類推求，遞數之不能終其物。用是知漢人之書，就一書中，有師承可據者，有失傳傳會者。《說文》于字體字訓，罅漏不免。其論六書，則不失師傳。劉歆、班固云：「象形、象事、象意、象聲、轉注、假借。」鄭眾云：「象形、會意、轉注、處事、假借、諧聲。」所言各

---

11 〔東漢〕許慎撰、〔清〕段玉裁注：《說文解字注》（臺北：藝文印書館，2005 年 10 月），頁 763。

乖異失倫。《說文・序》稱：「一、指事，二、象形，三、形聲，四、會意，五、轉注，六、假借。」轉注「考」、「老」二字，後人不解。裴務齊《切韻》猥云：「考字左回，老字右轉。」戴仲達、周伯琦之書，雖正「老」字屬會意，「考」字屬諧聲，而不能不承「左回」、「右轉」為轉注，別舉「側山為𠙶，反人為匕」等象形之變轉者當之。徐鉉、徐鍇、鄭樵之書，就「考」字傅會，謂祖考之「考」，古銘識通用「丂」，與「丂」之本訓轉其義，而加「老」省注明之。又如犬走貌為「猋」，《爾雅》「扶搖謂之猋」，于「猋」之本訓轉其義，「飆」則偏旁加風注明之。此以諧聲中聲義兩近者當轉注，不特一類分為二甚難，且校義之遠近必多穿鑿。王介甫《字說》強以意解加之諧聲字，陸佃《埤雅》中時摭之。使按之理義不悖，如程子、朱子論「中心為忠，如心為恕」，猶失六書本法，歧惑學者。今區分諧聲一類為轉注，勢必強求其義之近似。況古字多假借，後人始增偏旁，其得盡證之使自為類乎？楊桓又謂：「三體已上，展轉附注，是曰轉注。」斯說之謬易見。而莫謬于蕭楚、張有諸人「轉聲」為「轉注」之說，雖好古如顧炎武亦不復深省。《說文》于假借舉「令」、「長」字，乃移而屬轉注。古今音讀莫考，如好惡之「惡」，今讀去聲，古人有讀入聲者；美惡之「惡」今讀入聲，古人有讀去聲者。宋魏文靖論〈觀卦〉云：「今轉注之說，則象象為觀示之『觀』，六爻為觀瞻之『觀』。竊意未有四聲反切已前，安知不為一音乎？」據此言之，轉聲已不易定，轉注、假借何以辨？……後世求轉注之說不得，併破壞諧聲、假借，此震之所甚惑也。《說文》「老，從人毛匕，言須髮變白也」，「考，從老省，丂聲」。其解字體，一會意，一諧聲，甚明。而引之于〈敘〉，以實其所論「轉注」，不宜自相矛盾，是固別有說也。使許氏說不可用，亦必得其說然後駁正之，何二千年間紛紛立說者眾，而以猥云左回右

轉之謬悠，目為許氏，可乎哉？震謂「考」、「老」二字屬諧聲、會意者，字之體；引之言轉注者，字之用。轉注之云，古人以其語言立為名類，通以今人語言猶曰「互訓」云爾。轉相為注，互相為訓，古今語也。《說文》于「考」字訓之曰「老也」，于「老」字訓之曰「考也」。是以〈敘〉中論轉注舉之。《爾雅・釋詁》有多至四十字共一義，其六書「轉注」之法與？別俗異言，古雅殊語，轉注而可知，故曰「建類一首，同意相受」。大致造字之始，無所馮依，宇宙間事與形兩大端而已，指其事之實曰「指事」，一、二、上、下是也；象其形之大體曰「象形」，日、月、水、火是也。文字既立，則聲寄于字，而字有可調之聲；意寄于字，而字有可通之意。是又文字之兩大端也。因而博衍之，取乎聲諧，曰「諧聲」；聲不諧，而會合其意曰「會意」。四者，書之體止此矣。由是之于用，數字共一用者，如「初、哉、首、基」之皆為「始」；「卬、吾、台、予」之皆為「我」，其義轉相為注，曰「轉注」。一字具數用者，依于義以引伸，依于聲而旁寄，假此以施于彼，曰「假借」。所以用文字者，斯其兩大端也。六者之次第出于自然，立法歸于易簡。震所以信許叔重論六書必有師承，而「考」、「老」二字，以《說文》證《說文》，可不復疑也。存諸心十餘載，因聞教未達，遂縱言之。[12]

在這一封洋洋灑灑思辨批駁各家轉注說的同時，戴震也提出了大家熟知的戴氏轉注「互訓」說的「古今語」，但另一脈潛伏默流也在分衍，亦即文中所謂的「古人以其語言立為名類，通以今人語言猶曰『互訓』云爾」、「別俗異言，古雅殊語，轉注而可知」、「文字既立，則聲寄于字，而字有可調之聲；意寄于字，而字有可通之意。是又文字之兩大端也。」此數語無疑是站在「聲」和「意」的立場去觀照古今用語、方俗異言，從而得知轉注的。那麼，它可

---

[12] 〔清〕戴震撰、張岱年編：〈答江慎修先生論小學書〉，《戴震全書》（合肥：黃山書社，1994 年 9 月），第三冊，頁 330-334。

能落入另一篇文章所極力斥為「無稽」的情況，在戴氏〈六書論序〉中云：

> 諸家之紛紜也。謂轉聲為轉注者，起於最後，於古無稽，特蕭楚諸人
> 之意見也。蓋轉注之為互訓，失其傳且二千年矣。[13]

當然，蕭楚諸人的「轉聲」與段氏轉注音轉說有別，但戴氏既標舉出文字紀錄語言「音」、「義」兩大端的旗纛，轉注互訓說何能專美於前？何況戴氏又在〈六書音均表・序〉文強調：「訓詁音聲，相為表裏。訓詁明，六經乃可明」[14]的一貫立場呢！

可是，段氏除了繼承其師「戴先生」主張的轉注互訓說外，並開發出另一與「雙聲」、「疊韻」有關的轉注說如前所述，那麼，在他的觀念認知裡，音義本來就是一體之兩面，表裏相彰，何能捨彼就此，如段氏在〈六書音均表・序〉所說：

> 竊文字之源流，辨聲音之正變，洵有功於古學者已。古人以音載義，後
> 人區音與義而二之。音聲之不通而空言義理，吾未見其精於義也。[15]

或是以段氏自幼學習的切身經驗感受，都是將聲音擺在文字之先的，如〈寄戴東原先生書〉（乙未十月）云：

> 玉裁自幼學為詩，即好聲音文字之學，甲戌、乙亥閒從同邑蔡丈一帆
> 遊，始知古韻大略。庚辰入都門，得顧亭林《音學五書》讀之，驚怖
> 其考據之博。癸未遊於先生之門，觀所為江慎修行略，又知有《古韻
> 標準》一書與顧氏稍異。……音均明而六書明，六書明而古經傳無不
> 可通。玉裁之為是書，蓋將使學者循是以知假借轉注，而於古經傳無
> 疑義，而恐非好學深思鈔能心知其意也。[16]

---

[13] 〔清〕戴震撰、張岱年編：〈六書論序〉，《戴震全書》，第六冊，卷三，頁295。

[14] 〔清〕戴震：〈六書音均表・序〉，〔東漢〕許慎撰、〔清〕段玉裁注：《說文解字注》，頁809。

[15] 〔清〕段玉裁：〈六書音均表・序〉，〔東漢〕許慎撰、〔清〕段玉裁注：《說文解字注》，頁811。

[16] 〔清〕段玉裁：〈寄戴東原先生書〉（乙未十月），〔東漢〕許慎撰、〔清〕段玉裁注：《說文解字注》，頁812-813。

以此基礎「默會其指歸」從而建立其轉注音轉說也是順理成章，不難理解的，故在段氏〈六書音均表・古轉注同部說〉中，即明白標舉出：

> 訓詁之學，古多取諸同部，如仁者，人也；義者，宜也；禮者，履也；春之為言蠢也；夏之為言假也；子，孳也；丑，紐也；寅，津也；卯，茂也之類。《說文》神字注云：天神引出萬物者也。祇字注云：地祇提出萬物者也。麰字注云：秋穜厚薶也，故謂之麰。神、引同十二部；祇、提同十六部；麰、薶同弟一部也。劉熙《釋名》一書，皆用此意為訓詁。[17]

所謂「轉注同部」即可轉換成「疊韵轉注」的，至於段氏在〈六書音均表・古異部假借轉注說〉中更顯明主張轉注涉及「音」的成分說：

> 轉注以義為主，同義互訓也。作字之始，有音而後有字，義不外乎音，故轉注亦主音。假借取諸同部者多，取諸異部者少；轉注取諸同部、異部者各半……異部轉注，如「愛，隱也」、「曾，重也」、「蒸，塵也」之類。[18]

已然主張「轉注取諸同部、異部者各半」的概括比例。並在〈六書音均表・六書說〉中說：

> 文字起於聲音，六書不外謠俗。六書以象形、指事、會意為形；以諧聲、轉注、假借為聲。又以象形、指事、會意、諧聲為形；以轉注、假借為聲。又以象形、指事、會意、諧聲、轉注、假借為形；以十七部為聲……轉注異字同義，假借異義同字，其源皆在音均。《說文解字》者，象形、指事、會意、諧聲之書也。《爾雅》、《廣雅》、《方言》、《釋名》者，轉注假借之書也。陸灋言《切韵》為音韵之書。然古十七部藏薶未悟，不可以通古經傳之文，今特表而出之，箸其分合。周

---

17 〔清〕段玉裁：〈六書音均表・古轉注同部說〉，〔東漢〕許慎撰、〔清〕段玉裁注：《說文解字注》，頁 826。
18 〔清〕段玉裁：〈六書音均表・古異部假借轉注說〉，〔東漢〕許慎撰、〔清〕段玉裁注：《說文解字注》，頁 842。

秦漢人詁訓之精微，後代反語、雙聲、疊韵、音紐、字母之學，胥一以貫之矣。[19]

從中不難發現，段氏所主張的「轉注」都與「聲」有關，而與「諧聲」、「假借」屬同一類，追究其根源「皆在音均」，不正補苴了他在注《說文》時未明言的部分嗎？以故說「段玉裁是完全把六書的轉注和詞義訓釋的互訓聯繫起來、等同起來」[20]，未免太簡單視之；但說「段玉裁承認轉注有同部首、異部首，同韵、異韵，兩字、多字，本義、引申義、假借義多種類型，但又認為引申義轉注、假借義轉注，主要用於雅書、傳注，在以轉注糾正《說文》訛誤時」[21]，又未免太複雜，苟能考慮從「音」、「義」兩方面去解讀，雖不中，亦未遠矣！

由此觀之，以轉注互訓義轉說範圍段氏轉注說，而不涉及音轉，其實是有些偏失的，段氏站在轉注說的時間點上，承其先而啟其後，撥開章太炎〈轉注假借說〉的雲霧從語言的角度切入[22]，或是魯實先「音轉而注，以合語言」，「義轉而注，以明義恉」之論[23]，段氏鈴鍵的地位，實不容忽略。

原文發表於「第二屆許慎文化國際研討會」，河南：漯河市科教文化藝術中心，2010 年 10 月 26-28 日，收入王蘊智、吳玉培主編：《許慎文化研究（二）：第二屆許慎文化國際研討會論文集》，北京：中國社會科學出版社，2015 年 2 月，頁 179-188。（高佑仁校對）

---

[19] 〔清〕段玉裁：〈六書音均表・六書說〉，〔東漢〕許慎撰、〔清〕段玉裁注：《說文解字注》，頁 842-843。

[20] 李傳書：〈段玉裁的轉注論及其運用〉，《長沙電力學院社會科學學報》，1997 年第 3 期，頁 118。

[21] 楊蓉蓉：〈段玉裁的轉注理論〉，《辭書研究》，1985 年第 5 期，頁 28。

[22] 轉注諸說可參見黎千駒：〈歷代轉注研究述評〉，《湖南城市學院學報》，2008 年第 4 期；劉春卉：〈轉注述評〉，《貴州教育學院學報（社會科學版）》，2001 年第 6 期。

[23] 魯實先：《說文正補・轉注釋義》（臺北：黎明文化事業股份有限公司，2003 年 12 月）。

段、桂注證《說文解字》古文
引《汗簡》、《古文四聲韻》的考察

一 前言

　　本文旨在澄清前哲時賢對清代《說文》學家有關《汗簡》、《古文四聲韻》態度上的誤解，企圖透過清乾嘉《說文》學的南北雙峰——段玉裁與桂馥為代表，以《說文解字注》與《說文解字義證》為取樣主軸，在其注解義證《說文》古文時，係採取何種方式與持守何種態度加予觀察分析，以探究事實真相，釐清此部分陳陳相因的種種誤導與指控，使後人評述清乾嘉時期《說文》學家有關戰國文字的研究與觀點，有較公允可信的具體憑證，提供不一樣的思維與論證。

　　王國維（1877-1927）曾在《宋代金文著錄表・序》中指出：「國朝乾嘉以後，古文之學復興，輒鄙薄宋人之書，以為不屑道。」[1]這話雖對金文而發，但「鄙薄宋人之書，以為不屑道」的概括刻板印象卻相沿成習，影響深遠，後如李學勤在為黃錫全《汗簡注釋》作的〈序〉，文中也說：「清代《說文》之學風行，金文研究日益深入，以《汗簡》為代表的『古文』，被認為上不合於商周，下有悖於《說文》，受到不應有的蔑視。惟一專門研究此書的，是光緒時刊刻的《汗簡箋正》，其作者為遵義鄭珍（1806-1864），但他生前實未完稿，是由子鄭知同補完的。知同在〈序〉中說：『先君子為古篆籀之學，奉《說文》為圭臬，恆苦後來溷亂許學而偽託古文者二：在本書中有徐氏新附，在本書外有郭氏《汗簡》。』這段話可為一班《說文》學家態

---

[1] 王國維著、傅傑編校：《王國維論學集》（北京：中國社會科學出版社，1997 年 6 月），頁 199。

度的代表。」[2]其中所謂的「淆亂許學而偽託古文」，也成了對「宋人之書」
如《汗簡》或《古文四聲韻》的一般認知和存有印象，那麼，清乾嘉時期的
《說文》學家是否真對「宋人之書」的「古文」資料存有蔑視鄙薄之心呢？
是頗值得深入探索釐清的。

　　另一方面，緣於學術材料不斷的推陳出新，增添豐實，近三十餘年來有
關戰國文字的研究也如火如荼的闢路鋪展，蒙在六國「古文」的奧深詭異幕
巾也漸漸被揭露解析開來。值此之際，人們重新檢視宋人輯錄有關戰國古文
之書，如北宋郭忠恕（930？-977）的《汗簡》，以及繼之而起的夏竦（985-
1051）《古文四聲韻》，其重要價值也越來越受到肯定，成為研究戰國古文用
諸比較辨析的雙璧，是解析戰國文字形構的津梁鈐鍵，誠如何琳儀所說，二
書雖然「得失互見」，但「仍不失為研究六國文字的重要參考材料，有很高
的文字學價值，大批出土的戰國文字資料已經證明了這一點」[3]，或是他所
指陳的：「上世紀七十年代以來，傳抄古文在學術界的地位日益得到認同。
其中北宋夏竦《古文四聲韻》一書，由於收錄傳抄古文資料十分豐富，所以
倍受學者青睞。近年隨著楚簡的不斷發現，一些高難度的文字考釋，往往藉
助於《古文四聲韻》才得以迎刃而解。說明《古文四聲韻》在考釋戰國文字
中不可替代的字典作用。」[4]在在都表彰出二書在現今研究戰國文字中受重
視的程度。

　　當然，欲認清清乾嘉時期的《說文》學家對保留「古文」資料的「宋人
之書」是否存有蔑視鄙薄之心？可能不是一件容易的事，一來清乾嘉時期的
《說文》學家何其多，光從丁福保（1874-1952）纂輯的《說文解字詁林正

---

[2] 李學勤：〈序〉，黃錫全：《汗簡注釋》（武漢：武漢大學出版社，1990 年 8 月），頁 2、3。
[3] 有關此部分的評述，可參見李學勤：〈序〉，黃錫全：《汗簡注釋》，頁 1；黃錫全：〈自序〉，
《汗簡注釋》，頁 4-23；何琳儀：《戰國文字通論（訂補）》（南京：江蘇教育出版社，2003
年 1 月），頁 69-81；劉端翼：〈歷史的認知和重新的定位〉，《「汗簡」及「汗簡箋正」研究》
（臺北：中國文化大學中國文學研究所碩士論文，1992 年 7 月），頁 230-233。
[4] 何琳儀：〈郭店簡古文二考〉，《古籍整理研究學刊》，2002 年第 5 期，頁 1。

補合編》、尹彭壽《國朝治說文家書目》、馬敘倫〈清人所著說文之部書目初
編草稿〉諸書文所羅列的資料來看,真一代風氣所鍾,蓊鬱成林[5],何況這
些《說文》學家各擁立場,看法並不一致,想窺透個中好惡去取,誠非易事。
勉強能做的,可能是透過定質定量的標準取樣程序去回溯廓清一部分的事
實。前人評騭清乾嘉時期的《說文》學,素有所謂「說文四大家」之稱,其
中分峙南北顛峰的段玉裁(1735-1815)《說文解字注》與桂馥(1736-1805)
《說文解字義證》是同時的代表,人稱「南段北桂」,雖各擅勝場[6],卻能表
彰乾嘉時期《說文》學的具體成果。本論文既緣於對前賢既成觀念的質疑而
興發,本希望透過段、桂二氏的代表作本身去還原,以求得新的認識與理解,
故據《說文解字注》與《說文解字義證》「注」或「義證」《說文》古文時,
取證《汗簡》與《古文四聲韻》的情形作通盤考察,以推求其態度若何?取
證辨析介入到何等程度?是否完全蔑視不用等等諸問題。

二　段玉裁《說文解字注》古文中引《汗簡》、《古文四聲韻》的
情況

　　梁啟超在《清代學術概論》中推崇段玉裁說:「戴門後學,各家甚眾,
而最能光大其業者,莫如金壇段玉裁。」[7]然段氏傳世著作甚多,尤以王念
孫讚歎「千七百年無此作」的《說文解字注》(以下簡稱段《注》)[8]最負盛
譽,故本文基本上鎖定段《注》古文中引《汗簡》與《古文四聲韻》的情況
來作觀察。

　　至於郭忠恕《汗簡》,本係總結北宋太宗太平興國 2 年(977)前有關古
文諸書眾說所編纂而成的具字典性質的書,是宋代第一本隸釋古文字按部

---

[5] 沈寶春:《桂馥的六書學》(臺北:里仁書局,2004 年 6 月),頁 1-3。

[6] 沈寶春:《桂馥的六書學》,頁 1-9。

[7] 梁啟超:《清代學術概論》(臺北:臺灣商務印書館,1985 年 2 月),頁 70。

[8] 〔清〕王念孫:〈說文解字注序〉,〔東漢〕許慎撰、〔清〕段玉裁注:《說文解字注》(臺北:藝文印書館,2005 年 10 月),頁 1。

首排列的字典。但《崇文總目》、《郡齋讀書志》、《直齋書目解題》皆無著錄，可見當時流傳之少[9]，即連今人所撰如陳曦、党懷興的〈宋明元六書學家對古文字資料的引用與分析評述〉[10]也未必過目，可見其冷僻無聞的一斑。然而，清初有依據抄本翻刻的，目前傳抄本係以明弘光元年（1645）馮舒抄本3冊及清康熙四十二年（1703）汪立名一隅草堂刻本為主，後者乃據秀水朱彝尊潛采堂抄本翻刻上梓的[11]，這也說明了此書長期僅以抄本存世的情況[12]。今本3卷，每卷又各分為2，後附〈敘〉、目錄，實際上是7卷，所收古文以《說文》、《三體石經》為主，所引的71家惟《說文》、〈碧落碑〉尚存，《三體石經》則存殘碑，餘皆不傳[13]。全書基本上以《說文》540部為順序，但以古文為部首統繫所收文字，計收古文 2,961 字[14]，黃錫全《汗簡注釋》則增補為 3,073 字[15]。

　　至於夏竦撰於北宋慶曆四年（1044）的《古文四聲韻》一書，《宋史・藝文志》稱為《重校古文四聲韻》五卷，宋本題《新集古文四聲韻》五卷。根據書前夏氏自〈序〉所說：「聖宋有天下，四海會同，太學博士周之宗正丞郭忠恕首編《汗簡》，究古文之根本。」其後夏氏以「久備史官，祥符中郡國所上古器多有科斗文，深懼顧問不通，以忝厥職，繇是師資先達，博訪遺逸，斷碑蠹簡，搜求殆徧，積年逾紀，篆籀方該。自嗟其勞慮有散墜，遂

---

[9] 李學勤：〈序〉，黃錫全：《汗簡注釋》，頁 1-3；黃錫全：〈自序〉，《汗簡注釋》，頁 4-23；何琳儀：《戰國文字通論（訂補）》，頁 69-81；劉端翼：〈歷史的認知和重新的定位〉，《「汗簡」及「汗簡箋正」研究》，頁 230-233。

[10] 陳曦、党懷興：〈宋元明六書學家對古文字資料的引用與分析評述〉，《漢字研究》第一輯（北京：學苑出版社，2005 年 6 月），頁 171-177。

[11] 劉志成：《中國文字學書目考錄》（成都：巴蜀書社，1997 年 8 月），頁 102-103。

[12] 〔北宋〕郭忠恕：《汗簡》（臺北：臺灣商務印書館，1966 年據上海涵芬樓借常熟瞿氏鐵琴銅劍樓藏馮己蒼手鈔本景印），《四部叢刊續編・經部》。

[13] 劉志成：《中國文字學書目考錄》，頁 102-103。

[14] 何琳儀：《戰國文字通論（訂補）》，頁 69。

[15] 黃錫全：〈自序〉，《汗簡注釋》，頁 4；黃錫全：〈《汗簡》徵引七十餘種資料的時代字數統計表〉，《汗簡注釋》，頁 538。

集前後所獲古體文字，準唐《切韻》分為四聲。」[16]書中所錄古文 98 家，多《汗簡》27 家。全書以《切韻》四聲為綱，凡 5 卷，按韻繫字，韻內字以隸領古文，一字兼收數體，諸字之間，以圈記相隔，此書收字與《汗簡》互有出入，總計較《汗簡》為多，約 9,000 餘字[17]。

　　根據本文末附錄的〈段、桂注證《說文》古文引《汗簡》、《古文四聲韻》統計表〉可知，段氏在注解《說文解字》重文中的古文時，曾徵引《汗簡》18 條，《古文四聲韻》17 條，凡 35 條，就中毒、昏、哭、全、九、堯、勞 7 字係二書同時俱引，實際上僅 28 字在《說文》古文下徵引二書，二書在段《注》被徵引的數量其實不分軒輕，只不過《汗簡》多 1 條罷了。

（一）段《注》解《說文》古文時引《汗簡》的考察

　　段玉裁在注《說文》古文時，引用到《汗簡》的地方凡 18 個字例，其中 7 字例與《古文四聲韻》並引，故於後文中另立一目以便討論。今就段《注》解《說文》古文時，引《汗簡》11 字例作考察，為便於分析，先將資料列之如下：

　　1、《說文》：「往，之也。从彳，坒聲。𨓹，古文从辵。」段《注》：「按左辵右坒，坒，古文坒也。《汗簡》云：『逞，《尚書》往字。』〈甘泉賦〉：『逞逞離宮，般以相燭。』」

　　2、《說文》：「遲，徐行也。从辵，犀聲。《詩》曰：『行道遲遲。』遅，遲或从尼。」段《注》：「按此字疑後人因〈楊雄傳〉而增也。〈甘泉賦〉曰：『靈遲遅兮』，說者皆云『上音棲，下音遲，遅即遲字也。』然《文選》作遅遅，與《漢書》異。《玉篇》、《汗簡》亦皆作遅，《集韻》引《尚書》遅任，又未必真壁中古文也。」

　　3、《說文》：「杶，杶木也。從木，屯聲。《夏書》曰：『杶榦栝柏』。櫄，

16　〔北宋〕夏竦：《古文四聲韻》（臺北：學海出版社，1978 年 5 月），頁 1-6。
17　何琳儀：《戰國文字通論（訂補）》，頁 69。

或從熏。杶，古文杶。」「古文杶」下段《注》云：「按依《汗簡》所載近是，即屯字側書之耳。《集韻》逕作杻，非也。」

4、《說文》：「磬，石樂也。从石，殸象縣虡之形。殳所以擊之也。古者毌句氏作磬。殸，籀文省。硜，古文从巠。」「古文从巠」下段《注》：「各本篆體誤，今依《汗簡》正。《樂記》曰：『石聲磬，磬以立辨。』《史記·樂書》作『石聲硜，硜以立別。』蓋硜本古文磬字，後以為堅确之意，是所謂古今字。《論語》子擊磬於衛，下文既而曰：『鄙哉硜硜乎！』亦不以為一字，要之《論語》非不可作『鄙哉磬磬也』，《釋名》曰：『磬者，磬也，其聲磬磬然堅緻也。』」

5、《說文》：「閒，隙也。从門月。閒，古文閒。」段《注》：「此篆各本體誤，《汗簡》等書皆誤，今攷正，與古文恆同，中从古文月也。」

6、《說文》：「閔，弔者在門也。从門，文聲，閔，古文閔。」段《注》：「按此篆《篇》、《韻》不載，恐不足據。小徐篆作闅，然則大徐上體从古文民，今寫譌甚。《汗簡》正从古文民。」

7、《說文》：「捧，首至手也，从手奉。捧，古文捧从二手。」段《注》：「蓋从二手而比聲。凡拜必兼用首、手、足三者，而造字者重手，故从手。稽首、頓首則重頭，故从首、頁。又《汗簡》曰：『捧出《說文》。』是則从二古文手也，但楊雄說丗从兩手作拜，豈不相混乎。」

8、《說文》：「戎，兵也。从戈甲。中，古文甲字。」段《注》：「日部早篆下及此，小徐皆有此五字，大徐皆刪之，由古文甲、小篆甲所異甚微故也。漢隸書早字平頭，如小篆本平頭，古文乃出頭作中，轉寫既久，惑不能別，於日部及此刪去五字，於甲篆則用出頭者為小篆，別取《汗簡》所載異體為古文，皆非也，今一一正之。」

9、《說文》：「紹，繼也。从糸，召聲。一曰紹，緊糾也。綤，古文紹从卲。」段《注》：「今本譌，依《玉篇》、《廣韻》、《汗簡》改正。」

10、《說文》:「恆，常也。从心舟在二之間上下，心以舟施，恆也。，古文恆从月。」段《注》:「此篆轉寫譌舛。既云从月，則左當作月，不當作夕也。若《汗簡》則左作舟，而右亦同此，不可曉。又按門部之古文閒作閖，蓋古文月字略似外字，古文恆直是二中月耳。」

11、《說文》:「彈，行丸也。從弓，單聲。，或說彈从弓持丸如此。」段《注》:「各本篆形作弘，今正。《汗簡》云:『，彈字也。出《說文》。』又《佩觿》、《集韻》皆有弓字，蓋古本《說文》从弓而象丸，與玉部朽玉字同意。」

在上舉的 11 條字例中，有 2 條資料是比較特殊的，其一是第 2 條，係對《說文》的篆文或體來談的，並採《汗簡》之說而懷疑《集韻》古文的可信度，以為非壁中古文，是帶有增補《說文》古文的意味；其二是第 11 條，本來《說文》僅存篆文或體，並未見古文，段氏採據《汗簡》之說而改《說文》或體，但正如黃錫全所說:「段玉裁《說文解字注》已據此增補，但不宜去掉弘，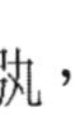是古文，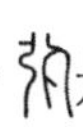是或體。」[18]段氏雖據《汗簡》增補，但卻去弘存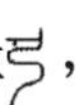，割捨其一，說法未必周全，但對《汗簡》的取信程度是相當高的。

其次，段氏或有對《汗簡》所載古文形體舉棋不定，游移其辭的時候，如第 10 條所說:「若《汗簡》則左作舟，而右亦同此，不可曉」即是；或有直指《汗簡》的錯誤，如第 5 條說的「《汗簡》等書皆誤」，第 8 條指出的「於甲篆則用出頭者為小篆，別取《汗簡》所載異體為古文，皆非也」，但例子不多，其實段氏對《汗簡》的態度鮮少懷疑，大抵持正面肯定的態度去細加斟別去取，這從第 1 條「往」字的「《汗簡》云:『逞，《尚書》往字』」、第 3 條的「依《汗簡》所載近是」、第 4 條的「各本篆體誤，今依《汗簡》正」、第 6 條的「今寫譌甚。《汗簡》正从古文民」、第 7 條的「《汗簡》曰:『出《說文》。』是則从二古文手也」以及第 9 條的「今本譌，依《玉篇》、

[18] 黃錫全:《汗簡注釋》，頁 439。

《廣韻》、《汗簡》改正」諸語，可見段氏對《汗簡》倚重的程度，若加上前
2 條談篆文或體而據《汗簡》增補古文的例子，則在段氏說解古文形體的演
變正譌中，採取《汗簡》而公允客觀去別擇去取的至少 8 條，約占全部比例
的 72%，焉能說段氏對《汗簡》蔑視呢？

（二）段《注》解《說文》古文時引《古文四聲韻》的考察

　　段玉裁在《經韻樓集》卷六有一篇寫於乾隆丙午（1786）2 月的〈跋《古
文四聲韻》〉一文[19]，乃述說他的朋友孔體生「以書相問」《古文四聲韻》韻
部安排前後次序與增益的情形，當時他「愧未能答」，3 年後「體生已捐館」，
他雖了然於胸，卻「恨不得與面析」[20]的種種情景，其中並未涉及《說文》
的古文。

　　然而段氏在《注》解《說文》古文時，徵引《古文四聲韻》的情況，歸
而言之，可分以下幾種：

　　1、純粹徵引，不下判斷

　　如段氏在《說文》「農」字「辳亦古文農」下，《注》云：「小徐從艸，
大徐從林。夏竦曰：『辳見《古尚書》。』」或如《說文》「爵」字「𩰷，（古
文爵如此，象形）」下，段《注》云：「依《古文四聲韻》。」或如《說文》
「櫱」字「栓亦古文櫱」下，段《注》：「從木全聲也，全者，牵之或字，見
羊部。《古文四聲韻》作栓。」皆屬此類，這種徵引的方式，乃是間接說明
《說文》古文的字形，非憑空臆造，而是有其根據和來源，「見」、「依」之
語可見一斑，對《古文四聲韻》的態度雖表露得並不很清楚，推測應是肯定

[19] 按陳紹棠〈段玉裁先生著述繫年〉「乾隆 51 年丙午（1786）先生 52 歲」條有「二月，
跋《古文四聲譜》（《經韻樓集》卷 6）」之語，陳氏所書「譜」字當為「韻」之誤。參陳紹
棠：〈段玉裁先生著述繫年〉，《新亞書院學術年刊》第七期（香港：新亞書院，1965 年 9
月），頁 12（154）。
[20] 〔清〕段玉裁：〈跋古文四聲韻〉，《段玉裁遺書·經韻樓集》（臺北：大化書局，1977 年
5 月），頁 956。

的。

2、徵引說明，別擇是非

段氏除前類客觀徵引，以見別有根據外，又會在《注》略下數語，以說明形義之間的關係，或判斷形構譌錯的根由，如《說文》「殺」字「秊古文殺」下，段《注》云：「按此蓋即秊字轉寫譌變耳，加殳為小篆之殺，此類甚多。《古文四聲韻》秊為崔希裕《纂古》，秊為《說文》，則夏氏所據《說文》為善本，正與張參說合。」或如《說文》「家」字「宋，古文家」下，段《注》云：「按此篆體蓋誤，當从古文豕作宋。《古文四聲韻》引作宋，似近是。」又《說文》「綱」字「松，古文綱」下，段《注》云：「《古文四聲韻》作柡、松二形，松从古文系也。」或如《說文》「社」字「古文社」下，段《注》云：「各本從示，非古文也。今依夏氏竦《古文四聲韻》所引。從木者，各樹其土所宜木也。」凡此種種，段氏根據《古文四聲韻》作更進一步的詮釋解說，依傍之情也溢於言表，而「夏氏所據《說文》為善本」更可窺見採信情況。

3、判斷是非，糾正紕謬

當然，一本書不見得面面俱到，周密無間，段氏對《古文四聲韻》其實也有非難之詞，如在《說文》「龔，古文共」下，段《注》云：「體從小徐本。按龔有順從之象。糸有睽異之象。《古文四聲韻》引《說文》，誤以癸為共。」即是糾正《古文四聲韻》引《說文》古文的錯誤；或如《說文》：「卟，灼龜坼也。从卜兆，象形。巛，古文卟省。」段《注》云：「改竄《說文》者乃於卜部增卟為篆文，兆為古文，又恐其形之溷於八部（兆）也，乃加增一筆以殊之，紕謬之由，歷歷可見……按《集韻》、《類篇》皆引《說文》卟古省或作兆，臣光曰：『按兆，兵列切，重八也。卟，古當作巛。』是則勉強區分，蓋由司馬公始。徐鍇、徐鉉、丁度等皆作兆，司馬公所襲者，夏竦輩之書也。」段氏推究卟、兆之分紕謬產生的前因後果，歸罪於「司馬公所襲者，夏竦輩

之書」，其中的「夏竦書」，當指《古文四聲韻》而言，其非議之情，也可概見。至如《說文》「籀，古文簬从輅」下，段《注》云：「當作『簬或从輅』，轉寫之誤也……《古文四聲韻》云『籀，古文』，即取諸誤本《說文》也。」就以《古文四聲韻》所取證的為「誤本《說文》」而直斥其誤了。

所以在段氏徵引《古文四聲韻》的 10 條字例中，可看到純粹徵引，不下判斷的有農、爵、櫷3 條；徵引說明，別擇是非，持正面肯定態度有殺、家、綱、社 4 條；至於判斷是非，糾正紕謬，少有美辭的有共、狀、籀 3 條，比較起來，其實段氏對《古文四聲韻》的態度以傾向正面者居多。

（三）段《注》解《說文》古文中二書並引者

段《注》解《說文》古文中並引《汗簡》、《古文四聲韻》二書的情況，是最適合我們觀察段氏對二書的態度如何了。但在段《注》解《說文》古文中，二書並引的情況並不多見，僅出現在毒、昏、㫒、全、狀、堯、勞等 7 條，茲依序列其說如下：

1、《說文》：「毒，厚也。害人之艸，往往而生。从屮，毒聲。𢾺，古文毒，从刀葍。」段《注》：「从刀者，刀所以害人也。从葍為聲。葍，厚也，讀若篤。劅字，鍇本及《汗簡》、《古文四聲韻》上从竹不誤，而下譌从副、从畐。鉉本則竹又誤為艸矣。古文築作𥲑，亦葍聲。」

2、《說文》：「昏，塞口也。从口，氐省聲。昏，古文从甘。」段《注》：「戴先生曰：『古文氐不省，誤為从甘。』按：《汗簡》、《古文四聲韻》云昏、昏皆同厥，出《古尚書》。昏即昏字不省者也。」

3、《說文》：「㫒，具也。从廾，𦣻聲。𢍅，古文㫒。𥎣，篆文㫒。」「篆文㫒」下，段《注》：「《汗簡》、《古文四聲韻》載此體各乖異，未詳宜何從也。竊疑此『篆』字當作『籀』字之誤也。古文下从廾，廾亦具意也。籀文緐重，則从𦣻从廾而又从廾，《古文四聲韻》作𢍅，

蓋不誤。小篆則省幵作哭，後人隸字則從籀變之作巽，《說文》仿隸為之，非也。」

4、《說文》：「仝，完也。从入从工。全，篆文仝从王，純玉曰全。亼，古文仝。」「古文仝」下段《注》：「按下體未寀其所從，《汗簡》作亼，《古文四聲韻》載〈王庶子碑〉亦作亼，疑近是。」

5、《說文》：「㫃，旌旗之游㫃蹇之皃。从屮，曲而垂下，㫃相出入也。讀若偃。古人名㫃字子游。㫃，古文㫃字象旌旗之游及㫃之形。」「古文㫃」下段《注》：「此小徐本也。大徐作象形及象旌旗之游，皆不可通。其篆形各本古文與上小篆文皆不可分別，惟小徐本牽連其上端略異，與《古文四聲韻》及《汗簡》合，此等不能強之為說。或曰當是『㫃古文以為偃字』七字之誤。」

6、《說文》：「堯，高也。从垚在兀上，高遠也。栽，古文堯。」「古文堯」下段《注》：「此从二土，而二人在其下。小徐本、《汗簡》、《古文四聲韻》尚不誤，汲古閣乃大誤。」

7、《說文》：「勞，劇也。从力熒省。焱火燒冖，用力者勞。勞，古文如此。」段《注》：「『如此』大徐作『从悉』，篆體作勞，今依《玉篇》、《汗簡》、《古文四聲韻》所據正。《汗簡》與《玉篇》中雖小異，下皆从力，竊謂古文乃从熒不省，未可知也。」

從上舉 7 例看來，段氏並舉《汗簡》、《古文四聲韻》（有時作「《古文四聲韻》、《汗簡》」，如例 5㫃，以二書成書先後言，當乙）主要是用在校正追溯《說文》古文形體的來龍去脈，譌錯變異的情形，若「毒」、「哭」字所論略即是。過程中並與小徐本（鍇本）、大徐本、汲古閣本、《玉篇》參正比觀，以其徵引的理路來追索，亦即梁啟超所謂的「客觀的鉤稽參驗非純憑主觀的臆斷」[21]，或如段氏自道的：「挍經之法，必先以賈還賈，以孔還孔，以陸還

---

21 梁啟超：《清代學術概論》，頁 72。

陸，以杜還杜，以鄭還鄭，各得其底本而後判其義理之是非，而後經之底本可定，而後經之義理可以徐定，不先正注疏釋文之底本，則多誣古人，不斷其立說之是非，則多誤今人。」[22]究其實質，段氏對二書的取樣態度，除中性的「客觀鉤稽參驗」如第 2 條外，也保留一些懷疑不置可否的游移之辭，如第 3 條所謂的「《汗簡》、《古文四聲韻》載此體各乖異，未詳宜何從也」，或如第 4 條所說的《汗簡》、《古文四聲韻》所載形體「疑近是」，又如第 5 條舉的「小徐本牽連其上端略異，與《古文四聲韻》及《汗簡》合，此等不能強之為說」。但更多的是對二書採取正面支持肯定的態度，如第 1 條舉「鍇本及《汗簡》、《古文四聲韻》上从竹不誤……鉉本則竹又誤為艸矣」，或如第 3 條明確指出《古文四聲韻》「蓋不誤」、第 6 條論斷「《汗簡》、《古文四聲韻》尚不誤，汲古閣乃大誤」，以及第 7 條的「今依《玉篇》、《汗簡》、《古文四聲韻》所據正」皆屬此類。雖然段氏對二書無分軒輊的並舉，有時還是略有輕重，如第 3 條所下的《古文四聲韻》「蓋不誤」的判斷已略顯端倪矣！

三 桂馥《義證》解《說文》古文時引《汗簡》、《古文四聲韻》的情況

（一）桂馥《義證》解《說文》古文時引《汗簡》的考察

桂馥在《義證》解《說文》古文中，徵引到《汗簡》的凡 44 字，較段氏所引多一倍以上，可見其重視程度。然其中頗多「存而不論」，僅客觀的「臚列古籍，不下己意」，屬於「保存資料，相互證發的性質」，如在《說文》「古文莊」下桂馥《義證》云：「《汗簡》引作 𡍷。」「古文𣥐」下《義證》云：「《汗簡》引作 𡵂。」「古文虎」下《義證》云：「《汗簡》引作 𧆞。」「古文阱」下《義證》云：「《汗簡》引作 𠤳。」「古文冂」下《義證》云：「《汗簡》引作 𠘨。」「𥆞，古文艮」下《義證》云：「《汗簡》引作 𥆤。」南「𡴭，

22 〔清〕段玉裁：〈與諸同志論校書之難〉，《段玉裁遺書·經韻樓集》，頁 1124。

古文」下《義證》云：「《汗簡》引作✦（春案：《汗簡》頁 4 字形則作✦）。」
「古文熾」下《義證》云：「《汗簡》引作✦。」「古文撻」下《義證》云：
「《汗簡》引作✦。」「古文婁」下《義證》云：「《汗簡》引作✦。」「古文
彝」下《義證》云：「《汗簡》引作✦、✦。」「古文蠱」下《義證》云：「《汗
簡》引作✦。」「戜，古文矛從戈」下《義證》云：「《汗簡》引作✦。」「古
文酉」下《義證》云：「《汗簡》引作✦。」「古文牆」下《義證》云：「《汗
簡》引作✦。」凡莊、羿、虎、阱、冂、良、南、熾、撻、婁、彝、蠱、矛、
酉、牆共 15 條 16 字形，甚至在《說文》「籀文麗」下《義證》也引「《汗
簡》引作✦。」《說文》：「竺，厚也。從二，竹聲。」《義證》云：「《汗簡》
古《論語》篤作竺。」保留了 2 條增補的資料。而在這些資料中，我們較難
明確看出桂氏對《汗簡》所採的態度為何？但存而不論本身所呈顯的，在一
定意義上，或許已默認它們存在的價值。

有時候，桂馥在《義證》中會指出《汗簡》古文之形係出自《說文》，
如《說文》：「癰，脛气足腫。從疒，童聲。《詩》曰：『既微且癰。』橦，籀
文從尢。」《義證》云：「《汗簡》云：『古文作✦，見《說文》。』」或是《說
文》：「疾，熱病也。從疒，從火。」《義證》云：「《汗簡》古文作疾，見《說
文》。」又《說文》：「身，躳也，像人之身。從人，厂聲。」桂馥《義證》
於次一字「軀」後另載一「身」字注云：「✦，《汗簡》古文身，云見《說文》。」
以及《說文》：「瑟，庖犧所作弦樂也。從珡，必聲。爽，古文瑟。」「古文
瑟」下《義證》云：「《汗簡》作✦，又作✦，竝見《說文》。」《說文》：「眾，
多也。從似目，眾意。」《義證》云：「《汗簡》古文作✦，云見《說文》，馥
謂當從✦。」又《說文》：「方，併船也。象兩舟省緫頭形。汸，方或從水。」
《義證》云：「《汗簡》作汸，以為古文，云見《說文》。」又《說文》：「彈，
行丸也。從弓，單聲。弜，彈或從弓持丸。」《義證》云：「《御覽》引《桂
苑》，彈，行丸弓，又作弜。《汗簡》作✦，云出《說文》。」從這些資料看

來，瘇、疢、身3字係屬增補《說文》古文的性質，認為《說文》古文的闕漏，可藉由《汗簡》來補苴；即連《說文》已收有古文，還是可由《汗簡》來進一步補充，讓資料更加完備，如瑟字條的增補2例，即屬這樣的性質。尤其面對古文的差異，桂氏也會根據《汗簡》作分判，如《說文》：「教，上所施下所效也。從攴從孝。𦒱，古文教。𤕝，亦古文教。」《義證》云：「《汗簡》𤕝，見《說文》。下有字，云：『一本如此作。』郭氏所見兩本，衹有古文一字，各本不同，無𦒱字。」即是根據郭忠恕《汗簡》收錄的《說文》版本的不同，載錄的古文形體也有所差異，但無論如何，卻找不到今本《說文》古文其中一種形體緣何而來？從「無𦒱字」的置疑語氣中，似乎也可察覺出桂氏對《汗簡》倚賴的一種情態。

另一方面，《義證》也利用《汗簡》與《說文》本身，以冷處理的方式來進行比觀勘正的收錄採集，如《說文》：「貴，物不賤也。從貝，臾聲。臾，古文蕢。」《義證》云：「本書妻，古文作，𠙷，古文貴字，《汗簡》引作。」即是僅止於比觀而不進一步說解；或如《說文》：「鬼，人所歸為鬼，從人，象鬼頭，陰气賊害從厶。䰟，古文從示。」《義證》云：「《汗簡》引作䰟，與本書由頭合。」則以《說文》見證《汗簡》形構有據；甚至藉由《汗簡》來勘正《說文》在形構上衍聲錯謁的情形，如《說文》：「麗，旅行也。鹿之性見食急則必旅行。從鹿，丽聲。《禮》：『麗皮納聘』，蓋鹿皮也。丽，古文。，籀文麗字。」「古文」下《義證》云：「《汗簡》引作丽，案本書麗從丽聲，聲字後人加之，蓋從古文。」係透過《汗簡》古文積極的辨證《說文》形構分析致誤的原因，是甚有見地的。[23]

這其中，桂氏也會提出《汗簡》古文形體的歸部，與《說文》根據篆文而歸部有實質上的差異，如《說文》：「籃，大篝也。從竹，監聲。，古文籃如此。」《義證》云：「《汗簡》作彑，屬厂部。」《說文》：「仝，篆文全。

[23] 黃錫全：《汗簡注釋》，頁500。

從玉，純玉曰全。金，古文全。」《義證》：「《汗簡》作𠈇，屬廾部。」《說文》：「量，稱輕重也。從重省，曏省聲。量，古文量。」《義證》云：「《汗簡》引作𣥠，屬日部。」《說文》：「恆，常也。從心，從舟在二之閒，上下一心以舟施，恆也。𢛘，古文恆從月，《詩》曰：『如月之恆。』」《義證》云：「從月者，本書誤從夕，《汗簡》引作𣚍，屬月部。」其中，「籃」字《說文》屬竹部不屬厂，「全」字《說文》屬入部不屬廾，「量」字《說文》屬重部不屬日，「恆」字《說文》屬二部不屬月。當然，《汗簡》係以古文為主，在歸部上與《說文》據篆文容有不同，桂氏也間接的呈現出這一點變化，尤其我們細心的話，可看到桂氏並不盲從《汗簡》的情景，比如《汗簡》卷中之二厂部下收𥁋為「藍」字古文而非「籃」字[24]，但桂氏《義證》收入「籃」字而非「藍」字古文，今人據《義雲章》、《演說文》及今本《說文》將此古文入諸「籃」[25]字，從這條例子來看，桂氏對《汗簡》的去取別擇還是非常謹慎小心的。

　　當然，桂氏也會採證《汗簡》跟其它典籍材料來輔助說明《說文》古文，比較起來，這些材料也不直接表露觀點，而是採取隱藏式的，在客觀臚列的例證中曲折的將意見寄寓在所選取的材料上，如在《說文》：「皀，古文白」下，《義證》云：「徐鍇《韻譜》作𦥑，《汗簡》引作𦥑。」《說文》：「捧，首至地也。從手衮。衮音忽。𢫾，楊雄說𢫾從兩手下。𢪒，古文捧。」《義證》云：「《汗簡》作𢱿，云出《說文》。古文捧者，徐鍇本作有『從二手』三字。」《說文》：「妻，古文妻從肖，古文貴字。」《義證》云：「《玉篇》作娿，《汗簡》引作𡝩。」《說文》：「鐾，古文珱從金。」《義證》云：「《汗簡》作𨭁，又作𨯎，竝見《說文》。《玉篇》𤥨、鐾，竝古文。」《說文》：「㭬，古文戶從木。」《義證》云：「《汗簡》引作𣏾。《廣韻》：『㭬、牖也，一曰小戶。』《通俗文》：『小戶曰㭬。』」《說文》：「𢠾，古文勞從悉」下，《義證》云：「《汗

24　〔北宋〕郭忠恕：《汗簡》，卷中之二，頁 51。
25　黃錫全：《汗簡注釋》，頁 341。

簡》作 𤁰，云見舊《說文》。《集韻》：『勞，苦心也。』」又《說文》：「銕，
古文鐵從夷」下，《義證》云：「《汗簡》引作 銕。《字林》：『銕，鐵名。』」
這種將《汗簡》與《通俗文》、《字林》、《玉篇》、徐鍇《韻譜》、徐鍇本、《廣
韻》、《集韻》諸字書韻書並列的形式，一方面可見其採輯之廣，校正補苴之
用心，另一方面也看出桂氏對《汗簡》與其它諸字書韻書一視同仁，無分軒
輊的態度。

　　偶爾，桂氏也不全然採取客觀曲折的隱藏式表露方式，而會將意見判斷
直陳出來，如在《說文》：「飽，猒也。從食，包聲。𩜌，古文飽，從釆。䬫，
亦古文飽，從卯聲。」《義證》云：「從釆者，徐鍇本作从柔聲。《汗簡》引
作 𩜌。《路史》：『民食鳥獸之肉，有不能餒者，飲其血。』馥謂古文保作俰，
此作釆，乃古文孚字，本書𠤎，或從孚。」[26]或是《說文》：「居，蹲也。從
尸，古者居從古。」《義證》云：「《玉篇》有古文作 𡱒，《汗簡》作 𡱒，云見
《說文》。『古者居從古者』，當為古文居從立。《汗簡》𡱒見《說文》，蓋解
說古文之辭，今闕古文，而其辭誤入正文下也。」就很直接的根據《汗簡》
對《說文》「飽」、「居」2字古文，及其說解的闕漏作一番校正補遺，與今
人充分掌握古文字材料後所下的判斷是相一致的[27]。而桂氏藉由《汗簡》引
用的《說文》材料，進一步確立今本《說文》古文與說解的正誤闕漏與否，
用「馥謂」、「當為」的明確方式，不也是對《汗簡》古文持相當肯定態度的
表白嗎？

　　比較特殊的，是《義證》有一些引《汗簡》的字例並不是引據以說明《說
文》古文的，卻帶有增補《說文》古文的性質，如《說文》：「孕，裹子也。
從子從乃。」《義證》云：「《玉篇》古文作 𦜕，《汗簡·古文尚書》以 𦜕為孕。

---

[26] 黃錫全：《汗簡注釋》，頁207。按黃錫全「飽」字下說解以「包、孚音近字通」，並舉《說
文》或體、〈中山王鼎〉銘以證，可參閱。
[27] 黃錫全：《汗簡注釋》，頁303。按黃錫全「居」字下曾據金文、古寫本《尚書》、三體石
經〈多士〉及郭沫若以今本《說文》無此古文，郭氏所見《說文》「乃古本也」，認為「今
本應據此增補」，與桂氏意見相同。

《管子·五行篇》：『朧婦不銷弃。』《注》云：『朧，古孕字。』或作繩，《太元》：『繩其膏。』又通作繩，《周禮》：『薙氏掌殺草，秋繩而芟之。』《注》云：『含實曰繩。』《釋文》：『繩，音孕。』」或如《說文》：「彈，行丸也。從弓，單聲。弴，彈或從弓持丸。」《義證》云：「《御覽》引《桂苑》：『彈，行丸弓，又作弴。』《汗簡》作𢎜，云出《說文》。」又《說文》：「緯，緩也。從素，卓聲。」《義證》云：「《汗簡》緯，見《古論語》。馥按：《論語》孟公綽，《釋文》本又作緯。」又《說文》：「尟，是少也。尟，俱存也。從是少，賈侍中說。」《義證》云：「《汗簡》尟下云：『見顏黃門《說文》。』」[28] 以及《說文》：「競，競也。從二兄，二兄競意。從丰聲，讀若矜。一曰競，敬也。」《義證》云：「《汗簡》𥪰見《尚書》，《說文》通為小篆。」在孕、彈、緯、尟、競這 5 字例中，桂氏引據《汗簡·古文尚書》、《汗簡·說文》、《汗簡·古論語》、《汗簡·顏黃門說字》、《汗簡·尚書》諸條，雖沒有明言係為增補《說文》古文而設，但用意皎然，從中對《汗簡》一書實是充滿著信賴的。

（二）桂馥《義證》解《說文》古文時引《古文四聲韻》的考察

桂馥在《義證》一書中，引夏竦《古文四聲韻》的古文資料來印證《說文》古文的字例相當少，只出現在「友」字 2 條，《說文》：「友，同志為友。從二又，相交友也。羿，古文友。𦐧，亦古文友。」「羿，古文友」下《義證》云：「崔希裕《纂古》作羿。」「𦐧，亦古文友」下《義證》云：「《古文四聲韻》引石經作𦐧。馥謂䄃當為双，譌為羽。」前條引述崔希裕《纂古》本出《古文四聲韻》所收錄，但桂氏引證時沒有明說，作「存而不論」的客觀引據處理；後條則指明材料從《古文四聲韻》收錄的石經而來[29]，且更進一層

---

[28] 按《汗簡》文本作「顏黃門說字」，見〔北宋〕郭忠恕：《汗簡·序》，頁 2、黃錫全：《汗簡注釋》，頁 538。此處《義證》作「顏黃門說文」，當誤。

[29] 〔北宋〕夏竦：《古文四聲韻》，頁 189-190。

的校正其由双而帅而羽漸次譌變的情況，與今《侯馬》300、《天星》4710[30]、《郭店・語叢》1.80、1.87、3.6[31]「友」字從双相合，顯見桂氏的判斷定奪是正確的，《說文》古文與《古文四聲韻》收錄的《說文》古文字形雖然一致，但卻是譌變的結果。

費猜疑的是，《古文四聲韻》所收的古文字數就數量上來說，比《汗簡》的 2,961 字或今增補的 3,073 字來得多，根據初步統計其所收的古文（包括隸定古文）約有 9,000 餘字[32]，為何桂氏僅取其一二呢？何況在清乾隆 44 年（1779）汪啟淑據汲古閣影宋刊本增附錄一卷中，有桂馥批校本藏山東省博物館[33]，可見桂氏對其書嫻熟的程度，那麼，個中蹊蹺，或許就關涉到別擇取捨的問題。從桂氏對《古文四聲韻》所收《說文》「友」字古文譌錯的批駁情況也可窺見一斑，其中似乎也坐實前人認定的「是書自亂體例，六書根基不深，譌錯頗多，宋代小學不講，本來如此」的指控了。

四 結論

其實在郭忠恕《汗簡》、夏竦《古文四聲韻》成書的當時，宋人對此二書是比較給予正面評價的，如呂大臨《考古圖釋文》中說：「孔安國以伏生口傳之書訓釋壁中書，以隸古定文，然後古文稍能訓讀。其傳於今者，有《古尚書》、《孝經》、陳倉《石鼓》及郭氏《汗簡》、夏氏《集韻》（春按：即指《古文四聲韻》）等書尚可參考。」[34]其中所說的「尚可參考」一語，雖不是頂高的推崇，但也認為二書在訓讀古文時，不失為一種尚可靠的參考依據。

---

30 何琳儀：《戰國古文字典：戰國文字聲系》（北京：中華書局，1998 年 9 月），頁 13。
31 湯餘惠：《戰國文字編》（福州：福建人民出版社，2001 年 12 月），頁 182。
32 何琳儀：《戰國文字通論（訂補）》，頁 69。
33 劉志成：《中國文字學書目考錄》，頁 105。
34 〔北宋〕呂大臨：《考古圖（附釋文）》，《金文文獻集成》（香港：明石文化國際出版有限公司，2005 年 12 月），頁 180。

但到清乾嘉時期，情況可能不太一樣，評價也可能有些兩極化，比如錢大昕（1728-1804）在《潛研堂文集》卷二十七〈跋《汗簡》〉一文中，就明白說出他對《汗簡》是「未敢深信」的，可是歷來談古文的卻「奉為金科玉律」，其說云：

> 郭忠恕《汗簡》，談古文者奉為金科玉律，以予觀之，其灼然可信者多出於《說文》，或取《說文》通用字，而郭氏不推其本，反引它書以實之。其它偏旁詭異不合《說文》者，愚固未敢深信也。予嘗謂學古文者，當先求許氏書，鐘鼎真贋雜出，可采者僅十之一。至如〈峋嶁文〉、滕公〈石室文〉、崔彥裕（春案：當作「崔希裕」）《纂古》之類，似古實俗，當置不道，而好怪之夫依仿點畫，入之楷書，目為古文，徒供有識者捧腹爾。[35]

又在〈跋《古文四聲韻》〉文中指出：「英公博覽好古而未通六書之原，不能別擇去取，故踳譌複沓，較之《汗簡》為甚。」[36]當然，錢氏對二書的評騭是有高下之別，夏氏書比起《汗簡》是等而下之之作。但這其中值得注意的現象，即錢氏已然指出的，歷來或當時「談古文」的學者，是把郭忠恕《汗簡》「奉為金科玉律」的，這種推崇太過的情況，或許也是遭致錢氏反感而為之「捧腹」的原因之一吧！但這不也反證了《汗簡》在歷來或當時談古文者的心目中，地位的崇高，即連錢氏都不免要補充說：「其灼然可信者多出於《說文》」，而「未敢深信」的，是那些「偏旁詭異不合《說文》者」，所以對於《汗簡》材料的去取，是要分別對待有所選擇的，這比後來學者激昂偏頗，全盤否定的態度，如清光緒九年（1883）潘祖蔭（1830-1890）在〈說文古籀補序〉中所說的：「郭忠恕《汗簡》所輯，皆漢唐六朝文字，點畫不真，詮釋不當。夏竦《四聲韻》相為表裏，其謬則同，所謂商周遺迹無有也。」或如吳大澂（1835-1902）在〈說文古籀補自序〉中自陳的：「若郭宗正之《汗

---

[35] 〔清〕錢大昕：《潛研堂文集》（臺北：臺灣商務印書館，1979年），頁261。
[36] 〔清〕錢大昕：《潛研堂文集》，頁262。

簡》，夏英公之《古文四聲韻》，援據雖博，蕪雜滋疑，小子不敏，誠不敢襲其舊，蹈其轍也。」[37]以及更後 20 世紀 20 年代沈兼士在〈從古器款識上推尋六書以前之文字畫〉中說的：「宋郭忠恕雜取六朝以來七十一家流傳之古文，作《汗簡》以補充《說文》所載古文之不備。於時呂大臨、王球（春按：當作俅）、薛尚功、王厚之諸家之書皆未出，故鐘鼎闕焉。夏竦因之作《古文四聲韻》，其取材皆蕪濫，不足據為要典。」[38]或是唐蘭說的：「從漢到宋初，除了篆籀和竹簡古文外，只有杜撰的古字了，郭忠恕做《汗簡》是這一個時期的結束。」[39]態度上是要持平公允得多了。但這種負面的評價卻根深蒂固的因襲下來，如前言所指出的，學問淵博深細如王國維、李學勤，或新近發表（2004 年）對二書的綜合評述，依然認為清乾嘉學者視《汗簡》（《古文四聲韻》當等同）為「《說文》學研究的一個反面材料」，「為《說文》學的大害」，以及「有清一代，特別是『乾嘉』以後，學者對《汗簡》間有所說，觀點都近於此」的說法。[40]

　　但這種不明究裡的歸結，似乎跟事實有些悖離。當我們考察段、桂二氏在其《說文》學的代表作——《說文解字注》與《說文解字義證》中，說解注證《說文》古文（一少部分為說解籀文或體）時，對《汗簡》與《古文四聲韻》介入與重現的過程，容有一些是非正誤的分析判斷，卻未嘗看到二氏對二書有任何的微辭，是出之於所謂「輒鄙薄宋人之書，以為不屑道」，或是「受到不應有的蔑視」，反而在二氏援據二書以論證《說文》古文的淵源流變，是非正誤的用詞中，大抵屬正面肯定的居多，並認為《汗簡》所採輯的《說文》是善本。但我們也不得不承認，在二氏注證《說文》古文時援據

[37] 〔清〕潘祖蔭：〈敘〉，〔清〕吳大澂：《說文古籀補》（臺北：藝文印書館，1962 年），頁 1；〔清〕吳大澂：〈自敘〉，《說文古籀補》，頁 4。又，二〈敘〉均作於清光緒九年（1883）。
[38] 沈兼士：〈從古器款識上推尋六書以前之文字畫〉，《沈兼士學術論文集》（北京：中華書局，1986 年 12 月），頁 67。
[39] 唐蘭：《古文字學導論》（濟南：齊魯書社，1981 年），頁 8。
[40] 關於《汗簡》的研究概況，可參閱陳榮軍：〈《汗簡》研究綜述〉，《鹽城工學院學報（社會科學版）》，2004 年第 4 期，頁 44-47。

二書的字例並不多，段氏凡 35 條，桂氏為 45 條，共 67 字 80 條古文，以《說文》四百八十餘字的古文字數來衡量，似乎少了些，二人加總實不及 17％，但這不也反映出二氏汰選有方，採擷精嚴的持守原則。另一方面，從二氏引二書的數量，還可約略呈顯出兩人對二書的態度有一點細緻的差別，段氏對二書的採擷大抵勢鈞力敵，無分軒輊；桂氏卻厚此薄彼，獨喜《汗簡》，對《古文四聲韻》似乎就排斥多了。但不管怎麼樣，段、桂二氏對《汗簡》與《古文四聲韻》的應用，還是比較集中在採擷二書所保留的《說文》古文上，並有時兼及其它，當他們作分析判斷以決定去取時，所反映的，是清乾嘉時期《說文》學家的那種兼容並蓄，冷靜客觀，不蒙昧因襲墨守的實事求是精神，亦即是無稽不信，反覆參證，了解明確而後作評斷是非的展現，在這部分，段氏又較桂氏分明得多了。所以，對於前哲時賢有關清乾嘉時期《說文》學家面對《汗簡》與《古文四聲韻》的態度，可能有重新調整修正的必要，至少我們可以肯確的說，代表清乾嘉時期《說文》學高峰的段、桂二大家，對宋人之書絕無輕蔑鄙薄的態度吧！

附錄　段、桂注證《說文》古文引《汗簡》、《古文四聲韻》統計表

序號	字例	段玉裁			桂馥		
		《汗簡》	《古文四聲韻》	頁碼	《汗簡》	《古文四聲韻》	頁碼
1	社	—	✓	8	—	—	20
2	毒	✓	✓	22	—	—	46
3	莊	—	—	23	✓	—	47
4	昏	✓	✓	61	—	—	134
*5	愍	—	—	70	✓	—	148*
6	往	✓	—	76	—	—	163
*7	遲	✓	—	73	—	—	171*
8	共	—	✓	105	—	—	229
9	農	—	✓	106	—	—	230
10	友	—	—	117	—	✓	247
11	殺	—	✓	121	—	—	254
12	教	—	—	128	✓	—	267
13	𦎫	—	✓	128	—	—	269
14	簬	—	✓	191	—	—	375
15	籃	—	—	195	✓	—	384
16	哭	✓	✓	202	✓	—	400
17	虎	—	—	212	✓	—	415
18	阱	—	—	218	✓	—	423
19	爵	—	✓	220	—	—	426
20	飽	—	—	224	✓	—	432
21	全	✓	✓	226	✓	—	438
22	门	—	—	230	✓	—	445
23	良	—	—	232	✓	—	448
24	杶	✓	—	245	—	—	470
25	櫪	—	✓	271	—	—	516
26	南	—	—	276	✓	—	525

*27	貴	—	—	284	✓	—	544
28	臥	✓	✓	312	—	—	581
29	家	—	✓	341	—	—	629
*30	癰	—	—	354	✓	—	653*
*31	疢	—	—	355	✓	—	654
32	白	—	—	367	✓	—	676
*33	眾	—	—	391	✓	—	712*
34	量	—	—	392	✓	—	713
*35	身	—	—	392	✓	—	714*
*36	居	—	—	403	✓	—	731
37	方	—	—	409	✓	—	739*
38	競	—	—	410	✓	—	740*
39	鬼	—	—	439	✓	—	778
40	磬	✓	—	456	—	—	811
41	麗	—	—	476	✓	—	842
42	熾	—	—	490	✓	—	866
43	戶	—	—	592	✓	—	1027
44	閒	✓	—	595	—	—	1032
45	閔	✓	—	597	—	—	1035
46	捧	✓	—	601	✓	—	1042
47	撻	—	—	614	✓	—	1062
48	妻	—	—	620	✓	—	1073
49	婁	—	—	630	✓	—	1092
*50	戎	✓	—	636	—	—	1099*
51	琴	—	—	640	✓	—	1104
52	瑟	—	—	640	✓	—	1104
53	彈	✓	—	647	✓	—	1115*
54	紹	✓	—	652	—	—	1121
55	綱	—	✓	662	—	—	1136
56	彝	—	—	669	✓	—	1147

57	黐	—	—	669	✓	—	1147*
58	蠢	—	—	682	✓	—	1177
59	恒	✓	—	687	✓	—	1188
*60	竺	—	—	688	✓	—	1188
61	堯	✓	✓	700	—	—	1207
62	勞	✓	✓	707	✓	—	1216
63	鐵	—	—	709	✓	—	1220
64	矛	—	—	726	✓	—	1249
*65	孕	—	—	749	✓	—	1293
66	酉	—	—	754	✓	—	1301
67	牆	—	—	758	✓	—	1310
總計		18	17	總計	44	1	
共計 80							

（按：*表增補古文）

原文發表於「漢學研究之回顧與前瞻」國際學術研討會，臺北：國立
臺灣師範大學國文學系，2006 年 4 月 8-9 日，收入《漢學研究之回
顧與前瞻國際學術研討會論文集（國立臺灣師範大學創校暨國文學
系創系六十週年紀念）》，臺北：國立臺灣師範大學國文學系，2006 年
4 月，頁 217-235。（邱郁茹繕打／邱郁茹校對）

由桂馥《說文解字義證》的取證金文
談「專臚古籍，不下己意」的問題

一　前言

　　《說文解字》的研究在有清一代儼似顯學，學者如叢芳競秀，姿態各出，若以丁福保纂輯的《說文解字詁林正補合編》來看，全編共收了八十二冊，二百二十二書，五百四十五文[1]，堪稱汗牛充棟，燦然美備。唯素來推舉，有所謂「南段北桂」之稱[2]，段玉裁與桂馥二人能於如林的著作中穎脫鋒現，各領風騷，並稱當世，必有其過人之功，精深識見，夐絕言論，而不可能僅羅列素材，悾悾平庸，一無識見而堪致此者。

　　關於段氏的精見獨斷，歷來諸家各有論說，探究者眾，本文毋需作甕瘤瘦墨；但對桂氏的評斷，素受王筠的影響，大抵取用了他在《說文釋例·自序》中所說的：

> 今天下之治《說文》者多矣！莫不窮思畢精，以求為不可加矣！就吾所見論之，桂氏未谷《說文義證》、段氏茂堂《說文解字注》其最盛也。桂氏書徵引雖富，脈絡貫通，前說未盡，則以後說補苴之；前說有誤，則以後說辨正之，凡所偁引，皆有次弟，取足達許說而止。故專臚古籍，不下己意也，讀者乃視為類書，不已眯乎？惟是引據之典，時代失於限斷，且泛及藻繢之詞，而又未盡加校改，不皆如其初怡，

---

[1] 楊家駱：〈序〉，丁福保纂輯、楊家駱主編：《說文解字詁林正補合編》（臺北：鼎文書局，1983年4月），頁6；又丁福保：〈說文解字詁林自敘〉，丁福保纂輯、楊家駱主編：《說文解字詁林正補合編》，第一冊，頁6-10；丁福保：〈後敘〉，丁福保纂輯、楊家駱主編：《說文解字詁林正補合編》，頁10-15。

[2] 〔清〕段玉裁：〈札樸序〉，〔清〕桂馥：《札樸》（臺北：新文豐出版股份有限公司，1988年影印光緒九年〔1883〕長洲蔣氏心矩齋校刊本），《叢書集成續編》，第二二冊，頁1（453）；又〔清〕桂馥撰，趙智海點校：《札樸》（北京：中華書局，1992年12月），前序頁1。

則其蔽也；段氏書體大思精，所謂通例，又前人所未知，惟是武斷支
離，時或不免，則其蔽也。[3]

王氏對桂氏一書的編纂體例與優蔽短長略有指陳，認為它是貫通許書脈絡，
補苴辨正諸家說法，條列諸說相當有次序，能客觀的將許氏之說通達的隱現
出來，並不是光以羅列資料見長的「類書」而已，但他卻歸結說：「故專臚
古籍，不下己意。」而這，也成了桂氏書的定評。

但試觀段玉裁所說的：「友有相慕而終不可見者，未始非神交也。余自
蜀歸，晤錢少詹曉徵、王侍御懷祖、盧學士紹弓，因知曲阜有桂君未谷者，
學問該博，作漢隸尤精，而不得見。……未谷深於小學，故經史子集古言古
字，有前人言之未能了了，而一旦犖然理解者，豈非訓詁家斷不可少之書耶？
況其考核精審，有資於博物者，不可枚數。」[4]段氏此說雖為桂馥《札樸》
一書所作的序文，唯對桂氏博精深審的學問工夫，卻與錢大昕、王念孫、盧
文弨一樣同表贊許，認為桂氏是值得神交向慕的學者，除了「考核精審，有
資於博物」外，尤其在「經史子集古言古字」方面，處當「前人言之未能了
了」的地方，桂氏卻能恢恢遊刃，「一旦犖然理解」。又，陳慶鏞在〈說文義
證原敘〉中說：

海內通經之士研精許學，無慮數十家，金壇段氏稱專業；曲阜桂未谷
先生同時治斯經，自諸生以至通籍，垂四十餘年，取諸經之義與許說
相發明者，作為《義證》五十卷，每字鉤玄探賾，徵引群書，或數義，
或十數義，同條共貫。又參以商周彝鼎精校郅確。……異文逸義，散
見他書，莫不搜羅類聚，貫穿條晰，浩浩乎成一鉅觀。……於書無不
覽，尤邃於金石，故先生於六書之旨為最精。……然其致力獨在《說
文》一書。余嘗謂段書尚專確，每字必溯其原；桂書尚閎通，每字兼
達其委，二書實一時伯仲。弟段書通行已久，綴學之家，幾於戶置一

---

3 〔清〕王筠：《說文釋例》（北京：中華書局，1987年12月），卷一，頁1（1）。
4 〔清〕段玉裁：〈札樸序〉，〔清〕桂馥：《札樸》，《叢書集成續編》，第二二冊，頁1（453）。

冊；而桂書多未及見。[5]

陳氏指出段、桂之學乃「一時伯仲」，今學者研析段氏書多的原因是因為其書普及，反之桂氏書卻缺乏如此有利的條件，此亦張穆在〈說文解字句讀序〉中感喟的：「居今日言《說文》，必眾稱曰段、桂。桂書卷袠大，傳鈔梓校皆不易，能有其書者少；段書行世垂三十年，苟取讀之，無不人人滿其欲去，實則瑕瑜所在。」[6]也因為桂書的「傳鈔梓校」不易，「能有其書者少」，以致於能析疑補正者亦不多，除《說文解字詁林》中所收的陳慶鏞〈說文義證原敘〉、張之洞〈說文解字義證敘〉、丁艮善〈說文解字義證後敘〉、壽錫恭〈書桂未谷說文義證後〉及許瀚〈某先生校桂注說文條辨跋〉的敘跋類與許瀚在任校刻時來往的書札如〈與沈匏廬觀察書〉、〈與秀水高伯平書〉、〈又與高伯平書〉、〈與丁少山書〉[7]外，今在國立中央圖書館所編輯的《中華民國期刊論文索引光碟系統》與宋韻珊〈近十年清代語言學研究論著目錄〉中僅見吳璧雍的〈桂馥及其說文解字義證〉一文[8]，稀落和寥寂，與段氏全面被探究和開發的情況相擬，實空負他「南段北桂」伯仲一時的美譽。

這不禁要讓我們質疑，桂氏果如王筠所觀察到的只是「專臚古籍」嗎？果如他所指析的「不下己意」嗎？若真如此，憑那純粹客觀的臚列古籍，完全沒有自己意見而為他人作嫁的針黹工夫鈔胥之事，也能稱盛稱雄，睥睨一代嗎？何況乾、嘉以來金文著錄傳拓的風氣漸開[9]，專治文字的學者，亦濡染筆墨，以鐘鼎款識來校正許書的譌謬，此即孫詒讓在〈古籀拾遺自序〉中

---

[5] 〔清〕陳慶鏞：〈說文義證原敘〉，丁福保纂輯、楊家駱主編：《說文解字詁林正補合編》，第一冊，頁 224-225。

[6] 〔清〕張穆：〈說文解字句讀序〉，丁福保纂輯、楊家駱主編：《說文解字詁林正補合編》，第一冊，頁 229-230。

[7] 丁福保纂輯、楊家駱主編：《說文解字詁林正補合編》，第一冊，頁 224-229。

[8] 索引自國立中央圖書館編：《中華民國期刊論文索引光碟系統》。又宋韻珊：〈近十年清代語言學研究論著目錄〉，《清代學術研究通訊》第一期（高雄：國立中山大學中國文學系，1995 年 11 月），頁 76-93。

[9] 曾憲通：〈清代金文研究概述〉，《第一屆國際清代學術研討會論文集》（高雄：國立中山大學中國文學系、中國文學研究所，1993 年 11 月），頁 677-692。

所說的：「我朝乾、嘉以來，經術道盛，修學之儒，孳斠篆籀，輒取證于金文。」[10]桂氏正當此風潮，陳氏又言其「邃於金石」，能在「徵引群書」外，「又參以商周彝鼎精校郅確」，他在傳統的經籍材料外，另取實物憑證以為論證之資，是不是意味著《說文解字義證》的取證範疇已然超軼了「臚列古籍」的局限？而透過這些有別於傳統典籍新材料的輔助，桂氏能否下個「己意」呢？甚且憑藉這些新材料的輔助而下的「己意」能否有「精校郅確」的品質？而這些品質是否能反映出桂氏有別於他家的真知卓見呢？這是在王筠及其它諸家大而化之的宏觀論評下，以及行之久遠不予精求的成見中，應該換個向度去細繹深辨的問題。

二　桂馥在《說文解字義證》中應用金文的情形

桂馥在《說文解字義證》一書中雖自言資料來源係「取證於群書」，所謂：

> 《梁書‧孔子祛傳》：「高祖撰《五經講疏》及《孔子正言》，專使子祛檢閱群書，以為義證。」馥為《說文》之學，亦取證於群書，故題曰「義證」。[11]

唯細加檢索，卻可發現他不僅如自己或王筠所說的「取證群書」或專以「臚列古籍」而已，尚有部分是引自地下出土的金石實物及著錄典籍的。就本文所企予檢驗的金文來考察，雖不如石刻材料來得豐富，卻吉光片羽般的，具體而微的顯現出桂書的一些特點。[12]

---

[10] 〔清〕孫詒讓：〈古籀拾遺自序〉，丁福保纂輯、楊家駱主編：《說文解字詁林正補合編》，第一冊，頁 437。

[11] 〔清〕桂馥：《說文解字義證》（濟南：齊魯書社，1987 年 12 月），卷五十，頁 25（1343）。按：本文依行文需要，或作《說文義證》、《義證》；而《說文解字》或作《說文》。

[12] 袁行雲：《許瀚年譜》（濟南：齊魯書社，1983 年 11 月），頁 1 序例中說：「自來所謂金石學家，雖『金石』並稱，實際上是研究碑帖的居多，很多人不諳金文。」桂馥在撰《說文解字義證》的徵引金石情形雖有些類近，石多而金少，乃是舊時代金石學家的故習，或

（一）純粹客觀的羅列資料以輔證《說文解字》的形義

　　本來，桂氏援引金文的作用與目的，或僅是客觀的蒐羅呈現出前賢時哲的成說以驗證許慎對文字形音義方面的說解，亦即所謂的「敷佐許書，發揮旁通」，「博證求通，展轉孳乳」[13]的性質，舉如在《說文解字義證》的「帝」字：「諦也。王天下之號也。從丄，朿聲。」下援引楊慎的說法云：

> 從上者，〈曲禮〉：「大上貴德。」《注》云：「大上，帝皇之世。」《北堂書鈔》：「尊無二上，士無二王。」楊慎曰：「鐘鼎文『子二孫二』字皆不複書，漢石經《易》之『乾二』、《書》之『安二』亦如之，不知其義？嘗質之李文正公，公曰：『二乃古文上字，言字同於上，省複書也。』」[14]

或如在「造，就也。從辵，告聲。譚長說：造，上士也。𣃟，古文造從舟。」下《義證》舉銅戈銘文說：

> 古銅戈文曰：「芊子之艁戈。」[15]

又于「𢃿，引給也。從廾，睪聲。」下引時人紀昀所藏古鐘銘說：

> 紀尚書昀所藏古鐘有銘云：「𢃿乃吉金。」[16]

又「昔，乾肉也。從殘肉，日以晞之。與俎同意。𦠜，籀文從肉。」下亦引曰：

> 紀尚書所藏銅鐘銘文「玄鏐赤鑷」，從籀文𦠜。[17]

而「敶，列也。從攴，陳聲。」下客觀的指陳出古銅印文說：

與青銅器銘較難羅致有關。觀桂氏有《歷代石經略》二卷，亦屬石刻可知。

[13] 〔清〕張之洞：〈說文解字義證敘〉，丁福保纂輯、楊家駱主編：《說文解字詁林正補合編》，第一冊，頁225。

[14] 〔清〕桂馥：《說文解字義證》，卷一，頁8（4）。

[15] 〔清〕桂馥：《說文解字義證》，卷六，頁8（151）。

[16] 〔清〕桂馥：《說文解字義證》，卷八，頁11（227）。

[17] 〔清〕桂馥：《說文解字義證》，卷二十，頁19（580）。

古銅印有「陷隊破虜司馬。」[18]

或如「攻，擊也。從攴，工聲」下引顧炎武在《金石文字記》中〈嶧山石刻〉條所說的：

> 顧炎武曰，嶧山刻石「功戰日作」當作「攻」字，古人以攻、功二字通用，〈齊侯鎛鐘銘〉「肈敏于戎功」作攻。[19]

又「惠，仁也。從心從叀，叀，古文惠從卉。」下《義證》用金文證其古文說：「〈焦山鼎〉文作![字]。」[20]又如「劓，刑鼻也。從刀，臬聲。《易》曰：『天且劓。』」下引《嘯堂集古錄》的〈周齊侯鎛鐘銘〉作：

> 刑鼻也者，刑當為刖。徐鍇本、《集韻》、《類篇》、《通志》並引作刖，《字林》亦作刖。《一切經音義》十六引劓，決鼻也。馥案：賀述《禮統‧劓刑法》：「木勝土，決其皮革也。」《書‧舜典》：「五刑有服」，《傳》云：「五刑：墨、劓、剕、宮、大辟。」《釋文》云：「劓，截鼻也。」〈康誥〉：「劓刵人。」《傳》云：「劓，截鼻。」〈呂刑〉：「爰始淫為劓、刵、椓、黥。」鄭《注》：「劓，截鼻。」〈多方〉：「爾罔不克臬。」馬本臬作劓。《周禮‧司刑》：「掌五刑之法，劓罪五百。」《注》云：「劓，截其鼻也。」《書大傳》曰：「觸易君命，革輿服制度，姦宄盜攘傷人者，其刑劓。」昭十三年《左傳》：「後者劓。」《注》云：「劓，截鼻。〈秦策〉：「黥劓其傳。」高云：「截其鼻曰劓。」《韓非‧內儲說》：「王謂夫人曰：『新人見寡人，常掩鼻何也？』對曰：『頃嘗言惡聞王臭。』王怒曰：『劓之。』御者因揄刀而劓美人。《漢書‧賈誼傳》：「所習者，非斬劓人，則夷人之三族也。」〈刑法志〉：「劓罪五百。」顏《注》：「劓，截鼻也。」崔寔〈政論〉：「秦劓殺其民，於是赭衣塞路，有鼻者醜。」《唐書》：「羅士信

---

[18] 〔清〕桂馥：《說文解字義證》，卷八，頁 79（261）。

[19] 〔清〕顧炎武：《金石文字記》（臺北：藝文印書館，1966 年影印嘉慶十三年〔1808〕昭文張海鵬刊本），《石刻史料叢書》乙編，卷一，頁 5-6。

[20] 〔清〕桂馥：《說文解字義證》，卷十一，頁 6（328）。

每殺一人，輒劓其鼻而懷之。」《嘯堂集古錄·周齊侯鎛鐘銘》：「造而朋劓。」[21]

又「櫑，龜目酒尊，刻木作雲雷象，象施不窮也。從木，畾聲。」下云：

> 刻木作雲雷象者，《禮圖》：「罍，刻木為之。」鄭注〈司尊彝〉云：「山罍亦刻而畫之，為山雲之形。」《異義》引《毛詩》說：「金罍蓋刻為雲雷之象。」《史記·梁孝王世家》：「初孝王在時，有罍尊直千金。」《集解》：「鄭德曰：『上蓋刻為雲雷象。』」《索隱》：「應劭曰：『《詩》云：酌彼金罍。罍者，畫雲雷之象，以金飾之。』」《論衡·雷虛篇》：「禮曰：刻尊為雷之形，一出一入，一屈一伸，爲相校軫則鳴。校軫之狀，鬱律�壘之類也。此象類之矣。」又〈儒增篇〉：「夫百物之象，猶雷尊也，雷尊刻畫雲雷之形。」《夢溪筆談》：「禮書言，罍畫雲雷之象，然莫知雷作何狀？予嘗得一古銅罍，環其腹皆有畫，正如人閒屋梁所畫曲水。細觀之，乃是雲雷相閒為飾。如◎者，古雲字也，象雲氣之形。如◎者，雷字也，古文◎為雷，象回旋之聲。其銅罍之飾皆一◎一◎相閒，乃所謂雲雷之象也。」[22]

又在「郹，炎帝太嶽之胤，甫侯所封，在潁川。從邑，無聲，讀若許。」下引：「《考古圖》有〈郹鼎〉銘。」[23]又「旅，軍之五百人為旅。從放從从。从，俱也。㕜，古文旅，古文以為魯衛之魯。」下引〈秦和鐘〉款識說：

> 古文以爲魯衛之魯者，〈書序〉：「周公既得命禾，旅天子之命，作〈嘉禾〉。」《史記》旅作魯。《左傳正義》云：「石經古文魯作炋。」〈秦和鐘〉款識：「以受毛魯多釐。」董逌曰：「魯，古文旅也。」[24]

又「廱，天子饗飲辟廱。從广，雝聲。」下引戴震在《毛鄭詩考正》卷三的

---

[21] 〔清〕桂馥：《說文解字義證》，卷十二，頁 14（364）。

[22] 〔清〕桂馥：《說文解字義證》，卷十七，頁 29（502）。

[23] 〔清〕桂馥：《說文解字義證》，卷十九，頁 28（558）。

[24] 〔清〕桂馥：《說文解字義證》，卷二十，頁 31（586）。

〈靈臺〉四章說云：

> 戴君震曰：「《詩·靈臺》四章：『於論鼓鐘，於樂辟廱。』《傳》云：
> 『水旋邱如璧曰辟廱，以節觀者。』震案：辟廱於經無明文，漢初說
> 《禮》者規放故事，始援〈大雅〉、〈魯頌〉立說，謂『天子曰辟廱，
> 諸侯曰頖宮。』如誠學校重典，不應《周禮》不一及之，而但言成均、
> 瞽宗。《孟子》陳三代之學，亦不涉乎此。他國且不聞有所謂泮宮者。
> 周鼎銘曰：『王在辟宮，獻工錫章。』《左氏春秋》曰：『鄭伯享王於
> 闕西辟。』《史記》曰：『豐鎬有天子辟池。』譙周曰：『成王作辟上
> 宮。』此單言辟者。〈周頌〉曰：『于彼西雝。』《傳》云：『雝，澤也。』
> 古銘識有曰：『王在雝上宮。』此單言雝者也。其曰辟上、雝上，則
> 以名池名澤，而作宮其上，宮因水為名也。趙岐注《孟子》「雪宮」
> 云：「離宮之名也。宮有苑囿池臺之飾，禽獸之饒。」此詩靈臺、靈
> 沼、靈囿，與辟廱連稱，抑亦文王之離宮乎？閒燕則遊止肆樂於此，
> 不必以為太學，於詩辭前後尤協矣。」[25]

又「羕，水長也。從永，羊聲。《詩》曰：『江之羕矣！』」下引〈齊侯鎛鐘
銘〉云：

> 水長也者，〈釋詁〉：「羕，長也。」〈齊侯鎛鐘銘〉：「子子孫孫羕保用
> 享。」《蜀志》：「彭羕，字永年。」通作養，〈夏小正〉：「時有養日，
> 時有養夜。」養，長也。[26]

又「龍，鱗蟲之長，能幽能明，能細能巨，能短能長，春分而登天，秋分而
潛淵。從肉飛之形，童省聲。」下引莊述祖之說曰：

> 莊君述祖曰：「鐘鼎文龍字，從辰巳之巳，右邊作𠃌，巳為蛇象，龍

---

[25] 〔清〕桂馥：《說文解字義證》，卷二十八，頁 26（759）。引文見戴震：《毛鄭詩考正》，
《戴震全集》（北京：清華大學出版社，1992 年 6 月），第二冊，卷三，頁 1216。
[26] 〔清〕桂馥：《說文解字義證》，卷三十六，頁 9（995）。

蛇同類。」[27]

又「釐，家福也。從里，斄聲。」下引薛尚功《歷代鐘鼎彝器款識法帖》云：

> 薛尚功《鐘鼎款識・盄和鐘銘》：「以受屯魯多釐。」[28]

又「鐘，樂鐘也。秋分之音，物種成。從金，童聲。古者垂作鐘。鏞，鐘或從甬。」下引《歷代鐘鼎彝器款識法帖》的〈谷口銅甬〉云：

> 《玉篇》、《廣韻》銿與鏞同作甬。《鐘鼎款識》有〈谷口銅甬〉。[29]

粗觀以上所引「帝」、「造」、「彝」、「昔」、「敕」、「攻」、「惠」、「剢」、「榴」、「郵」、「旅」、「麤」、「羕」、「龍」、「釐」、「鐘」等十六條，顯而易見的是超出桂氏所自言的「群書」與王氏所解知的「專臚古籍」的範疇，觀其材料來源，除部分取自宋以來著錄金石銘刻的專著如《考古圖》、《嘯堂集古錄》、《歷代鐘鼎彝器款識法帖》外，部分是客觀的徵引前賢時哲應用到鐘鼎文的說解，如引宋人沈括在《夢溪筆談》中談銅器花紋作雲雷相間的問題，引明人楊慎言李公的二乃上字省複書的問題，引明末清初顧炎武據〈齊侯鎛鐘〉說攻、功通用的問題，引清人戴震據周鼎銘與古銘識說辟廱單言辟或廱的問題，引莊述祖說龍字鐘鼎文右邊從巳為蛇象的問題；外此尚有取證於他籍未嘗著錄，而為私人藏器的新出材料者，如所引的紀尚書昀的古銅鐘，以及未註明出處的古銅戈與古銅印。緣其粗胚可知，王氏「專臚古籍」的知解，雖已掌握根本，但並不全面與徹底，而桂氏自謂之語，也是留有餘裕的。

桂氏撰《義證》一書時並未敘明體例，但後人觀察桂氏作《義證》時的位置安排次序，而認為「凡所稱引，皆有次弟」的，據許瀚《說文解字義證校錄・許印林說文義證校例七條》之一云：

> 證篆文者皆頂格，證說解者皆低一格，桂氏所定條例如此，今悉仍舊。[30]

27　〔清〕桂馥：《說文解字義證》，卷三十六，頁 37（1019）。

28　〔清〕桂馥：《說文解字義證》，卷四十四，頁 41（1207）。

29　〔清〕桂馥：《說文解字義證》，卷四十五，頁 34（1235）。

30　〔清〕桂馥：《說文解字義證》，末附錄《說文解字義證校錄》，頁 1。

林之丰更推演纂詳曰：

> 《義證》一書有嚴謹的體例：每篆之下，先以大字列出許慎說解原文；
> 次以小字為義證。其義證分為兩種情況：第一種情況是，並非直接為
> 《說文》的說解取證，但義有相關；第二種情況是，直接徵引群書以
> 證《說文》，也包括對《說文》傳本的考訂。並非每條說解之下都包
> 括這兩種情況的「義證」，但凡有出現這兩種情況者，在書中必定劃
> 然區分：第一種情況在大字之下頂格列出，第二種情況則是低一格列
> 出。[31]

或如姜聿華所指陳的：

> 桂氏的《義證》一般包括兩部分，一舉例證明某字的本義，二討論許
> 慎的說解。在第二部分中，或引他書的說解來證實許書的說解，或引
> 他書所引許書以相參證，或引他書來補充許書。[32]

以此十六條援引說解的位置觀察，「造」、「羴」、「陳」、「惠」、「鄅」、「昔」、
「廲」、「龍」、「鼇」、「鐘」諸字皆頂格書之，按前引諸家說頂格係用以「證
篆文」或「並非直接為《說文》的說解取證，但義有相關」。沒錯，在這十
條資料中，「造」、「羴」、「陳」、「鄅」、「雗」、「龍」、「鼇」、「鐘」諸條是屬
於客觀的徵引金文或前賢時哲的說解以為許說的參證，是合於前人所觀察
歸結的現象；但再細審其中，若「昔」字係取金文以證「籀文」，「惠」字係
用金文證「古文」，實際上不僅是「證篆文」而已。當然，我們要注意的，
倒不是他客觀的「專臚古籍，不下己意」的地方，而是他「取證金文，能下
己意」的觀點。

（二）用案語的形式在客觀資料的羅列有主觀的說解

關於桂氏「能下己意」，倒是出人意表。前人說《義證》的好處，是在

---

[31] 濮之珍主編：《中國歷代語言學家評傳》（上海：復旦大學出版社，1992 年 1 月），頁 303。
[32] 姜聿華：《中國傳統語言學要籍述論》（北京：書目文獻出版社，1992 年 12 月），頁 352。

資料的蒐羅豐贍，安排的條理清楚，考訂多確實可信，而卻未對他的論見有所苛求。[33]然觀《義證》一書中，不難發現有一些桂氏的案語以「馥案」或「案」的形式出之，多少可反映出他的意見的，如：「丕，大也。從一，不聲。」下說：

> 《六書故》：「不通為丕。字書云：『丕顯哉文王謨，丕承哉武王烈。』
> 《詩》云：『不顯不承』。」又引舅馴曰：「《詩》中不顯之類，皆當讀
> 如丕。〈秦和鐘〉銘：『不顯皇祖』，〈詛楚文〉：『不顯大沈文湫，不顯
> 大神巫咸，不顯大神亞駞。』此最可證者。」馥案：〈齊侯鎛鐘〉銘：
> 「不顯穆公之孫。」[34]

或如「對」字「對或從士，漢文帝以為責對而為言，多非誠對，故去其口以從士也」下引趙明誠《金石錄》云：

> 漢文帝云云者，許公漢人，非所宜稱。《山堂考索》：「古對字本從口，
> 漢文帝去口從士。董彥遠〈謝除正字啟〉絕下則對因去口。」《金石
> 錄·大夫始鼎銘跋》云：「案《說文》對字本從口，漢文帝以為責對
> 而為言，多非誠對，故去其口以從士。今驗茲鼎銘及周以後諸器款識，
> 對字最多，皆無從口者。然則古文、大篆固已不從口矣！又疑李斯變
> 古法作小篆，對字始從口，至文帝復改之耳！然書傳不載，未敢遂以
> 為然也。」錢君大昭曰：「責對，為窮治也。」《廣雅》：「對，治也。」
> 馥案：《急就篇》：「犯禍事危置對曹。」《漢書·劉向傳》：「詣獄置對。」
> 又「臨江王徵詣中尉府對簿。」[35]

又「躬，弓弩發於身而中於遠也。從矢從身。」下說：

---

[33] 濮之珍主編：《中國歷代語言學家評傳》，頁 304-306 云：「《義證》一書有兩個最顯著的優點：一是材料極其豐富，條理非常清楚。……二是考訂《說文》多切實可信。」

[34] 〔清〕桂馥：《說文解字義證》，卷一，頁 5（3）。此條引自〔南宋〕戴侗：《六書故》（臺北：臺灣商務印書館，1976 年據故宮博物院藏文淵閣本景印），《四庫全書珍本》六集，第九冊，卷三十三，頁 19-20。

[35] 〔清〕桂馥：《說文解字義證》，卷八，頁 8（225），引文見〔北宋〕趙明誠：《宋本金石錄》（北京：中華書局，1991 年 1 月），古器物銘第七〈大夫始鼎銘〉，頁 291。

《世本》:「逢蒙作射。」顧炎武曰:「《左傳》:『成周宣榭火。』呂大臨《考古圖》〈弁敦〉銘曰:『王格于宣榭。』蓋宣王之廟也。榭，射堂之制也，其文作，古射字，執弓矢以射之象，因名其堂曰射。後從木作榭，其堂無室，以便射事，故凡無室者皆謂之榭。」馥案:〈釋宮〉:「闍謂之臺，有木者謂之榭。」因加木為榭字。[36]

又「麋，鹿屬。從鹿，米聲。麋冬至解其角。」下云：

《急就篇》:「貍兔飛鼯狼麋麐。」顏《注》:「麋似鹿而大，冬至則解角。目上有眉，因以為名也。」馥案：鐘鼎款識「眉壽」多作「麋壽」。[37]

又「巳，巳也。四月陽气巳出，陰气巳藏，萬物見，成文章，故巳為蛇，象形。」下云：

「萬物見，成文章，故巳為蛇」者,《淮南・天文訓》:「太陰在巳歲，名曰大荒落。」高《注》:「荒，大也，言萬物熾盛而大出，霍然落落大布散。」〈攝生月令〉:「四月為乾，是月也，萬物已成，天地化生。」徐鍇曰:「象蛇之變化，有文章也。四月巳，主蛇。」楊慎:「子鼠丑牛十二屬之説，天地自然之理，非人能為也。觀篆字巳作蛇形，亥作豕形，餘可推矣！」馥案：術數家以三十六禽配十二辰，其配巳者為蛇、蚓、蛞蝓。鐘鼎文龍字從巳，龍、蛇同類。[38]

又「終，絿絲也。從糸，冬聲。，古文終。」下云：

本書從此，〈周史頙鼎〉作，曩敦作。案：本書冬從此，今終又從冬，當有一誤。[39]

依資料的安排看，「丕」、「䠶」、「麋」、「終」係頂格書之，乃「並非直接為《說文》的說解取證，但義有相關」的；而「對」、「巳」則低一格書之，則

36 〔清〕桂馥：《說文解字義證》，卷十五，頁 11（441）。
37 〔清〕桂馥：《說文解字義證》，卷三十，頁 31（840）。
38 〔清〕桂馥：《說文解字義證》，卷四十八，頁 25（1299）。
39 〔清〕桂馥：《說文解字義證》，卷四十一，頁 14（1124）。

係直接徵引群書以證《說文》的。而觀其引證方式，或前取金文資料之成說
而後之案語則以《說文》及經籍材料為佐證，如「對」、「躲」、「終」三條；
反之，則前用經籍材料而後之案語是以金文資料當輔證者，如「丕」、「麋」、
「巳」三條，可窺知他是採取實物與文獻並重的方式。在這六條資料中，基
本上桂氏是採欲言又止的中間態度，儘量客觀的呈現事實，揀擇成說以為應
和，設若揀擇也是一種意見的表達，無疑的，桂氏也隱約地透露出間接的意
見。

　　就中藉助金文以支撐自己意見者，如說「眉壽」鐘鼎款識多作「麋壽」，
唯今所見金文「眉壽」多作「沬壽」，金文的沬即頮字「不下數十百見，形
體變化甚多，其習見者作🔲、🔲等形，或繁而為🔲，或於其下更增皿形而
為🔲，或省🔲而為🔲，就其繁體言之，上象兩手持倒皿，中象人形，旁有水
點，或則直為水字，下承以皿，字象奉匜沃而沬面之形，蓋即左氏『奉匜沃
盥』之比。其用法則絕大多數均與壽字連文，為嘏辭之一種。……眉壽為當
時習慣用語，以壽考為其本義，壽上一字，本無定字，……如《儀禮‧士冠
禮》：『眉壽萬年。』鄭《注》：『古文眉作麋。』〈少牢‧饋食禮〉：『眉壽萬
年。』鄭《注》：『古文眉為微。』則鄭氏所見古本，固有作麋壽微壽者矣，
金文則作頮（沬）壽，蓋沬眉麋微諸字，聲類本極相近，故昔人書寫此一嘏
辭，除壽字有定外，其上一字，往往於麋微眉沬諸音近字中，任取一字。」
[40]然麋字雖與沬眉微聲類相近，唯金文並未見壽上一字用麋之例，恐係桂氏
誤沬若🔲為麋，故有此說，實為未確也。

　　至於「巳」字說解基本上承襲徐鍇、楊慎之說以釋《說文》的「故巳為
蛇」的形義，雖採擷鐘鼎文中龍字從巳之形，由龍、蛇的同類，旁敲側擊，
迂迴的推證「巳為蛇」的說詞，但觀金文龍字🔲、🔲、🔲、🔲諸形，以甲
骨文作🔲或🔲之形推知，本為全體象形，未見「從巳」之形，巳字之說，當

40　李孝定：〈釋「頮」與「沬」〉，《漢字的起源與演變論叢》（臺北：聯經出版事業公司，
　　1986 年 6 月），頁 274、276。

自〈邵鐘〉作𩲖，〈王孫鐘〉作𩱏形而來，係以龍身翻轉上騰之象形誤作巳，況巳字為胎兒形，可由包作𠔼得知[41]。則巳與龍無涉，亦與蛇無關，桂氏之說，畢竟只是術數家之言吧！

再看桂氏處理終字，乃客觀的臚列金文資料後，比對《說文》中的冬、終二字古文而懷疑到其中必有一誤。觀其案語雖推知可疑，卻依舊不下斷語，有所處置。考終字初文作ϴ，朱駿聲曰：「古文作𠔼，象絲一束之形。」張舜徽亦曰：「古人治絲畢，則聚束而縣之，此象縣絲之形也。金文作𠔼，則象兩端末有結形，蓋防其散亂也。絲已縣則治絲之事初畢，故引申為一切終止之稱。」[42]察金文中〈陳駢壺〉作𠔼，字從日，與《說文》冬的古文和〈三體石經〉古文相同，又〈楚帛書〉「春頪秌冬」（春夏秋冬）皆從日作，知從日之𠔼乃四時歲終之專用字，而小篆作從𠔼𠔼聲，乃𠔼之異構，以冬季結冰，故從𠔼。冬既為歲時之義所專有，乃更造從糸冬聲之終以為本字。[43]是《說文》終之古文當作𠔼，而冬之古文當作𠔼，桂氏所疑雖未達一間，實已善疑矣！

故桂氏在該下處置的案語中，大抵還是一本初衷的客觀臚列證據而不作主觀的判定，但另一方面卻已企圖表達出自己的看法，雖然這個己意如「麋壽」、「巳蛇」在釋形方面可能有一些出入，金文的輔證對其助益並不多，但其不甘沉默的態度，並且懷疑《說文》編採的譌誤，還是昭然若揭的。

（三）直接表達己見並以金文經籍相參證

考桂氏不僅是客觀的呈現證據，有時即直接的表露自己的意見，既不作

---

[41] 陳初生：《金文常用字典》（高雄：復文圖書有限公司，1992 年 5 月），頁 984 龍字條；又頁 1169 巳字條。

[42] 〔清〕朱駿聲：《說文通訓定聲》（武漢：武漢市古籍書店，1983 年 6 月影印湖北省圖書館藏清光緒八年〔1882〕臨嘯閣刻本），頁 39；張舜徽：《說文解字約注》（鄭州：河南人民出版社，1987 年 6 月），下冊，卷廿五，頁 14「終」字說。

[43] 陳初生：《金文常用字典》，頁 973。

案語式的，也不閃爍或隱約其辭，而直下判斷，並從金文與經籍中取證，《義證》在「盒，覆蓋也。從皿，龠聲。」下注曰：

> 覆蓋也者，《考古圖》有〈伯冬饋盒〉，通作盒。《廣韻》：「盒，盤覆也。」[44]

又「受，相付也。從爪，舟省聲。」下桂氏曰：

> 漢銅印作𩂈，有橫畫，從舟省也。篆當作 H，若從 П，則與 П 覆之 П 無別矣。漢衡方、曹全諸碑並作受，隸變 H 為 冖。……舟省聲者，戴侗曰：鐘卣之文皆从舟。[45]

又「毌，穿物持之也。從一橫貫，象寶貨之形。讀若冠。」下云：

> 〈晉姜鼎〉：「令俾毌通」，楊南仲釋作毌。本書患，古文作愳，即從古文毌。[46]

又「保，養也。從人從㝮省，㝮，古文孚。」下云：

> 古文作係，見〈楚邧仲南和鐘〉。[47]

又「禾，嘉穀也。二月始生，八月而孰，得時之中，故謂之禾。禾，木也，木王而生，金王而死。從木從𥝥省。𥝥象其穗。」下說：

> 𥝥當為𥝥，鐘鼎文穆、年等字作禾。漢印私字作係。[48]

又「宋，藏也。從宀，孚聲。孚，古文保。《周書》曰：『陳宋赤刀。』」下云：

> 藏也者，《廣雅》同。或借保字，鐘鼎款識：「子孫永保用享。」又借寶字，《中庸》：「寶藏興焉。」[49]

又「鋻，鐵也。一曰彎首銅。從金，攸聲。」下說解曰：

---

44 〔清〕桂馥：《說文解字義證》，卷十四，頁 31（418）。
45 〔清〕桂馥：《說文解字義證》，卷十一，頁 10（330）。
46 〔清〕桂馥：《說文解字義證》，卷二十，頁 46（593）。
47 〔清〕桂馥：《說文解字義證》，卷二十四，頁 3（680）。
48 〔清〕桂馥：《說文解字義證》，卷二十一，頁 10（599）。
49 〔清〕桂馥：《說文解字義證》，卷二十三，頁 18（633）。

一曰彎首銅者，《集韻》：「紒首垂銅謂之鋈。」《廣韻》：「鋈，紒頭銅飾。」或省作攸，〈宰辟父敦〉「攸革」，〈伯姬鼎〉「攸勒」，即〈石鼓文〉「鋈勒」。字又作鯈，《詩·韓奕》：「鯈革金厄。」《箋》云：「鯈革，謂彎也，以金為小環，往往纏搤之。」〈采芑〉：「鉤膺鯈革。」《箋》云：「鯈革，彎首垂也。」〈蓼蕭〉：「鯈革沖沖。」《傳》云：「鯈，彎也。革，彎首也。」〈載見〉：「鯈革有鶬。」《箋》云：「鯈革，彎首也。鶬，金飾貌。」[50]

在此七條資料中，「毌」、「保」、「禾」三條的位置是頂格書之的；至於「盦」、「受」、「宋」、「鋈」四條則低一格書之。以其體例來說，是直接徵引群書以證《說文》及對《說文》傳本的考訂目的超過義有相關的說解取證的。

先觀其據金文以談字形方面：如「受」字從漢銅印文、漢碑文及鐘鼎文的形構演變來校正小篆的形體點畫與追究隸變之因，今察甲骨文、金文，受字皆作相互授舟形如𠬶、𠭚者[51]，小篆字形何以作從舟省聲？桂氏乃循其肌理以談省變謌錯之跡，並加予勘定，理據確鑿。次如「毌」字則根據金文以推證所從字之字形所由。按患字金文未見，苟從毌字推之，則單文孤證甚是危險的，然桂氏卻一派自信口吻，肯定說患的古文即從古文毌來。唯諸家視甲骨、金文中的申、𢆉為毌[52]，患是否從毌而來，在例證方面，似乎還不夠豐贍必然。至如說「保」的古文當有𠈃字，所增實為有見，今金文中如〈保卣〉作𠈃、〈毛公𢿐鼎〉作𠈃、〈王孫鼎鐘〉作𠈃、〈蔡侯鼺盤〉作𠈃、〈姑馮句鑃〉作𠈃，形構可謂多見，故桂氏說其古文，甚為允洽。至如「禾」字所勘正的，僅是首畫穗的直或垂耳。在此點畫之間，或可窺其緇銖必較，絕不含糊的態度。而能擷取穆、年二字所從以類比，其說可從。再如「鋈」字據

---

[50] 〔清〕桂馥：《說文解字義證》，卷四十五，頁 5（1220）。

[51] 中國社會科學院考古研究所編：《甲骨文編》（北京：中華書局，1989 年 3 月），考古學專刊乙種第十四號，頁 196；容庚編著：《金文編》（北京：中華書局，1989 年 8 月），頁 274。

[52] 中國社會科學院考古研究所編：《甲骨文編》，考古學專刊乙種第十四號，頁 300。

金文以說其「或省作攸」，「鉴勒」金文作「攸勒」，即革質飾銅的馬籠頭。實則鉴勒金文本假釋「行水」之攸作「攸勒」，後因借用為「彎首銅」之義，故加形符（意符）金旁作「鉴」，亦即容庚所謂「攸，孳乳為鉴」之意[53]，桂氏以金文或省作攸，確能掌握金文用字的現象，但語義之間，似以鉴字造之在先，後省作攸字，則其先後次序是不同的。

而在字義方面，盒字嘗見於戰國《侯馬盟書》作盒，戰國印作盒[54]，依《說文》釋其本義為「覆蓋」，段玉裁指出「此謂器之蓋也」。但桂氏進一步據《考古圖》與《廣韻》相發明，以盒通作盒。盒字晚起，《說文》未收。《博古圖》亦收〈周交虬盒〉，則非僅器蓋，實為盛食物之器，與謂底蓋相合的藏物器盒應相通。而盒也由「覆蓋」之義引申為底蓋相合的藏器物。桂氏能根據金文材料，而在字義方面有所發揮，豈是「不下己意」而已？另外據鐘鼎款識談宋借為保字，雖其聲韻畢同，唯今金文未見字，亦未見「子孫永保用享」有作宋字者，然如〈齊縈姬盤〉作永「寶（寶）」用享[55]，從古文寶從玉，似為所本，唯以宋為寶字之借應較適洽。

(四) 以案語形式而提出懷疑者

桂氏有時根據金文及文獻材料的佐證，而勘正《說文》之譌，而在案語之後提出懷疑判斷的，如《義證》在《說文》的「嗌，咽也。從口，益聲。焱，籀文嗌，上象口，下象頸脈理也。」下說：

> 上象口者，鐘鼎文作焱。本書馗下云：「焱，籀文隘字。」隘乃嗌之訛。《漢書·百官公卿表》：「焱作朕虞。」應劭曰：「焱，伯益也。」

---

53 容庚編著：《金文編》，卷三，頁 218。
54 高明：《古文字類編》（臺灣：大通書局，1986 年 3 月），第一編古文字，頁 318；又徐中舒主編《漢語古文字字形表》（臺北：文史哲出版社，1988 年 4 月），頁 190 均收盒字；唯陳建貢、徐敏編《簡牘帛書字典》（上海：上海書畫出版社，1991 年 12 月），皿部並未收。
55 容庚編著：《金文編》，卷七，頁 525。

　　顏《注》：「蒜，古益字也。」馥案：鬸下五字，徐鉉所加，徐鍇本無。

　　馥疑蒜有闕筆，單作𦰩，則是益非嗌矣！鬸本從益，非從嗌。[56]

此字桂氏的說解，尚需與《說文》鬸字「鬸，陋也。從𦰩，蒜聲。𦰩，籀文隘。」下《義證》云：「𦰩，籀文隘字者，徐鍇本無此文。本書嗌，籀文作𦰩。《漢書‧百官表》：『蒜作朕虞。』應劭曰：『蒜，伯益也。』顏《注》：『蒜，古益字也。』馥謂本書嗌之籀文有闕筆，今作𦰩，實益字，非嗌也。《春秋元命包》：『益州，益之為言阨也，言其所在之地險阨也。』」[57]按《金文編》附錄下收〈臽鼎〉作𦒱，〈華季𦒱盨〉作𦒱，〈敔弔簋〉作𦒱，〈鼎𦒱卣〉作𦒱；《漢語古文字字形表》另收有〈昌鼎〉銘文作𦒱，〈三體石經‧皋陶謨〉作𦒱，其形構與《說文》所收籀文大同，而與益字作𦒱若𦒱[58]相差懸遠。故𦒱當為嗌字，其與益字之別不在闕筆的與否，而是在字體結構上即分別劃然，唯字音方面卻益、嗌、易古音相同而通假混用，如〈敔弔簋〉的「嗌貝十朋」，益、嗌亦謠變混同，致使鬸字從嗌益無別矣。桂氏能獨抒己見，然前後游移，實則未盡能善用金文在闡明初形本義上的優勢啊！

三　結語

　　綜觀上面三十條的桂氏援引金文以輔證《義證》的說解分類釐析，基本上我們可以肯定的是：不管是王筠知解的「專臚古籍，不下己意」，或是桂氏自道的「取證於群書」，有美其名為宏觀的鑑照，或謝為振葉得根之說，都不免有罅隙可釁。蓋桂氏取證來源，除了傳統的「群籍」資料外，甚且及於前人或時人的藏器，是明顯的超軼出「專」臚古籍的範疇，且非「不下己意」的。我們看他應用金文時，的確大半部分是純粹客觀的羅列資料以輔證

---

[56] 〔清〕桂馥：《說文解字義證》，卷五，頁22（120）。
[57] 〔清〕桂馥：《說文解字義證》，卷四十七，頁28（1280）。
[58] 容庚編著：《金文編》，附錄下，頁1281；又徐中舒主編：《漢語古文字字形表》，卷二‧五，頁39；容庚編著：《金文編》，卷五，頁344益字。

《說文解字》的形義，並不顯露的表明意見；但我們尚需注意到，他並不是完全沒有主見的。觀他在歸結式的案語形式中，既隱約地透露出間接的意見，或更坦誠而直接的抒陳己見，或揉合二者，既有判斷式的案語，又有懷疑式的訂譌，其藉由金文的輔證，在呈現客觀的證據之餘，也不忘有主觀的判斷，雖其說解或是或否，而不完全服膺《說文》所詮釋的形義，而以頂格書之的方式，別闢蹊徑，有所發揮，處於那時「吉金不可以證詁訓」的意識形態之中，多少也反襯出他的不與流俗，「能」下己意吧！況清人研究「金石」，每以研究碑帖的居多，實際上研究金文的情況較少，桂氏也不例外。設以《義證》汲引碑帖資料來作《說文》的輔證材料，其引證之富，應用之多端，更不在金文之下，表露的己見也就更多了。然為篇幅所限，先且按下，只不過諸家陳陳相因的觀點，似有稍作轉圜的餘地吧！

原文發表於《成大中文學報》第四期，臺南：國立成功大學中國文學系，1996 年 5 月，頁 167-184。（龐壯城校對）

談桂馥《說文解字義證》中增補的古文

一　前言

　　桂馥在其代表作《說文解字義證》中，臚列證據解說了 483 個古文，又根據《說文解字》文本的推求，以及不同版本的登錄，補了 10 字的古文，它如根據《儀禮》鄭玄注、《玉篇》、《漢書》注補、《一切經音義》、《廣韻》、《類篇》、《汗簡》、金文、古瓦、漢印補了 44 字的古文，凡增補 54 字的古文，其中可觀察到他對古文的一些觀念，諸如古文自倉頡造字以來至漢仍在使用，古文有從逸經中秘來的，古文不可妄改，古文非止一體，尤其是在傳世文獻材料外，能取證於出土實物，以及對《汗簡》古文的重視，已開戰國文字與《汗簡》彼此關係研究的先聲。

　　《說文解字》（以下簡稱《說文》）中收錄的古文，是目前辨識戰國文字的重要憑據，但關於《說文》古文該如何認定呢？

　　曾憲通在〈三體石經古文與《說文》古文合證〉一文中，曾歸納《說文》包括重文及正字收錄古文的書例，舉出重文中古文的書例有：「于篆下別出古文形體，註明『古文』」、「古文形體與篆文差異大，則註明古文所從及其意義」、「古文頗加省改則為篆文，然亦有古文比篆文簡約者，則註明『古文省』、『古文某省』或『古文某省某』」、「古文中有象形、會意、形聲而難明者，則註明其形、意、聲之所在」、「古文所從為另一古文之體，則註明古文所從及其意義」、「古文中引自某經或某通人之說以說解者，則註明其所從出」、「古文中只知形體不明其結構者，則註以『古文某如此』」等 8 種；正字中古文的書例則有：「正字下別出篆文和籀文，則正字為古文」、「正字下別出篆文，則正字非籀文即古文」、「正字下別出籀文，則正字兼有篆古」等 3 種。

　　在正字是否為古文的認定上，各家寬嚴判定不同，以故造成歷來諸家歸結《說文》古文的總數就明顯有一些出入，如明人楊慎《六書索隱》計為 396 字，清人蔡惠堂《說文古文考證》為 400 餘字，王國維《說文所謂古文說》為 500 許字，胡光煒《說文古文考》（1927 年）錄 612 文，舒連景《說文古文疏證》（1935 年）錄 457 文，商承祚《說文中之古文考》（1934-1940 年）錄 461 文，曾氏認為個中原因是多方面的，若想弄清楚《說文》中的古文總數，結果是「目前尚難得出一個精確的數字」的。[1]

　　曾氏在文中並提出可以根據《說文》說解及有關字書補出若干古文，如據《說文》說解補「貴」、「疾」、「突」3 字的古文；據《玉篇》、《汗簡》補「珌」、「刻」2 字的古文，改「參」、「紵」字的或體為古文，改「鼉」字下篆文為古文；據《一切經音義》補「冑」字的古文；據《五經字樣》補「卵」字的古文；據《說文繫傳》補「且」字的古文等，共約 20 多文。[2]

　　這種增補古文的工作，涉及到對古文的界定，取材的來源，以及對古文的認識諸些課題，本文試抉取研究《說文》鼎盛的清乾嘉時期《說文》四大家之一的桂馥（1736-1805）《說文解字義證》（以下簡稱《義證》）[3]為代表，觀察是否如前人所論述的，在吳大澂、王國維之前，絕大部分的清代學者對古文的認知是屬「不明真相」，「昧惑錯誤」[4]的情況？或是如劉若一在〈桂馥文字學思想探析〉所謂的桂馥認為古文尚包括「六國古文」呢？[5]

---

[1] 曾憲通：〈三體石經古文與《說文》古文合證〉，《古文字研究》第七輯（北京：中華書局，1982 年 6 月），頁 274-277。

[2] 曾憲通：〈三體石經古文與《說文》古文合證〉，《古文字研究》第七輯，頁 277。

[3] 〔清〕桂馥：《說文解字義證》（濟南：齊魯書社，1987 年 12 月）。

[4] 祝鴻熹、葉斌：〈王國維對古文獻所稱「古文」的卓識〉，《杭州大學學報》，1995 年第 2 期，頁 65-66。

[5] 劉若一：〈桂馥文字學思想探析〉，《樂山師範學院學報》，2004 年第 1 期，頁 53。

二 桂馥《義證》中對古文來源的認識

　　桂馥是清代有名的語言文字學家，與段玉裁齊名，人稱「南段北桂」，他積澱了四十年的學問，撰有《義證》一書，大抵客觀地匯萃了諸家說解，並隱藏著他對語言文字方面的識見。[6]其中，關於桂氏對古文的認識，本是分散在《義證》始「一」終「亥」的 483 個重文或正字的古文字例說解中，以及在《義證》卷四十九的〈敘〉與卷五十的〈附錄〉闡述中表露出來的。

　　首先談談桂馥對古文的來源和使用時間的看法。本來，在《說文》的〈敘〉中已明白指出，古文的來源有三：一是從「孔子壁中書」來的，其中包括《尚書》、《春秋》、《論語》、《孝經》；二是北平侯張蒼所獻的《春秋左氏傳》；三是「郡國亦往往於山川得鼎彝，其銘即前代之古文」。當然還包括「《易》孟氏、《書》孔氏、《詩》毛氏、《禮》、《周官》、《春秋》左氏、《論語》、《孝經》皆古文」也。

　　但是，桂馥認為還有一些逸簡也是古文，他在《義證》卷四十九徵引了《晉書・束皙傳》的記載來印證：「有人於嵩高山下，得竹簡一枚，上有兩行科斗書。皙曰：『此漢明帝顯節陵中策文也。』檢驗果然。馥謂漢用古文，此亦可證。」（頁 1318）可見桂氏認為古文的來源和材料的使用範圍是較寬的，至少他認為直到漢代，古文還在使用。

　　但《晉書》中束皙說的「此漢明帝顯節陵中策文」的意涵，真的如桂氏所分解的「漢用古文」的證據嗎？會不會這個「策文」指的是「竹簡文字」，而這一枚兩行書寫的竹簡，並不一定是漢代的產物，一如 1973 年在湖南長沙馬王堆 3 號漢墓出土的「篆書陰陽五行」帛書，是秦始皇 25 年（222 B.C.）的遺物一樣，而且是「還沒有熟練掌握秦人字體的楚人」[7]，所以採用的仍

6　沈寶春：《桂馥的六書學》（臺北：里仁書局，2004 年 6 月）。

7　李學勤：《東周與秦代文明》（北京：文物出版社，1984 年 6 月），頁 356；馬王堆漢墓帛書整理小組：〈馬王堆帛書《式法》釋文摘要〉，《文物》，2000 年第 7 期，頁 85-94，文云：

是「科斗書」呢？

當然，單文孤證，我們很難再進一步去追究確認，但也側面反映出，桂氏並不認為古文的來源僅止於《說文》所設定的，應該還有一些科斗書的竹簡，而且遲至漢代仍舊使用。《義證》又引《梁書‧劉顯傳》云：「任昉嘗得一篇缺簡，文字零落⋯⋯顯云是古文《尚書》所刪逸篇。」（頁 1315）這其中的「古文《尚書》所刪逸篇」，與王國維說的，「其全書中正字及重文之古文，當無出壁中書及《春秋左氏傳》以外者，即有數字不見於今經文，亦當在逸經中」[8]的「逸經」若合符節；或如何琳儀在《戰國文字通論》中所推論的：

> 《說文》古文主要來源于壁中書，但壁中書不是其唯一的來源⋯⋯除壁中書之外，尚有張蒼所獻，河間獻王所得，杜林所得等來自民間的簡冊。當時政府「中秘」所藏，及得自民間的古文經傳鈔之本，東漢中葉的許慎應是能見到的。[9]

其中的「中秘」所藏的簡冊有所關聯，才會在「漢明帝顯節陵中」出現。

另一方面，桂馥認為古文一定，不可亂改，否則「戮死宜矣」，好惡溢於言表，這可從《說文‧敘》許慎所言，「及亾新居攝，使大司空甄豐等校文書之部，自以為應制作，頗改定古文」下，桂氏《義證》先引《尚書正義》所說：「孔子壁內古文，即倉頡之體，故鄭元（玄）云：『書初出屋壁，皆周時象形文字，今所謂科斗書。以形言之為科斗，指體即周之古文。』」是古文乃倉頡所造之體，延續到周，即周之古文。後又引〈王莽傳〉中：「豐子尋手理有『天子』字，莽解其臂入視之，曰：『此「一六子」也，六者，戮也，明尋父子當戮也。』迺放尋于三危。」馥謂豐妄改古文，戮死宜矣！（頁 1318）明白表示對「妄改古文」的深惡痛絕。

「字體在篆隸之間，兼有大量楚文字成分。」

[8] 王國維：〈說文所謂古文說〉，《觀堂集林》（上海：商務印書館，1940 年），第二冊，卷七，頁 317。

[9] 何琳儀：《戰國文字通論（訂補）》（南京：江蘇教育出版社，2003 年 1 月），頁 43。

但是，桂馥也觀察到，古文具有「非止一體」的特點，以及小篆因襲的痕跡，如《義證》在卷四十八「亥」字下，曾發抒他對小篆與古文的關係，以及古文異體字的看法說：

> 馥謂小篆仍古文而不變者多矣！安知本書之「亥」非古文邪？「止戈」為「武」，「皿蟲」為「蠱」，反「正」為「乏」，小篆皆與古文無異。或云「亥下自有古文，亥不得為古文。」馥謂古文非止一體，本書之重數古文者，《注》云「亦古文」，是知古文不一也。（頁1312）

當然，許慎在《說文·敘》中已大致描述了漢字形體的演變情形，桂馥在《義證》中也徵引《隋書·經籍志》所說的：「倉頡迄漢初，書經五變，曰古文、大篆、小篆、隸書、草書」來印證說明，一如「坐」字下引《五經文字·序》說的：「《說文》體包古今，先得六書之要。」自注云：「若古文作坐，篆文作垩之類，隸作坐。隸書卯字皆變作ΔΔ，故貿字亦作貟。」（頁1195）其中古文，桂馥認為即倉頡古文，援引了張懷瓘《書斷》的說法云：「古文者，黃帝史倉頡所造也，仰觀奎星圜方屈曲之勢，俯察龜文鳥跡之象，采眾美合而為字，是曰古文。」（頁1313）又引《水經注》穀水云：「古文出於黃帝之世，倉頡本鳥跡為字，取其孳乳相生，故文字有六義焉。」（頁1316）若古文是倉頡一人所創，本無「異體」存在的可能，以故古文異體的存在，正標示著它的來源非一的事實。[10]

至於古文除倉頡古文、孔子壁中書外，桂馥是否認為也有六國古文呢？劉若一曾舉了《義證》在《說文·敘》「文字異形」下的案語解說云：「今所傳刀布，文不合古籀者，皆列國之異形」（頁1315）當作證據，認為關於古文，「桂馥認為古文包括倉頡古文、孔子壁中書、六國古文」，卻沒有進一步闡明刀布材料屬「列國異形」為「六國古文」的理據何在？觀察許慎《說文·

---

[10] 何琳儀：《戰國文字通論（訂補）》，頁43 曾統計篆文下羅列2種古文形體者44字，3種古文形體者5字，4種古文形體者1字，以及同一古文偏旁，或有2種異體，或有3種異體，以及獨體與在偏旁中形體殊異。

敘》中所述：「其後諸侯力政，不統於王……分為七國，田疇異畝，車涂異軌，律令異法，衣冠異制，言語異聲，文字異形」的情景，《義證》是解釋七國「文字異形」的現象，以當時可看到的貨幣文字「刀布」拿來跟「古籀」作比較，發現彼此之間存有「文不合古籀」的情況，是「列國異形」的具體表現，但因為解釋的文字太過簡約，我們是無法確定古文與代表列國的刀布是否可以劃上等號？當然，我們也注意到《義證》在解釋《說文・敘》的「是時秦燒滅經書，滌除舊典……初有隸書，以趣約易，而古文由此絕矣」時，引了〈太史公自敘〉中的話說：「周道既廢，秦撥去古文，焚滅詩書。」又引了《尚書考靈曜》：「秦改古文以為小篆及隸字，國人多誹謗怨恨。」（頁1316）以此易彼，那麼，「列國異形」是可以轉換成「古文」的。

面對「列國異形」的古文，桂馥如何調停呢？其實桂氏還是依序先羅列證據，如果無法定奪，則「知之為知之，不知為不知」，據實言之，如在《說文》「沫」的古文「湏」下，《義證》云：

> 《書・顧命》：「王乃洮頮水。」《釋文》：「頮，《說文》作沫，云古文作頮。」馬云：「頮，頮面也。」《漢書・司馬遷傳》：「士無不起躬流涕，沫血飲泣。」孟康曰：「沫音頮。」顏《注》：「沫，古頮字。頮，洒面也，言流血在面如盥頮。」馥案：《釋文》引本書頮為沫之古文，顏《注》則以沫為頮之古字。孟康之音，又不以沫、頮同文。而皆不言湏為古文。《玉篇》頮為正文，沫為同文，湏為古文。《廣韻》䪙為正文，頮為同文。諸說不同，未能審定。（頁984-985）

他先臚列陸德明《經典釋文》、《漢書》顏師古的注、孟康的音，以及《玉篇》、《廣韻》的說法，但在沒有考古出土戰國文字材料的輔證下，他也不敢斷然下語，僅能據實說出「諸說不同，未能審定」。[11]但從臚列的材料中，可稍微

---

[11] 今所見〈陳逆簋〉作「湏」，可見戰國古文作「湏」為是，詳參何琳儀：《戰國古文字典：戰國文字聲系》（北京：中華書局，1998年9月）；李孝定：〈釋「釁」與「沬」〉，《漢字的起源與演變論叢》（臺北：聯經出版事業公司，1986年6月），頁267-283。

窺見他論略古文時取用材料的來源，而這些來源如何呢？除上舉諸說外，是否還有其它？我們也可透過他在《義證》中增補的古文材料來作進一步觀察。

三 《義證》增補古文的根據與書例

桂氏在《義證》中解說的古文有 483 字，但在《義證》的說解中，又增補了一些古文，若依其說解，可歸納他依據的文獻實物，以及增補的書例有下列幾種：

（一）根據《說文》本書，或由本書古文所從偏旁推求以增補古文的，如《說文》「丅」字《義證》云：「本書帚從古文下，猶帝、旁從古文上。」（頁5）明白地是採取由「本書證本書」的類推方式，認為「丅」當增補古文「二」，如「丄」古文本作「二」一樣。又「荆」字下《義證》云：「據本書荊字，此荆當有古文作𣏻。」（頁423）或是「甹」字下《義證》云：「甹，古作由，甹下當有古文由字，今脫去，本書從由諸字本此。」（頁594）以及「五」字下《義證》云：「本書『悟，古文作𥁕』，蓋五，古文又作𠄡。」（頁1283）丅、荆、甹、五等 4 字的古文，都是透過《說文》古文形構的偏旁分析來增補的。

（二）根據諸家不同版本的《說文》來增補古文，如《說文》「祘」字下《義證》云：「戴侗言蜀本《說文》筭字古文作𥯤、𥁕。」（頁21）桂氏就根據戴侗所指出的，蜀本《說文》保存了 2 種古文形體來增補古文，文又見「筭」字條《義證》云：「戴侗曰：蜀本筭古文𥯤、𥁕，竝古文。」（頁397）或是《義證》在「遺文」中收「襺」字，解說為「一本云古文獧也。……一本者，非《說文》而何？」（頁22）就是根據《說文》的另一版本「一本」來增補古文。又遺文條「坒」字下《義證》云：「坴字古文見徐鍇本。鍇曰：『坴者，厚也，與土義同。』馥案：本書坴，象物出地挺生，

即妄生意。」（頁524）又「且」字《義證》引徐鍇本「𠚱，古文以為且。」（頁1245）則根據徐鍇本《說文》來增補古文的。故依「蜀本」、「一本」、「徐鍇本」共增補了「祘」、「禰」、「坒」、「且」等4字的古文。

（三）根據《儀禮》注來增補古文，如《說文》「饡」字下《義證》云：「〈特牲饋食禮〉：『祝命嘗食，饡者舉奠。』《注》云：『古文饡皆作餕。』……〈有司徹〉：『乃饡如儐』，《注》云：『古文饡作餕。』」（頁429）就是根據漢鄭玄的《儀禮》注來增補古文的，只有「饡」字1條。

（四）根據《玉篇》說解來增補古文的，如《說文》「蔡」字僅收正篆，《義證》引《玉篇》作「𦮼，古文蔡。」（頁90）；「𣪏」字《義證》云：「《玉篇》古文作𣪏。」（頁136）；「眣」字下《義證》云：「《玉篇》有古文作盰。」（頁279）又「爭」字下《義證》云：「《玉篇》有古文作事。」（頁330）又「割」字下《義證》云：「《玉篇》有古文作剏。」（頁362）又「筍」字下《義證》云：「《玉篇》有古文作篛。」（頁376）又「𩨳」字下《義證》云：「《玉篇》有古文作骿。」（頁457）又「朗」字下《義證》云：「《玉篇》有古文作胹。」（頁589）又「貫」字下《義證》云：「《玉篇》古文作贅。」（頁593）又「穆」字下《義證》云：「《玉篇》古文作𣏎。」（頁602）又「廳」字下《義證》云：「《玉篇》有古文作麤。」（頁625）又「宣」字下《義證》云：「《玉篇》有古文作宣。」（頁629）又「實」字下《義證》云：「《玉篇》有古文作𡩟。」（頁632）又「究」字下《義證》云：「《玉篇》宀部『𡫳，古文究。』」（頁642）又「置」字下《義證》云：「《玉篇》有古文作𣪠。」（頁665）又「廁」字下《義證》云：「《玉篇》辵部遲下云：古文廁。」（頁798）又「漆」字下《義證》云：「《玉篇》有古文作泄。」（頁928）又「鮨」字下《義證》云：「《玉篇》有古文從示。」（頁1016）又「門」字下《義證》云：「《玉篇》有古文作兩。」（頁1028）又「颺」字下《義證》云：「《玉篇》有古文作飄。」（頁1182）又「壤」字下《義證》云：「《玉篇》坱、坃竝古文，本書闕坃字。」（頁1190）又「坒」字下《義證》云：「《玉篇》古文作

壞。」（頁 1195）又「墉」字下《義證》云：「《玉篇》章部有䧽字，云古文墉。」（頁 1198）又「垠」字下《義證》云：「《玉篇》有古文作𡐟。」（頁 1200）又「且」字下《義證》云：「《玉篇》且，古文作𠄐。」（頁 1245）又「馗」字下《義證》云：「《玉篇》有古文作𨖥。」（頁 1284）又「孕」字下《義證》云：「《玉篇》古文作𡡞。《汗簡》：『古文《尚書》以𡡞為孕。』」（頁 1293）之類皆是，凡 27 字，數量相當的多。

（五）根據《漢書》的注來增補古文，如《說文》「䰞」字下《義證》云：「《漢書・五行志》：『銜其枚䰞六七枚。』晉灼：『䰞，古文釜字。』〈匈奴傳〉：『多齎䰞薪炭。』顏《注》：『䰞，古釜字也。』」（頁 239）就是根據《漢書》晉灼、顏師古的注來增補古文的，只有 1 字。

（六）根據《一切經音義》來增補古文的，如《說文》「醋」字下《義證》云：「或從乍者，《一切經音義》二云：『𪌀，古文醋同。』」（頁 171）又「燸」字下《義證》云：「《一切經音義》七：『燸，古文㷂、㶮二形。』」（頁 861）就是根據《一切經音義》增補古文的共 2 字例。

（七）根據《廣韻》來增補古文，如《說文》「飴」字下《義證》云：「《廣韻》、《玉篇》有古文作飺。」（頁 427）僅此 1 字例。

（八）根據《類篇》來增補古文的，如《說文》「誩」字下《義證》云：「『競言也』者，《類篇》作『言也』，引《字林》：『競，言也。』又云：古文作䜭，本書闕。」（頁 222）又「楷」字下《義證》云：「《類篇》：『棤，木也。孔子冢蓋樹之者。』馥謂此必楷之古文，本書脫漏，見於他書，《類篇》據之也。」（頁 464）又「重」字下《義證》云：「《類篇》古文作𡔲。」（頁 713）故根據《類篇》來增補古文的共 3 字例。

（九）根據《汗簡》來增補古文的，如《說文》「瘇」字下《義證》云：「《汗簡》云：『古文作𤺄，見《說文》。』」（頁 653、658）又「疢」字下《義證》云：「《汗簡》古文作𤑙，見《說文》。」（頁 654、658）又「眾」字下

《義證》云：「《汗簡》古文作⿰（圖），云見《說文》。馥謂當從⿻（圖）。」（頁712）
又遺文「⿻（圖）」字下《義證》云：「《汗簡》古文身，云見《說文》。」（頁714）
又「居」字下《義證》云：「《玉篇》有古文作屄，《汗簡》作⿸（圖），云見《說
文》……古文居從立，《汗簡》『⿸（圖），見《說文》』，蓋解說古文之辭，今闕
古文，而其解誤入正文下也。」（頁731、734）[12]又「酉」字古文卯下《義
證》云：「《汗簡》引作⿰（圖）。」（頁1302）是根據《汗簡》引的《說文》古
文不見於今本的來增補，共增補6字例。

（十）根據金文來增補古文的，如《說文》「保」字下《義證》云：「古
文作⿰（圖），見〈楚邛仲南和鐘〉。」（頁680）即是利用實物資料來增補古文的，
僅有1字例。〈楚邛仲南和鐘〉又名〈楚王鐘〉、〈楚邛仲嬭南和鐘〉，根據
《考古圖》所說是「得于錢塘」，屬春秋時器。[13]

（十一）根據本書他書後再據古瓦增補古文的，如《義證》於「遺文」
「⿻（圖）」字下云：「《六書故》引唐本，豐從豆從山。⿻（圖）聲。本書：豐，古文從
⿻（圖），《韻會》⿻（圖），《說文》本作⿻（圖）。不知所據何本？錢君大昭藏古瓦，單文作
⿻（圖）。」（頁526）即是先根據《六書故》、《韻會》引的《說文》唐本或不同
版本，再根據時人收藏的古陶文來增補古文，也僅止1字例。

（十二）根據漢銅印來增補古文的，如《說文》「遲」字下《義證》云：
「⿸（圖），古文仁字。漢銅印有⿸（圖）字，乃古文夷字。」（頁155）即是根據漢銅印
來增補古文，也僅止1字例。

（十三）直接增補古文，沒有明白說出根據者，如《說文》「雨」字下
《義證》云：「當有古文作⿰（圖）。」（頁1000）又如《說文》「女」字下《義證》
云：「當有古文作⿻（圖）。」（頁1068）就此部分來觀察，大抵是桂馥歸納《說

---

[12] 李天虹：〈《說文》古文校補29則〉，《江漢考古》，1992年第4期，頁77。文中引〈弔
向簋〉、〈邾公華鐘〉、〈侯馬盟書〉證與桂氏所補「身」字相近，「疑桂氏所補是正確的」；
又引〈長由盉〉、〈農卣〉及郭沫若《兩周金文辭大系考釋》所說，認為尸實广之譌，可備
一說。

[13] 中國社會科學院考古研究所編：《殷周金文集成釋文》（香港：香港中文大學中國文化研
究所，2001年），第一卷，頁42。

文》所從各字的偏旁書寫情況而提出的，如增補「雨」的古文係從「雷」、「霣」、「電」的古文書寫現象歸納而得，以故桂氏在《義證》中也改「霝」的古文說：「雨當作⿰雨雨」（頁 1002）；至於增補「女」字的古文，也是根據《說文》古文所從各字的偏旁書寫情況而提出的，如「妻」字女旁引《汗簡》作⿰，以及「奴」、「妻」字的古文女旁寫法皆作「⿰」，並於「敗」字下說：

> 女部籀文⿰、⿰從⿰，⿰、⿰、⿰從⿰，其古文⿰、⿰從⿰，⿰從⿰，
> 當有謬誤。（頁 1071）

桂氏所增補的女字甚是，但雨字在今所見戰國文字中則作⿰形，不見形體裂解作⿰者，[14]應是譌變所致。

在此十三種增補古文的書例中，1、2、13 例都是從《說文》本書來的共 10 例，其它傳世典籍文獻中，桂氏根據《玉篇》增補古文的最多，有 27 例；其次為《汗簡》的 6 例。尤可注意者，他也採集一些實物材料如〈楚邛仲南和鐘〉、錢君大昭所藏的古瓦以及漢銅印來增補古文，雖然例子不多，僅各 1 例，但也幽微的反映出，桂氏並不保守地拘泥在傳世文獻典籍中蒐集資料，而是已留意到傳世的出土實物材料了，材質從青銅銘文到古瓦銅印，時代從不明確的「古」、春秋到「漢」，地域如楚，都在他的採集之中。

四　結論

透過上文的爬梳分理桂馥增補的 54 字古文，我們可以觀察到，桂氏對古文的時代觀念其實是相當模糊不清的，既有倉頡古文，又有孔壁古文，還有春秋漢代的古文，以及傳世典籍中所保留的古文，但在他所增補的材料中，卻不見劉若一在〈桂馥文字學思想探析〉中分析的「六國古文」的「刀布」部分，就此方面來說，劉氏的理解還是可以商榷的。

---

[14] 何琳儀：《戰國古文字典：戰國文字聲系》，頁 557 女字、頁 464 雨字；湯餘惠：《戰國文字編》（福州：福建人民出版社，2001 年 12 月），頁 799 女字、頁 765 雨字。

另外，我們也可觀察到，其實桂氏的見解也有開放、開創的一面，除了援引傳世典籍，尤其是利用《玉篇》、《汗簡》來增補《說文》的古文，而且更進一步的，其範圍不限定在《說文》本身或被傳世典籍所囿籬，尚且關注到出土實物在補苴古文的價值，其識見就非常人所及。特別是援引《汗簡》來增補古文，在當時及往後對《汗簡》充滿批判的聲浪如錢大昕的「未敢深信」，吳大澂認為「蕪雜滋疑」，即連箋正《汗簡》的鄭珍都認為它「影附詭託」的不經僻怪，唐蘭則認為《汗簡》是杜撰古字時期的結束代表，[15]桂馥處在如此的氛圍中，卻能認識到《汗簡》與古文彼此間的密切關係，並能利用它來補苴古文，正確認識到它的價值，無疑是獨具慧眼，超越時人，並開拓研究戰國文字與《汗簡》古文的先聲了。

　　原文發表於《許錟輝教授七秩祝壽論文集》，臺北：萬卷樓圖書股份有限公司，2004 年 9 月，頁 297-310。（葉書珊繕打／龐壯城校對）

---

15 李學勤：〈序〉，黃錫全：《汗簡注釋》（武漢：武漢大學出版社，1993 年 5 月），頁 1-3；黃錫全：〈自序〉，《汗簡注釋》，頁 6-7。

由《未谷遺箸二種》摘鈔顧南原《隸辨》

談桂馥的書鈔

一　前言

其實，我們翻開所有關於桂馥的傳記資料，如楊家駱編的《三十三種清代傳記》[1]或周駿富編的《清代傳記叢刊》[2]，並沒有著錄我們即將談的《未谷遺箸二種》。即使是著錄較詳盡的孫葆田《山東通志》[3]，或劉志成的《中國文字學書目考錄》，也是隻字未提。只有王紹曾主編的《山東文獻書目‧經部‧小學類》中收錄一條說：「《未谷遺著二種》，（清）桂馥撰。雙行精舍抄本并錄許瀚批校題跋。雙行。省博。」[4]提供了一些有限的訊息。

個中所謂的「雙行」，指的是王獻唐撰、山東省博物館編的《雙行精舍書跋輯存》[5]；所謂的「省博」，指的是崔巍編的《山東省博物館藏山東人著作目錄》，是個手抄本。可知，《未谷遺箸二種》可能典藏在山東省博物館內。今年（春案：2004年）八、九月間，本人在國科會計畫的贊助下，有機會到濟南親自走訪山東省博物館，除了訪知其館藏珍貴的羅聘為桂馥繪的〈說文統系圖〉稿本與石刻外，尚有桂馥手書的《歷代石經》稿本，而《未谷遺箸二種》亦赫然在目（見附圖一至四）。

但《未谷遺箸二種》包括《隸借》及摘鈔顧靄吉（南原）《隸辨》二書，本屬「書鈔」性質，《山東文獻書目》中卻用了「撰」字？當然，桂馥也曾

---

[1] 楊家駱：《三十三種清代傳記》（臺北：鼎文書局，1973 年 1 月）。

[2] 周駿富輯：《清代傳記叢刊》（臺北：明文書局，1985 年 5 月）。

[3] 〔清〕孫葆田：《山東通志》（臺北：華文書局，1969 年 1 月）。

[4] 王紹曾：《山東文獻書目》（濟南：齊魯書社，1993 年 12 月），頁 75。

[5] 王獻唐撰、山東省博物館編：《雙行精舍書跋輯存》（濟南：齊魯書社，1983 年 8 月）。

經鈔過王念孫的《說文解字校勘記殘稿》一卷，鈔過段玉裁的《說文段注抄按》一卷，但一般都用「鈔」或「抄」，卻很少用「撰」的。那麼，書鈔就是鈔鈔書，桂馥鈔書有什麼好談的呢？關於這個部分，我在《桂馥的六書學》一書中，曾針對桂馥鈔王念孫與段玉裁的方式作過探討，以下，因為篇幅的關係，只針對《未谷遺箸二種》中摘鈔顧靄吉（南原）《隸辨》的部分來談。

二　鈔書是為學的初步

　　古人和今人不一樣，沒有影印機，沒有網路資料可以抓，要叢聚相關資料，只能透過鈔書來加予薈萃剪裁完成。從其中，我們不只可以觀察到他們為學的工夫與運思的過程，也能進一步拿來和已刊行的成書作比較，看出他取捨的方式與經營安排的深層意義。

　　當然，迫於現實，古人要看書著書，尤其是採擷眾人作品的，得必須先經過鈔書的程序，以方便收集資料，比如桂馥談到與顏運生編輯《詩話同席錄》時，〈序〉文中也指出鈔書成書的過程說：

> 少時喜與里中顏運生談詩，又喜博涉群書，遇凡前人說詩與意相會，無論鴻綱細目，一皆鈔撮。運生亦無日不相與散帙為樂，自朝至於中昃，日不給而繼之以燭也。積久盈篋，遂欲詮次……比來寄食濟南，運生挈舊鈔見就，顧謂曰：「我兩人皆老矣！又將遠宦，不及此時論定，是散錢滿地而無貫也。」余感其言，復與之把卷相對，上下其議，部分區處，裒然成書。[6]

從中我們看到在「喜」好的催化作用下，先「博涉群書」，碰到「與意相會」的材料，那麼，必須「無論鴻綱細目，一皆鈔撮」的。在日以繼夜，樂此不

6　〔清〕桂馥：〈詩話同席錄序〉，《晚學集》（臺北：新文豐出版股份有限公司，1985年1月），卷七，頁512。

疲的情況下，已然「積久盈篋」，不加以整理「詮次」，也不過是「散錢滿地」而已。這時，他們二人再「把卷相對，上下其議，部分區處」，經過充分的討論，然後分別部次，安排經營，編輯成書。另外，我們也可從他撰寫《說文解字義證》的過程略窺端倪，他說：「馥所理《說文》本擬七十後寫定，滇南無書，不能復有勘校，僅檢舊錄籤條，排比付錄。」[7]將舊錄籤條，排比付錄，也即是將鈔錄的資料，加予詮次安排的工夫。

誠然，這種收集材料的工夫——鈔書，本是需要與書長相左右的，他說他「回憶半生，舟車勞勞，長以書卷自隨，未嘗廢棄」[8]，就在這種先決條件下，還要持之以恆，真積力久，才會有所成效。桂馥曾自道他從年輕到老邁都在鈔書，而且透過鈔書來創造「貫穿注疏，甄綜秘要」的有利條件，「終老不輟」[9]。並且，他也體認到學人和才人不同，學人要能不懼「餖飣」，不誇「宏麗」，所以曾經自我表白說：「馬、鄭無文章，崔、蔡無考據，足下將孰與歸？」最後，他選擇當一位如馬融、鄭玄般的學者，所謂：「與其崔、蔡宏麗，無寧馬、鄭餖飣。」[10]

三　鈔書要有主題意識

桂馥認為蒐集資料的書鈔，也得像蒐集廚珍般，針對單一主題，有意識的去收集，積久而多，才能炒出一道有主題的絕妙好菜，而不是大雜燴而已。這種意見，他在為友人顏運生的集子寫題辭時，曾經間接幽隱的表達出來，《晚學集》卷三載有〈鰈鯖小紀題辭〉說：

　　吳下主人飯客，供「鴨舌羹」，客疑極不易得，詢之，監廚所積也。

7　〔清〕桂馥：〈上阮學使書〉，《晚學集》，卷六，頁511。
8　〔清〕桂馥：〈刻空山堂遺文序〉，《晚學集》，卷七，頁513。
9　〔清〕桂馥：〈惜才論〉，《晚學集》，卷一，頁491。
10　〔清〕桂馥：〈與友人書〉，《晚學集》，卷六，頁512；〔清〕桂馥：〈上阮學使書〉，《晚學集》，卷六，頁510。

蘇公讀《漢書》，每一過岇記一例，老杜「讀書破萬卷」即此法也。
吾友運生見書必讀，讀必紀錄，識大識小，各成卷軸。余曰：「蘇公
之《漢書》破矣，鴨舌羹不咂嗟而能辦給哉？」（頁500）

在這裡，我們要注意到的是，顏運生「見書必讀，讀必紀錄，識大識小，各
成卷軸」的，如同烹煮「鴨舌羹」一般，主菜是「鴨舌」，一根鴨舌不行，
必須收集到一定的數量；其它種類的舌也不行，必須是「鴨」的舌，才能匯
聚品珍，做出不易得的佳餚來。所以桂馥說的「凡人胸中不可無主，有主，
則客有所歸。岱宗之下，諸峰羅列，而有嶽為之主，則群山萬壑皆歸統攝，
猶六藝之統攝百家也。」[11]有主，就是有個中心題旨來統攝歸納，才能萬壑
朝宗，否則「盈箱累案，漫無關要」，益多，只是在「枉費筆札」罷了。[12]
桂馥素以資料蒐集宏富見長，但其實他更要求有主題，有意識的鈔書，而不
是簡單的依樣畫葫蘆，鈔鈔就算了，那是有取捨別擇的，這樣，一盤一盤的
好菜，才有可能準備周全的端出來呀！

四　《隸辨》可能是桂馥最後鈔的書

一般來講，書鈔很少被採入傳記著述之列，也普遍不受重視，這從傳記
的載錄可見一斑，所以關於桂馥鈔錄顧靄吉的《隸辨》一書始於何時？終於
何時？諸書都沒有談及。我們僅能根據山東省博物館庫藏的《未谷遺箸二
種》中丁艮善、王獻唐二人的跋語，以及其它涉及到的書文來作旁敲側擊。

在山東省博物館著錄的書目中記載著：「《未谷遺箸二種》（《隸借》、
摘抄顧南園〔春按：當作「原」〕《隸辨》），雙行精舍抄藏，前有丁艮善、
王獻堂跋語。」關於丁艮善的跋語，是這樣寫的：

此桂未谷先生手自摘錄顧南原《隸辨》也。宮子行明府得於曲阜，尚

---

[11] 〔清〕桂馥：〈惜才論〉，《晚學集》，卷一，頁491。
[12] 〔清〕桂馥撰，趙智海點校：《札樸》（北京：中華書局，1992年12月），頁1。

完善無缺。桂君深於經學、小學，尤精隸書，當時一字即直千錢，此
當為行篋便於檢閱之本，于顧書各字下略有節刪合并，紅字下有名勝
志一段，足破顧氏之疑。《晚學集·說隸》一篇，實出於此。……明
府以此本屬為寫清，將與《隸借》並傳，寫畢謹識之。後學丁艮善。

在丁氏的跋語裡，我們知道山東省博物館藏的這個手鈔本，係出丁艮善之
手，純粹鈔錄存藏用的鈔本的再鈔本，並非桂氏摘鈔的原稿，原稿本來藏在
宮子行處，而且尚「完善無缺」，其流傳典藏情形，在王獻堂的跋語中言之
甚詳。

　　至於桂氏何時鈔錄？鈔錄的方法與目的何在？丁氏的跋語也提供了一
些看法，他認為《晚學集》中的〈說隸〉一篇就是從這本摘鈔來的，摘鈔的
方法係「各字下略有節刪合并」，摘鈔《隸辨》的目的是「行篋便於檢閱之
本」。如果我們檢驗一下丁氏所說的，可發現《晚學集》這本書的成書時間
拖得蠻長的，根據書中阮元的〈序〉文來看，其實桂馥在乾隆五十八年癸丑
（1793）於歷下謁見阮元時，已經「出舊稿《晚學集》相眎」，之後又陸陸
續續有文章，如集中收錄有嘉慶四年己未（1799）寫的〈祭元妻喬君文〉，
一直到這本書的書末，收錄孔憲彝寫於「道光歲在重光赤奮若壯月」，也即
是道光二十一年辛丑（1841）八月，還說：「《晚學集》為先生未定之書，
手自塗乙，幾不可辨。」[13]那麼，在桂馥歿後四十年間，《晚學集》是尚未
整理付梓，刊刻發行，而且是「未定之書」。

　　我們若考察〈說隸〉一篇涉及隸書假借現象的部分，如桂氏所舉的「以
相為俎，以柜為矩，以浩為昊，以旌為精，以術為述，以夏為暇，以皇為黃，
以跼為蹈，以伎為暨，以氏為是，以墨為默，以充為衝，以銜為禦，以殷為
隱，以公為功，以顧為旻，以覘為眈，以緄為袞，以沂為涯，以栞為看，以
牴為特，以礧為磊，以羊為洋，以凱為楷，以汁為叶，以冘為沈，以紅為江，

---

[13] 〔清〕桂馥：《晚學集》，頁517。

以僮為幢，以是麠為戲，以彝為夷，以資為齎，以梨為黎，以霺為蘁，以綦為棋，以熹為熙，以偶為隅，以菰為孤，以犁為黎，以胎為駘，以煙為禋，以仁為人，以薰為勳，以畔為𡜊，以渠為詎，以喪為充，皆假借也」[14]等45條，其中跟桂氏手鈔的《隸辨》相同的字例，有公功、紅江、充衝、麠戲、彝夷、熹熙、梨黎、煙禋、覼眈、衙禦、渠詎、磧磊、喪充、浩昊、術述、植特、墨默等17條，但在桂氏摘鈔《隸辨》的517條中，除比例甚微外，有些還跳脫出它的範疇，可見桂氏或許另有根據，〈說隸〉一篇不是完全從摘鈔《隸辨》來的。

另外，我們再檢驗桂馥《說文解字義證》一書中說解六書結構處，並沒有見到徵引《隸辨》一書的地方，只零星徵引一些碑文，如籠統地稱漢碑者，或明確指出來自如〈漢孟郁脩堯廟碑〉、〈曹全碑〉、〈魯峻碑陰〉、〈漢韓勅碑〉、〈王純碑〉、〈校官碑〉⋯⋯[15]者，資料並不多；若把《義證》較容易徵引到《隸辨》來當作輔證材料的地方再加予檢索，可看到談漢律令古法的18條資料中，也不過「笵」下引《隸釋》，「舳」下引〈周憬功勳銘〉2條；至於《義證》在說解隸體隸變的38條中，除徵引《漢隸字源》外，亦未見有援用《隸辨》之處，僅於「蓻」、「丌」、「窚」、「舳」、「广」、「昊」、「巒」7字下引用零星的碑文資料，有交集的僅止於「巒」字1條，也不見《隸辨》的影子，那麼，推測桂馥鈔錄《隸辨》的時間可能相當晚，所以來不及把資料放進去。

除此之外，我們還可透過葉啟勳輯的〈桂、何隸釋隸續評校〉一文來推敲，該文於「淳熙丙申息祕宦山陰遂正之」目錄後，有桂馥朱筆的跋說：

此吳江陸直之本也。余與直之同住潭西精舍，余將北上，已束裝矣，復以事小留，因取此本繙披一過，隨手標記，不及周審也。曲阜桂复

---

[14] 〔清〕桂馥：《晚學集》，頁 496-497。
[15] 沈寶春：《桂馥的六書學》（臺北：里仁書局，2004 年 6 月），頁 47。

記。乙卯七月十五日夜三鼓。[16]

文後有葉氏的說解：

> 此曲阜桂未谷明經馥，道州何蝯叟學使紹基手批乾隆四十三年樓松
> 書屋汪氏校刊《隸釋》、《隸續》六冊。桂先用墨筆，繼用朱筆。……
> 據天門蔣祥墀撰〈桂君未谷傳〉，以嘉慶十年卒，年七十。是明經生
> 于乾隆元年，乙卯為乾隆六十年，是時明經年六十歲矣，此其時手批
> 者。（頁266）

可知桂氏手批《隸釋》、《隸續》若是乾隆六十年（1795），而《義證》已
徵引到《隸釋》，卻未徵引到《隸辨》，那麼，我們似乎可以合理的推測，
《隸辨》一書的摘鈔，或許至少是在乾隆六十年後的事了，山東省博物館的
書目把它當作「遺箸」，應該是有它的道理在。

本來，顧藹吉寫《隸辨》一書是為「解經」而作，「因收集漢碑，間得
刊正經文」，所以他在〈序〉文中說：

> 采摭漢碑所有字，以為解經之助，有不備者，求之《漢隸字原》，準
> 以《說文》辨其正變，或省或加，靡不兼載，譌者非之，疑者闕之，
> 從古文奇字及假借通用者，隨字附之。[17]

但是，桂馥摘鈔的，大部分是屬於「假借通用」的，當然少部分涉及到文字
正變省加譌古的問題[18]，可見他是有主題有意識的作別擇去取的歸納匯整，
所以，它既不是全盤鈔錄，沒有意識的鈔錄一過的起點，也不是獨抒機杼、
脫胎換骨的撰述終點，而是介乎兩者之間，所以單用「鈔」或「抄」或「撰」，

---

[16] 葉啟勳：〈桂、何隸釋隸續評校〉，《金陵學報》，1931 年第 1 期，頁 9-10。詳參金陵
大學學報編輯社編：《金陵學報》（臺北：東方文化供應社，1979 年據中國期刊五十種之
第 27 種影印），頁 9-10（227）。

[17] 〔清〕顧藹吉：〈序〉，《隸辨》（臺北：臺灣商務印書館，1983 年影印文淵閣四庫全
書本），頁 1。

[18] 沈寶春：〈由《未谷遺箸二種》摘鈔顧南原《隸辨》談桂馥的書鈔〉，逢甲大學中國文學
系編：《第七屆中區文字學學術研討會論文集》（臺北：聖環圖書股份有限公司，2004 年 12
月），頁 35-49，附表二「桂馥摘抄《隸辨》與諸書篇互見表」。

都不如用「摘抄」、「摘錄」能把他用心取捨薈萃的底蘊表達傳述得完整貼切吧！

五　結語

　　如果我們推測合宜的話，桂馥摘鈔顧藹吉的《隸辨》一書是晚年「遺箸」的一種，而且是有主題有意識的鈔錄，那麼，它帶給我們的啟示則是，一為學人，則必須終身學習，至老不輟，這可不是一句空話喔！而紮紮實實的做學問，從鈔錄的過程當中，去加深印象，刻劃記憶，而不是浮光掠影，不著痕跡，使言行之間沒有落差，並且要持之以恆，蓄儲積澱，才有可能產生如鴨舌羹般的珍饈佳餚，他這種務實的態度與從基本做起的鈔書精神，與書卷長自相隨，困頓未嘗廢棄的執著態度，才是後學我們要崇敬和效法的吧！

原文發表於逢甲大學中國文學系主辦：「第七屆中區文字學學術研討會」，臺中：逢甲大學中國文學系，2004年12月4日，後收入逢甲大學中國文學系編：《第七屆中區文字學學術研討會論文集》，臺北：聖環圖書股份有限公司，2004年12月，頁27-49。（陳雅雯繕打／邱郁茹校對）

附圖一　《未谷遺箸二種》封面

（山東省博物館館藏稿本，作者拍攝）

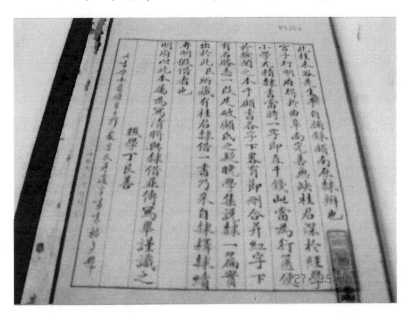

附圖二　桂馥摘錄顧南原《隸辨》丁艮善跋語

（山東省博物館館藏稿本，作者拍攝）

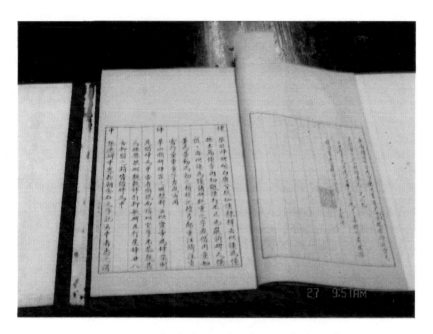

附圖三　桂馥摘錄顧南原《隸辨》

（山東省博物館館藏稿本，作者拍攝）

附圖四　桂馥《歷代石經》稿本

（山東省博物館館藏稿本，作者拍攝）

〈從古文字學方面來評判清代文字聲韻訓詁之學的得失〉補正
——談朱駿聲《說文通訓定聲》與《補遺》中的金文應用

一　前言

　　按于省吾先生曾在 1962 年《歷史研究》第 6 期中發表過一篇題為〈從古文字學方面來評判清代文字、聲韻、訓詁之學的得失〉[1]的論文，文中特以「古文字學」的觀點來評騭清代文字聲韻訓詁諸家的得失。遺憾的是，于氏的論據並不是從清代文字聲韻訓詁諸家應用「古文字」的角度切入，致使諸家應用「古文字」的良窳優劣也不能隨文立現，竊以為乃美中不足。於是在好奇心的趨使下，曾對清代說文四大家的段玉裁、桂馥、王筠等撰成〈論段玉裁《說文解字注》的金文應用〉、〈由桂馥《說文解字義證》的取證金文談「專臚古籍，不下己意」的問題〉與《王筠之金文學研究》諸書篇，而獨闕朱駿聲。然以文字聲韻訓詁三者兼備的觀點來看，無疑朱駿聲的《說文通訓定聲》與《補遺》似更具系統的代表性，況書中引據「古文字——金文」方面的資料並不多，頗能暗合此文字數的限制，故不揣冒昧窮陋，野人獻曝一番。

二　《說文通訓定聲》與《補遺》的金文應用

　　察朱駿聲撰的《說文通訓定聲》書成於清宣宗道光十三年（1833）[2]，

---

[1] 于省吾：〈從古文字學方面來評判清代文字、聲韻、訓詁之學的得失〉，《歷史研究》，1962年第 6 期，頁 135-145。

[2] 〔清〕朱駿聲：〈自敘〉，《說文通訓定聲》（武漢：武漢市古籍書店，1983 年 6 月影印湖北省圖書館藏清光緒八年〔1882〕臨嘯閣刻本），頁 6。

刻成於道光二十八年（1848）[3]，比王筠的《說文釋例》、《說文解字句讀》都寫得早；至於《補遺》一卷，則係晚年之作。而在這一百四十餘萬字與八百多條的補遺中，無不引證賅博，條例精確，將經史子集中的故訓材料有意識的加予系統組織化，所謂「題曰說文，表所宗也；曰通訓，發明轉注假借之例也；曰定聲，證《廣韻》今韻之非古而導其源也。」[4]是攸關文字聲韻訓詁三方面的，其目的正如〈自敘〉所說的「旁及六書，自攄一得。部標十八，派以析而支以分。母例一千聲為經，而義為緯，將使讀古書者，應弦合節，無聱牙詰詘之疑；治經義者，討葉沿根，有掉臂游行之樂。」[5]唯詳加細審，卻可發現其引據的一小部分例證和故訓是逸出傳統經籍範疇的，如下面列舉的：

1、龏，𪏆，愨也。从𠬝，龍聲。與恭略同。〈周頌敦〉銘：「皇考龏𠦏，皇母龏姑。」姑誤作始。——豐部弟一頁九（頁34）

2、敢，𣥑，𣪏、𣪊，進取也。从受，古聲。籀文作𣪏，古文作𣪊。按古、敢雙聲。或說从受从口十會意，手口相助，與亟同誼，亦通。籀文从又从月从殳，執殳冒而前也。古文从又从支从口从十會意。或曰字當从受，占聲，占、古形近而譌，存疑。《補遺》：「或曰甘聲，鐘鼎文皆作甘，如古籀文，蓋从到甘。」——謙部弟四頁三十七（頁138）；《補遺》頁一（頁1099）

3、友，𢛳，𦏻、𦏻，同志為友。从二又相交，友也。會意。《御覽》四百六引《說文》：「友，愛也。」按又亦聲。古文𦏻，按从二寸相竝，寫者形誤。又古文未詳，疑引《易》：「朋友講習」，傳寫闕脫習字，又誤入正篆為古文耳。……〔轉注〕《詩·吉日》：「或羣或友。」《傳》：「獸三曰羣，二曰友。」《補遺》：「當作𦏻，〈周追敦〉如是，不从

3 〔清〕段玉裁：〈序〉，〔清〕朱駿聲：《說文通訓定聲》，頁4。
4 〔清〕朱駿聲：〈奏〉，《說文通訓定聲》，頁1。
5 〔清〕朱駿聲：〈自敘〉，《說文通訓定聲》，頁6。

羽。」又「〔叚借〕《禮記・內則》：『不友禮于介婦。』此敢之誤字。敢，古鼎作𣪊；友，古或作𦮃。」——頤部弟五頁八十五（200）；《補遺》頁三（1101）

4、飤，𩚴，糧也。从人食。按糧者，食之訓。古書或借飤為食耳。《補遺》：「《博古圖》有〈齊侯飤敦〉，不足信。」——頤部弟五頁百二十五（220）；《補遺》頁五（1102）

5、液，𣽤，盡也。从水夜聲。……〔叚借〕為醳，實為釋。《考工・弓人》：「液門。」《注》：「液與掖同，古字通用。」又疊韻連語，〈北山經〉：「液女之水。」《注》：「音悅懌之懌。」非是。又託名幖識字，《史記・穰侯傳》「仇液」，《國策》作「郝」。周有〈叔液鼎〉，疑即八士之叔夜。——豫部弟九頁百六十（468）

6、也，𠃟、𠃊，女陰也。象形。秦刻石亦象形。按皆乁聲，許說此字必有所受，然是俗說，形意俱乖，知非經訓。此字當即匜字，後人加匚耳。……〔叚借〕為助語之詞。……亦與邪字通用，《論語》：「子張問：十世可知也？」又其從之也；《荀子・正名》：「其求物也，養生也，粥壽也。」又與兮通用，《毛詩》兮、也二字，他書所引或互易。《鐘鼎款識》載秦權一，秦斤一。權也字作𢖽，斤也字作殹。〈石鼓文〉：「汧殹洍洍。」殹、兮同聲，邪、兮、也一聲之轉。——解部弟十一頁二十一（519）

7、癸，𤼌、𤼆，兵也。象形。籀文从𨨪省，矢聲。戴氏侗曰：「古鼎文作𤽄。」按即戣，三鋒矛也。因為借義所專，復加戈旁。——履部弟十二頁百十六（606）

8、匜，𠤛，古器也。从匚𠥓聲。字亦作匜。太倉畢秋帆尚書曾得〈習鼎〉一，自是人名。此字从匚，殆非鼎屬。——履部弟十二頁百六一（628）

9、單，𤳈，大也。从吅甲，吅亦聲。闕。按大言也。从吅，羋省聲。《淮

南·天文》：「單閼。」《注》：「陽气推萬物而起高。」謂字从芊，故以推為說。《書·呂刑》：「明清于單辭。」按夸誕之辭。《後漢·朱浮傳》注：「單辭，無證據也。」《補遺》：「或曰鐘鼎文偏旁作𩵋、作𩵋。《穆天子傳》：『天子乃周姑繇之水以圜喪車，是曰囧單。』疑單有車義，从車省，吅聲。則《詩》『其軍三單』，或非殫盡之意，存疑。」——乾部弟十四頁七十九（740）；《補遺》頁三（1121）

10、憼，𢤲，敬也。从心从敬，會意，敬亦聲。按即儆之別體。《荀子·賦》：「憼革貳兵。」《注》：「與儆同，備也。」《補遺》：「〈齊侯鎛鐘〉『不戁弗憼戒』。」——鼎部弟十七頁二十七（862）；《補遺》頁一（1125）

11、霝，𩃭，雨零也。从雨，吅象零形。《詩·東山》：「霝雨其濛」，《毛詩》作零字，亦作霗。〔叚借〕為櫺，《廣雅·釋詁三》：「霝，空也。」又為靈，《廣雅·釋言》：「霝，令也。」〈齊侯鎛鐘〉：「霝命難老」，〈豐敦〉銘：「霝𠧢霝令。」——鼎部弟十七頁三十八（867）

12、羕，𧗿，水長也。从永，羊聲。《韓詩·喬木》：「江之羕矣。」毛作永。按永、羕實一字。《爾雅·釋詁》：「羕，長也。」〈夏小正〉「養日養夜」，以養為之。《補遺》：「〈齊侯鎛鐘〉：『羕保其身。』〈鄅子簠〉：『羕保用之。』」——壯部弟十八頁十一（頁885）；《補遺》頁一（1126）

在這十二條資料中，除了經籍故訓的材料外，尚引證到當時可資憑藉的古文字素材——金文。當然，以僅僅的十二條例證拿來跟《說文通訓定聲》與《補遺》的一百四十餘萬字與八百餘條比，比例甚微，幾乎淹沒在一片經林籍海之中。但比起段玉裁在《說文解字注》中也不過應用到八條金文的情況來說，數量上已略勝一籌了。

觀其徵引著錄金文的書籍，明指的祇有《博古圖》與《鐘鼎款識》（即

《歷代鐘鼎彝器款識法帖》）而已。詳列器目,有〈叔液鼎〉、〈舀鼎〉、〈周頌敦〉、〈周追敦〉、〈齊侯飤敦〉、〈嬰敦〉、〈鄅子簠〉、〈齊侯鎛鐘〉八器,其餘則使用「鐘鼎文」、「古鼎」、「古鼎文」的泛稱。察這八器的來源,〈齊侯飤敦〉自指出《博古圖》,但「不足信」,王國維《宋代金文著錄表》亦未著錄,其餘〈叔液鼎〉、〈嬰敦〉與〈齊侯鎛鐘〉三器同出《博古圖》與《鐘鼎款識》;而〈舀鼎〉、〈周頌敦〉、〈周追敦〉、〈鄅子簠〉四器則乃清人藏器。〈舀鼎〉自指出太倉畢秋帆（畢沅）尚書;〈周頌敦〉與〈周追敦〉則著錄於清仁宗嘉慶九年（1804）阮元所刊刻的《積古齋鐘鼎彝器款識》卷六中[6];而〈鄅子簠〉係山東濰縣陳壽卿（陳介祺）藏器。可見其徵引器銘,是宋、清二代平分秋色,似較喜有實證,能目驗者為主。而其徵引態度,是相當謹慎而小心的去別擇、懷疑和主張推演的,如說〈齊侯飤敦〉的「不足信」、疑叔液即八士之叔夜、疑單有車義,在論證推理上尚預留空間,而不武斷地下裁決,可窺其保留審慎的態度。

若再仔細探索這十二條資料中應用金文的情形,有的是前有所本的:如引〈叔液鼎〉證段借用法而疑即八士之叔夜。《歷代鐘鼎彝器款識法帖》卷九〈叔液鼎〉下云「叔液之名,攷諸前代,于經傳無所見,惟《語》記周有八士,則有叔夜焉,豈其族歟?」[7]是本之而來的;癸字乃據戴侗《六書故》卷二十九釋其本形為「三岐矛」[8],是兵器。唯戴氏古鼎文作「🗡」,朱氏卻作「🗡」,頗失真,然據以說癸字由來,卻頗有見地;也字條蓋本段玉裁《說文解字注》卷三區字與卷十二也字注而來[9],段氏已據秦權、斤、石鼓文與

---

[6] 〔清〕阮元:《積古齋鐘鼎彝器款識》（北京:中國書店,1996 年 3 月）,頁 20-22、13-14。

[7] 〔北宋〕薛尚功:《薛氏鐘鼎款識》（臺北:孫威賓,1967 年 10 月鳳吟閣據嘉慶二年〔1797〕阮元刊本）,頁 85-86。

[8] 〔南宋〕戴侗:《六書故》（臺北:臺灣商務印書館,1976 年據故宮博物院藏文淵閣本景印）,《四庫全書珍本》六集,卷二十九,頁 29-30。

[9] 〔東漢〕許慎撰、〔清〕段玉裁注:《說文解字注》（臺北:天工書局,1996 年 9 月）,頁 119-120、627-628。

〈詛楚文〉的詞例相證發，並驗諸經傳而談「也、兮、殹」三字通用的情形，而朱氏則進一步說明「殹、兮同聲，邪、兮、也一聲之轉」，而納入他的叚借系統中。𣂤字條則因段氏在《說文解字注》卷十二中疑臼為釋作「古器」的「𣂤」[10]，朱氏以其「字從匚，殆非鼎屬」，而言〈𣂤鼎〉的𣂤，「自是人名」，在批判中現出他的精識，尤以1977年發掘曾侯乙墓時，曾出漆木衣箱五件，上刻「狄𣂤」、「𣂤𣂤」、「之𣂤」、「後𣂤」等字[11]，可推知朱氏以「字從匚，殆非鼎屬」，確實有見。

餘如引鐘鼎文疑《說文解字》敢字的「古聲」為「甘聲」，《金文編》卷四[12]敢字所作正從甘或從口，引〈周追敦〉友字不從羽，疑《說文解字》古文作𦥑乃傳寫闕脫誤入者，今《金文編》卷三[13]所收友字作𠬝、𦥑、𦥑……諸形，而未見如《說文》古文者，故容庚言「乃傳寫之譌」，唯說敢古鼎作𣂤，則字形略有差失。至引單字鐘鼎文偏旁疑「單有車義」，已透過金文字形而懷疑《說文解字》訓「大」為本義或非，而提出新的主張。至如引〈齊侯鎛鐘〉證「懲」即「儆」之別體，今《金文編》卷八[14]「儆」下收〈中山王𧬞壺〉「以懲嗣王」的儆正从心。又引〈齊侯鎛鐘〉及〈畢敦〉銘以證龗借為「令善」之令；引〈齊侯鎛鐘〉及〈鄩子簠〉銘證永、羕實一字，率皆條條精確，不可移易。其中唯可商榷者，乃以〈周頌敦〉銘的「皇母龏姑」言「姑誤作始」，然字本作𡚉，與姑作𡚉，二者形構有別，始字金文作𡚉、𡛑、𡛚、

---

[10] 〔東漢〕許慎撰、〔清〕段玉裁注：《說文解字注》，頁202-203。

[11] 黃敬剛（文）、郝勤建（圖）：〈從曾侯乙墓衣箱、鴛鴦盒、木鹿雕飾看其禮制〉，《中華文化畫報》，2012年第5期，頁92云：「曾侯乙墓出土的漆木箱共8件，其類型有衣箱、酒具箱、食具箱三類（《曾侯乙墓》）。其中衣箱5件，都在曾侯乙墓東室出土。箱蓋與箱身用整塊木頭鑿製而成。從造型上看是矩形，蓋呈拱形，衣箱兩端與兩角設有把手。五件衣箱有兩件蓋頂上鏤刻有『𣂤（狄）𣂤』和『𣂤𣂤』；一件箱蓋頂上鏤刻有『止（之）𣂤』和『后𣂤』文字，還有一件衣箱刻有『紫檢（錦）之衣』。」詳見湖北省博物館、中國社會科學院考古研究所編：《曾侯乙墓》（北京：文物出版社，1989年7月），中國田野考古報告集：考古學專刊丁種第三十七號，上冊，頁352-354。

[12] 容庚編著：《金文編》（北京：中華書局，1989年8月），頁276-279。

[13] 容庚編著：《金文編》，頁192-193。

[14] 容庚編著：《金文編》，頁561。

釦、始諸形，見《金文編》卷十二[15]，亦即經籍中作姓氏用的「姒」字。朱氏所改，適得其反。

三　結語

　　當朱氏在建構文字形音義方面的理論體系時，大部分依據的是經籍材料，而在叢經密籍中，卻有十二條徵引到金文如吉光片羽般的閃現，讓我們在遺憾他不能全面且充分地汲取應用到所接觸的金文素材，進而壯碩堅實他的論據之餘，卻從蛛絲馬跡之中，窺探出他遭際金文，伸出觸角，謹慎而小心地徵引應用金文去處理文字形音義方面的精審態度，尤其在重目驗、能懷疑、證舊解、創新見方面，取得了較諸段玉裁略勝一籌的成績。然白璧微瑕，在辨釋敢、姑二字容或有未盡之處，整體說來，他應用金文在文字、聲韻、訓詁三方面，精準的程度還是值得肯定的。當然，于省吾先生為學深厚淵精，非後學所能置喙，唯如焦循〈答沈方鍾書〉所說「嘗謂友朋之益，不在揄揚，而在勘核。」對於我們尊敬的先輩，也理應如此吧！此本文之所由作。

　　　　原文發表於吉林大學古文字研究室編：《于省吾教授誕辰 100 周年紀念文集》（封面題名《于省吾教授百歲誕辰紀念文集》），吉林大學古籍研究所叢刊之十一，長春：吉林大學出版社，1996 年 9 月，頁 357-360；並發表於吉林大學主辦：「紀念于省吾教授百年誕辰暨中國古文字學研討會」，1996 年 11 月 22-25 日。（邱郁茹校對）

---

[15] 容庚編著：《金文編》，頁 802-803。

有溫度的學問——王叔岷先生論學書札管窺

一　前言

　　劉勰曾在《文心雕龍・書記》篇說：「書者，舒也，舒布其言，陳〔染〕之簡牘」，而「庶務紛綸，因書乃察」。[1]書札本是觀察一個人學養個性、性情襟懷相當私密且具針對性的載體，而論學書札似乎更容易觸摸到一個人的學術溫度和深廣度。書信中沁透出先生人格與學問的一致性，他的學問除寬度和厚度外，最重要的是有「溫度」，溫潤含藏的氣度，在「實事求是」的精神中，另將生活與學問調和得緊密紮實且優遊自在，挺立一種個性情懷的堅持，不慍不火的觀照反省。另外，先生對父親、對師長又充滿著孺慕之情，在「闡聖哲之奧義，作莊老之功臣」的同時，也不忘表彰師說，透露家學淵源，讓人瞭解其學問根柢之所在。最後，先生也不免感喟「仙源」的失落，世風的「膠膠擾擾」，更緬懷起「磅礡」的偉大學者，而先生「託風采」、「散鬱陶」所「獻酬」的「心聲」，撫今追昔，更令人觸情生慨矣！

　　余自一九八三年進臺灣大學中國文學系博士班就讀，先後或修或聽王叔岷先生講授的「校讎學」、「劉子新論」、「先秦道法思想」及「詩品」課程，建立起孺慕欽仰的師生情誼。[2]一九九一年完成學業由臺北移居府城臺南，

---

[1] 〔南朝梁〕劉勰著，林其錟、陳鳳金集校：《增訂文心雕龍集校合編》（上海：華東師範大學出版社，2010 年 12 月），頁 690、692。頁 693〈校記〉云：「『陳』，黃本、《御覽》作『染』。」並根據楊明照《文心雕龍校注拾遺》主張「染」字是，「為六朝文士所習用」。

[2] 王叔岷教授追思會籌備委員會：「先生雍容儒雅，待人溫厚，視學生如子女，凡經教誨者，無不如沐春風，一生感念。」此從其女公子王國瓔教授致筆者信中也可略窺一斑，信云：「寶春：家父獨居南港蔡元培館期間，我遠在海外，多虧你與幾位同學多次造訪，噓寒問暖，才不至於寂寞度日。每憶及這些情緣，總令我感激盈懷……。最近打開家父的衣櫥，看見一件挺率的灰色大衣掛在裡面，忽然想起，去年五月伴送家父赴成都之前，他曾經手撫著這件大衣，說：『這就是沈寶春送我的！是她特地從大陸帶回來的呢！』可惜數月前我應北京中華書局要求，為再版家父的回憶錄提供一些值得紀念的相關照片，竟然未曾聯想起來，乃至未能在撰文中說明，你與家父這段師生情誼的佳話。如今只好銘記在心中了。」

與王先生時有書信往返，從中得窺先生於生活瑣細處所蓄藏的學問深厚通化底蘊。金梅在為《傅雷談藝論學書簡》寫序中，嘗引傅先生一九五四年的家書談面對古今中外的文化藝術，要有能「通」能「化」的為學方式，並說：「一個人沒有性靈，光談理論，其不成為現代學究、當世腐儒、八股專家也鮮矣！為學最重要的是『通』。『通』才能不拘泥，不迂腐，不酸，不八股；『通』才能培養氣節、胸襟、目光；『通』才能成為『大』，不大不博，便有坐井觀天的危險。」又說：「化者，消化吸收也，提純昇華也。……不通不化，膠滯一點，固守一隅」，就無法達到博大精深、新見迭出的境界。[3]本文因篇幅所限，僅選取先生在一九九一年兩封私人論學書札為主軸，用在「杼軸乎尺素」的短小時空中，管窺蠡測其「抑揚乎寸心」的學術幽微孤光，從而嘗臠知鼎味以勾勒其通化且具溫度的學問肌理於萬一。

二　關於《簡陽王耀卿先生遺稿》校勘的書札

根據一九九一年三月廿三日夜先生所撰書鴻，係先生對贈余《簡陽王耀卿先生遺稿》[4]（以下簡稱《遺稿》）的「大膽」校勘呈覽後的回函。來函中展現出先生寬大的襟懷，長者的雅量與風範，以及篤實求真的態度，並由此觸發起沛然不可禦的思親之情與幼時課讀陶詩的迴想。書（見附圖二，標點格式按照原文）云：

> 寶春女弟：讀來書，既感且悲，手邊　先君遺稿尚存兩冊，所標諸譌字，已照改，謝謝厚意。　先君事親之孝，愛子之慈，^岷不及萬一，讀遺稿，不禁復涔涔淚下矣。二月廿夜（農曆元月初六）曾夢返回幼時，隨　先君在成都讀書，課^岷陶詩，醒後占絕句云：

（見附圖一）
[3] 金梅：〈《傅雷談藝論學書簡》序〉，《文學自由談》，2010 年第 2 期，頁 143。
[4] 王叔岷編輯：《簡陽王耀卿先生遺稿》（臺北：藝文印書館，1976 年 5 月）。

　　　　寒風颼颼雨絲絲，萬里鄉情展轉思。
　　　　夜夢依稀年尚幼，錦城隨父習陶詩。
　　錄奉　賢伉儷一覽，順祝

　　儷祺　　　　　　　　　　師　叔岷手復　三月廿三夜

信中先生已謙虛地指出「所標諸譌字，已照改」。唯去函無留底稿，今再重閱，推知當時的建議除「譌字」外，並不包括「標點」。時至今日，實用校勘學是將「標點」涵蓋在內的，林艾園說：

> 從校與點兩方面說，校勘是首要的，標點乃為其次。文字正確與否是關係書中的內容，標點則是對原書文字加句逗、標專名，使讀者便於閱讀。校勘可以不標點（但不等於不知句逗），而負責的標點則必須校勘。所以，正確之標點，必須與嚴密之校勘結合，並以校勘為基礎。
>
> 不然，標點出來的書，其中語句，從表面而言，文從字順，標點似顯屬完妥，而詳加推敲，則往往發現其存在訛誤。[5]

若以《遺稿‧整理先君耀卿公遺稿記》所述「先君態度謹嚴，思致精密，斟酌審定，一字不苟」[6]設思，求全責備是必所當然的，故將《遺稿》所涉「標點」及「譌脫」處一一標明，並略加考證如下：

（一）標點可商者

　　1、《遺稿》頁 21 末 3 行〈農曆四月初七日，為　父母忌辰。時抵成都，在少城公園濃陰茶社啜茗，茹素一日，以表追感之忱。口占五律一首。〉[7]詩云：「椿摧萱繼萎，中距廿餘年。流水悲今日，愁雲護滿天。息陰甘樹下。欲靜苦風前。茹素懷雙老，音容自宛然。」其中「息陰甘樹下。」的「。」

---

[5] 林艾園：〈前言〉，《應用校勘學》（上海：華東師範大學出版社，1997 年 7 月），頁 2。

[6] 王叔岷：〈整理先君耀卿公遺稿記〉，王叔岷編輯：《簡陽王耀卿先生遺稿》，頁 2。

[7] 此詩題書前所附〈王耀卿先生遺稿手蹟之一〉作：「（叔岷知悉，逐覆者）：農曆四月初七日，為　祖父母忌辰。父已抵成都，在公園濃陰啜茗，茹素一日，以表追感之忱。口占五律一首。」

號，語意並未完足，應作「，」為是。

2、《遺稿》頁36行5〈行述二首〉之一〈先嚴松茂公行述〉云：「光緒二年丙子，增榮生。越九年，乙酉，季弟增源生。厥後、戊子、庚寅、壬辰，胞妹三人次第生。」文中「戊子、庚寅、壬辰」與「胞妹三人次第生」正合轍相應，唯「厥後、」所標之「、」並無著落，當非用於並列連用的詞或與之間，似以標示「，」或逕刪削之為宜。

（二）譌字當改者

1、「己」當作「已」者

《遺稿・整理先君耀卿公遺稿記》頁1云：「忽接長子國簡來書，略謂『方由東北、西北服役兩年，期滿還鄉。祖父祖母己於三十九年、四十年在窮困中相繼逝世。』」此中「己」當為「已」字之誤，「已」有作「既」、「甚」、「也」、「矣」、「乎」、「夫」、「然」、「乃」、「以而」諸義，[8]但無作「己」義者，況文末頁5云：「（先君）卒年不可確知，或在民國三十九年杪，是年端節前一日岷尚奉到先君手書也。」可知作「既」解表過往時間的「已」字才適切；另如頁31行11〈聯語二十副・林樸山先生為季男全月完婚賀聯〉中：「己完婚嫁，清福不讓向平。」頁49〈與子書十二首〉之一首行：「前寄一函，想己收到。」行2：「孫女牛痘己免，精伶不讓阿兄。」三「己」字亦同此誤。而從頁52〈與子書十二首〉之五首行云：「前月兌回十萬圓，業已收到」，又頁53〈與子書十二首〉之七行1云：「來函已喻」、末3行：「故雖歷年已老，而貌則儼少年也。」可知書中作「既」解之「已」不用「己」，而「己」與「已」音義俱殊，分用劃然，雖形體稍異，但不可不別。

2、「潛」當作「潸」者

《遺稿・整理先君耀卿公遺稿記》頁3行2：「每念及此，潛然淚下」

---

[8] 王叔岷：《古籍虛字廣義》（臺北：華正書局，1990年4月），頁21-24。

中，「潛」當作「潸」，蓋形近致譌。《說文》：「潛，涉水也。一曰藏也。从水、朁聲。一曰漢為潛。」「潸，涕流皃。从水、散省聲。《詩》曰：『潸焉出涕。』」[9]《管子‧侈靡》：「餘氣之潛然而動，愛氣之潛然而哀。」注：「潛然，隱伏不見貌。」[10]《荀子‧宥坐》：「《詩》曰：『周道如砥，其直如矢……眷焉顧之，潸焉出涕。』豈不哀哉！」《漢書‧景十三王傳》：「潸然出涕。」蓋本《詩‧小雅‧大東》第一章，「潸，涕下貌」，[11]可證。

3、「住」當作「往」者

《遺稿》前「目錄」於詩題過長者，體例上皆略作簡括省略，如「目錄」頁 4 行 11 詩題作〈仲春叔岷還鄉詩以勵之〉，頁 14 行 3 則作〈仲春叔岷還鄉，言中央研究院季春遷住南京，詩以勵之〉，其中「遷往」或「遷住」若詩題完整則可透過對校而建立起判斷的基準，就一目了然了；但因詩題的省略，卻造成對校上的困難，也就沒有可依據的。還好《慕廬憶往‧二六、還鄉辭親》章首云：「一九四六年春，將隨史語所遷返南京，接淑妻、瓔女先回洛帶鎮辭別父母」，文中也收錄了「此絕句一首及序」，正作「往」字。[12]根據《中央研究院歷史語言研究所七十年大事記》「人事、制度及設備」欄記載可知，民國三十三年（1944）新聘「王叔岷」先生，民國三十五年（1946）十一月「本所遷回南京雞鳴寺路原址」。[13]中央研究院歷史語言研究所既為辦公研究室所在，「遷往」後接地名「南京」似乎更順理成章；若作「遷住」，

---

[9] 〔東漢〕許慎撰、〔清〕段玉裁注：《說文解字注》（臺北：藝文印書館，2005 年 10 月），頁 561、571。段引「毛云：『潸，涕下皃。』」並言：「『焉』，《韻會》作『然』。」

[10] 〔日〕安井衡纂詁：《管子纂詁》（臺北：河洛圖書出版社，1976 年 3 月），卷十二，頁 35。

[11] 李滌生：《荀子集釋》（臺北：臺灣學生書局，1984 年 9 月），頁 645。又屈萬里：《詩經詮釋》（臺北：聯經出版事業公司，1983 年 2 月），頁 390。〈小雅‧谷風之什‧大東〉則作：「睠言顧之，潸焉出涕。」註釋：「睠，音卷，反顧貌。言，語詞。潸，音刪，涕下貌。」

[12] 王叔岷：《慕廬憶往》（臺北：華正書局，1993 年 12 月），頁 56；又見王叔岷：《慕廬憶往──王叔岷回憶錄》（北京：中華書局，2007 年 9 月），頁 60。

[13] 大事記編輯小組：《中央研究院歷史語言研究所七十年大事記》（臺北：中央研究院歷史語言研究所，1998 年 10 月），頁 18、20。

則屬先生居所的既「遷」又「住」移動的過程描述，就應該在「研究院宿舍」的「峨嵋新村」了。[14]「遷往」與「遷回」義近，故「住」因與「往」形近致譌。

　　4、「胃」當作「喟」者

　　《遺稿》頁18行7〈重九日賦七律二首〉之一係為「追思譚君道心，一人長往，不預此會也」而作，行7首聯「例約登高感胃深，簪萸舊侶快聯吟。」其中「感胃」當作「感喟」。一如頁41末行〈鳳儀書院朱真人故址碑記〉中：「回憶濟濟人才，匆匆仙去，有不喟然歎及，悠焉憂之也乎。」或如頁48行4〈覆李霜如老先生書〉中云：「時局飄搖，故交零落，此中喟歎，想彼此有同情也。」又如頁51行2〈與子書十二首〉之三中：「茫茫禹甸，淪於部落，曷勝憀喟」，其中「喟然歎及」、「喟歎」、「曷勝憀喟」表「太息」之義皆作「喟」，不作「胃」。《說文》以「穀府」釋「胃」；以「大息」釋「喟」，[15]則此「胃」當為「喟」之誤。出土文物與傳世經籍中，「胃」可與「謂」通假，如：《戰國策·楚策四》：「迺謂魏王曰。」漢帛書本「謂」作「胃」。《戰國策·趙策四》：「太后明謂左右。」漢帛書本「謂」作「胃」。《戰國策·魏策三》：「臣聞魏氏大臣父兄皆謂魏王曰。」漢帛書本「謂」作「胃」。《戰國策·韓策一》：「公仲明謂韓王曰。」漢帛書本「謂」作「胃」。《史記·田敬仲完世家》：「蘇代謂田軫曰。」漢帛書本《戰國策》「謂」作「胃」。《老子》一章：「同之謂玄。」漢帛書甲本、乙本「謂」作「胃」。全書同。[16]或是〈吉日王午劍〉中「稱名」用「胃」代「謂」，而在信陽簡、包山簡及睡虎地簡中，「是胃」皆讀為「是謂」，也可參證。[17]唯不與「喟」相通假。

---

[14] 王叔岷：《慕廬憶往》，頁58；又見王叔岷：《慕廬憶往──王叔岷回憶錄》，頁63。

[15] 〔東漢〕許慎撰、〔清〕段玉裁注：《說文解字注》，頁170、56。按：《說文·口部》：「喟，大息也。从口，胃聲。嘳，喟或从貴。」

[16] 以上據高亨：《古字通假會典》（濟南：齊魯書社，1989年7月），頁488。

[17] 何琳儀：《戰國古文字典：戰國文字聲系》（北京：中華書局，1998年9月），下冊，頁1220。

雖然，在陸雲的〈張二侯頌〉有：「淵胃往藏，朗思來照。」句，其中「胃」釋為「心曲」，[18]《全上古三代秦漢三國六朝文》卷一百四則作：「淵謂往藏，朗思來照」，[19]「淵胃」對「朗思」，一深一廣，一內一外，照應綿密，「胃」實指「心曲」由內而外的言說呈現「語詞」，再轉折回來「往藏」的宛曲變化過程，本與「太息」無關。《楚辭・離騷》云：「依前聖以節中兮，喟憑心而歷茲。」王逸《注》：「喟，歎也。」「喟」既指心有所感而發出的嘆息聲，回頭看此詩既為「一人長往，不預此會」的「感胃」，深有王維〈九月九日憶山東兄弟〉：「遙知兄弟登高處，遍插茱萸少一人」之慨，則作「喟」比作「胃」妥貼矣！

5、「穗」當作「穢」者

《遺稿》頁20末2行〈自遣・道中口占〉詩：「何如彭澤宰，解組歸里巷。不為韁鎖羈，南山任清放。荷鋤理荒穗，漉酒洗心臟。」其中「荒穗」應作「荒穢」，典自陶淵明〈歸園田居五首〉：「種豆南山下，草盛豆苗稀。晨興（一作『侵晨』）理荒穢，帶（一作『戴』）月荷鋤歸。」先生所撰《陶淵明詩箋證稿》云：「『荒穢，』複語。禮記曲禮上：『地廣大荒而不治。』鄭玄注：『荒，穢也。』」[20]「穢」本指「雜草」；《說文》中「穗」是「采」的俗體，本指「禾成秀人所收者也」，[21]指的是穀禾能吐花結實，用來採收而非荷鋤清理，故作「穗」於音、形俱譌矣！

6、「稿」當作「橋」者

《遺稿》頁26行7〈季秋赴中興鎮，經大小二稿，收穀增感。〉詩題中，所經「大小二稿」，若依尾聯所云：「減租換約徒紛擾，往返攜筇大小橋。」

[18] 林尹、高明主編：《中文大辭典（第一次修訂版普及本）》（臺北：中國文化大學出版部，1990年9月），第七冊，頁1006-1007。
[19] 〔清〕嚴可均輯：《全上古三代秦漢三國六朝文》（北京：中華書局，1985年11月），卷一百四，頁2055。
[20] 王叔岷：《陶淵明詩箋證稿》（臺北：藝文印書館，1975年1月），頁110。
[21] 〔東漢〕許慎撰、〔清〕段玉裁注：《說文解字注》，頁327。

則知「往返」所「經」當是「橋」而非「稿」，詩題中的「大小二稿」，即詩中的「大小橋」，「稿」因與「橋」形近而致誤。

7、「與」當作「興」者

又《遺稿》頁26末4行〈和岷兒中秋對酒沈吟元均，絕句三首。〉之二詩云：「擲諸高閣惜春秋，八表同昏不盡愁。天下與亡匹夫責，後先憂樂在心頭。」此詩第三句典出顧炎武《日知錄》卷十三〈正始〉篇所提出的概念，所謂：「保國者，其君其臣肉食者謀之；保天下者，匹夫之賤，與有責焉耳。」[22]此種概念，推本溯源，或脫胎自《左傳・昭公二十四年》鄭伯見范獻子引《詩・小雅・蓼莪》篇，用來提醒「王室之不寧，晉之恥也」[23]，以及《列女傳》魯漆室女之思。[24]後來，經梁啟超在〈痛定罪言〉將它改成了「斯乃真顧亭林所謂『天下興亡匹夫有責』也」的八字句。[25]至於詩第四句，本諸漢劉向《說苑・談叢》「先憂事者後樂，先傲世者後憂」[26]，及宋范仲淹〈岳陽樓記〉「先天下之憂而憂，後天下之樂而樂」的名句而來。推察「與亡」雖有根據，但與第四句之「憂樂」不能相對。「與」與「興」形近，恐因此產生訛誤的。

8、「閏」當作「閏」者

《遺稿》頁39末2行〈行述二首〉之二〈先妣事跡述概〉中，言先妣游氏「生於遜清咸豐二年」，亡於「今歲甲申，增榮侍奉無狀，負疚實深，不幸于閏四月初七日，病終正寢，享壽九十有三。」其中「閏」字當為「閏」字之誤。根據《傳世賢文萬年曆》民國三十三年（1944）有閏四月，「閏四

---

22 〔清〕顧炎武著，黃汝成集釋，欒保羣、呂宗力校點：《日知錄集釋全校本》（上海：上海古籍出版社，2006年12月），中冊，卷十三，頁757。

23 楊伯峻：《春秋左傳注》（北京：中華書局，1981年3月），第四冊，頁1452。

24 〔西漢〕劉向編，張敬註譯：《列女傳今註今譯》（臺北：臺灣商務印書館，1994年6月），卷三，頁121-122。

25 梁啟超：〈痛定罪言〉，《飲冰室文集》（上海：中華書局，1936年1月），頁9。

26 〔西漢〕劉向編，向宗魯校證：〈談叢〉，《說苑校證》（北京：中華書局，1987年7月），卷十六，頁395。

月初七日壬辰」為國曆五月二十八日。[27]「清咸豐二年」為西元 1852 年，至「民國三十三年」為西元 1944 年，正合虛歲數壽「九十有三」，故此「閏」字蓋因與「閏」字形近，遂產生錯誤矣。

9、「米」當作「朱」者

《遺稿》頁 41 行 4〈鳳儀書院朱真人故址碑記〉前序云：「龍泉驛田亮熙先生，欲將鳳儀書院與朱真人故址，併鐫一碑，以存勝蹟。倩余撰記一篇，乞雷仲偉先生法書。案米真人，本唐時人，字桃椎。」又根據同頁行 7 文章之首言：「粵稽清代鳳儀書院，與唐時朱桃椎故里，地同幽，壤相接，皆龍泉鎮之勝蹟也。」觀察〈碑記〉既題作「朱真人」，文首亦作「唐時朱桃椎」，則所述為「朱真人」事蹟當是。然則〈序〉文中的「米真人」之「米」，當是「朱」字因形近致誤。「朱真人」事蹟見《新唐書》卷一九六〈隱逸傳·朱桃椎傳〉、《大唐新語》卷之九、《唐人說薈》第三冊、《太平廣記》卷二〇二。根據《大唐新語》的記載，「朱桃椎，蜀人也。澹泊無為。隱居不仕。披裘帶索，沈浮人間。竇範（軌）[28]為益州，聞而召之。遺以衣服，逼為鄉正。桃椎不言而退，逃入山中，夏則躶形，冬則樹皮自覆。凡所贈遺，一無所受。每織芒屩，置之於路，見者皆曰：『朱居士屩也。』為鬻取米，置之本處。桃椎至夕取之，終不見人。高士廉下車，深加禮敬，召之至，降階與語，桃椎不答，瞪目而去。士廉每加優異，蜀人以為美譚。」[29]有具體事蹟可徵，故〈序〉文中的「米」真人當為「朱」真人之誤證據確鑿。

（三）脫字者

[27] 金傳達：《傳世賢文萬年曆》（北京：氣象出版社，1998 年 8 月），頁 430。
[28] 「竇範」，《太平廣記》卷二百二作「竇軌」，《唐人說薈》第三冊作「竇規」。按，《新唐書》卷一百九十六〈隱逸傳·朱桃椎傳〉中以此為「竇軌」事，當以「竇軌」為是。此處蓋由避諱，改「軌」為「範」。見〔唐〕劉肅撰，許德楠、李鼎霞點校：《大唐新語》（北京：中華書局，1984 年 6 月），頁 161，〈校勘記〉（10）「竇範為益州」條。
[29] 〔唐〕劉肅撰，許德楠、李鼎霞點校：《大唐新語》，頁 156-157。

　　《遺稿・整理先君耀卿公遺稿記》頁 2 末兩行文云：「時^岷方八、九歲，猶憶先君縋城返家時，先妣為先君裹手傷，腹部似亦破裂流血，先君微作呻吟，生恐王父王母聞知。先君之純孝如此！　之弟兄皆早卒，一人漂泊遠方，兼有室家之累，生活常賴先君接濟。」乃先生追憶其父在「民國十二年（一九二三）春初」軍閥相爭，巷戰方熾之時，縋城取藥、不顧己身的至情至孝情景。文中「之弟兄」前的空格，應是脫自稱謙詞的小字「岷」。對於父母，先生一生充滿了孺慕之情，此從其號亦可窺知。先生嘗自述名「號」之所由說：「所謂慕廬，取大舜五十歲思慕父母之意（見《孟子・盡心篇》）。二十九年前，我在新加坡南洋大學中文系教書，年屆五十，久離家國，思慕父母之心甚切，因名所居為慕廬，亦以為號。南大中文系講師蔡寰青先生精於篆刻，為我刻慕廬圖章，沿用至今。」[30]此亦信札中如影隨形的「慕廬」印所由起，一脈相傳的「純孝如此」。

　　故《遺稿》雖經先生綿密整理過，但尚存「標點可商」、「譌字當改」及「脫字」三種情況，一經指出，先生皆能欣然接受，洵為後來為學之典範。

三　關於《史記・莊子傳》的書札

　　一九九一年十二月八日先生曾回書札，垂示有關《史記・莊子傳》的看法。原文如下（見附圖三，標點格式按照原文）：

寶春：

　　所詢有關史記莊子傳問題，奉答如次：

一、戰國時代，儒、墨相爭最烈，故往往儒、墨並稱。西漢時代，儒、老相爭最烈，司馬遷獨舉莊子漁父、盜跖、胠篋三篇以為詆訿孔子之徒，明老子之術，正代表當時儒、老相爭之風氣。傅斯年先

生曾說：「太史公時，老氏絀儒學，儒學絀老氏，故此數篇獨重。」

（傅孟真先生集中編戊史記研究）

二、所謂「畏累虛、亢桑子之屬，皆空語無事實。」即本庚桑楚篇首

「老聃之役有庚桑楚者，偏得老聃之道，以北居畏壘之山。」（壘，

本亦作絫，累乃絫之省。）畏累虛自是山名，亢桑子自是人名，

（亢桑複姓）惟史公所見庚桑作亢桑耳。（司馬貞所見本亦作亢

桑，亢音庚。）後人誤解畏累虛、亢桑子為篇名，史公何嘗誤邪！

草之作復，順祝

儷祺

　　　　　　　　師　叔岷　八十年十二月八日

（不必回信）

祇因去函沒留底稿，無法細表所「詢」為何事？但從回函來看，先生應是針
對所提問題的傳道解惑之作。第一個問題所欲解答的，是關於戰國、西漢時
期為因應當世而形成的學術熱點與取向的差異。《史記》卷六十三〈老子韓
非列傳〉中，在〈老子傳〉後〈莊子傳〉前司馬遷有一段結語說：「世之學
老子者則絀儒學，儒學亦絀老子。『道不同不相為謀』，豈謂是邪？」《索隱》
認為這是太史公「因其行事，於當篇之末結以此言，亦是贊也。」同卷〈莊
子傳〉中又以莊子「其學無所不窺，然其要本歸於老子之言。故其著書十餘
萬言，大抵率寓言也。作〈漁父〉、〈盜跖〉、〈胠篋〉，以詆訿孔子之徒，以
明老子之術。〈畏累虛〉、〈亢桑子〉之屬，皆空言無事實。然善屬書離辭，
指事類情，用剽剝儒、墨，雖當世宿學不能自解免也。」《正義》言「此《莊
子》三篇名，皆誣毀自古聖君、賢臣、孔子之徒，營求名譽，咸以喪身，非
報素任真之道也。」[31]

---

[31] 〔西漢〕司馬遷撰、〔南朝宋〕裴駰集解、〔唐〕司馬貞索隱、〔唐〕張守節正義：《史記》
（臺北：鼎文書局，1975 年），第三冊，頁 2143-2144。

先生說法蓋承襲自其師傅斯年先生的主張而略作總結轉化，若溯其源，可在《傅孟真先生集》第二冊〈中編戊・史記研究・老子申韓列傳第三〉中找到其發展的蛛絲馬跡，當傅先生詮釋「世之學老子者則絀儒學，儒學亦絀老子」時說：

> 老子儒學之爭，文景武世最烈。轅固生幾以致死（見儒林傳），武帝初年竇嬰田蚡王綰皆以儒術為竇太后所罷。及武帝實秉政，用公孫宏董仲舒言，黃老微矣。談先黃老而後六經，遷則儒家，然述父學，故于老氏儒家之上下但以道不同不相為謀了之耳。[32]

又於「作漁父盜蹠胠篋，以詆訿孔子之徒，以明老子之術。畏累虛亢桑子之屬，皆空語，無事實。」下云：

> 今本莊子，西晉人向秀所注，郭象竊之，附以秋水諸篇之注，而題為郭象注者（見晉書）。此本以外者，今並不存，但有甚少類書等所引可輯耳。子長所舉諸篇，在今本莊子中居外篇雜篇之列，而子長當時竟特舉之，蓋今本莊子乃魏晉間人觀念所定，太史公時，老氏絀儒學，儒學絀老氏，故此數篇獨重。司馬貞云，「按，莊子，畏累虛，篇名也，即老聃弟子畏累。」今本無此篇，僅庚桑楚云，老聃之役有庚桑楚者，遍得老聃之道以北居畏累之山。此與司馬子正所見不合矣，是子正猶及見與向郭注本不同之莊子也。[33]

此即是傅先生自道的：「將史記和經傳子籍參校，可以做出許多有意義的工

---

[32] 傅斯年：〈中編戊・史記研究〉，傅孟真先生遺著編輯委員會：《傅孟真先生集》（臺北：國立臺灣大學，1952 年 12 月），第二冊，頁 7-8；又見傅斯年：〈史記研究・老子申韓列傳第三〉，《傅斯年全集》（臺北：聯經出版事業有限公司，1980 年 9 月），第二冊，頁 70-71（總 0402-0403 頁）。

[33] 傅斯年：〈中編戊・史記研究〉，傅孟真先生遺著編輯委員會：《傅孟真先生集》，第二冊，頁 8-9。又見傅斯年：〈史記研究・老子申韓列傳第三〉，《傅斯年全集》，第二冊，頁 71-72（總頁 0403-0404）。《傅斯年全集》本已校正《傅孟真先生集》的譌誤，如「司馬子正」《傅孟真先生集》本作「司馬。正貞」。並在「今本無此篇」下加「。」號。

夫」。[34]文中應用了漢朝文、景、武世的歷史事實,並參酌了老、莊各家注釋,得出先生所引的「太史公時,老氏絀儒學,儒學絀老氏,故此數篇獨重」的證辭,而傅先生詮釋「世之學老子者則絀儒學,儒學亦絀老子」的說法,也於先生所撰的《史記斠證》中,以「孟真師云」[35]一五一十的呈現,不贊一辭,委婉地「述而不作」以表出繼承與推崇師說的情景。而先生除引用傅先生說法外,也根據《傅孟真先生集》談「墨家者流」係「出於向儒者之反動」,[36]以及由西漢時代儒、道的互絀對比中,回映出「戰國時代,儒、墨相爭最烈,故往往儒、墨並稱」的主張。此說暗從《孟子‧滕文公下》所說:「楊朱、墨翟之言盈天下。天下之言,不歸楊,則歸墨……楊墨之道不息,孔子之道不著……能言距楊墨者,聖人之徒也。」[37]將孔子之道與楊朱、墨翟之說對立起來;另外,則明用《韓非子‧顯學第五十》所說:「世之顯學,儒、墨也。儒之所至,孔丘也。墨之所至,墨翟也。」[38]可知韓非當世的戰國時代,儒、墨是顯學,這兩門對立的顯學,孔丘和墨翟是首創者,互相批判的砲火猛烈,而有關儒、墨爭鋒交互批評及學術思想取捨的不同問題,論述者多,在此就不贅及。先生最後也總結儒、墨發展情況說:「戰國時代,雖然諸子百家爭鳴,而儒、道、法、墨四家,為學術主流。墨家之學,重自

---

[34] 傅斯年:〈史記研究‧史記研究參考品類〉,《傅斯年全集》,第二冊,頁63(總0395頁)。

[35] 王叔岷:《史記斠證》(北京:中華書局,2007年7月),卷六十三,頁2035。又韓兆琦:《史記箋證》(南昌:江西人民出版社,2004年12月),頁3756,亦云:「王叔岷引孟真曰:『老子……用公孫弘、董仲舒言,黃老微矣。』」又云:「王叔岷引孟真曰:『談先黃老而後六經,遷則儒家,然述父學,故於老氏、儒家之上下,但以「道不同不相為謀」了之耳。』」

[36] 傅斯年:〈中編丙‧戰國子家敘論〉,孟真先生遺著編輯委員會:《傅孟真先生集》,第二冊,頁12;又見傅斯年:《傅斯年全集》,第二冊,頁99(總0431頁);王叔岷:〈壹、先秦諸子之興起〉,《先秦道法思想講稿》(臺北:中央研究院中國文哲研究所,1992年5月),頁4。

[37] 〔南宋〕朱熹:《四書章句集注》(臺北:大安出版社,1994年11月),頁379。

[38] 〔清〕王先慎:《韓非子集解》(臺北:華正書局有限公司,1991年10月),頁385。之後都將「儒墨」或「孔墨」對舉,如〔唐〕韓愈說:「孔子必用墨子,墨子必用孔子,不相用,不足為孔墨。」之類。

苦、犧牲，戰國以後，少有承繼人，其學說便衰微。而儒、道、法三家，自戰國以來，卻成為中國學術三大主流。」[39]墨學的衰頹，在於「自苦犧牲」精神的消亡，不禁令人生慨！王中江曾歸納目前戰國秦漢間〈簡帛中的思想史文本一覽表〉，可觀察到「墨家類」僅出現在三處：（1）河南信陽長臺關（1957 年出土）的〈申徒狄〉（書名依李零先生所定）；（2）銀雀山漢簡中的〈守法〉與《墨子》的〈備城門〉、〈號令〉等篇相似；（3）上海博物館藏楚竹書〈鬼神之明〉。[40]數量上比起儒、道兩家來說，是不夠普遍的，間接證實了墨學衰頹的推論。

　　至於先生所解答的第二個問題，是關於「畏累虛」和「亢桑子」是否為「篇名」所起的爭議，其主張明顯與《史記》三家注中的《索隱》及傅先生的懷疑有些微的差異。《索隱》云：「按：《莊子》『畏累虛』，篇名也，即老聃弟子畏累……郭象云『今東萊也』。亢音庚。亢桑子，王劭木作『庚桑』。司馬彪云『庚桑，楚人姓名也。』」《索隱》將「畏累虛」視作「篇名」；傅先生則懷疑此起於司馬遷未見「向郭注本」，遂與司馬貞所言不符，所謂：「今本無此篇，僅庚桑楚云，老聃之役有庚桑楚者，遍得老聃之道以北居畏纍之山。此與司馬子正所見不合矣，是子正猶及見與向郭注本不同之莊子也。」先生說法雖與《史記》三家注張守節《正義》[41]較近。並遵從師說從而發皇纂詳，既從校勘詁訓入手，解決名稱的差異，認定「畏累虛自是山名，亢桑子自是人名」，司馬遷就是根據《莊子·庚桑楚》篇的開頭幾句說的「老聃之役有庚桑楚者，偏得老聃之道，以北居畏壘之山」而來，《索隱》的看

---

[39] 王叔岷：〈拾、老、莊思想之評價〉，《先秦道法思想講稿》，頁 147。

[40] 王中江：《簡帛文明與古代思想世界》（北京：北京大學出版社，2011 年 3 月），頁 17。

[41] 〔西漢〕司馬遷撰、〔南朝宋〕裴駰集解、〔唐〕司馬貞索隱、〔唐〕張守節正義：《史記》，第三冊，頁 2144。《正義》云：「《莊子》云：『庚桑楚者，老子弟子，北居畏累之山。』成玄英云：『山在魯，亦云在深州。』此篇寄庚桑楚以明至人之德，衛生之經，若槁木無情，死灰無心，禍福不至，惡有人災。言《莊子》雜篇〈庚桑楚〉已下，皆空設言語，無有實事也。」

法基本上是錯誤的，並對《莊子》的篇章版本詳加論定，其說云：

> 史公稱莊子「著書十餘萬言」，今傳《莊子》三十三篇，所存不足七萬字；又謂「大抵率寓言」，今傳《莊子》內容尚相近。《莊子》有〈寓言〉篇，首述其書之內容云：「寓言十九」。（〈天下篇〉亦云：以寓言為廣。）正所謂「大抵率寓言也」。《莊子》原為若干篇，不得而知。〈漢志〉及《呂氏春秋·必己篇》高誘《注》，並稱《莊子》五十二篇。唐陸德明〈釋文敍錄〉稱晉司馬彪、孟氏注《莊子》，亦五十二篇。並云：「〈漢志〉五十二篇，即司馬彪、孟氏所注。」恐未必然。劉晝〈莊周傳〉稱莊周「著內外五十二篇」。承漢人說，或據司馬、孟氏《注本》為說，亦無可徵。今傳《莊子》三十三篇，乃郭象刪定之本。《淮南子·脩務篇》高誘注，稱「莊子作書三十三篇」。（清莊達吉本作「廿二篇」，廿乃世之誤）。蓋本作「五十二篇」，與《呂氏春秋》高《注》同。後人據郭本篇數妄改為「三十三篇」耳。史公所稱〈漁父〉、〈盜跖〉，並在今本雜篇；所稱〈胠篋〉，在今本外篇。所稱畏累虛，乃山名。（《索隱》：「按《莊子》，〈畏累虛〉，篇名也。即老子弟子畏累。」文有誤。參看《史記莊子傳斠證》）。亢桑子，乃老聃弟子。雜篇〈庚桑楚〉云：「老聃之役有庚桑楚者，偏得老聃之道，以北居畏壘之山。」（亢與庚，累與壘，並古字通用）。是其驗矣。《莊子》逸篇今可考者，有〈閼奕〉、〈意修〉、〈危言〉、〈游鳧〉、〈子胥〉（見日本高山寺舊鈔卷子本《莊子·天下篇》末郭象〈後語〉，〈釋文敍錄〉曾引之）、〈馬捶〉（見《南史·文學傳》）。六篇中〈閼奕〉、〈游鳧〉二篇之文，尚有存於今者。聞近人馬敍倫輯存《莊子》逸文一百二十八條，附氏所著《莊子義證》後。岷曾於古注、類書及其他古籍中輯存莊子逸文約一百六十條，（詳《莊子校釋》附錄一及〈莊子校釋後記〉。尚有未錄入者數條）時人論及《莊子》逸文，多謂岷承馬

> 氏之作，復有增益。實則岷至今尚未見及馬氏之作，僅知有其書而已。
> 42

　　先生引經據典，細數本末，解決了「亢桑子」和「畏累虛」人名與山名的問題後，並堅定體貼地叮囑「不必回信」，推想一是考量到余初任教職，備課壓力沉重又繁忙，二為諸說以當時所見文獻材料應是定論，毋須再辯，徒滋筆墨，三則後生晚輩於此既非專擅，力有未逮，況飛鴻往返，恐徒弄口鳴舌，勞費精神，有失嚴謹。故先生思慮之周，也於斯可見。

　　另外，在戰國竹書未大量面世之前，先生已透過傳世文獻的解讀，闢開先秦諸子論戰的熱烈場景，論述「《漢志·諸子略》所舉十家中，在戰國時代，儒、道、墨、法四家，聲勢最為浩大。儒墨、孔墨經常並稱。老子之言，經常被引用。莊子比較沉默。申不害、商鞅既有理論，又有政績，商鞅尤其政績卓著。墨家反儒，主張兼愛、薄葬、毀禮樂。《莊子·天下篇》批評墨家：『其道太觳（薄），自苦為極。』《淮南子·泰族篇》：『墨子服役者百八十人，皆可使赴火蹈刃，死不還踵。』此人之所難為。因此，墨家對後世之影響甚小。而儒、道、法三家，不僅對戰國當時，對後世無論政治、學術、文學、人生各方面之影響都非常大、非常深。大抵：儒家：重仁義、合人情，長於守成。流於迂腐或虛偽。道家：重道德、超人情，長於應變。流於消極或陰險。法家：重法術，矯人情，長於收效。流於殘酷或專制。」[43]以及先生在《先秦道法思想講稿》中〈叁、老子其人及老子書〉之〈五、老子與孔子的關係〉中，論述孔子、老子言行雖不同，而老子為前輩，孔子適周，問禮于老子，是合情合理之事。後世儒者尊孔觀念太強，又將老、莊視為異端，遂不承認有此事。「〈老子傳〉云：『世之學老子者則絀儒學，儒學亦絀老子。』

---

[42] 王叔岷：〈莊學管闚·著作〉，《莊子校詮》（臺北：中央研究院歷史語言研究所，1988 年 3 月），下冊，頁 1424-1425。至於校勘與詮釋部分，可參王叔岷：《莊子校詮》，中冊，頁 857。

[43] 王叔岷：〈壹、先秦諸子之興起〉，《先秦道法思想講稿》，頁 6。

司馬遷採孔子問禮於老子之故事入〈世家〉及〈列傳〉，就事記事，無當時學者偏蔽之見。後世論儒、道之學者，至今尚爭論不已，奈何！」[44]對於早期儒、道的涵濡交融關係，有很深刻的觀察和見解，此非常人所能及，並評論老子在戰國中期就名聲顯揚的情景說：

> 戰國中期（大約前三百年前後），莊子引用老子已多，《老子書》已普遍引用。到荀子（前三一七？─二三○？）直接批評老子，如〈天論篇〉：「老子有見於詘無見於信。」雖不恰當，（前已有說）。而《老子書》中關於屈之言論頗多，可證《荀子》所見《老子書》，與現今傳本相近，當然與帛書本更相近。則《老子書》之流傳已久。老子以自隱無名為務，實則其人其名非常顯揚。[45]

非止老子聲名顯赫，且與孔子彼此尊重甚或有師學的密切關係，即連是「不能歸入任何一家，任何一學派」，所謂「無家可歸」的莊子，「尊孔」和「抑孔」也有其深層涵意，以故先生曾在〈莊子與孔子〉一文中，說明「《莊子》書中對於孔子有揚有抑，寓意深遠，非庸儒所能了解」的問題，闡釋莊子之所以「揚孔」的原因，是在「實尊孔子」和「借重孔子（所謂重言）」；至於他「抑孔」的原因，則是「意在不執著孔子之言行」及汰「去聖迹」，[46]以致不落入形跡糟粕的掣肘和牽絆。所謂「〈齊物論〉中言及儒、墨自是而相非，莊子蓋欲破除儒、墨之執著是非，以闡發其齊物之義」[47]是也。

　　當然，先生曾說：「凡一學說之產生，必有其思想之淵源，時代之影響，及個性之發揮。」又說：「時代愈動亂，思想愈自由，好惡愈不一致。於是智識分子，各本於性習、觀感，容易產生各種新學說。」[48]又說：「戰國時期（前四○三─前二二一）教育發達，思想自由，人才眾多，諸子爭鳴。借用

44　王叔岷：〈壹、先秦諸子之興起〉，《先秦道法思想講稿》，頁 26-28。

45　王叔岷：〈壹、先秦諸子之興起〉，《先秦道法思想講稿》，頁 34。

46　王叔岷：〈陸、莊子思想之淵源・二、莊子與孔子〉，《先秦道法思想講稿》，頁 77-82。

47　王叔岷：〈陸、莊子思想之淵源・二、莊子與孔子〉，《先秦道法思想講稿》，頁 105。

48　王叔岷：〈壹、先秦諸子之興起〉，《先秦道法思想講稿》，頁 1、2。

曹植〈與楊德祖書〉中兩句話作比喻：『人人自謂握靈蛇之珠，家家自謂抱荊山之玉。』各有各之個性，各有各之特長，都很自負。」[49]但以現今可見的「簡帛思想史文本」來看，前此被馴化凝固的說法可能會有些動搖，如王中江指出的，「東周時代的『子學』雖然非常興盛，但根據迄今所看到的文獻，當時還沒有司馬談和司馬遷父子所說『儒家』、『道家』等六種學派（『六家』）的名稱，也沒有《漢書·藝文志》記載的九種學派或十種流派的劃分。『六家』和『九家十流』的劃分及其稱謂都是漢代的產物，這是一個事實。」[50]所以戰國時代百家爭鳴，各以「性習觀感」各抒懷抱的結果，造就那時代燦爛的一頁，也回應了先生「各有各之特長」的說法。

　　無論如何，在先生的論述中，不難發現到傅先生的影子，以故先生在一九九四年映照當世學風，感觸良深，曾來一封書札（見附圖四）言及：

　　寶春：

　　　　中午由台北返回史語所，即收到寄贈

　　傅斯年先生傳記，[51]至為感慰！所述事蹟，皆

　　歷歷可據。　傅先生乃我最尊敬愛慕之老師，

　　一生舍己為人，正氣磅礡，誠不世出之偉大學

　　者，不可再得矣！台灣學術界對　傅先生似

　　已淡忘，奈何！

---

[49] 王叔岷：〈壹、先秦諸子之興起〉，《先秦道法思想講稿》，頁 5-6。

[50] 王中江：《簡帛文明與古代思想世界》，頁 17。他歸結戰國秦漢簡帛中所反映出的思想史面貌是：「在新發現的簡帛『六藝』和『子學』古書中，我們可以看出幾個特點：一是簡帛『六藝』古書較少，其中主要有《周易》（有帛書本和上博簡本，還有殘缺的《歸藏》），此外還有《詩》和《儀禮》等；二是在子學中，涉及核心人物的主要是《論語》和《老子》，特別是《老子》的不同版本最為引人注目，此外還有《莊子》中〈盜跖〉的殘簡；其他子學重要人物孟子、荀子、墨子、韓非的簡帛古書都未見；三是儒、道兩家簡帛古書數量較大，這說明東周時代儒道兩家的思想譜系比較廣泛；四是兵家古書也較多。」說法可參。個中是否牽涉到南北方學術風向的差異，有否考慮地域因素的摻入，頗值得進一步細究。

[51] 按：當年所寄傅先生傳記，應是指岳玉璽、李泉、馬亮寬：《大氣磅礡的一代學人傅斯年》（天津：天津人民出版社，1994 年 3 月）。

您之新著「論段玉裁說文解字注的金文應

用」，閱觀細析，論證精密，甚善甚善！

近賦小詩，附錄一覽：

戾氣

膠膠擾擾蕩心魂，誕信相譏不憚煩。

只道安居塵垢外，無端戾氣蔽仙源。

草草不盡，順祝

儷祺

師　叔岷草復

八十三年十二月二日

信中推崇傅先生「乃我最尊敬愛慕之老師」，「舍己為人」、「正氣磅礴」，
洵為如此，而從先生的著作引述中，也可略窺傅先生他在先生學術與心目中
的影響力道了。

四　結語

從上述三封信來看，先生人格與學問的一致性可充分地體現出來，他的
學問除寬度和厚度外，最重要的是有「溫度」，溫潤含藏的氣度。

先生本以校讎名家[52]，撰有《斠讎學》一書，[53]曾說過：「我是一個最重
情感的人，《斠讎學》重在實事求是，是怎麼就是怎麼，絕不能加上一點情
感的。」[54]又說：「討治古書，欲貫通義理，必先充實字句之校勘、詮釋，方

[52] 書報或以如斯的標題來定名者，如〈以校勘古書為樂的王叔岷〉可見一斑，應平書：《學人風範》（臺北：中華日報社，1980 年 12 月），中華日報甲種叢書之八十五，頁 213-216。

[53] 王叔岷：《斠讎學》（臺北：台聯國風出版社，1972 年 3 月），是書係 1959 年 8 月初版，1995 年 6 月修訂一版。

[54] 王叔岷：〈我與斠讎學（演講稿代序）〉，《斠讎學（補訂本）》（臺北：中央研究院歷史語言研究所，1995 年 6 月），頁 1。

不落入浮汎。然充實校勘、詮釋亦大不易，有時一字一詞，考慮終日，未能下筆。蓋治學愈久，所疑愈多，愈知其難。」[55]也因為校讎是個基本功，「此雖小道，有類糟粕土苴，然誠堅實有力之學也。」[56]但是他也體認到「小大兼顧、弘纖並照」的艱難，說：「研讀古籍，必自字句之校勘、詮釋始，未敢輕言微言大義。夫自細視大者不盡，自大視細者不明，（〈秋水篇〉）視小者弊在破碎，破碎故不能盡大；視大者弊在疏略，疏略故不能明細。何況小亦未必能盡，大亦未必能明邪！治學欲小大兼顧，弘纖並照，誠大難也！」[57]以故課堂上常舉《夢溪筆談》所載宋綬說的：「校書如掃落塵，一面掃，一面生，故有一書每三四校，猶有脫謬。」[58]來告誡諸生，這就可以理解為何當後生晚輩的我在閱讀《遺稿》時提出的修正意見，先生竟不以為忤，完全包容和接受，虛懷若谷，其謙抑非常人所能及，並也體現了「實事求是」的精神，實在令人感佩！

另一方面，先生除能將生活與學問調和得緊密紮實且優遊自在，學問中自有一種個性情懷的堅持，不慍不火的觀照反省外，其對父親、對師長又充滿著孺慕之情，感恩戴德，令人動容，在「闡聖哲之奧義，作莊老之功臣」的同時，也不忘表彰師說，透露家學淵源，讓人瞭解其學問根柢之所在。嘗自道奉行的圭臬一如其父，說：「先君為人，體儒家之誠篤，兼道家之通達。岷此生亦庶幾秉此為圭臬。」[59]先生洵能「誠篤」與「通達」兼具，此在一九九一年先生闡釋《史記・莊子傳》及一九九四年談傅斯年傳的書札中，處理的雖然是先生擅長的老、莊與《史記》的「小」問題，但透過小問題而推闡出整個學術的風貌，不落陳說，轉出新義，正呼應著這兩方面的涵攝交濡

---

[55] 王叔岷：《莊子校詮》，上冊，頁 22。
[56] 王叔岷：〈原序〉，《斠讎學（補訂本）》，頁 20。
[57] 王叔岷：《莊子校詮》，上冊，頁 23。
[58] 〔北宋〕沈括著，胡道靜、金良年、胡小靜譯注：《夢溪筆談全譯》（貴陽：貴州人民出版社，1998 年 12 月），頁 837。
[59] 王叔岷編輯：《簡陽王耀卿先生遺稿》，頁 5。

無間。雖然,最後先生也不免感喟「仙源」的失落,世風的「膠膠擾擾」,更緬懷起「磅礴」的偉大學者,而先生「託風采」、「散鬱陶」所「獻酬」的「心聲」,也更令人感佩懷念矣!

原文發表於「王叔岷先生百歲冥誕國際學術研討會」,臺北:國立臺灣大學中國文學系,2014 年 5 月 24-25 日,後收入國立臺灣大學中國文學系編印:《王叔岷先生百歲冥誕國際學術研討會論文集》,2015 年 5 月,總頁 53-76。(龐壯城校對)

國 立 台 灣 大 學
中 國 文 學 系
DEPARTMENT OF CHINESE LITERATURE
NATIONAL TAIWAN UNIVERSITY
TAIPEI, TAIWAN

寶春：

　　家父獨居南港蔡元培館期間，我遠在海外，多虧你與幾位同學多次造訪，噓寒問暖，才不至於寂寞度日。每憶及這些情緣，總令我感激盈懷…。

　　最近打開家父的衣櫥，看見一件挺率的灰色大衣掛在裡面，忽然想起，去年五月伴送家父赴成都之前，他曾經手撫著這件大衣，說：「這就是沈寶春送我的！是她特地從大陸帶回來的呢！」可惜數月前我應北京中華書局要求，為再版家父的回憶錄提供一些值得紀念的相關照片，竟然未曾聯想起來，乃至未能在撰文中說明，你與家父這段師生情誼的佳話。如今只好銘記在心中了。

　　　　　　　遙頌
福安

　　　　　　　　　　　國瓔

附圖一　2008 年王國瓔教授來函

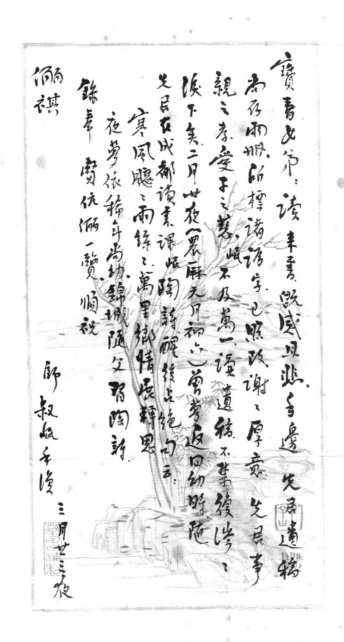

附圖二　1991 年 3 月王叔岷先生來函

寶春：

所詢有關史記莊子傳論題，奉告數次。

一、戰國時代，儒、墨相爭最烈，故往往儒、墨並稱，兩漢時代，儒、老
相爭最烈，司馬遷獨尊老莊以詆孔文、道班、膝篋三篇比屬詆訕孔子
立論明老子之術正卯表當時儒、老相爭之風氣，傳斯字先生
嘗說：「夫史記時老氏絀儒學絀老氏，故此數等稱老」
（傅主要失老傳中納戊史記訓孔克）

二、所謂是非處，先秦此文之屬啓宝誤無事實，所本廣等接多借音
「老耽之後有庾桑者偏得老耽之相以此居晨觀之曲」（顥、李雨作
晶晶晶人屬之亥）是晶虚自是山尾先秦之自是人名（先秦諸姐）後人誤
惟失今所見廣督如此醫單（司馬貞所見本尔作庾桑苑音鋤）移人誤
解昃晶舊、老翯之名者，尖好不妄誤羅。

草率復順祝

儷祺

（不必回信）

師叔岷 八十年十二月八日

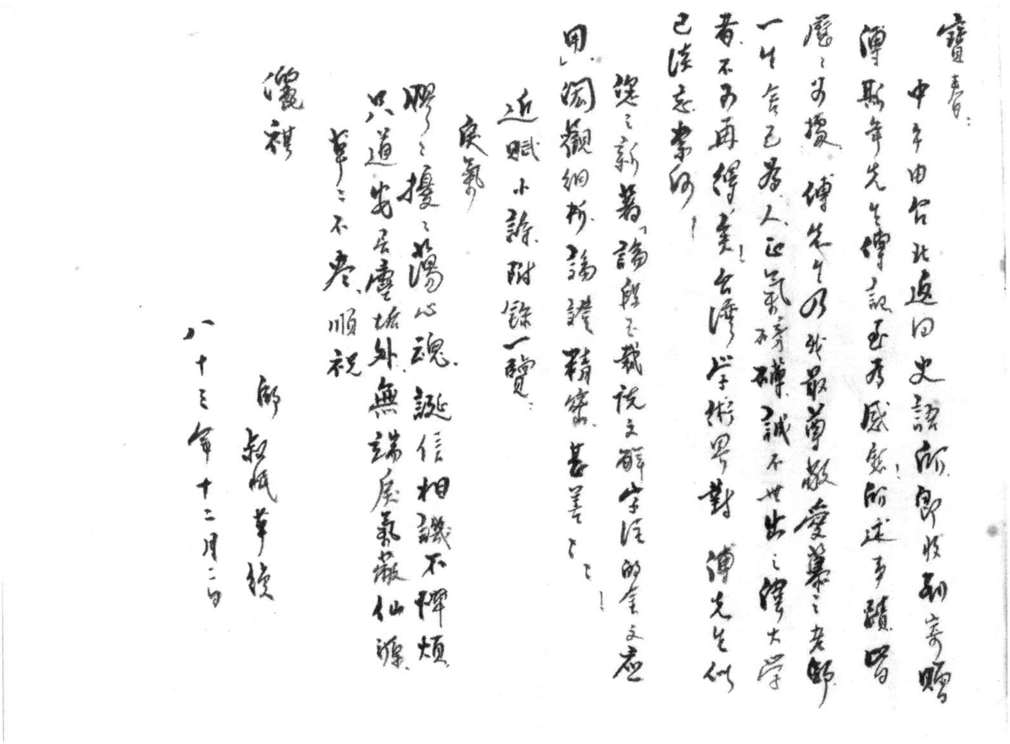

寶書：

中午由台北返回史語所即收到寄贈

譚斯年先生傳記並承感愚所述多題暗

歷之事撰，傅先生乃我最尊敬愛慕之老師

一生含忍為人正氣磅礡誠不世出之台大學

者不可再得，美台灣學術界對譚先生似

已漸去忘卻！

從之新著「論叢」載說文解字注的金文處

用、例觀細析論證精密甚善之。

近賦小詩附錄一寶

寒氣

聊之擾之湯以魂，誕信相識不憚煩

只道先居塵外無端屑氣嚴仙源

苐之不盡，順祝

儷祺

弟 叔岷草復

八十三年十二月二日

附圖四　1994 年 12 月王叔岷先生來函

237

王叔岷先生小學管窺

一　前言

　　大家熟知傳統廣義的「小學」是涵蓋文字、聲韻和訓詁之學的。但王叔岷先生一生雖勤於著述,「除詩作及回憶性等可歸入文學創作的書籍 9 部[1]之外,出版的學術性專書 24 部、單篇論文 245 篇,論文扣除非學術性及收入專書者外,實際出版的單篇學術論文有 52 篇」,若依出版時間來序列其專書 24 部,共有:《莊子校釋》(1947)、《列子補正》(1948)、《呂氏春秋校補》(1950)、《郭象莊子注校記》(1950)、《斠讎學》(1959)、《劉子集證》(1961)、《顏氏家訓斠注》(1964)、《諸子斠證》(1964)、《陶淵明詩箋證稿》(1975)、《世說新語補正》(1975)、《文心雕龍綴補》(1975)、《莊學管窺》(1978)、《古書虛字新義》(1978)、《慕廬演講稿》(1981)、《史記斠證》(1983)、《校讎別錄》(1987)、《慕廬雜著》(1988)、《莊子校詮》(1988)、《古籍虛字廣義》(1990)、《鍾嶸詩品箋證稿》(1992)、《先秦道法思想講稿》(1992)、《列仙傳校箋》(1995)、《左傳考校》(1998)、《慕廬雜稿》(2001)、《慕廬論學集》(2007),而歸納其「論著涉及的學科屬性,若依《四庫全書總目》的分類,則屬『經部』者有:《尚書》、《左傳》、《論語》、《孟子》、斠讎學、『虛字研究』等。屬『史部』者有:《晏子春秋》、《史記》、《漢書》等。屬『子部』者有:《老子》、《莊子》、《列子》、《文子》、《管子》、《墨子》、《慎子》、《鶡冠子》、《荀子》、《韓非子》、《商君書》、《申子》、《呂氏春秋》、《淮

---

[1] 指先生所作《南園雜詠》(1981)、《舊莊新詠》(1985)、《寄情吟》(1990)、《倚紅小詠》(1992)、《論詩別錄》(1993)、《落落吟》(1993)、《慕廬憶往》(1993)、《隨感吟》(1997)、《慕廬餘詠》(2001),詳見楊晉龍:〈引導與典範:王叔岷先生論著在臺灣學位論文的引述及意義探論〉,《王叔岷先生百歲冥誕國際學術研討會論文集》(臺北:國立臺灣大學中國文學系,2015 年 5 月),總頁 99。

南子》、《列仙傳》、《劉子》（北齊劉晝）、《顏氏家訓》、《世說新語》、《中說》（隋代王通）及先秦道法思想等。屬『集部』者有：陶淵明詩、《文心雕龍》、《詩品》、謝靈運詩、左思詩、曹植詩、林逋詩、《紅樓夢》等」[2]。有趣的是，先生橫跨一甲子的著述歲月，內容雖涵蓋四部，但有輕重也有本末，顯然可見他獨鍾「子部」，用力最勤在「史部」，情性所寄在「集部」，而一生經驗則薈萃在「經部」。但針對傳統廣義的「小學」科目，先生並沒有專著行諸於世，那如何談先生的「小學」呢？

自魏朝荀勖《中經新簿》將「小學」歸入「甲部」，劉宋王儉《七志》則劃入「經典志」，從《隋書‧經籍志》到《四庫全書》著錄則納入「經部‧小學類」的範疇，此人盡皆知，毋庸贅及。故欲探究先生「小學」的堂奧宏廡，非自其「經部」論起則莫由。唯自臺灣大學為先生舉辦多次會議，纂輯成《王叔岷先生八十壽慶論文集》、《王叔岷先生學術成就與薪傳論文集》、《王叔岷先生百歲冥誕國際學術研討會論文集》，先後收錄李隆獻〈王叔岷先生的左傳研究〉、洪國樑〈王叔岷先生古籍虛字廣義對經傳釋詞一系虛字研究著述的繼承和發展〉、胡楚生〈校讎與義理——王叔岷教授《莊子校詮》讀後記〉、黃沛榮〈王叔岷先生有關《說文》引經問題之創見〉、趙飛鵬〈王叔岷先生《斠讎學》述略〉諸文[3]，對王先生經部撰書都有相當深入的探究。本來先生一貫主張「虛實一體」，所謂「由實入虛救破碎，虛由實得非空虛」，也唯有如此，才能理直氣平，道理講得坦然自在，通透無礙。而回顧唐韓愈在〈科斗書後記〉說：「思凡為文辭，宜略識字。」宋鄭樵也在《通志‧六書略‧六書序》呼籲：「經術之不明，由小學之不振。」清儒戴震〈六書論序〉更說：「經之至者道也，所以明道者其詞也，所以成詞者字也。由字以

---

[2] 楊晉龍：〈引導與典範：王叔岷先生論著在臺灣學位論文的引述及意義探論〉，《王叔岷先生百歲冥誕國際學術研討會論文集》，總頁84、98。

[3] 王叔岷先生八十壽慶論文集編輯委員會：《王叔岷先生八十壽慶論文集》（臺北：大安出版社，1993年6月）；國立臺灣大學中國文學系：《王叔岷先生學術成就與薪傳論文集》（臺北：國立臺灣大學中國文學系，2001年8月）。

通其詞，由詞以通其道，必有漸。」張之洞也說：「由小學入經學者，其經學可信。」章太炎更主張：「今欲知國學，則不可不先知語言文字之學。此語言文字之學，古稱『小學』。」「蓋文字賴以傳者，全在於形。」[4]這些主張，大家也都耳熟能詳。那麼，站在這些古人名家的支撐點上，若欲探究先生「小學」的面目於一二，似可從「小學」的基礎點「文字」來加予切入，也即是從文字的形音義去立根尋變，故此文先從先生在《斠讎學》一書所論文字例舉，次從先生所校經史子集四部中攸關「鶴」字校語，試圖從一點一面來追索影蹤，以窺見先生的「小學」風貌於萬一矣！

二 《斠讎學》所論「斠」字舉隅

先生學博識深，宮牆萬仞，本極難盡說其堂奧，若勉力為之，似可從先生《斠讎學》一書所論文字稍稍窺見端倪。先生以校讎名家，並認為「訂正字句」是校讎之所重，曾在《斠讎學・我與斠讎學（演講稿代序）》中說：

> 所謂《斠讎學》，簡單地說，就是訂正古書字句之學。概括地說，是恢復古書本來面目之學。本來面目，包括作者（是否）、書名（異同）、版本（早晚）、篇目（先後）、篇數（多少）、篇名（原貌）、字句（變異）、章節（竄亂）、篇第（分合）、散佚（包括殘缺）、真偽等。[5]

並推究斠讎鼎盛時期的情況以及自己從事斠讎的淵源本末說：

> 斠讎之業，盛於乾、嘉，高郵王氏，允推巨擘。後之學者，唯在材料

---

[4] 〔唐〕韓愈：《韓昌黎全集》（上海：世界書局，1935年12月），頁210；〔南宋〕鄭樵：《通志》（北京：中華書局，1987年1月），卷三十一，志四百八十七；〔清〕戴震：〈與是仲明論學書〉，《戴震文集》（臺北：華正書局，1974年10月），頁145；〔清〕張之洞：〈國朝著述諸家姓名略總目〉，〔清〕張之洞、范希曾補正：《書目答問補正》（上海：上海古籍出版社，2001年7月），頁258；章太炎：〈論語言文字之學〉，《國學講習會略說》（東京：秀光社，1906年9月）；許錟輝：《文字學簡編》（臺北：萬卷樓圖書有限公司，1999年3月），頁4-6。

[5] 王叔岷：《斠讎學（補訂本）》（臺北：中央研究院歷史語言研究所，1995年6月），中央研究院歷史語言研究所專刊之三十七，頁1。

上求勝而已，工力迄未能逮也。岷之留意整理故籍也，自讀王氏《讀書雜志》、《經義述聞》開始。十八年來，涉獵漸廣，體悟日深，於王氏治學方法之縝密，態度之謹嚴，陳義之精審，愈益歎服焉！岷之從事斠書也，自斠《莊子》始。[6]

可知先生「從事斠書」是「自斠《莊子》始」，而先生之所以斠《莊子》，殆因初見傅斯年先生談到自己喜歡讀《莊子》時，傅先生的提引告誡說：

傅先生忽又嚴肅地說：「研究《莊子》，要從校勘、訓詁入手，才切實。你要把才子氣洗乾淨，下苦工，三年內不許發表文章。」我乍聽很不自在。勉強接受傅先生的教訓，初由愛好文學轉向考據，頗感枯燥乏味，既而參考前賢及近人研究《莊子》的成果，探討王念孫、引之父子校釋古書的方法，更收輯直接間接相關資料，漸漸領會到研究《莊子》，甚至研究一切古書，從校勘訓詁入手，是最切實的基礎工作。[7]

傅先生要先生「從校勘、訓詁入手」，對先生的啟發良多，影響深遠，也讓先生體會到「研究一切古書，從校勘訓詁入手，是最切實的基礎工作」。基於此，本文就先談談先生對「校」、「斠」、「挍」、「較」、「榷」諸字的分析和確立，以見其不同流俗之處。關於「校」、「斠」、「挍」、「較」、「榷」諸字，先生在《斠讎學·釋名》一章有很清楚的表述，列為「可注意者二事」之一：

校讎字作挍，俗字也。《周禮》夏官校人《釋文》云：「校字從木。若從手旁作，是比挍之字耳。」唐張參《五經文字》手部云：「挍，經典及《釋文》或以為比挍字，案字書無文。」《說文》有校無挍，但校之本義為「木囚。」實非校讎本字；段玉裁於校字《注》云：「比校（今本作挍）字古蓋無正文，較、榷等皆可用。」又於較字《注》云：「凡言校讎，可用較字。」但榷之本義為「水上橫木，所以渡者。」

[6] 王叔岷：〈序〉，《斠讎學》（臺北：台聯國風出版社，1972 年 3 月），中央研究院歷史語言研究所專刊之三十七，頁 1；又王叔岷：〈原序〉，《斠讎學（補訂本）》，頁 15。
[7] 王叔岷：〈我與斠讎學（演講稿代序）〉，《斠讎學（補訂本）》，頁 3。

較之本義為「車騎上曲鉤。」亦非校讎本字。校讎字蓋當作斠,《說文》:「斠,平斗斛量也。」段《注》:「〈月令〉:『角斗甬,正權槩。』鄭《注》:『角、正皆謂平之也。』角者斠之叚借字。今俗謂之校,音如教。因有書校讎字作此者,音義雖近,亦大好奇矣。」(《史記·商君列傳》:「平斗桶,」可證〈月令〉角字與平同義。)校、權、較諸字,與校讎之義無涉,雖皆可用,實叚借字也。斠字音義既近,則校讎字自當(可)作斠,不得(似不必)謂之好奇矣。(清錢培《說文斠詮》、《新斠注地理志》即用斠字,本書名斠讎學,亦以此故。)[8]

先生前文論「校」[9]、「挍」[10]、「較」、「權」說不可移。唯引文中的「清錢培《說文斠詮》、《新斠注地理志》即用斠字」中的「培」當作「坫」,蓋因形近而譌。根據《清史稿》卷四八一的記載:「(錢)坫,字獻之……與洪亮吉、孫星衍討論訓詁輿地之學,論者謂坫沉博不及大昕,而精當過之……著《史記補注》百三十卷,詳於音訓及郡縣沿革、山川所在。陝甘總督松筠重其品學,親至臥榻問疾,索未刊著述,坫取付之。曰:『三十年精力,盡於此書矣!』(嘉慶)十一年,卒,年六十六。又有《詩音表》一卷,《車制考》一卷,《論語後錄》五卷,《爾雅釋義》十卷,《釋地》以下四篇注四卷,《十經文字通正書》十四卷,《說文斠詮》十四卷,《新斠注地理志》十六卷,《漢書十表注》十卷,《聖賢冢墓誌》十二卷。」[11]是錢坫撰有《說文斠詮》十四卷,《新斠注地理志》十六卷,可知「錢培」當為「錢坫」之誤,錢氏主張

---

[8] 王叔岷:〈第壹章釋名〉,《斠讎學》,頁 2 下;王叔岷:〈第壹章釋名〉,《斠讎學(補訂本)》,頁 5。春按:引文本《斠讎學》,括號內為《斠讎學(補訂本)》所作修訂處,可茲比勘。

[9] 〔北宋〕夏竦撰,李零、劉新光整理:《汗簡·古文四聲韻》(北京:中華書局,1983 年 12 月),收有「䣥(四 4.28 王存乂切韻)」形,總頁 63;〔北宋〕杜從古:《集篆古文韻海》(北京:商務印書館,1935 年依故宮博物院藏本影印舊抄本三冊,收有「䣥(海 4.34)」形。

[10] 〔北宋〕夏竦撰,李零、劉新光整理:《汗簡·古文四聲韻》,收有「䍩、䍩、䍩(四 4.28,竝籀韻)」形,總頁 63。

[11] 趙爾巽等撰:《清史稿》(北京:商務印書館,1977 年 8 月),第四十三冊,總頁 13196。

「斠」為「此斠量字」[12]。另外，先生在《斠讎學·我與斠讎學（演講稿代序）》又再次提及說：

> 因「校讎」的本字應該作「斠」，《說文》：「斠，平斗斛量也。」「平」有「證」義，《國語·鄭語》：「平八索以成人。」韋昭《注》：「平，正也。」校讎古書，即是訂正古書，因此，我將《校讎學》定名為《斠讎學》。[13]

此定名雖屬一字之差，與傳世典籍用法有異，立論的根據，實已涉及文字、聲韻及訓詁之學，故得再進一層討論申明。

若考察清代學者除先生指出的錢坫（1741-1806）已用「斠」不用「校」或「挍」外，文中也引及段玉裁（1735-1815）充滿懷疑的口吻說：「因有書校讎字作此者，音義雖近，亦大好奇矣」[14]，先生先追索各字本義後，反駁段氏的說法云：「校、權、較諸字，與校讎之義無涉，雖皆可用，實叚借字也」，並確立「校讎」之「校（包括挍、權、較、角）」皆當作「斠」，故段氏所說可修正為「不得（似不必）謂之好奇矣」，原本用語氣較硬的「不得」，補訂本則採語氣較和緩的「似不必」。當然，關於這個問題，清代說文四大家中[15]，僅段玉裁與朱駿聲（1788-1858）有觸及，先生的主張與朱駿聲暗合。在《說文通訓定聲》需部第八「斠」字下說：

> 斠，平斗斛也。从斗冓聲。〈月令〉：「角斗甬」，以角為之。《漢書·曹參傳》：「講若畫一。」以講為之。凡較量、校讎、權酌、揚搉字，

---

[12] 丁福保纂輯、楊家駱主編：《說文解字詁林正補合編》（臺北：鼎文書局，1983 年 4 月），第十一冊，頁 275。

[13] 王叔岷：《斠讎學（補訂本）》，頁 6。

[14] 〔東漢〕許慎撰、〔清〕段玉裁注：《說文解字注》（臺北：藝文印書館，2005 年 10 月），頁 725。

[15] 按「有清一代研究《說文》之風既稱鼎盛，又咸推段玉裁、桂馥、王筠、朱駿聲四大家成就夐絕，段氏精審、桂氏博綜、王氏閎通，與朱氏的獨創一格，當世稱雄。」沈寶春：《王筠之金文學研究》（臺北：花木蘭文化工作坊，2008 年 9 月），頁 2；沈寶春：《桂馥的六書學》（臺北：里仁書局，2004 年 6 月），頁 7。

疑皆當作此為正文。[16]

朱氏與段氏同引《禮記・月令》，而〈月令〉文本共出現兩次，一在「仲春之月」，作：「日夜分，則同度量，均衡石，角斗甬，正權概。」鄭《注》：「因晝夜等而平也。同、角、正，皆謂平之也。」[17]一在「仲秋之月」，文作：「日夜分，則同度量，平權衡，正鈞石，角斗甬。」鄭《注》則無說[18]。若依「仲秋之月」文例推知，同、平、正、角的用法相同，詞義相近，「皆謂平之也」可信，再加上《漢書・曹參傳》文例的證成，故朱氏由此推想「校讎」當以「斠」為正字，所謂「凡較量、校讎、榷酤、揚搉字，疑皆當作此為正文」是也。

若從古文字現象來觀察，「校」字的出現較早，有將《甲骨文合集》27995「𣏃」、「𣏂」釋作「校」者[19]，唯《甲骨文合集釋文》釋作「筊」，李宗焜則改釋作「橫」[20]，或將「𣏂」（《合集》29149）釋作「校」，說：「校。從木。或為烄字異構。動詞，僅一見第三期卜辭。」[21]可確知的是，此二字形皆不作校正、校勘之義用。至西周晚期的〈㝬戒鼎〉已有「校」字作𣏂形，與甲骨文從木、交形作上下結構相符。早期釋此字作「枎」[22]，後來吳振武改釋

---

[16] 〔清〕朱駿聲：《說文通訓定聲》（武漢：武漢市古籍書店，1983 年 6 月），頁 353。

[17] 按：出自內蒙古自治區卓資縣城卜子古城遺址的趙國陶量器壁上有「立敞」一詞，「敞」即「校」，亦即校正之「斠」，見董珊：〈內蒙古卓資縣城卜子古城遺址出土陶文考〉，復旦大學出土文獻與古文字研究中心網站：http://www.gwz.fudan.edu.cn/Web/Show/1295，發布日期：2010 年 10 月 28 日；徐在國：〈新出三晉陶文輯錄〉，香港大學中文學院：《出土文獻與先秦經史國際學術研討會論文集》，香港：香港大學中文學院，2015 年 10 月 16-17 日，上冊，頁 222。

[18] 〔東漢〕鄭玄注、〔唐〕孔穎達疏：《重栞宋本禮記注疏附校勘記》（臺北：藝文印書館，1979 年 3 月），第五冊，頁 300、327。

[19] 「先秦甲骨金文簡牘詞彙資料庫」：https://inscription.sinica.edu.tw/c_index.php。

[20] 胡厚宣主編：《甲骨文合集釋文》（北京：中國社會科學出版社，1999 年 8 月），三，27995（3）、27995（5）號；李宗焜編著：《甲骨文字編》（北京：中華書局，2012 年 3 月），中冊，頁 732，2432 號。

[21] 朱歧祥：《甲骨文詞譜》（臺北：里仁書局，2013 年 12 月），第三冊，頁 47。

[22] 陳佩芬：〈釋㝬戒鼎〉，張光裕等編：《第三屆國際中國古文字學研討會論文集》（香港：香港中文大學中國文化研究所中國語言及文學系，1997 年 10 月），頁 317-321；吳鎮烽：《商周青銅器銘文暨圖像集成》（上海：上海古籍出版社，2012 年 9 月），第五卷，

為「校」，其說云：

> 第二句：「用校于比」。「校」字在古文字中是第一次出現，原篆作上下結構。陳文將「校于」二字隸釋成「桍」，並認為「桍」應讀「夸」訓大，「夸比」是「主持比較六師治理的優長名次」。按陳釋並不可信。細察鼎銘可知，此句「用」下一字上部所从與一般的「大」字在筆勢上有明顯不同，而跟「交」字卻密合無間。「交」與它下面的「木」旁組合後，自是「校」字。「校」、「比」之間的「于」雖然看上去跟「校」挨得很近，但因同銘有類似現象（如「辭白」、「六	」），加上有前一句「用政于六	」作比照，故亦可確定是介詞。古代考校民數及其財產曰「比」。《周禮・地官・小司徒》：「及三年，則大比，大比則受邦國之比要。」鄭注：「大比，謂使天下更簡閱民數及其財物也。鄭司農云：『……今時八月案比是也。要謂其簿。』」又〈地官・黨正〉：「以歲時涖校比，及大比，亦如之。」鄭注引鄭司農曰：「校比，族師職所謂『以時屬民而校，登其族之夫家眾寡，辨其貴賤、老幼、廢疾可任者，及其六畜車輦』，如今小案比。」銘中「比」是名詞，「校」是動詞。「校」當考校、校比講（與「比」同義）。「校于比」，意即校比民數、土地、六畜、車輦等。
>
> 這一內容在青銅器銘文中尚無先例，十分重要。[23]

其中「校」已作「考校、校比」講，頗值得關注留意。目前戰國楚簡中尚未見「校」或「斠」字[24]，然而，《上海博物館藏戰國楚竹書（三）・亙先》簡10也有「孝（校）比」一詞，作「![字形]」形，李零解為：

頁19，皆釋讀作「桍」；鍾柏生、陳昭容、黃銘崇、袁國華編：《新收殷周青銅器銘文暨器影彙編》（臺北：藝文印書館，2006年4月），頁1007、董蓮池：《新金文編》（北京：作家出版社，2011年10月），上冊，頁736，則改採吳振武釋作「校」，今從此。

[23] 吳振武：〈＊戒鼎補釋〉，《史學集刊》，1998年第1期，頁5。

[24] 張顯成主編：《楚簡帛逐字索引（附原文及校釋）》（成都：四川大學出版社，2013年11月）。

「孝」讀「校」。「校比」，《周禮·地官·黨正》：「正歲，屬民讀灋而書其德行道藝，以歲時涖校比。」[25]

可與西周晚期的〈燹戒鼎〉比觀互證。另外，睡虎地秦簡中也有「校」字作：

　　　　（睡虎地秦簡，效56）　　　　　（睡虎地秦簡，法179）

根據《睡虎地秦墓竹簡·效律》56云：「計校相繆（謬）殹（也），自二百廿錢以下，誶官嗇夫；過二百廿錢以到二千二百錢，貲一盾。」解釋為：「會計經過核對發現誤差，錯算數目在二百二十錢以下，斥責該官府的嗇夫；超過二百二十錢到二千二百錢，罰一盾。」[26]又〈法律問答〉179云：「可（何）謂『亡券而害』？亡校券右為害。」注云：「古時契券中剖為左右兩半……右券起核驗憑證的作用，如《商君書·定分》：『即以左券予吏之問法令者，主法令之吏謹藏其加券木柙，以室藏之，封以法令之長印。即後有物故，以券書從事。』《史記·平原君列傳》：『操右券以責。』校券右，即作為憑證的右券。」故釋文作：「什麼叫『丟失契券而造成危害』？丟失了作為憑證的右券，為造成危害。」[27]其中「校」字也作「核對」、「核驗」的意思，可見，「校讎」之「校」在先秦古文字的用法中，的確用「校」而尚未見用「斠」字的。至於「冓」字古音屬見紐侯部、「交」字為見紐宵部，二者聲紐相同，韻部也非常接近，屬於旁轉關係，就古音學理來看，應能通假，而如朱駿聲所舉《漢書·曹參傳》：「講若畫一」，顏師古《注》：「講或作較」[28]，即「冓」、「交」假借之例。可見先生在《斠讎學》的專有名詞上是不根據俗世用法的，而是根據《說文》從本義的解讀出發，觀察其詞意切近與否以為分判的標準，用不用是一回事，是不是又是另一回事，先生既執有他的堅持，觀此也可窺

---

[25] 馬承源主編：《上海博物館藏戰國楚竹書（三）》（上海：上海古籍出版社，2003年12月），頁296。

[26] 睡虎地秦墓竹簡整理小組：《睡虎地秦墓竹簡》（北京：文物出版社，1990年9月），頁39、76。

[27] 睡虎地秦墓竹簡整理小組：《睡虎地秦墓竹簡》，頁63、135-136。

[28] 高亨：《古字通假會典》（濟南：齊魯書社，1989年7月），頁341。

見一斑；但先生又能廣容兼攝，尊重相沿成習的傳統，此從先生所撰《莊子校釋》（1947）、《呂氏春秋校補》（1950）、《郭象莊子注校記》（1950）、《校讎別錄》（1987）、《莊子校詮》（1988）、《列仙傳校箋》（1995）、《左傳考校》（1998）諸書名稱用「校」不用「讎」，且在時間跨度上綿亙五十餘年的用詞，隱隱約約地展現出先生從眾的情態矣！

三　先生四部校語中的「鶴」

黃啟方嘗在〈王叔岷先生「說情十一品」〉一文中提及，王先生「以為自己是『最重情者』、『一世情深者』」[29]。而這種「重情」和「情深」對他從事讎讎工作會不會有影響？是否「由校讎而闡發義理之旨趣」[30]？文中並引先生在一九八三年十二月十七日所賦的〈落紅〉詩，序云：「小丘茶花，隨風飄零，殘紅滿地，令人感傷。」詩作：

> 傲王侯，輕富貴，一生偏愛花卉。有聖賢心，有英雄氣，為何對花垂淚。浮雲蒼狗，滄海桑田，天上人間事。問孤鶴，何從何去？凜凜霜風，落紅滿地。[31]

詩中「問孤鶴，何從何去？」正是王先生自我的寫照。黃氏更進一步引述闡發說：

> 此前一年所作〈良悟〉詩中有「一心無二慮，怡然伴孤鶴」語（1982/8/25），也以「孤鶴」自擬。其實，早在老師十八歲就讀成都聯合中學（石室中學）高一下時，結識了四位好友，而有「梅花五子」

---

[29] 黃啟方：〈王叔岷先生「說情十一品」〉，《王叔岷先生百歲冥誕國際學術研討會論文集》，總頁 31。

[30] 胡楚生：〈校讎與義理──王叔岷教授《莊子校詮》讀後記〉，《王叔岷先生百歲冥誕國際學術研討會論文集》，總頁 2。

[31] 王叔岷：《舊莊新詠》（臺北：華正書局有限公司，1985 年 10 月），頁 43。黃啟方〈王叔岷先生「說情十一品」〉以為此詩「所作非詞非詩，蓋直抒情懷抱，更可見其真醇」，《王叔岷先生百歲冥誕國際學術研討會論文集》，總頁 32。

之稱。五人各有別號，老師的別號就是「孤鶴」。(《慕廬憶往》之十〈梅花五子〉)。「孤鶴」一詞首見於唐李端〈贈吉中孚〉詩：「聞道華陽客，儒衣謁紫微。舊山連藥賣，孤鶴帶雲歸。柳市名猶在，桃源夢已稀。還家見鷗鳥，應媿背船飛。」(《唐才子傳》三) 再見於晚唐皮日休〈白太傅〉詩：「處世似孤鶴，遺榮同蛻蟬。」又見於詩僧貫休事：「貫休者，以詩謁錢武肅王云：『貴逼身來不自由，幾年辛苦踏山丘。滿堂花醉三千客，一劍霜寒十四州。萊子衣裳宮錦窄，謝公篇詠綺霞羞。他年名上凌雲閣，豈羨當時萬戶侯。』王愛其詩，遣客謂曰：『教和尚改十四州為四十州，方與相見。』休曰：『州亦難添，詩亦難改，閒雲孤鶴，何天不可飛！』飄然入蜀！(清·吳任臣《十國春秋》四十七)」此三例所謂「孤鶴」，蓋逍遙自適如閒雲者。又或引申為鰥夫，如北宋梅堯臣〈范饒州夫人挽詞三首〉：「江邊有孤鶴，嘹唳獨傷神。」蓋悼范仲淹之喪妻者。王師母過世時，王師以年少自號「孤鶴」，遂以為識語，有〈孤鶴〉小詩云：

> 自幼號孤鶴，茫然昧其故。于今悼斷絃，獨對相思樹。(《慕廬憶往》之四六) [32]

王師有「聖賢心」、「有英雄氣」，卻自幼以「孤鶴」自比。道足於內，寄情性於墳史；心有堅金石，守真淳而不移。王師之人格精神，自能沾溉後生，永為典範！[33]

另外，王國瓔在〈淡泊名利之外，謹守規矩之中——我的父親王叔岷〉一文中也曾道及：「總覺得父親仁愛敦厚，閑靜少言，不慕榮利，和而不同的性情，還有那份自覺的孤獨意識，甚至對道德情境的執著和追求，都與陶淵明

---

[32] 春按：此種情懷常在詩中抒發，如〈煢煢〉詩：「一自荊妻離世後，煢煢隻影度生涯」之類即是。王叔岷：《舊莊新詠》，頁40。

[33] 黃啟方：〈王叔岷先生「說情十一品」〉，《王叔岷先生百歲冥誕國際學術研討會論文集》，總頁32-33。

頗有相似之處。」[34]特別強調「那份自覺的孤獨意識」，以故，下文擬從先生所屬經、史、子、集四部中，擇取其代表性著作有關「鶴」字屬語者，嘗試從此面向來追索蛛絲馬跡，以窺見先生「道足於內，寄情性於墳史」的另番「小學」風貌於萬一。

關於「鶴」字，《說文》四篇上鳥部「鶴，鶴鳴九皋，聲聞于天。从鳥隺聲。」段《注》云：「鶴字今補。此見《詩·小雅》。毛曰：『皋，澤也。言身隱而名著也。』《爾雅》無鶴，故偁《詩》。後人鶴與鵠相亂。」[35]可見段氏是根據《詩·小雅·鶴鳴》來補字。至於「鶴」的異稱，古今前賢已有所論及者，如稱「陽鳥」（《相鶴經》）、「仙驥」（《相鶴經》、黃庭堅〈倦鶴圖贊〉）、「陰羽」（崔豹《古今注》）、「元（玄）鶴」（崔豹《古今注》、王圻《三才圖會》）、「胎仙」（《黃庭經》）、「仙禽」（鮑照〈舞鶴賦〉、羅願《爾雅翼》）、「胎禽」（華陽真逸〈瘞鶴銘〉、李時珍《本草綱目》）、「介鳥」（張衡〈思玄賦〉）、「皋禽」（謝莊〈月賦〉）、「仙鶴」（武三思〈仙鶴篇〉詩）、「笙鶴」（杜甫〈玉臺觀〉詩）、「仙客」（《珍珠船》、雍陶〈放鶴詩〉）、「露禽」（《禽經注》）、「仙子」、「沈尚書」、「蓬萊羽士」（伊士珍《瑯嬛記》）、「仙羽」（厲荃《事物異名錄》）等[36]，另外，明代張自烈的《正字通》認為「鸖，同鶴。」增補音符改易為「霍」的異體字「鸖」。

若以「經部」來說，十三經中《尚書》、《周禮》、《儀禮》、《禮記》、《孝經》、《論語》、《公羊傳》、《穀梁傳》皆未曾出現過「鶴」字。「鶴」字僅出現在《周易》、《詩經》與《孟子》中[37]。《周易》的〈中孚·九二〉與〈繫辭〉

---

[34] 王國瓔：〈淡泊名利之外，謹守規矩之中——我的父親王叔岷〉，王叔岷：《慕廬憶往——王叔岷回憶錄》（北京：中華書局，2007年9月），附錄，頁284。

[35] 〔東漢〕許慎撰、〔清〕段玉裁注：《說文解字注》，頁725。

[36] 周鎮：《鳥與史料》（臺中：臺灣省立鳳凰谷鳥園，1992年10月），頁133-134。此書以「白鶴，形態清癯秀逸，色澤雪白玉潤，飛翔翩翩雲漢，棲息徜徉草澤，飲食節省淡泊，性情柔靜幽嫻，頗似一個瀟灑風塵，放浪形骸的人，所以通稱白鶴為仙鶴。」

[37] 《孟子·梁惠王》雖引《詩經·大雅·靈臺》：「王在靈囿，麀鹿攸伏，麀鹿濯濯，白鳥鶴鶴。王在靈沼，於牣魚躍。」其中「鶴鶴」形容「鳥肥飽則鶴鶴」的「肥澤貌」，亦

都出現過相同句子，作：「鳴鶴在陰，其子和之，我有好爵，吾與爾靡之。」[38]〈中孚‧九二〉王弼、韓康伯《注》曰：

> 處內而居重陰之下，而履不失中，不徇於外，任其真者也。立誠篤至，雖在闇昧，物亦應焉，故曰「鳴鶴在陰，其子和之」也。不私權利，唯德是與，誠之至也，故曰「我有好爵，與物散之。」

《疏》則引孔穎達《正義》曰：

> 「鳴鶴在陰，其子和之」者，九二體剛，處於卦內，又在三四重陰之下，而履不失中，是不徇於外，自任其真者也。處於幽昧，而行不失信，則聲聞于外，為同類之所應焉，如鶴之鳴於幽遠，則為其子所和，故曰「鳴鶴在陰，其子和之」也。「我有好爵，吾與爾靡之」者，靡，散也。又无偏，應是不私權利，惟德是與。若我有好爵，吾願與爾賢者分散而共之，故曰「我有好爵，吾與爾靡之。」

又〈繫辭〉王弼、韓康伯《注》曰：

> 鶴鳴則子和，脩誠則物應，我有好爵，與物散之，物亦以善應也。明擬議之道，繼以斯義者，誠以吉凶失得存乎所動，同乎道者，道亦得之；同乎失者，失亦違之，莫不以同相順，以類相應，動之斯來，緩之斯至，鶴鳴于陰，氣同則和。出言戶庭，千里或應。出言猶然，況其大者乎？千里或應，況其邇者乎？故夫憂悔吝者，存乎纖介。定失得者，慎於樞機，是以君子擬議以動，慎其微也。

《疏》又引孔穎達《正義》曰：

> 「鳴鶴在陰」者，上既明擬議而動，若擬議於善，則善來應之；若擬

即《字林》所說「鳥白肥澤曰鷮」，並非名詞性質的「鶴」，見〔西漢〕毛亨傳、〔東漢〕鄭玄箋、〔唐〕孔穎達疏：《重栞宋本毛詩注疏附校勘記》（臺北：藝文印書館，1979 年 3 月），第二冊，頁 580；〔東漢〕趙岐注、〔北宋〕孫奭疏：《重栞宋本孟子注疏附校勘記》（臺北：藝文印書館，1979 年 3 月），第八冊，頁 11。

[38] 〔魏〕王弼、〔東晉〕韓康伯注、〔唐〕孔穎達疏：《重栞宋本周易注疏附校勘記》（臺北：藝文印書館，1979 年 3 月），第一冊，頁 133、151。

於惡，則惡亦隨之，故引「鳴鶴在陰」，取同類相應以證之，此引〈中孚・九二〉爻辭也。鳴鶴在幽陰之處，雖在幽陰而鳴，其子則在遠而和之，以其同類相感召故也。「我有好爵」者，言我有美好之爵而在我身。「吾與爾靡之」者，言我雖有好爵，不自獨有，吾與汝外物共。靡散之，謂我既有好爵，能靡散以施於物，物則有感我之恩，亦來歸從於我，是善往則善者來，皆證明擬議之事，我擬議於善以及物，物亦以善而應我也。[39]

此中所謂「履不失中，不徇於外，任其真者也。立誠篤至」、「不私權利，唯德是與，誠之至也」、「處於幽昧，而行不失信，則聲聞于外，為同類之所應焉，如鶴之鳴於幽遠，則為其子所和」，皆是先生最佳的寫照。

至於《詩經・小雅・鶴鳴》云：「鶴鳴于九皋，聲聞于野。魚潛在淵，或在于渚。樂彼之園，爰有樹檀，其下維蘀。它山之石，可以為錯。鶴鳴于九皋，聲聞于天。魚在于渚，或潛在淵。樂彼之園，爰有樹檀，其下維穀。它山之石，可以攻玉。」孔穎達《正義》解釋「鶴鳴于九皋，聲聞于野」作：

興也。皋，澤也。言身隱而名著也。《箋》云：皋，澤中水溢出所為坎。自外數至九，喻深遠也。鶴在中鳴焉，而野聞其鳴聲。興者，喻賢者雖隱居，人咸知之……《正義》曰鄭以一鳥不鳴九澤，而云九皋者，然則明深九坎也。澤者，水之所鐘（鍾），故知澤中水溢出所為坎，自外數至九，於時澤有然者，故作者舉之以喻深遠也。鶴者，善鳴之鳥，故在澤焉而野聞其鳴聲。陸機《疏》云：鶴，形狀大如鵝，長腳，青翼，高三尺，喙長四寸餘。多純白，或有蒼白者，今人謂之赤頰。當夜半鳴，故《淮南子》云：「雞知將旦，鶴知夜半。」其鳴高亮，聞八九里。雌者聲差下。今吳人園囿中及士大夫家皆養之。[40]

---

[39] 〔魏〕王弼、〔東晉〕韓康伯注、〔唐〕孔穎達疏：《重栞宋本周易注疏附校勘記》，頁133、151。

[40] 〔西漢〕毛亨傳、〔東漢〕鄭玄箋、〔唐〕孔穎達疏：《重栞宋本毛詩注疏附校勘記》，

其中「身隱名著」洵為先生最傳神的側影。朱熹也在《詩集傳》中解釋「鶴」為：「鳥名，長頸，竦身，高腳，頂赤，身白，頸尾黑，其鳴高亮，聞八九里。」並進一層引申說：「蓋鶴鳴于九皋，而聲聞于野，言誠之不可揜也。」最後引「程子」及「邵子」的說法來申明詩所隱含的義理：

> 程子曰：玉之溫潤，天下之至美也。石之粗厲，天下之至惡也。然兩玉相磨，不可以成器，以石磨之，然後玉之為器得以成焉。猶君子之與小人處也，橫逆侵加，然後脩省畏避，動心忍性，增益預防，而義理生焉，道德成焉。吾聞諸邵子云。[41]

所謂「君子」與「小人」相處，在「橫逆侵加」經過「脩省畏避」而成就他的「道德」，生發他的「義理」。另外，〈小雅·白華〉中也涉及到「鶴」的特質：

> 有鶖在梁，有鶴在林。維彼碩人，實勞我心。

毛《傳》：「鶖，禿鶖也」，鄭《箋》：「鶖也、鶴也皆以魚為美食者也，鶖之性貪惡，而今在梁。鶴絜白，而反在林。興王養褒姒，而餒申后，近惡而遠善。」[42]朱熹《詩集傳》注「鶖，禿鶖也」外，進一步引「蘇氏」之說言「鶖、鶴皆以魚為食，然鶴之於鶖，清濁則有閒矣。今鶖在梁而鶴在林，鶖則飽而鶴則飢矣。幽王近褒姒而棄申后，譬之養鶖而棄鶴也。」[43]反觀先生則未見校勘《周易》、《詩經》之作，並緘默以對。但此兩則《詩經》中攸關「鶴」的興義，卻並見於《史記·滑稽列傳》中「東方生」之口，故另於「史部」追索之。

至於先生撰《左傳考校》時，是如何看待〈閔公二年傳〉中的「鶴」呢？《左傳·閔公二年》說：

第二冊，頁 376-377。

[41] 〔南宋〕朱熹：《詩集傳》（臺北：臺灣中華書局，1991 年 3 月），頁 120-121。

[42] 〔西漢〕毛亨傳、〔東漢〕鄭玄箋、〔唐〕孔穎達疏：《重栞宋本毛詩注疏附校勘記》，頁 518。

[43] 〔南宋〕朱熹：《詩集傳》，頁 172。

冬，十二月，狄人伐衛，衛懿公好鶴，鶴有乘軒者，將戰，國人受甲者，皆曰：「使鶴。鶴實有祿位，余焉能戰？」公與石祁子玦，與甯莊子矢，使守，曰：「以此贊國，擇利而為之。」與夫人繡衣，曰：「聽於二子。」渠孔御戎，子伯為右，黃夷前驅，孔嬰齊殿，及狄人，戰于熒澤，衛師敗績，遂滅衛。

按先生《左傳考校》於閔公二年雖有校語四條，即「閔公，哀姜之娣叔姜之子也。故齊人立之」、「閔公之死也，哀姜與知之，故孫于邾。齊人取而殺之」、「遂以命之」、「大布之衣，大帛之冠」諸條[44]，卻對「衛懿公好鶴」句不置一詞，無考亦無校。

當然，這個史實還會出現在「史部」中，先生又是如何處置呢？《史記・十二諸侯年表》引及「衛懿公好鶴」之事，文作：

> 翟伐我，公好鶴，士不戰，滅我國。國怨惠公亂，滅其後，更立黔牟弟。衛戴公元年。

先生《史記斠證》於下作斠證說：

> 梁氏所據《湖本》「翟伐我，公好鶴，士不戰，滅我國。」十二字，本在前格。云：「國怨惠公亂，滅其後，更立黔牟弟。衛戴公元年。」此衛懿公九年也。不書九字，已誤；以黔牟弟之子戴公為黔牟弟，又誤。蓋前年〈表〉中「翟伐我，公好鶴，士不戰，滅我國」十二字，當移在此年，與「國怨惠公亂」云云并書之，再補入九字，為懿公九年。「黔牟弟」下補「子申」二字，戴公下補「申」字，方合。（下略。）
> 案「翟伐我」云云十二字，本在前格，《考證本》蓋依梁說移在此格「國怨」上，已詳上文。據〈衛世家〉「更立黔牟之弟昭伯頑之子申為君，是為戴公。」此文「黔牟弟」下蓋脫「子申」二字，當從梁說補。〈漢書人表〉：「衛戴公，黔牟子。」《補注》引梁玉繩云：「子當

---

[44] 王叔岷：《左傳考校》（臺北：中央研究院中國文哲研究所籌備處，1998 年 4 月），頁30-31。

作弟。」與此梁說不合。依〈世家〉，彼文「黔牟子，」子上當補弟字。蓋戴公為黔牟弟之子也。[45]

先生係根據梁玉繩《史記志疑》、〔日〕瀧川資言《史記會注考證》及〈衛世家〉判斷，以其「不書九字，已誤；以黔牟弟之子戴公為黔牟弟，又誤」，從而補苴移置，以更合乎史實，唯對衛懿公好鶴國滅事則無任何引述勘證。倒是在《史記·衛康叔世家》中記載：「懿公即位，好鶴，淫樂奢侈。九年，翟伐衛，衛懿公欲發兵，兵或畔。大臣言曰：『君好鶴，鶴可令擊翟。』翟於是遂入，殺懿公。」先生《史記斠證》在「懿公即位，好鶴」條下作案語，指出《史記·衛康叔世家》前文作「鶴」而後文作「鸛」的原因說：「案黃善夫本、《殿本》鶴並作鸛，下同，俗。」[46]由此可見其觀察體會的細密周至，透過不同版本的比勘，判斷其正、俗體的差異。

至於前所舉《詩經·小雅·鶴鳴》與〈小雅·白華〉詩，先生雖無校語，有趣的是，此二詩又並見於《史記·滑稽列傳》中。漢武帝時「齊人有東方生名朔」者，與「時會聚宮下博士諸先生」論難，引用了「《詩》曰：『鼓鐘于宮，聲聞于外。』『鶴鳴九皋，聲聞于天。』苟能修身，何患不榮！」先生僅在其下作案語云：

案《漢·傳》鳴下有于字，與今傳〈小雅·鶴鳴〉合。[47]

---

[45] 王叔岷：《史記斠證》（臺北：中央研究院歷史語言研究所，1983 年 12 月），中央研究院歷史語言研究所專刊之七十八，第三冊，頁 529。春按：《史記斠證》頗多手民之誤，值得細校，舉例言之，如〈斠證史記十七年（代序）〉：「只是條一條地寫下去」當作「只是一條條地寫下去」（第一冊，頁 9），〈史記斠證導論〉中，「唐孔穎《春秋序疏》釋史記為『史官記事之書。』」當作「唐孔穎達《春秋序疏》釋史記為『史官記事之書。』」（第一冊，頁 3），又「或略公字，未散遽斷。」當作「或略公字，未敢遽斷。」（第一冊，頁 4），「顏師古法云」當作「顏師古注云」（第一冊，頁 5），「則遷書專稱史史」當作「則遷書專稱史記」（第一冊，頁 9），「丞相誤邢？謂鹿為馬。！」當作「丞相誤邪？謂鹿為馬！」（第一冊，頁 18），「史記所記史實」「史記」前依例當空兩格（第一冊，頁 18），「或竟失於授引」當作「或竟失於援引」（第一冊，頁 18），「但信『袒裼』」當作「但言『袒裼』」（第一冊，頁 19）……不勝枚舉。

[46] 王叔岷：《史記斠證》，第五冊，頁 1417。

[47] 王叔岷：《史記斠證》，第十冊，頁 3380-3381。

係用《漢書》本傳及《詩經》來比勘，指出「鳴下有于字」才能與今傳《詩經》本合，也未及于「鶴」字。但是，大致上先生處理史部的「鶴」字是不著一語的，如《史記‧樂書》中描寫平公與師曠對音樂的態度，好音與好德治基本上是不同調的，君王運用權勢勉強的結果，是「師曠不得已，援琴而鼓之。一奏之，有玄鶴二八集乎廊門；再奏之，延頸而鳴，舒翼而舞。」《斠證》則僅對「再奏之，延頸而鳴，舒翼而舞。」下案語說：「案《韓非子》、《論衡》並作『再奏之，而列；三奏之，延頸而鳴，舒翼而舞。』（《論衡》無兩之字。）又見《風俗通‧聲音篇》，列上有成字，延上有則字。」[48]也是文字上的增減問題。

另外，在《史記斠證》卷一百二十六〈滑稽列傳第六十六〉：「昔者齊王使淳于髡獻鵠於楚」中，先生談到「鵠、鶴古多混用」的問題，得經過比勘合校以求得正解，首先是梁玉繩指出「《藝文類聚》九十引〔鵠〕作鶴，古通。」先生則不含糊地說「古通」，而以「古多混用」視之，其說云：

> 案鵠、鶴古多混用，《莊子‧駢拇篇》：「鶴脛雖長，斷之則悲。」《書鈔》九九引鶴作鵠，〈天運篇〉：「夫鵠不日浴而白。」唐寫本鵠作鶴，〈庚桑楚篇〉：「越鷄不能伏鵠卵。」《釋文》引一本鵠作鶴，皆其證。《索隱》引《韓詩外傳》云云，今本《外傳》十作「齊使使獻鴻於楚。」（《御覽》九一六引《外傳》鵠亦作鴻）引《說苑》云云，今本《說苑‧奉使篇》「獻鴻於齊。」作「獻鵠於齊侯。」《藝文類聚》九十注引《說苑》作「獻鶴於齊。」（《御覽》九一六注引《說苑》作「獻鴻於齊，」與《索隱》合。）[49]

此正如《索隱》所謂「皆略同而事異，殆相涉亂也」，並非「鶴」、「鵠」、「鴻」古通之證，此不可不辨。

相較之下，欲「多識鳥獸草木之名」為首的「鳥」名，或許沒有比《史

---

[48] 王叔岷：《史記斠證》，第四冊，頁 1059。
[49] 王叔岷：《史記斠證》，第十冊，頁 3384-3385。

記‧司馬相如列傳》來得豐富的，在〈子虛〉、〈上林〉賦中涉及的鳥類琳瑯滿目，繽紛異彩，美不勝收，如「翡翠」、「鵁鶄」、「白鵠」、「駕鵝」、「鶬」、「玄鶴」[50]、「文鶄」、「昆雞」、「孔鸞」、「鷖鳥」、「鳳皇」、「鵷雛」、「焦明」、「鴻」、「鷫」、「鷁」「鴰」、「鮫鱩」、「煩鶩」、「鷛鸔」、「鵝鳿」、「鵁鸕」、「飛鷂」……。對於這些鮮少觸及的辭彙，先生曾自述經驗說：

> 研究學問所下的功夫愈細，所得的經驗就愈多。有時多下一天工夫，所得的經驗都不同。多下工夫的人判斷問題，有時會如陶淵明所說的，「覺今是而昨非。」不過，多下工夫判斷即使是「非」，也是得來不易的。譬如清朝乾、嘉時代高郵王念孫、引之父子，他們考校古書，不說他們判斷的「是」，不容易趕上；即使要趕上他們判斷的「非」，也是得來不易的。這裡，只談我運用古注、類書斠證《史記》，所得到的幾點新經驗。這幾點新經驗，是前賢弄不清楚的。我從前寫《斠讎學》時，也還未肯定的。

其中第一個新經驗，即涉及到鳥類辭彙的斠證，即〈斠證史記十七年（代序）〉中言及的「一、古注引書，於他書相關之字，往往改從本書。」例，正是舉〈司馬相如傳〉中的「鵝鳿鵁鸕」句說：

> 裴駰《集解》：「郭璞曰：鸕，鵁鸕也。」案《漢書‧司馬相如傳》鸕作盧，郭璞注：「盧，盧鸕也。」《集解》引郭《注》兩盧字並作鸕，是依《史》文作鸕而改的。如果以為郭璞所見的《漢》傳也作鸕，那就錯了。[51]

可見先生明辨秋毫，日積月累的工夫，才有超越前人的新經驗新創見矣！其

---

[50] 王叔岷：《史記斠證》，第九冊，頁3141-3142，舉《考證》引「中井積德曰：『玄鶴，疑古樂名。《漢書》、《文選》建作舞。』……梁玉繩曰：『案上有「玄鶴加，」驎玄鶴。」二句，并此三見矣。……重出複用，豈非文之疵病歟？』先生則以「案以上文〈貍首〉、〈騶虞〉並為樂章名例之，此『玄鶴』亦當是樂章名。則不得病其與上文兩言『玄鶴』為重用複出矣。《司馬文園集》建亦作舞。」如認為樂章名，則當刪。

[51] 王叔岷：〈斠證史記十七年（代序）〉，《史記斠證》，第一冊，頁7。

他斠證鳥類詞語本末的精義頗多，不勝枚舉，因題旨、能力、篇幅所限，僅舉四例「案」語用以窺知一二，如：

（連駕鵝）案景祐本駕作駕（《集解》作駕），《司馬文園集》亦作駕。黃善夫本作駕，施氏失檢。《殿本》亦作駕。《左》定元年《傳》，魯大夫有榮駕鵞，阮元《校勘記》云：「《石經》、淳熙本、岳本，駕作駕，與葉抄《釋文》合。案《說文》無駕字。錢大昕云：依正文當用鴚，假借同音，則駕亦通也。」《廣雅·釋鳥》：「鴚鵝，鴈也。」王氏《疏證》云：「鴈與鴈同，或作雁。鴚或作駕，鴚鵝以象其聲。」駕為後起字，則《史》、《漢》、《文選》此文，故本皆當作駕。今本《文選》作駕。《考異》云：「茶陵本云：『駕，善作駕。』案《注》云：『而因連駕鵝也。』字正作駕。《史記》、《漢書》亦皆作駕。駕者鴚之假借。」是也。黃善夫本、《殿本·索隱》，並略「郭璞曰：野鵝也。」六字。

（煩鶩鷛鸈）案《司馬文園集》亦作「庸渠」，乃「鷛鸈」之省。《漢·傳》郭璞《注》及《文選》注引郭《注》，亦並作「庸渠」，《集解》引《漢書音義》作「鷛鸈，」依此正文作「鷛鸈」改之也。《索隱本》作「鷛渠，」引郭注亦作「鷛渠」，依彼所據正文作「鷛渠」改之也。《說文》：「鷛，鳥也。」（段《注》本作「鷛，鷛鳥也。」）《繫傳》：「字書，鷛鸈似鳧，一名水雞。」與《索隱本》作「鷛渠」合。惟黃善夫本、《殿本·索隱》所引郭《注》作「鷛鸈」，乃依此正文作「鷛鸈」改之，非《索隱本》之舊也。

（鹹嘰鴰鸕）案《司馬文園集》亦作「箴疵鴰盧」。《索隱本》「鹹嘰」作「葴嘰」。《漢·傳》張揖注：「箴疵，似魚虎而蒼黑色。」（《文選·

258

注》引張《注》蒼作倉，古字通用。）《集解》引《漢書音義》作「鱶嶋，」《索隱》引張《注》作「葴嶋，」各依所據正文改之也。鱶、葴二字乃鱶、箴二字之俗變。（俗書从竹之字往往改从艹。）《說文》：「鱶，鱶鮆也。」段《注》：「〈上林賦〉：『箴疵，』《史記》作『鱶嶋，』，按『鍼貲』二音。鮆之言觜也。觜，口也。鱶鮆，蓋其味似鍼之銳。」作「箴疵」者，借字。《說文》：「鱸，鱸鯱也。」作盧者，借字。《漢·傳》郭璞《注》：「盧，盧鯱也。」《集解》引郭《注》作「鱺，鱺鯱也。」依此正文作鱺改之也。（《文選》注引郭《注》作「盧，鱺鯱也。」鱺字亦非郭《注》之舊也。）

（捷鴛鶵，揜焦明）案《漢·傳》、《文選》、《司馬文園集》鴛並作鵷，鵷，或鴛字。前〈子虛賦〉亦作「鵷鶵。」（《莊子·秋水篇》亦作「鵷鶵」。）《藝文類聚》「焦明」作「鷦鵬，」《司馬文園集》作「焦鵬。」焦乃鷦之省，明蓋朋之誤，朱駿聲《說文通訓定聲》云：「朋即鳳字，作明者誤。」朋、鵬並古文鳳字。後相如〈難蜀父老文〉：「猶鷦明已翔乎寥廓，」《漢·傳》作「鷦鵬，」（鵬，一作明。）《文選》作「鷦鵬，」《藝文類聚》二五作「鷦鵬。」明亦朋之誤，鵬乃鵬之誤。

（猶鷦明已翔乎廖廓）案焦乃鷦之省，明乃朋之誤，《漢紀》、《藝文類聚》、《司馬文園集》皆作「鷦鵬」。（《漢紀》一本鵬作明。）朋、鵬並古文鳳字。前〈上林賦〉有說。《文選》作「鷦鵬，」非作「鷦鵬。」惟鵬當作鵬耳。李善《注》引《樂緯》云：「鷦鵬狀如鳳皇。」鵬亦當作鵬。卷子本《玉篇·山部》引此文作「焦明已翔於廖廓。」（《漢紀》乎亦作於。）又引《楚辭》：「上廖廓而无天。」云：「廖廓，空虛也。」今本《楚辭·遠遊》廖亦作寥，洪校云：「寥，一作嵺。」

廖、嵺、嵺，並廫之或體，《說文》：「廫，空虛也。」《藝文類聚》廓下亦有「之宇」二字。《正義》說，本師古《注》。[52]

乃談正體與古文[53]、俗體、或體、省體的關係，古今字、本字與假借字的用法，以及誤字之所以產生，皆精確不移，嘗在〈斠證史記十七年（代序）〉中自道撰寫《史記斠證》的過程說：

> 《莊子》、《史記》、《陶淵明集》，是我年輕時就最喜歡讀的三部書。……我正式撰寫《史記斠證》，始於民國五十四年（一九六五）一月……整整寫十七年。我作事總比預期快，八月十八日最後一篇〈漢興以來將相名臣年表〉已經斠證完畢。寫完最後一句，了卻一大心願……每天教書、指導、應付瑣事之暇，便伏案撰寫，集中心力，不知厭倦，但一放下筆，就感到疲困不支了！……到了長假時間，朋友們都休息或旅遊去了，我卻以為我的時間到了，這是全屬於我的時間，更加倍利用，加倍寫《斠證》。就這樣日復一日，月復一月，一年復一年地寫下去。……因為我的才、學、識都有限，自然有些意見，難免不妥不安。如果說稍有成就，僅僅是在斠勘方面，以及牽涉經、史、子、集及其他雜書，解決若干考證問題。[54]

---

[52] 王叔岷：〈司馬相如列傳〉，《史記斠證》，第九冊，頁 3088、3102-3103、3103、3130、3158。

[53] 關於《說文》將「朋」說為「鳳」的古文之誤，「把毫不相干的兩個字混在一起」，可參季旭昇：《說文新證》（臺北：藝文印書館，2002 年 10 月），頁 294-296。其實，先生談古文字，常有鞭辟入裡的看法，「譬如《史記》中常見的七、十兩個字，往往互誤，我發現有六十幾處之多。後人或說七誤為十，或說十誤為七，但不知其所以然。他們未進一步想，隸書是漢代的通行書，七字的隸書作十，橫筆長縱筆短，漢簡中的七字，很多都這樣寫。《史記》中的七字，原來也應該作十，（《漢書》中的七字，原來也是一樣。）後人傳鈔刊刻，便錯成橫縱並長的十字，因此，七、十兩字就往往互誤了。不過，像這樣的問題，後人還不致於輕易歸咎於司馬遷」（〈斠證史記十七年（代序）〉，《史記斠證》，第一冊，頁 5）之類，就很精彩，與今古文字學家所主張的相同，如范常喜：〈鄭玄注正《周禮》形訛「故書」新證〉，《出土文獻與先秦經史國際學術研討會論文集》，香港：香港大學中文學院，2015 年 10 月 16-17 日，下冊，頁 199-200，舉戰國秦漢出土文獻材料證成「秦漢時期，『七』、『十』二字最容易相混」。

[54] 王叔岷：〈斠證史記十七年（代序）〉，《史記斠證》，第一冊，頁 1、9。

這種「天行健，君子以自強不息」的乾乾精神，也是他者難以企及的。

在百家爭鳴的年代，推想「子部」攸關「鶴」字者應多[55]，在此僅舉先生用力最勤，持續最久，形氣神相合的《莊子校詮》來談。在《莊子》外篇〈駢拇〉第八中，談到「鳧脛雖短，續之則憂；鶴脛雖長，斷之則悲」，先生於《校詮》注三說：

> 《釋文》：「脛，本又作踁。」案《書鈔》九九、《藝文類聚》九〇、《意林》、《御覽》九一九引鳧皆作鳬，（晚出諸本多改為鳧。）鳬乃鳧之俗省。脛，本又作踁，踁、脛正、俗字。《書鈔》引鶴作鵠，鵠、鶴古多混用，〈天運篇〉：「夫鵠不日浴而白。」〈桑庚楚〉篇：「越雞不能伏鵠卵。」《釋文》並云：「鵠，本又作鶴。」即其比。《御覽》九一六、《事文類聚‧後集》四二引「鶴脛」脛並作頸，恐非其舊。〈徐无鬼篇〉：「鶴脛有所節，解之也悲。」字亦作脛。王績〈答程道士書〉引此文，憂、悲二字互易，斷作截，義同。《說文》：「斷，截也。」成《疏》：「而惑者方欲截鶴之長續鳧之短以為齊。」（郭氏《集釋本》改鳧為鳬）蓋說斷為截也。[56]

此條本來是討論「長者不為有餘，短者不為不足，不失其性命之情」的，先生首先確立「脛，本又作踁」乃義近形旁通作，次談「鳧乃鳬之俗省」，再次談「鵠、鶴古多混用」的現象，以及證成「斷作截，義同」，皆不可移易。另在〈徐无鬼〉篇中有「鴟目有所適，鶴脛有所節，解之也悲」句，《校詮》注一六解云：

> 郭《注》：「各適一時之用，不能靡所不可。解，去也。」成《疏》：

---

[55] 如《淮南子‧說山訓》：「雞知將旦，鶴知夜半，而不免於鼎俎。」《淮南子‧說林訓》：「鶴壽千歲，以極其遊。」《淮南子‧脩務訓》：「鶴跱而不食，晝吟宵哭，面若死灰，顏色黴墨，涕液交集，以見秦王。」以及《淮南子‧泰族訓》亦曾引「《易》曰：『鳴鶴在陰，其子和之』」為說。因篇幅所限，暫不討論。

[56] 王叔岷：《莊子校詮》（臺北：中央研究院歷史語言研究所，1988 年 3 月），中央研究院歷史語言研究所專刊之八十八，上冊，頁 315。

「鷗目晝闇而夜開，則適夜不適晝；鶴脛稟分而長，則能長不能短。枝節如此，故解去則悲。亦猶種闇於謀身，長於存國也。」《釋文》：「解，司馬云：去也。」案適、節互文，節亦適也。《呂氏春秋·情欲篇》：「情有節，」高《注》：「節，適也。」即其證。成說節為「枝節」，非也。〈秋水篇〉：「鷗鵂夜撮蚤，察毫末，晝出瞋目而不見丘山。」所謂「鷗目有所適」也。〈駢拇篇〉：「鶴脛雖長，短之則悲。」所謂「鶴脛有所節」也。[57]

進一步談「君若勿已矣，修胸中之誠，以應天地之情而勿攖」，故釋「節」為「適」，最能符契「各適一時之用」原意旨。

另外，在《莊子》雜篇〈徐无鬼〉第二十四：「君（武侯）亦必無盛鶴列於麗譙之間，無徒驥於錙壇之宮」下，先生《校詮》注十八說：

郭《注》：「鶴列，陳兵也。麗譙，高樓也。」《釋文》：「鶴列，李云：『謂兵如鶴之列行。』譙，本亦作嶕，在逍反。司馬、郭、李皆云：『麗譙，樓觀名也。』案謂華麗而嶕嶢。」王念孫云：「《廣雅》：『嶕，高也。』《莊子》：『君亦必無盛鶴列於麗譙之閒，』郭象《注》云：『麗譙，高樓也。』《釋文》：『譙，本亦作嶕。』《漢書·趙充國傳》：『為塹壘木樵，』顏師古《注》云：『樵與譙同，謂為高樓以望敵也。』竝字異而義同。」（《釋詁》四《疏證》）洪頤煊云：「《淮南子·原訓篇》：『終身運枯形于連嶁列埒之門』，《說文》：『廥，屋麗廔也。』《列子·力命篇》：『居則連欓』，《莊子·徐无鬼篇》：『君亦必無陳鶴列於麗譙之間』，郭象《注》：『麗譙，高樓也。』皆同聲通用字。」（《讀書叢錄》一六）章太炎云：「《漢書·陳勝傳》：『獨守丞與戰譙門中』，師古曰：『譙，亦呼為巢。』〈趙充國傳〉：『為塹壘木樵』，師古曰：『樵與譙同。』則譙為樓觀固也。然非嶕嶢之義，麗亦非華麗之義，

---

[57] 王叔岷：《莊子校詮》，中冊，頁985。

《易》云：『離，麗也。』古音麗與離同，《說文》：『䜴，離別也。』
䜴即離別之本字，是古音麗、離、䜴同。說文言『周景王作雒陽䜴臺』，
字變亦作𢠱，〈釋宮〉：『連謂之𢠱』，郭璞曰：『堂樓閣邊小屋，今呼
之𢠱廚連觀也。』𢠱，今音雖作『丈知反』，然連、𢠱二字，本以雙
聲轉變，則𢠱古本音離，此麗即𢠱，故為樓觀，以形聲相貫言之。《說
文》云：『廫，屋麗廫也。』『麗廫』故謂之『𢠱樓』，『麗廫』猶『離
婁，』高明疏爽，非華麗之義。」案：《御覽》三○一引此文，並有
《注》云：「鶴列，陣名。」（宣穎亦云：陣名。）未知是否郭《注》
「陳兵」之誤。《玉海》一六四引此文及郭《注》，並云：「麗譙，戰
樓名。」章氏謂「麗非華麗之麗，」良是。惟謂「譙非嶕嶢之義」，
則不然。譙為高樓，自有嶢嶕義矣。[58]

可見先生不採「鶴列，陣名」之說，而採「兵如鶴之列行」說，並無進一步
發揮說明。

　　先生「集部」中針對「鶴」字的斠語，略舉先生最喜愛的《陶淵明詩箋
證稿》為例，如箋證〈連雨獨飲〉詩：「運生會歸盡，終古謂之然。世間有
松喬，於今定何間。故老贈余酒，乃言飲得仙。試酌百情遠，重觴忽忘天。
天豈去此哉？任真無所先。雲鶴有奇翼，八表須臾還。自我抱茲獨，僶俛四
十年。形骸久已化，心在復何言。」先生《箋證》先引古直《陶靖節詩箋》
云：「嵇叔夜〈秋胡行〉：『思與王子喬，乘雲遊八極。』」次引丁福保《陶淵
明詩箋注》：「此言仙人耽躬道真，至於遨遊八表也。」之後下個案語說：

　　案二句古、丁二氏皆就仙人言之。上言「世間有松、喬，於今定何間？」
　　陶公已不信仙人矣，此何必就仙人言之邪？二句蓋喻心境之舒卷自
　　如耳。〈停雲〉：「八表同昏。」[59]

站在以陶解陶的立場，解析「雲鶴有奇翼，八表須臾還」二句，實是淵明「心

---

[58] 王叔岷：《莊子校詮》，中冊，頁 929-930。

[59] 王叔岷：《陶淵明詩箋證稿》（北京：中華書局，2007 年 6 月），頁 157。

境」「舒卷自如」的比喻，並不是「就仙人言之」，並舉〈停雲〉詩為內證。
先生精準的掌握，嚴密的箋證，最得陶潛的精髓。另外在箋證〈擬古詩〉九
首之五：

> 東方有一士，被服常不完。三旬九遇食，十年著一冠。辛勤無此比，
> 常有好容顏。我欲觀其人，晨去越河關。青松夾路生，白雲宿簷端。
> 知我故來意，取琴為我彈。上絃驚別鶴，下絃操孤鸞。願留就君住，
> 從今至歲寒。

也先引古《箋》說：「崔豹古今注：『別鶴操，商陵牧子所作也。娶妻五年而
無子，父兄將為改娶。妻聞之，中夜倚戶而悲嘯。牧子聞之，愴然而悲；乃
援琴而歌。後人因為樂章焉。』西京雜記：『慶安世善鼓瑟，能為雙鳳、離
鸞之曲。』」後下案語說：「蔡邕琴賦：『別鶴東翔。』文選嵇叔夜琴賦：『王
昭、楚妃，千里別鶴。』李善注引蔡邕琴操曰：『商陵牧子娶妻五年，無子。
父兄欲為改娶，牧子援琴鼓之，歎別鶴以舒其憤懣。故曰〈別鶴操〉。』東
方士之鼓奏別鶴、孤鸞，蓋以喻其孤寂之懷。而陶公固極孤寂者也。又古詩
十九首之十七：『上言長相思，下言久離別。』蔡邕飲馬長城窟行：『上有加
餐食，下有長相憶。』並與此句法同。」[60]箋證中也強調了鼓奏「別鶴、孤
鸞」，是用來比喻「孤寂之懷」，然而「陶公固極孤寂者也」，其實，先生借
他人筆墨，澆自己胸中塊壘，說陶更是說己呀！

四　結語

　　先生窮其一生，做一字一句的箋證校讎，仔細分辨，再三斟酌，非精通
形、音、義之學不可。他堅持執守由儒入道，自篤實達虛通，有他素樸而高
遠的理想。而根植於內的儒家經學骨架底蘊，透過堅硬密實不致傾斜敧側的

「小學」工夫，紮紮實實的求索取證，絲毫不參雜個人的好惡情感，觀其「斠讎」一詞不採俗用「校讎」而根據《說文》的正解作「斠」，而與一般注疏體例如水灌注疏通稍別的，是在各版本群類書中確立正字正解，但卻不膠柱鼓瑟，也在其他校讎書名上採用自古相沿成習的「校」字，此即段玉裁注《說文》「象形」所謂：「象，當作像。像者，似也。象者，南越大獸也。自《易大傳》已假借矣。劉歆、班固、鄭眾亦皆曰象形。」亦即「古文初作而文不備，乃以同聲為同義」[61]之類，頗得其情實，故能融通無礙，合情合理，以故先生在〈愚魯〉詩吐露：「浮名于我如夢幻，甘隱校書數十年。」又〈平生〉詩云：「本真淳以應萬變，由篤實而達空靈。」皆是從生命情懷中體會而來的「求仁得仁」，甘心隱跡的。

另一方面，人基本上有想飛的想望，如何說服自己不能飛的實體，但在精神層面上能優遊自如、閒適純淨，憑借「鶴」鳥來寄寓抒情倒不失為一種可行的隱寓，先生在〈良悟〉詩所自道的「一心無二慮，怡然伴孤鶴」的「怡然」之情，表現在「寄情性於墳史」上，將「鶴」與神仙結合的「虛」象，轉化成自身對理想道德的堅守下孤獨的身影，「鶴」之「孤」，標誌著那孤高傲岸與清潔自守的姿態，如鮑照〈冬至〉詩所歌詠的：「渺渺負霜鶴，皎皎帶雲飛。」而此種孤高悲至的情懷，我們在先生所校的經、史、子部諸書中是看不出來的，他既固守又窮盡小學之能事，奮鬥不懈，乾乾不息，獨在浩瀚書林中做實實在在的字句對話，公允判斷，僅僅在「集」部中跟陶淵明依託幽情，所謂「別鶴、孤鸞，蓋以喻其孤寂之懷。而陶公固極孤寂者也」，而這種「孤寂」之懷，係在混濁世情之外的悠悠天地中獨立不群的感慨，似乎也迴映其愛女王國瓔在〈淡泊名利之外，謹守規矩之中——我的父親王叔岷〉文中曾提及的先生「那份自覺的孤獨意識」，而先生的超越可知，但幽獨難感，本文首從先生「斠讎」一詞中的「斠」、「校」字來做探索；次從先

---

[61] 〔東漢〕許慎撰、〔清〕段玉裁注：《說文解字注》，頁762、764。

生所校經、史、子集四部中攸關「鶴」字處觀察，透過一個點一個面來勾勒學問與心跡，也不過執其一端，瞎子摸象，未得窺其小學全豹。但先生孤介、清高、閒適、自在的核心形象，其用生命寫境界，雖在枯燥乏味的斠勘之作中，卻隱藏不住經學中最需抓住的人格精神，正如《詩》云：「懷柔百神，及河嶠嶽。」其百匯閎通，浩渺崇崎，余後生晚輩，「仰之彌高，鑽之彌堅」，雖百力氣，又何能企及耶！

原文發表於中央研究院中國文哲研究所主辦：「戰後臺灣的經學研究（1945～現在）」第二次學術研討會，臺北：中央研究院，2015 年 11 月 12-13 日。（郭妍伶校對）

266

饒宗頤先生與《說文解字》

一 引言

清仁宗嘉慶十三年（1808）高郵王念孫在為段玉裁注《說文解字》（以下簡稱《說文》）所寫的序文中，指出「《說文》之為書，以文字而兼聲音訓詁者也」[1]，若要「經學明」，必須「小學明」，若要「小學明」，必須文字、訓詁、聲音兼明，而追溯傳統「小學」的根源，恐怕捨《說文解字》則莫由了。

饒宗頤先生「治學廣博」，此從《饒宗頤二十世紀學術文集》（以下簡稱《文集》）十四卷的分類中也可略窺一斑：卷一「史溯」、卷二「甲骨」、卷三「簡帛學」、卷四「經術、禮樂」、卷五「宗教學」、卷六「史學」、卷七「中外關係史」、卷八「敦煌學」、卷九「潮學」、卷十「目錄學」、卷十一「文學」、卷十二「詩詞學」、卷十三「藝術」、卷十四「文錄、詩詞」，分類上雖有些夾纏不清，但內容可說是琳瑯滿目，美不勝收，博通淹貫，涉獵多方，可惜就缺少「說文」一類。許慎曾在《說文解字·敘》中指出：「蓋文字者，經藝之本，王政之始。肦人所以垂後，後人所以識古，故曰本立而道生，知天下之至賾而不可亂也。」[2]若對應於饒先生自道的：「古經典舊本子的出現與整理，是弘揚我們的民族精神和先進文化的光輝，培養我們對過去知識的新的理解。我們對古先文獻不是不加一字地不給以批判，而是要推陳出新，與現代接軌，把保留在歷史記憶中前人生命點滴寶貴經歷的膏腴，給以新的詮

---

[1] 〔東漢〕許慎撰、〔清〕段玉裁注：《說文解字注》（臺北：藝文印書館，2005 年 10 月），頁 I。
[2] 〔東漢〕許慎撰、〔清〕段玉裁注：《說文解字注》，頁 771。

釋。」[3]那麼，透過文字來打通經學的任督二脈，並轉化出新猷欣機，料想應是先生弘揚傳統光輝的一部分，故擷取《文集》卷四「經術、禮樂」中的「經學昌言」小類為底樣，兼及先生〈太平經與說文解字〉[4]、〈梁庾元威論《說文解字》〉[5]二文，爬梳歸納，略嘗臠而推鼎味，用以管窺蠡測先生循《說文》塗徑而闢通學問方面的成就於萬一，抑可稍稍補苴《文集》在蒐集分類上的些許未足。

二　從「經學昌言」引用《說文》談本立道生

昔鄭樵於〈校讎略〉中曾主張：「書籍之亡者，由類例之不分也。類例分，則百家九流各有條理，雖亡而不能亡也。」[6]分類的目的主要在「疏通倫類，考其得失」，即章學誠在《校讎通義》中說的「將以辨章學術，考鏡源流」，「使之繩貫珠聯，無少缺逸，欲人即類求書，因書究學」。[7]由此可見，分類本身不是部次甲乙而已，其實是深究學問底蘊相當不容易的一件工作，尤其在作者隨遇興發，機杼獨出，當望向蓬勃浩渺的書林學海，編次目錄者也可能要興嘆了。

考察《文集》卷四「經術、禮樂」類中，又細分成「經學昌言」（頁1-498）、「古樂散論」（頁499-672）、「隨縣曾侯乙墓鐘磬銘辭研究」（頁673-827）三小類，對應之下，「經術」改成「經學」、「禮」類似乎也不見了。若

---

[3] 饒宗頤：〈新經學的提出——預期的文藝復興工作〉，《饒宗頤二十世紀學術文集》（臺北：新文豐出版股份有限公司，2003年10月），卷四，頁11。

[4] 饒宗頤：〈太平經與說文解字〉，《大陸雜誌》，第45卷第6期（1972年12月），頁333（39）-335（41）。

[5] 饒宗頤：〈梁庾元威論《說文解字》〉，《慶祝王元化教授八十歲論文集》（上海：華東師範大學出版社，2001年1月），頁102-104。

[6] 〔南宋〕鄭樵：〈校讎略第一〉，《通志》（北京：中華書局，1987年1月），卷七十一，頁831。

[7] 〔清〕章學誠：《校讎通義》，《文史通義》（上海：上海書局，1988年3月），第四冊附，頁51、57。

欲明先生「經學明」的路徑，追本溯源，理應從「經學昌言」此小類所引《說文》處入手。「經學昌言」凡收錄文章 34 篇，其中〈殷禮提綱〉下又細分 4 小篇，實際為 37 篇。但引及《說文》的則未必篇篇都有，歸納有：〈殷代易卦及有關占卜諸問題〉引「痼」、「很」2 字（另外言及《說文》未收字「萻」為「著」的異體 1 字），〈由卜兆記數推究殷人對於數的觀念──龜卜象數論〉引「龞」、「捀（撞）」、「爻」3 字，〈略論馬王堆《易經》寫本〉引「彙」1 字，〈「貞」的哲學〉引「貞」1 字，〈從楚簡《易經》談到新編《經典釋文》的建議〉引「嫛」、「刜」、「丰」、「天」、「剝」、「廾」、「拜」、「牖」8 字，〈由刑德二柄談「銍」字──經典異文探討一例〉引「貼（睍）」、「練」、「銍」、「遷」、「晉」、「晵」6 字，〈詩一名三訓辨〉引「音」1 字，〈說阜陽《詩》簡〉引「篔」、「憺」、「誶」、「璊」、「箕」、「繫」6 字，〈竹書《詩》序小箋〉引「吝」、「改」、「攺」、「疊」、「保」5 字，〈有虞氏上陶說〉引「無」、「瓮」、「豐」、「壺」、「匋」5 字，〈史與禮〉引「帝」1 字，〈殷禮提綱〉中引「敆」、「禱」、「蠥」、「褒」、「宦」、「餯」（2）、「酆」、「沔」、「汃」、「彪」、「酋」、「啐」12 字 13 例，〈《春秋左傳》中之「禮經」及重要禮論〉引「禮」1 字，〈釋儒──從文字訓詁學上論儒的意義〉引「儒」（2）、「柔」、「憂」、「術」、「埶」5 字 6 例，〈天神觀與道德思想〉引「旁」、「苟」、「敬」、「惰」、「時」5 字，〈神道思想與理性主義〉引「讖」1 字，〈賈誼《鵬鳥賦》及其人學〉引「脛」1 字，〈華梵經疏體例同異析疑〉引「經」、「疋」、「記」、「說」4 字，凡 67 字 69 例[8]。若再縮小範疇，以《隋書‧經籍志》「經部」實際上即從劉向《七錄》「經典錄」、劉歆《七略》及《漢書‧藝文志》的「六藝略」而來

---

[8] 「附表一 《饒宗頤二十世紀學術文集》卷四引《說文解字》對照表」，詳參沈寶春：〈饒宗頤先生與《說文解字》〉，鄭煒明主編：《饒學與華學──第二屆饒宗頤與華學暨香港大學饒宗頤學術館成立十周年慶典國際學術研討會論文集》（上海：上海辭書出版社，2016 年 6 月），上冊，頁 80-91。

9，則〈釋儒——從文字訓詁學上論儒的意義〉以下，似可不論。

　　當然，先生如何看待《說文》一書呢？此從他自道的：「《說文》一書，多雜漢人讖緯之說，有時還含有些講經訓、義理的話，並非完全說字源。」[10]可知在他的觀念裡，《說文》不僅是說「字源」的字書，實際上還是「講經訓」、「講義理」的書，甚且屬入當時盛行的「讖緯之說」，那麼，〈天神觀與道德思想〉、〈神道思想與理性主義〉放進「經學昌言」類也就可以理解；唯將〈賈誼《鵩鳥賦》及其人學〉及〈華梵經疏體例同異析疑〉也置入「經學」中，就已然溢出傳統認知的「經部」藩籬，推展出不同於人人服膺的邊際，就顯得有些駁雜不純了。

　　其實，若將《文集》卷三「簡帛學」類試作比觀，其收錄包括：「簡帛文藪」（頁 1-228）、「長沙楚帛書研究」（頁 231-367）、「睡虎地秦簡日書研究」（頁 369-441）、「敦煌漢簡編年考證」（頁 444-664）、「新莽簡集證」（頁 665-934）等書篇，引用《說文》也多達 153 字 172 例[11]，與卷四所引《說

---

9 蔣伯潛：《校讎目錄學纂要》（臺北：盤庚出版社，1979 年 2 月），頁 182。
10 饒宗頤：〈釋儒——從文字訓詁學上論儒的意義〉，《饒宗頤二十世紀學術文集》，卷四，頁 308。
11 《文集》卷三徵引《說文》者有：貶（16）、虫（28）、一（29）、寶（38）、弱（40）、社（41）、諶（43）、研（57）、鑣（57）、阮（57-58）、稗（60、62）、俳（62）、亟（69、70）、恆（70）、楣（70、71、74、75）、柄（71）、卿（77）、陰（131）、提（133）、雞（159）、段（170）、抒（174）、賽（176 新附）、堅（178）、瞋（178）、殤（178）、剒（179）、肖（179）、仁（179、213）、涌（180）、琥（181）、晢（181）、聊（185-186）、瞤（189）、扨（193、226）、契（194）、丶（195）、乚（195）、戊（202、203）、雅（206）、樑（206）、〈說文序〉（207）、士（207）、鄙（208）、睽（223）、鷙（224、225）、瘦（225）、丰（226）、剢（226）、熊（235）、膤（237）、宀（239）、風（240）、疏（243）、魄（244）、瀧（245）、凵（245）、翰（247）、樅（247）、霄（247）、戩（249）、畀（249）、盾（250）、保（251）、昔（252）、共（253）、夸（253-254）、緄（255）、祿（259）、音（260）、顯（262）、巛（262）、巟（262）、灑（尿、砅）（265）、竊（266）、香（269）、擬（269）、屮（271）、沈（271）、堯（273）、襐（273）、祀（275）、牆（276）、縣（276）、穀（276）、西（276）、乞（279、344，案：頁344 此字文中作「乙」）、孔（279）、乳（279）、殺（279）、卯（280）、衛（280）、吞（283、307）、晢（283）、倉（284、308）、川（284）、睿（284）、斨（284）、梟（284）、簹（285）、臍（286）、毀（287）、折（287）、業（287）、侵（288）、戮（288）、鉤（300）、陬（303、398）、皋（306、390）、罜（306）、欠（307）、暘（310）、胹（325）、唇（358）、踄（358）、

文》共124字並不遑多讓，甚至更多。有趣的是，卷三徵引《說文》集中在漢及其前，如「新莽簡集證」（頁665-934）以後就很少見，頂多不過3例字，可見引用《說文》除追溯「字源」建構其立論的基礎為大宗外，通講「經、理」也是他兼具的宏觀功能。

以小觀大，在《文集》卷四「經術、禮樂」類的「經學昌言」、「古樂散論」、「隨縣曾侯乙墓鐘磬銘辭研究」三小類中（以下所引出處參見「《饒宗頤二十世紀學術文集》卷四引《說文解字》對照表」），除用來補苴《說文》失收的字例，如〈殷代易卦及有關占卜諸問題〉一文中補了「莃」字說：「莃字不見於《說文》而見於《易緯》，莃為蓍之異形」[12]外，也可見先生引《說文》時是採擷多方，不限在大徐、小徐及段《注》本，甚且及於外邦他域者。舉如〈釋儒——從文字訓詁學上論儒的意義〉云：

> 《一切經音義》二十四：「《說文》，儒，柔也，謂柔懦也。」徐鍇《說文繫傳》：「儒，柔弱也。又儒之言懦也。《禮》曰：『君子難進而易退。』《老子》曰：『知其雄，守其雌。』似乎懦也。」但段玉裁注《說文》，對上列訓柔為懦，卻均無所取，獨採用《禮記》鄭《目錄》之義，最為卓識。……徐灝在《說文段注箋》因云：「人之柔者曰儒，因以為學人之稱。」

係從唐代《一切經音義》到宋代徐鍇的《說文繫傳》到清代段玉裁注《說文》到徐灝《說文段注箋》，窮本溯源，一路追索，條分縷析，義理暢明。至於涉及異邦外域者，如論〈宋學的淵源——後周復古與宋初學術〉文中指出：

辰（358）、軡（359）、忞（360）、慎（360）、剴（379）、采（383）、枝（386）、畲（392）、諦（392）、製（393）、利（393）、裁（393）、匱（394）、曬（398）、映（398）、隈（398）、水（400）、隼（400）、祺（405）、胲（406）、餞（406）、訥（407）、盉（418）、謑（426）、詬（426）、冬（435）、眯（436）、粟（480）、牒（483）、穀（503）、關（523）、札（530）、常（532）、禪（532）、釭（557）、致（565）、懟（634、917）、摎（634、918）、絪（684）。按：以上諸例並不包括引自他說如羅振玉、王國維文中引《說文》者，例字後括弧內數字係為頁碼出處。共引153字，172例。

[12] 饒宗頤：〈殷代易卦及有關占卜諸問題〉，《饒宗頤二十世紀學術文集》，卷四，頁16。

（句）中正精字學，太平興國二年，被詔詳定《篇》、《韻》，四年副張洎使高麗，與徐鉉重校定《說文》，模印頒行（《文苑》卷三）。蜀人林罕著《說文》二十篇，目曰《林氏小說》，刻石蜀中。故知宋學中實包涵有蜀學與南唐之學。（〈宋學淵源之地域性——蜀學與南唐學術〉）

初期之宋學不是全講義理，反而注重文字、聲韻、校勘之學，與清代乾嘉學風很是接近，而這方面的著作，在北宋的學術界卻大放異彩。舉例言之，太宗雍熙三年，徐鉉奉敕與句中正、葛湍、王惟恭同校正《說文解字》，吳淑云：「取《說文》有字義者千八百餘條，撰《說文五義》三卷。」徐鍇有《說文繫傳》、《說文解字韻譜》，鉉為序（見《徐鉉傳》）。其後神宗與太原王子韶（聖美）論字學，留為資善堂修定《說文》官（《宋史》卷三二九《王子韶傳》），可見北宋君王對《說文》之留心與提倡，影響所及，鄰邦高麗亦有《說文正字》的刊行。該書有高麗國十四葉辛巳年號，即肅宗六年，相當於徽宗建中靖國元年（一一〇一）。（〈宋學中的漢學〉）

可看出他觀照全面，視域的開闊。餘如徵引傳世字書、韻書、類書中的《說文》材料和專家學者看法者，如「捀」下引《廣韻》去聲三用云：「撻，灼龜視兆也。《說文》父容切，奉也。《說文》手部作捀。《說文校錄》引《玉篇》云：捀，扶容切，灼龜觀兆也。」「剌」下以「慧琳《音義》引《說文》作『決鼻』。……（據沈濤《說文古本考》）」；又「簋」字引「清代權威的文字學家」除段玉裁外，有桂馥、孫詒讓等；「愉」下引「陸德明《釋文》：『毛：興也；鄭：驕也；王肅：養也；《說文》：起也。』（宋巾箱本）」；「壺」下引王筠《說文釋例》；「帝」下引章太炎說法；「宦」下引《類篇·宀部》中的《說文》；「弰」下引「唐寫本《玉篇》作弨，余弓切」；「儒」下引馬瑞辰說

法；「伶」下引《集韻》中的《說文》，從《玉篇》、《經典釋文》、《一切經音義》、《廣韻》、《集韻》、《類篇》、《說文校錄》、《說文古本考》，不一而足，從中亦可窺知其對傳世典籍的淹貫博通與各家說法精準的掌握。

當然，他從《說文》出發，而不拘泥在《說文》說解的限制中，論證過程精采絕倫，新說顛撲不破，並為學者本身覓得一「安身立命」的根據，如〈釋儒——從文字訓詁學上論儒的意義〉就是一篇力作，既細數其意義的來龍去脈、委婉曲折的演變，復出入經史百家，古今中外（如引郭店楚簡與現代哲學家懷德黑 A. N. Whitehead 名著 *Adventures of Ideas*），無不左右逢源，了無窒礙，對中國學術史與提倡儒學來說，真是擲地有聲，奠定了磐石的基礎。其說云：

> 「儒」訓「柔」，它的意義並非柔弱迂緩，而是「安」，是「和」。但怎樣才可達到安、和的境界呢？在儒家特別提出禮樂二者，因為「樂者天地之和，禮者天地之序。」（《禮記・樂記》）人與人間的相安，有待於禮來維持；人與人間的和諧，有待於樂來調節。禮樂二者，是求安的最好工具，所以儒家非常重視。真正的君子儒，是要立己立人，達己達人；修己之後，還要安人安百姓。無論施之教育或行於政治，都要能安。……「安」即是儒的意義。由於「安」的哲學的建立，長治久安，遂為中國歷來政治家和老百姓的共同目標，且形成了普遍的民族觀念……中國數千年歷史的綿延，可說是靠著「安」這一觀念的維繫。「安」的人生觀是中國民族融合與團結的核心力量，是中國文化真精神的流露。這無疑地應歸功於儒家思想之所孕育。可是話說回來，慣於求安，其流弊反會造成文化的阻滯和癱瘓。沒有別的文化來挑戰（challenge），幾乎變成麻木了。數十年來許多新的文化連續地給我們以無情的衝擊，我們的必須正視現實而不能逃避的反應，也許是我們未來的新生文化源泉。平心而論，儒家對「安」的追求，是一

個很正常而又有價值的人文思想。這個合理而美滿的希冀，其實該是
人類生存的共同鵠的。[13]

真能反映先生從文字聲韻訓詁入手，達到通經致用，懷抱崇高理想的襟懷與
境界，真所謂「本立而道生」的絕佳詮釋。

　　然而，若細細對校，可觀察到《文集》卷四「經術、禮樂」類「經學昌
言」小類中，引《說文》的說解與大徐、小徐、段《注》皆同者多，如「瘤」、
「捽（撻）」、「爻」、「貞」、「觢」、「韌」、「天」、「夬」、「牖」、「貶（睍）」、
「桎」、「邏」、「音」、「懵」、「誶」、「璪」、「箕」、「吝」、「保」、「無」、「瓮」、
「壺」、「帝」、「敵」、「禱」、「薑」、「褱」、「宦」、「餞」（2）、「酆」、「沔」、
「汎」、「酋」、「嘩」、「禮」、「柔」、「憂」、「術」、「埶」、「旁」、「苟」、「敬」、
「惰」、「讖」、「脰」、「疋」、「記」下即是。但也有採大徐本，而不從小徐與
段《注》者，如引「彙」、「剭」、「時」諸字。也有採段《注》而不從大徐、
小徐者，如「拜」、「練」、「兟」、「豐」、「經」、「說」諸字。或取大徐、段《注》
而不從小徐者，如「馫」、「儒」、「埶」諸字。或是同大徐、小徐而與段《注》
異者，如「匋」段《注》作「作瓦器也」，大徐、小徐則作「瓦器也」；「麤」
字從大徐、小徐本，段《注》「《春秋傳》曰」下有「卜占」二字。或用《廣
韻》說，實非《說文》而與大徐、小徐、段《注》俱有別者，如「糳」下訓
「精細米也」係出自《廣韻》入聲十九「鐸」下云：「糳，精細米也。《說文》
曰：『糲米一斛舂九斗曰糳』。」[14]（按：段《注》本將「九斗」改成「八斗」）；
亦有與大徐、小徐、段《注》俱異者，如「舩」下釋「舟行也」，大徐、小
徐、段《注》皆作「船行也」；「很」下釋「不『敢』從也」，大徐、小徐、
段《注》皆作「不『聽』從也」；「丰」釋作「象艸生之散亂」下，大徐、小

---

[13] 饒宗頤：〈釋儒——從文字訓詁學上論儒的意義〉，《饒宗頤二十世紀學術文集》，卷
四，頁 322-323。

[14] 〔南宋〕陳彭年等：《新校宋本廣韻》（臺北：洪葉文化事業有限公司，2001 年 9 月），
頁 506。

徐、段《注》皆有「也」字以補足文氣。當然，有不從《說文》各家說法而
獨出機杼者，如「改」即是，其隨機應發，不一而足，皆能充分利用字源的
依據，使說理得以開展發皇，取得應有的成就。

三　談〈太平經與說文解字〉（1972）及〈梁庾元威論《說文解字》〉（2001）

　　自來論文字研究《說文》者，甚少關注道教經典。而中國道教初期的經
典著作東漢的《太平經》，根據范曄《後漢書‧襄楷傳》所述，是在桓帝延
熹九年（166）「宮崇受于（一作干）吉神書」，這「神書」的內容主要是「專
以奉天地、順五行為本，亦有興國廣嗣之術」，性質是「參同經典」，當時將
此書定調為「其言以陰陽五行為家，而多巫覡雜語」，故「有司奏崇所上妖
妄不經，迺收藏之。」[15]留意到《太平經》的探索研究，是 1930 年日人小
柳司氣太的〈後漢書襄楷傳の太平清領書について〉首先「發難」，其後在
1935 年湯用彤撰〈讀《太平經》書所見〉、1936 年福井康順撰〈《太平經》
の一考察〉、1937 年的〈《太平經》の一考察──特に干吉の師承と其の佛
教的緣故について──（再論）〉、1940 年大淵忍爾撰〈《太平經》の來歷に
ついて〉、1962 年熊德基撰〈《太平經》的作者和思想及其與黃巾和天師道
的關係〉、1964 年吉岡義豐撰〈《太平經》成立の問題について〉……[16]直到
1960 年王明撰《太平經合校》一書，《太平經》的研究才從東洋轉回中國，
1980 年後則成為舉世研究的熱點之一。

---

[15] 王明：〈太平經著錄考〉，《太平經合校》（北京：中華書局，1992 年 3 月），下冊，
頁 747。
[16] 林富士：〈試論《太平經》的主旨和性質〉，《中央研究院歷史語言研究所集刊》第六
十九本第二分（臺北：中央研究院歷史語言研究所，1998 年 6 月），頁 235-243，附錄：
「《太平經》研究文獻目錄（1930-1997）」。

在上百篇研究《太平經》的論文中，林富士曾歸納出五個主題，他說：

> 在這六十多年來的《太平經》研究之中，學者所探索的課題主要可以
> 分成下列五項。第一是《太平經》的文獻考訂、作者和其著作時代。
> 第二是關於《太平經》一書的性質。第三是對於《太平經》的内容和
> 思想所做的分析。第四是《太平經》和道教太平道、五斗米道（天師
> 道）以及上清經派（茅山宗）在思想和教法上的關係。第五則是《太
> 平經》和其他典籍（如：《老子》、《易經》、《說文解字》、《墨子》、《抱
> 朴子》、《太平洞極經》）以及佛教的關係。[17]

而饒先生發表在《大陸雜誌》第 45 卷第 6 期的〈太平經與說文解字〉一文，
即屬第五項的「《太平經》和其他典籍」的關係，但又不能完全範圍住。根
據文中提及撰作的緣起，係因「法國汪德邁君曩從余讀說文，予為論太平經
解字，與東漢哲學思想之關係，彼因欲取與 Séville 書作一比較，甚盼能寫
成，而有以起予也。」[18]所以認真追究文章的本原，其實是放在東西方哲學
的比較，尤其是鎖定在「Séville 書」與《太平經》中潛含的「東漢哲學思想」
上，透過《太平經》在時代[19]、内容、解字上的交集而鋪展開，他既說「《說
文》一書，多雜漢人讖緯之說，有時還含有些講經訓、義理的話，並非完全
說字源。」[20]剛好和《太平經》的旨趣也有部分的疊合，《太平經》雖然「作

---

[17] 林富士：〈試論《太平經》的主旨和性質〉，《中央研究院歷史語言研究所集刊》第六
十九本第二分，頁 207。

[18] 饒宗頤：〈太平經與說文解字〉，《大陸雜誌》，第 45 卷第 6 期（1972 年 12 月），頁
335（41）。

[19] 有關《太平經》的著作時代，林富士在〈試論《太平經》的主旨和性質〉一文中曾整理
出「學者大致有三種看法：一是認為今本即是漢時舊作（其中又可分為兩派，一派認為出
自一人之手，另一派認為非一時一人之作）；二是認為其内容大體應為漢時之作，然今本
之面貌乃經南朝梁、陳時上清經派的道士編修而成；三是認為係陳時道士之作品，與漢代
的《太平經》無多大關聯（按：持第三種意見者，似乎只有福井康順一人）」，頁 208。

[20] 饒宗頤：〈釋儒──從文字訓詁學上論儒的意義〉，《饒宗頤二十世紀學術文集》，卷
四，頁 308。

者和編者可能不只一人，但仍有一通貫全書的主旨，亦即如書中所說的：『天教吾具出此文，以解除天地陰陽帝王人民萬物之病也』，其具體內容則包括『治身』之道和『治國』之道，而兩者又互有關連。歷代文獻對於《太平經》主旨的陳述，也與此相同。由此也可以間接證明，自東漢以迄宋代，《太平經》的主要內容應該沒有太大的增減或變異。」[21]以故，饒先生在文章末曾為綰合兩者而作如下說明：

> 此經於說文、釋名之外，保存不少東漢舊訓，極可珍視。……太平經中解字之例，可與說文互證……許沖上說文在後漢安帝建光元年，值順帝時宮崇上神書之前。太平經未必沿襲自許書，然可見東漢文字學之觀點與方法，經學家與方術之士，正相類似也。（元楊維楨著「拆字說」，謂其術原于倉頡，而得說于子華子，可見文字與方術之雜糅，不絕如縷。）說文多用緯書說，許君自序論文字緣起一段，直鈔襲孝經緯。緯書詁字，形訓聲訓并施，實導說文與太平經之先河。俞正燮撰緯字論已發其端倪。惟太平經有「解字」之事，且可與許說參證，向未有人提及。茲因其三合相通訣，加以詳述。以見東漢以來，文字之學，與讖緯陰陽之說，實息息相關。故知初期文字學之產生，蓋與宗教哲學互為表裏。近人於許君用陰陽五行之說以論字源，多詬病之，不知此乃東漢之學術風氣，許書固非純說字源者，其保存漢人思想，更富時代意義。此如歐洲早期文字學，西班牙人 Isidore de Séville 所著之 Etymologies，亦本聖經以解字，神學意味特濃，情形正相似耳。[22]

從中可看出饒先生靈敏的學術感光度，學貫中西的寬闊度。尤其能穿透漢學的內外表裏，在漢代「儒家以六經為基本原典，以《春秋繁露》開其端，以

---

[21] 林富士：〈試論《太平經》的主旨和性質〉，《中央研究院歷史語言研究所集刊》第六十九本第二分，頁 230-231。

[22] 饒宗頤：〈太平經與說文解字〉，《大陸雜誌》，第 45 卷第 6 期（1972 年 12 月），頁 334（40）-335（41）。

《白虎通》終其果構建了漢民族心理顯性層面。遙契儒家，《太平經》則啟道教構建漢民族的心理結構隱性層面之端緒，構成了漢民族外儒內道，抱陽負陰的民族性格」[23]，其眼光獨到，啟發甚多。

當然，推之其前，湯用彤在 1935 年所撰的〈讀《太平經》書所見〉一文中，似已先啓其端，有謂：「其書推尊圖讖，所言頗合于緯書。其暢談灾異占卜，與漢代儒家相似，故襄楷謂其『參同經典』也。」餘如下列數條所云，就與《說文》多少有些關涉了：

> 按《說文》，鈇者大斧也，此與《太平經》所言之弓弩斧相合也。《時則訓》謂北方之兵為鏉，與《太平經》北方之鑲楯刀不相合。……但《說文》云：「鏃，鈹有鐔也，一曰鋋，似兩刃刀」，《文選・吳都賦》注：「鈹，兩刃小刀也。」據此《淮南子》之鏉，《太平經》稱之曰刀，因其形相似也。

> 然作《太平經》者言之如此詳盡，則謂其書出於漢代，或不全妄也……《太平經》中陰陽五行諸說極多，頗難一時檢查其出處。唯頗疑其中學說多合讖緯。如卷四十中有文曰：「萬物始萌於北，元氣起於子。轉而東北，布根於角。轉在東方，生出達。轉在東南，而悉生枝葉。轉在南方，而茂盛。轉在西南，而向盛。轉在西方，而成熟。轉在西北而終。物終當更反始，故為亥。……亥者核也，乃始凝核也。故水治凝於十月也。（第五頁）」

---

[23] 李昭昊、何應敏：〈《太平經》簡議——東漢的道士對宇宙解釋範式的重建〉，《道教論壇》，2005 年第 3 期，頁 25 云：「《太平經》總結了傳統的鬼神崇拜、神仙思想、陰陽數術，借助於當時的崇天神學化和讖緯學化傾向，以宏大視域重繪了時人的宇宙圖景，重構了新的宇宙政治秩序，發明了新的個人生存的生命觀，提供了另一套宇宙與人生解釋範式，以回答在失範社會秩序下人們的價值觀焦慮。」又云：「自西漢中央政府尊隆儒學為官學起，儒學占據意識形態並牢握話語權。……上承董仲舒時代天人關係的思路，下繫當時頗為流行的緯書中天文地理、陰陽五行、數術、方技知識，仿效《淮南子》的總體的構架，提供給時人一個居正統地位的宇宙觀。」

《太平經》者，辭頗鄙俚，無多精義，然其在與佛道二教之關係上，實甚重要，故頗有研讀之價值也。《太平經》漢代道術之支流也。漢初重黃老道家，乃君人南面之術。《漢書‧東方朔傳》注引《泰階六符經》所言，似可證之。然其於陰陽神仙之關係若何不詳。漢儒通經致用，董子之學已雜以陰陽五行。孟喜、京房之《易》，作於宣元之世。而哀平之世，圖讖乃大起。成帝時甘忠可詐造《天官曆》、《包元太平經》十二卷，言漢家逢天地之大終，當更受命於天。天帝使赤精子下教我此道。[24]

其後先生撰〈太平經與說文解字〉，與《說文》參證者凡 15 字[25]，有：「用」、「皇」、「一」、「天」、「亥」、「核」、「青」、「卯」、「酉」、「旡」、「西」、「子」、「壬」、「止」、「士」等，所引諸例正合緯書、圖讖、占卜、災異所需，以干支用字居多[26]。但二書性質畢竟不同，參互交疊者有限，先生也瞭解「《太平經》未必沿襲自許書，然可見東漢文字學之觀點與方法，經學家與方術之士，正相類似也」，其啟發來哲，厥功甚偉矣！

另外，饒先生有篇〈梁庾元威論《說文解字》〉文章，發表在 2001 年出版的《慶祝王元化教授八十歲論文集》中，其中討論的焦點是擺在梁庾元威《論書》所說的：「許慎穿鑿賈氏，乃奏《說文》」這兩句話上，他提出質疑說：「庾氏此說向來無人提及，以黃侃之博洽，其《說文略說》亦忽視之。

---

[24] 湯用彤：〈讀《太平經》書所見〉，《湯用彤全集》（河北：河北人民出版社，2000 年 9 月），第五卷，頁 253、256、257、260，原載於北京大學：《國學季刊》，第 5 卷第 1 號（1935 年 3 月）。

[25] 「附表二　《說文》與〈太平經與說文解字〉對照表」，詳參沈寶春：〈饒宗頤先生與《說文解字》〉，鄭煒明主編：《饒學與華學——第二屆饒宗頤與華學暨香港大學饒宗頤學術館成立十周年慶典國際學術研討會論文集》，上冊，頁 91-92。

[26] 饒宗頤〈殷禮提綱‧殷代的日祭與日書蠡測〉曾云：「太史公云：『黃帝考定星曆，建立五行，起消息』……一般推測干支文字之構成，漢代有三種不同之說，一為《史記‧曆書》之聲訓說，一為《說文》之五行家之五龍說，一為《太一經》望形立訓之人身說（如以人頭空為甲，丁象人心之類）。」詳氏著：《饒宗頤二十世紀學術文集》，卷四，頁 256。

庾氏說許君『穿鑿賈氏』，這是甚麼意思呢？」因此根據許慎的兒子許沖上表所說的：「先帝（和帝）招（春按：原文作「詔」）賈逵修理舊文，靡不悉集」，與許氏〈自敘〉的相互參證云：「書曰：予欲觀古人之象，言必遵修舊文而不穿鑿」，推知「舊文」即指「前代的小篆」，於是推出如下的結論：「『許慎穿鑿賈氏，乃奏《說文》』，意思似說許君把賈逵整理三倉的篆書舊文，重新編成《說文》是求之過深的一種近於穿鑿的工作，言下帶點譏諷！」並說「我們如果仔細深刻地瞭解許書，便可立即發現庾氏所現的粗心和不正確」。[27]

這個意見或許與傳統看法大相逕庭，如清人段玉裁在注解「先帝詔賈逵修理舊文，靡不悉集」句下云：「賈逵字景伯，扶風平陵人也。九世祖誼、父徽從劉歆受《左氏春秋》，兼習《國語》、《周官》。又受《古文尚書》於塗惲，學《毛詩》於謝曼卿。逵悉傳父業，尤明《左氏》、《國語》，為之解詁五十一篇……云『修理舊文，殊藝異術，靡不悉集』者，〈和帝紀〉云：『十三年春正月丁丑，帝幸東觀，覽書林，閱篇籍，博選術藝之士以充其官，此皆用侍中說為之。安帝永初四年，詔謁者劉珍及五經博士校定東觀五經、諸子、傳記、百家、藝術，整齊脫誤，是正文字，此安帝之記述先帝也。」[28] 但是許沖上表已自道家門說：「臣父故大尉南閣祭酒慎，本從逵受古學」，段《注》云：「『古學』者，《古文尚書》、《詩》毛氏、《春秋左氏傳》及倉頡古文、史籀大篆之學也」，也就是說，許慎受教於其師侍中賈逵並未及於「篆書」的部分是很明顯的。唯先生由此推出：「許書基本資料乃取資於賈逵，使無賈逵整理舊文在前，許氏無從藉手，必須再做一番由隸書恢復為篆文之工夫」，說法與一般認知不同，從「由隸復篆」的立場出發談「穿鑿」的緣由，別有會解，說「我們如果仔細深刻地瞭解許書，便可立即發現庾氏所現的粗心和不正確」，也馬上回應了庾氏在文中先言明的「余忽橫議，實不自

---

[27] 饒宗頤：〈梁庾元威論《說文解字》〉，《慶祝王元化教授八十歲論文集》，頁 102-103。
[28] 〔東漢〕許慎撰、〔清〕段玉裁注：《說文解字注》，頁 792-793。

許，敬俟明哲，定其可否」[29]了。

大家都知道許慎撰《說文》是相當謹慎小心的，他既批評當時的「俗儒鄙夫」會「詭更正文，鄉壁虛造不可知之書」的穿鑿附會，怎麼可能自己也犯下如此的錯誤？豈不自掌嘴巴？他在〈自敘〉中既信誓旦旦說《說文》的撰述過程是「至於小大，信而有證」，並且「其於所不知，蓋闕如也」，怎會容許書中有任何「穿鑿」的成分存在？況且許沖在上表中也闡明其父「恐巧說衺辭使學者疑」，而仿效「聖人不妄作，皆有依據」，在每字每句都講究證據充分的情況下，忽然做起「把賈逵整理三倉的篆書舊文，重新編成《說文》是求之過深的一種近於穿鑿的工作」，實在令人費解。非但此說法顯得相當突兀，而且「上奏《說文》」的是許沖而非許慎本人。

若要解決其中潛存的矛盾，有無可能朝此方向去思考追索？前此余曾撰〈《說文解字》成書「考之於逵」辨〉一文[30]，探討許慎撰作《說文》是否曾「考之於逵」，兼及《說文》前、後〈敘〉中父子說法中的牴牾之處，而得出如下的結論：

> 總而言之，請循其本，許慎古學係師承賈逵而來毋庸置疑，《說文》引述「賈侍中說」的確是「博采通人」中條目最多的，從中可窺知兩人間師徒關係的緊密，《說文》不稱「賈逵」而稱「賈侍中」一如傳統認知的，係把「賈侍中」從「通人」的行列中區分出來，透過「書名」和「不書名」的名諱處理方式用以「尊師」。但是，許慎在徵引通人諸多說法時，用的專門術語是「曰」、「云」、「說」、「所說」、「作」、「讀若」、「以為」，卻不用帶有討論、商量、辨析性質的「語」、「謂」、「論」、「議」諸詞，特別是許慎所徵引的「賈侍

---

[29] 〔唐〕張彥遠：〈梁庾元威《論書》〉，《法書要錄》（北京：中華書局，1985年），《叢書集成初編》，卷二，頁46。

[30] 沈寶春：〈《說文解字》成書「考之於逵」辨〉，何志華、馮勝利主編：《承繼與拓新：漢語語言文字學研究》（香港：商務印書館，2014年12月），上卷，頁303-317。

中」全部用「說」字，別無它辭，《說文》既以「說」為「說釋」，本屬一種愉悅受教不敢贊一辭的載錄，其本身是缺乏討索論辯的空間；何況從《說文》「陘，危也」的分解中，許慎既採擷徐巡、賈侍中及班固的看法，最後選擇的是班固而不是「賈侍中」，那麼，許沖指陳的《說文》曾「考之於逵」的真相，是值得細細追究再行討論的。回頭檢視有關賈逵、許慎生平的記載，並與《說文》內容相互參證，則許慎師承賈逵推想應該是在東漢章帝建初八年（A.D.83）較接近史實；若以艸擬《說文》是在永元十二年（A.D.100），距離賈逵永元十三年卒不過短短一年，賈逵以七十後的耆耋體衰之年，縱然許慎欲謦欬相隨，親問親答執弟子之禮以折衷賈逵對 9,353 字的意見，似乎也不盡人情。那麼，許沖在東漢安帝「建光元年九月己亥朔二十日戊午」所上的〈《說文》表〉作：「慎博問通人，考之於逵」的主要作用，其實只是假托賈逵近侍陪臣的「侍中」位階與皇帝間的親近關係，採《莊子》「重言」的方式，來拉高許慎所著書在當朝皇帝心目中的學術份量……況從許慎自道的，於通人說法取用的方式是「采」而不是「問」，《說文》中呈現出來的既缺乏「考之於逵」的實證，當以平列方式，將「賈侍中說」放在「博采通人」的行列中，而不應調高位階，獨出「考之於逵」的重言型式，來托高賈逵在《說文》創制過程中的參化能量，反而抹滅了許慎孤詣卓立的劃時代貢獻矣！

也就是說，許沖為什麼要在東漢安帝「建光元年九月己亥朔二十日戊午」所上的表中說：「先帝（謂孝和帝）詔侍中騎都尉賈逵，修理舊文，殊藝異術，王教一端，苟有可以加於國者，靡不悉集……臣父故大尉南閣祭酒慎，本從逵受古學。蓋聖人不妄作，皆有依據。今五經之道，昭炳光明，而文字者，其本所由生。自周禮漢律，皆當學六書，貫通其意。恐巧說衺辭使學者疑，慎博問通人，考之於逵，作《說文解字》。」如果回到賈逵本傳試圖作個理

解，許沖的用意除了確立賈逵、許慎彼此間的師承關係，用以袪除「巧說衺辭使學者疑」外，最主要的目的，是想藉助賈逵「侍中」的地位，搭建起皇帝鄭重識知的橋樑，借勢使力，以採取類似《莊子》「重言」的方式，來拉抬襯托許慎的學術聲望與所著書的份量，是帶有推薦、引介的性質，並為許慎著書立說的意義與價值作保證，也即是為增添許慎著作的說服力和權威性，而假借賈逵在皇帝心目中的地位，以彰顯許書的可貴。[31]

回過頭再檢視〈梁庾元威《論書》〉中所說的「許慎穿鑿賈氏，乃奏《說文》」這兩句話，係針對當時「奏《說文》」的時空背景來說，應是相當的妥貼穩當、獨具隻眼的，但這膽大的「橫議」，卻又委婉含蓄，不遽說破，也就頗值得玩味。

四　餘論

總而言之，本文從「經學昌言」小類為底樣，兼及先生〈太平經與說文解字〉、〈梁庾元威論《說文解字》〉二文來觀察，略嚐梗概，已見先生「敘理成論，理形於言」的一面，也見先生「務先大體，鑑必窮源」、「乘一總萬，舉要治繁」的功夫，從經學、宗教哲學、書法理論三個面向溯回《說文》，其根深葉茂，令人如入大觀，百花競放，流連忘返，真所謂：「覩斯瑰奇，挹古芬芳。比物取象，昭冥愈狂。本隱之顯，潛德復光。三絕韋編，義須發皇。敢告來賢，誦之勿忘」[32]矣！

原文發表於香港大學饒宗頤學術館、華僑大學文學院、西泠印社、天一閣博物館、故宮博物院故宮學研究所主辦：《「第二屆饒宗頤與華學

---

[31] 沈寶春：〈從依違之間談文字學說的師承與創新〉，彰化：彰化師範大學國文學系「人文講座」講稿，2012 年 12 月 26 日。

[32] 饒宗頤：〈略論馬王堆《易經》寫本〉，《饒宗頤二十世紀學術文集》，頁 117。

暨香港大學饒宗頤學術館成立十周年慶典」國際學術研討會論文集》（上），香港：香港大學，2013 年 12 月 9-10 日，頁 75-84，後收入鄭煒明主編：《饒學與華學——第二屆饒宗頤與華學暨香港大學饒宗頤學術館成立十周年慶典國際學術研討會論文集》（上冊），上海：上海辭書出版社，2016 年 6 月，頁 72-92。（龐壯城校對）

談饒宗頤先生詩詞中的古文字命題

一　前言

　　《詩經‧小雅‧天保》曾以：「如月之恆，如日之升，如南山之壽，不騫不崩。如松柏之茂，無不爾或承」來稱讚人的「相繼長茂」，《禮記‧曲禮》則以人「百年曰期頤」，壽「越」期頤是多麼地難能可貴，人間稀寶，當是可喜可賀的大事！若試加觀察，古人年命雖長，但能親見手摩古文字材料者並不多；進而言之，既能親見手摩古文字材料，復能將各種不同的古文字材料書之於詩詞歌賦者實屬鳳毛麟角，古今罕見。饒宗頤先生曾在《選堂樂府‧枡櫚詞‧清平樂》自序中談及：「之初藏齊白石〈三餘圖〉，題記云：『詩者、睡之餘；畫者、工之餘；壽者、劫之餘，此白石之三餘也。』余則以長短句為夢之餘，琴絲為悲之餘，考證為唾之餘，此選堂之三餘也。」[1]可見饒先生在「唾之餘」的學術「考證」領域外，又能優游自在地穿越在不同時空、素材各異中的「悲餘琴絲」與「夢餘長短句」裡，巧妙地揉合個中存有的質異性分，寄託「悲」情「夢」思。除此之外，先生又在〈談中國詩的情景與理趣〉中說：「我認為中國詩大概不離事、景、情、理四個要素。離此四者固然不可以成詩，四者之中，中國詩特別重視寫『景』」、「《文鏡秘府論》提出詩有十七勢，其中有理入景勢和景入理勢二項，指出『詩不可一向把理，皆須入景，語始清味』，『事須景與意相兼始好』。可見理宜入景中，然後始有情味」、「所以詩在說理時還得有趣味。純理則質木，得趣則有韻致；否則不受人歡迎。理上加趣，成為最節省的藝術手法。」[2]那麼，本文試圖透過先生在《饒宗頤二十世紀學術文集》（以下簡稱《文集》）吟詠詩詞中，

---

[1] 饒宗頤：《饒宗頤二十世紀學術文集‧選堂詩詞集》（臺北：新文豐出版股份有限公司，2003 年 11 月），卷十四，頁 646。

[2] 饒宗頤：〈詩詞學‧詩學論集〉，《饒宗頤二十世紀學術文集》，卷十二，頁 172-176。

以古文字的「事理」來命題者為準的，用以管窺蠡測先生涵容廣大，博涉兼濡的為文治學特質與情韻趣味所在。

　　至於先生《湘遊小草·陪榮森先生謁其先代長沙相利倉墓，葬品珍玩之奢，足證王符之說》（卷十四，頁 683）、或是《湘遊小草·長沙之行，為時雖暫，而歷覽多方，尤以帛書欣獲暢讀，歸來賦謝熊、陳兩館長》（卷十四，頁 683）二詩作[3]，係以 1972-1974 年發掘的長沙馬王堆漢墓為對象[4]，墓中的「有些帛書是用篆文或很接近篆文的早期隸書抄寫的，其中至少有一部分是秦抄本。」[5]可知墓中抄本有些「涉及秦篆或早期隸書」，是介乎古、今文字分水嶺之間，本文以篇幅所限，暫時割愛。餘如先生談《急就章》詞〈風入松·題馬國權補訂急就章偏旁歌譯注〉（卷十四，頁 752）[6]、〈夔門登舟撥

---

[3] 饒宗頤：《饒宗頤二十世紀學術文集·選堂詩詞集》，卷十四，頁 683，收〈陪榮森先生謁其先代長沙相利倉墓，葬品珍玩之奢，足證王符之說〉詩作：「宋祖臨江始建牙，五洲軑地紫雲遮。長沙大冢仍浮侈，展墓裔孫意可嘉。」「萬里雲霄萬古情，五車書出邁麟經。遺編何得逃秦火，宣室還當問賈生。」注云：「《水經注》：『南逕巴水戍南，流注於江，謂之巴口，又東逕軑縣故城南，故弦國也。春秋僖五年秋『楚滅弦，弦子奔黃』者也。漢惠帝二年，封長沙相利倉為侯國，城在山之陽，南對五洲也。宋武帝建牙洲上，有紫雲蔭之，即是洲也。軑地在江夏郡。」又〈長沙之行，為時雖暫，而歷覽多方，尤以帛書欣獲暢讀，歸來賦謝熊、陳兩館長〉：「宋能衝暑更登臨，禹蹟虞陵待遠尋。蜀漢江濤開五渚，沅湘篠竹響千岑。巴陵一葉知秋近，郪水孤城掩霧深。快士交情縑帛際，南東行處有知音。」注云：「《水經·湘水注》：『（君）山東北對編山，山多篠竹。』可以為篾。」可酌參。

[4] 「馬王堆三座漢墓共出土了三千餘件珍貴的帛書、帛畫、簡牘、絲織品、漆木器、樂器、動植物標本、竹器、陶器、兵器等，無不是稀世珍品……在馬王堆漢墓眾多出土文物中，帛書、帛畫、簡牘等引起了學界普遍關注。三座墓葬，除了二號墓只在墓道發現一枚竹簡外，一號和三號墓均出土大量相關文物：一號墓出土三百一十二枚竹簡（遣冊）、十九枚陶罐和麻袋上的竹牌、四十九枚竹笥上的簽牌及一幅 T 形帛畫；三號墓漆書盒內出土了五十餘種帛書、醫簡二百枚，此外，還有隨葬的四百一十枚竹簡（遣冊）、木牘，五十二枚竹笥上的簽牌及三幅帛畫（T 形帛畫、車馬儀仗圖、行樂圖）。」參考自裘錫圭主編，湖南省博物館、復旦大學出土文獻與古文字研究中心編纂：〈長沙馬王堆漢墓簡帛出土與整理情況回顧〉，《長沙馬王堆漢墓簡帛集成》（北京：中華書局，2014 年 6 月），第一冊，頁 1。

[5] 裘錫圭：《文字學概要（修訂本）》（北京：商務印書館，2013 年 7 月），頁 68。

[6] 饒宗頤：《饒宗頤二十世紀學術文集·選堂詩詞集》，卷十四，頁 752，〈題馬國權補訂急就章偏旁歌譯注〉：「筆精點畫最關心。聲價重雞林。欲從急就論家法，溯漢興、還待鉤沉。亥豕魯魚能卻，龍僵虎踣齊喑。　篋中真艸耐追尋。未悔作書淫。神遊戈磔流沙際，獨依依、墮簡塵深。牆壁顛張狂素，人間共寶南鍼。」可酌參。李濱：《補訂急就章偏旁歌》（北京：翰茂齋，1930 年）；馬國權：《補訂急就章偏旁歌譯注》（香港：天地圖書有限公司，

蒙密，觀大宋中興頌摩崖，次簡齋遊浯溪韻〉（卷十四，頁 670）以及涉及少數民族摩些文書的〈謝霖燦惠摩些文書并墨竹次李白仙詩韻〉（卷十四，頁 443），因與古文字本身無關，也暫不闌入。另外，先生在《冰炭集》中收〈Chrevelan 博物院有長沙出土雙鳳雙蛇巨座，與信陽所出虎座鼓，形製相近〉詩一首，詩云[7]：

> 鷟鳥高辛可受詒，屈盤噓呴有雙螭。九頭雄虺終難問，異代還深宋玉悲。

此談雙鳳雙蛇虎鼓座的器物造型，並未涉及材質。但是，此種形制在楚文化中大抵以最精美的漆木雕塑出現，一般說來出自湖北江陵、信陽、長沙的楚墓中，具體呈現出楚人的宗教信仰與民族意識，先生觀看 Chrevelan 博物院收藏品時，連類及之，聯想到「信陽所出虎座鼓，形製相近」，從中興發出宋玉之悲，而先生閱歷之廣，視域之闊，感情之深，也約略透顯出來，只不過此與古文字無涉耳。故以下針對先生詩詞中所涉及到的古文字命題，分甲骨文、青銅銘文、侯馬盟書、楚帛書及戰國竹簡五大部分來試予論述，以窺見先生學術、才情搏揉合鑄的痕跡於萬一。

二　《文集》詩詞中的古文字命題

（一）詩詞中以甲骨文命題者

　　《文集》詩詞中以甲骨文命題者，有為自撰著作如《殷代貞卜人物通考》而賦詩者、有為卜辭中特殊語詞如卜「來艱」、「卜辭稱颷為大蹶風」之類而作、或先生應日本醍醐寺東方學會之邀而作專題演講殷易卦之類者；有為甲骨友朋著作而興發者，如為董作賓《殷曆譜》、沈之瑜遺稿《甲骨文講疏》，斯乃下文探討的重點；至於友朋同遊如〈鄭州機上〉詩：「首陽東去不回頭，

1992 年 1 月）。

[7] 饒宗頤：《饒宗頤二十世紀學術文集・選堂詩詞集》，卷十四，頁 522。

更渡風陵作遠遊。身寄飛鵬三萬里，并州行遍又中州。」自注：「時旅行全晉共一閱月。同遊者陳教授偉湛。」（春案：偉當作煒）（《文集》卷十四，頁672）之類，陳氏雖為甲骨學大家，因詩中並未涉及古文字，故忍予以割愛。

先生談《殷代貞卜人物通考》詩者，如《南海唱和集‧寄梣齋倫敦三十二疊前韻》詩云：

> 海角久滯書，真同隔天日。拙編勞挂齒，繙閱胡至十。神物驚知己，曳尾汙泥出。相守短檠燈，榰床固牆隙。卜官廢已久，緬幽窮曩昔。
> 荊公老作賦，文仲許分席。墜獻不足徵，看取蝸書壁。

注〔二一〕云：「李梣自倫敦來書謂海外讀拙作《殷代貞卜人物通考》至于十遍不遺一字者，惟彼一人，詩以致謝。荊公有〈同王濬賢良賦龜詩〉，故及之。」[8]案先生曾於一九六二年十一月致〈與李梣齋論阮嗣宗詩書〉謂：「深覺　足下抉發入微，用心至細」[9]，正是二人為學求真精神的最佳寫照。根據先生撰於「戊戌秋」（1958）的〈殷代貞卜人物通考自序〉，可知自董作賓劃時代的巨作〈甲骨文斷代研究例〉為甲骨學界鑿開鴻蒙，進入分期斷代的科學領域後，先生「莫憚其煩」，透過「屬詞比事」、「臚列舊詞」、「鉤稽名號」的方法，將荒邈的殷代人物典制，在文獻不足徵的情況底下，「不憚覼縷，撰為長編，以便來彥」[10]，亦即詩中指陳的：「卜官廢已久，緬幽窮曩昔」、「墜獻不足徵，看取蝸書壁」，此書之成匪易，功在甲骨學界，也是有目共睹。

另外〈一九九九年八月廿二日（農曆七月十二日）自鄭州返港，遭颶風停泊長沙，滯留黃花機場二日，口占四首〉之一云：

> 無端五度到長沙，前路雲山不見家；未見颼風真作祟，初秋今夜宿黃

---

[8] 饒宗頤：《饒宗頤二十世紀學術文集‧選堂詩詞集》，卷十四，頁458。
[9] 饒宗頤：《饒宗頤二十世紀學術文集‧選堂詩詞集》卷十四，頁482-486。
[10] 饒宗頤：《饒宗頤二十世紀學術文集‧殷代貞卜人物》，卷二，頁13-15。

花。

下注〔一九〕云：「卜辭稱颮為大撒風。」又之二詩作：

　　花園纔見卜「來艱」，信是人間行路難；且占明朝歸去也，滿天風雨
　　小樓寒。

下注云：「在安陽參加甲骨學百年大會之後至考古工作站看甲骨，『來艱』為卜辭習語。」[11]詩中呈現出先生旅途困頓，憂愁莫名，只好苦中作樂，遙想前所見殷商卜辭所占，並期待明朝能天朗氣清，順利返航歸去。注解中所引「大撒風」一詞，見《甲骨文合集》（以下簡稱《合集》）13359：「王寅卜：癸雨，大撒風」，于省吾以為「大撒風，亦即大颼風，猶今言大暴風矣」[12]。甲骨文又有「大風」一詞，如《合集》21021：「乙卯卜：羽丁巳其大風」、28554：「其遘大風　吉」。又見「來艱」一詞，如《合集》24162：「甲子卜，矣貞：今日亡來艱　十月」、24206：「乙巳卜，囗貞：今夕亡來艱」[13]，「來」為未來之意，「艱」為艱難之意，正與先生當時處境密合。有趣的是，「來艱」雖為卜辭習語，但《殷墟花園莊東地甲骨》序號 5、39、43、75、122、149、155、336、412、446、450、455、493、505 有「非艱」、「小艱」、「子艱」、「又艱」、「至艱」、「邑艱」、「弗艱」、「其艱」諸詞[14]，就是未見習用的「來艱」一詞。

　　詩詞中與董作賓先生酬酢者頗多，如《羈旅集‧董彥堂遠媵所著殷曆譜報之以詩》云：

---

[11] 饒宗頤：《饒宗頤二十世紀學術文集‧選堂詩詞集》，卷十四，頁 689-690。

[12] 「夐字上下兩手持耳形，當即撒之古文。……撒應讀為颼，颼從聚聲，聚從取聲，聲母同。」詳參于省吾：〈釋大夐雝〉，《甲骨文字釋林》（臺北：大通書局，1981 年 10 月），頁 12。

[13] 朱歧祥：《甲骨文詞譜》（臺北：里仁書局，2013 年 12 月），第一冊，頁 166；第三冊，頁 72。另參第四冊，頁 515-517「娸（春案：即艱字）」字條，「來艱」一詞見《合集》672、20539、24149。

[14] 中國社會科學院考古研究所編：《殷墟花園莊東地甲骨》（昆明：雲南人民出版社，2003 年 12 月），第六冊，頁 1557、1559、1578、1589、1608、1617、1620、1695、1721、1731、1733、1735、1748、1751。

九州共識邯鄲淳，能讀契龜接典墳。汲冢竹書難輯綴，堯年巧曆極紛紜。何人稽古追秦近，許我問奇向子雲。牢落山川空愛寶，清風蘭蕙為誰薰。[15]

《殷曆譜》於民國 34 年（1945）4 月出版，是跨時代的鉅著，前所未見地將漫無頭緒的甲骨卜辭排譜，納入規律中，亦即董先生書前〈自序〉所說的：「此書雖名《殷曆譜》，實則應用『斷代研究』更進一步之方法，試作甲骨文字分期分類分派研究之書也。余之目的一為藉卜辭中有關天文曆法之紀錄，以解決殷周年代之問題；一為揭示用新法研究甲骨文字之結果，以供治斯學者之參攷。」以及傅斯年先生在〈殷曆譜序〉中推崇董先生「大資高邁，精力過人」、「余目覩當世甲骨學之每進一步，即是彥堂之每進一步」。[16]故先生於詩中謂其「汲冢竹書難輯綴，堯年巧曆極紛紜」，董先生卻「能讀契龜接典墳」，將不可能化為可能，重建殷史秩序，影響後來學者極為深遠。先生亦曾在《選堂樂府・固庵詞》戊申（1968）清和自〈序〉中云：「詞異乎詩，非曲折無以致其幽，非高渾無以致其夐。幽夐之境，心嚮往之；而詞心醖釀，情非得已」，故常「懷新道迥，用慰征魂」[17]，也因與董先生交誼深厚，遽聞其喪，悲從中來，不可遏抑，〈木蘭花慢・小序〉云：「自天竺歸，聞董彥堂先生之喪。偶檢其遺札，追思曩遊，竟同隔世。爰依彊村哀半塘翁韻，以志余悲。杜老追酬高蜀州詩，嘆為愛而不見，情見乎詞也。」詞云：

支床誰復問，但絃撥、夜冷冷。算排遣居諸，消磨豹鼠，蠹簡猶青。飄零。白頭去國，泣蒼山、落日故人情。見說歸神太素，湖江遽失鱣鯨。　望京。草色上荒亭。滄海倘揚靈。甚凋殘詩雅，難傳巧曆，徒附中經。沈冥。山河邈若，愴知音、躑躅更吞聲。蟲篆如今莫繼，塵

---

15 饒宗頤：《饒宗頤二十世紀學術文集・選堂詩詞集》，卷十四，頁 411。
16 傅斯年：〈殷曆譜序〉，董作賓：《董作賓先生全集甲乙編》（臺北：藝文印書館，1977 年 11 月），乙編第一冊（6），頁 1；董作賓：〈自序〉，《董作賓先生全集甲乙編》，乙編第一冊（6），頁 5。
17 饒宗頤：《饒宗頤二十世紀學術文集・選堂詩詞集》，卷十四，頁 568。

　　　戔空想平生。[18]

既推崇董先生學術上的成就有如「鱣鯨」，其《殷曆譜》是「巧曆」實莫繼難傳，而「知音」的沉落，更讓他「躑躅吞聲」，難以自抑。之後，先生又撰〈展董彥老墓次聲步韻義山故驛弔桂府之作〉，詩云：

　　　溪山如夢鳥空啼，歷亂霜蕖逐水泥。此際洹南端可念，斷腸新塚日沉西。[19]

即因董先生於民國 52 年（1963）3 月 19 日心臟病發，雖送臺大醫院診治，臥病八月終告不治，於 11 月 23 日病逝[20]，墓塚在臺北南港中央研究院胡適紀念公園內，先生徘徊不去，唏噓不已，哀哀心意，回映著沉沉落日，空山鳥啼，斷腸人在天涯！

　　　另「辛未（1991）八月」所識《聊復集》收有〈金縷曲〉一闋，前附〈小序〉談詞作緣起云：「題沈之瑜遺稿《甲骨文講疏》。余與君共發起編《甲骨文通檢》，今書垂成，而君墓木已拱。深喜建華能繼志述事，君亦可以無憾矣。」詞作：

　　　洹水難終闋。現寶鼎、山川吐策，玄龜呈瑞。一自三朡俘獻了，便入成湯盛世。看王亥、珥鑣奇字。崛起羅王興絕學，更周原、鍥刻多瑰麗。導引者，知誰子。　　多君專志武丁事。見遠流，端詳著記，略區同異。嚮壁虛詞庶可免，經藝本根同繫。猶記得、滬濱聯轡。綠醑黃花屢盡興。每念君，撫卷漫屑涕。斯文在，欣有繼。[21]

案：沈之瑜（1916-1990）係上海博物館的老館長，與先生在學術上合作最多，是先生最好的朋友，莫逆於心。1982 年兩人共同發起編寫《甲骨文通檢》，並於 1989 年 12 月由香港中文大學出版社出版；1990 年沈先生仙逝

---

[18] 饒宗頤：《饒宗頤二十世紀學術文集‧選堂詩詞集》，卷十四，頁 580。

[19] 饒宗頤：《饒宗頤二十世紀學術文集‧選堂詩詞集》，卷十四，頁 520。

[20] 臺灣大學中國文學系‧董作賓先生學術簡表：http://www.cl.ntu.edu.tw/people/bio.php?PID=126#personal_writing。

[21] 饒宗頤：《饒宗頤二十世紀學術文集‧選堂詩詞集》，卷十四，頁 756。

後，遺稿《甲骨文講疏》由上海書店出版社於 2002 年出版，先生親自為書題簽，上引〈金縷曲〉即追念緬懷兩人深厚情誼之作，感人至深。而沈先生「欣有繼」者，指名古文字學者沈建華，除「繼志述事」外，更能發皇光大其學術。

又如〈庚申五月十七日，醍醐寺東方學會上講殷易卦。貝塚茂樹教授主其事。三疊前韻〉詩云：

> 陰陽不孤生，空有仗雙遣。醍醐有至味，妙語須一轉。坤乾難搜討，極數稽大衍。日者岐山下，契龜出蓲卷。眼花字如蚊，駭汗已氣喘。目擊倘道存，卦名堪三反。夏雨生波瀾，春蠶方在繭。荷沼好題詩，菰蒲冒清淺。[22]

此係庚申年（1980）先生應邀赴日，五月十七日在京都醍醐寺東方學會上主講殷易卦，由曾撰〈龜卜と筮〉就殷代龜卜和周代筮占間的內在演變關係作過探討[23]的貝塚茂樹教授主持。當然，先生也嘗作〈殷代易卦及有關占卜諸問題〉一文[24]。首句開門見山指出「陰陽不孤生」，乃由商代筮占中的筮數形式有三爻一組、四爻一組、五爻一組、六爻一組四種，三爻者稱單卦，類似《周易》的經卦；六爻者稱重卦，類似《周易》的別卦；四爻一組及五爻一組的屬於互體卦範疇，也可在《周易》中找到歸宿，舉如《巴黎》24＋《文史》20 輯的一期龜腹甲：「乙丑……貞多……占曰父乙……（正）弋，六一一六（反）」，其中「六一一六」奇陽偶陰相對成四爻而「不孤生」，並可對應《周易》的「大過」卦[25]；二句則就「醍醐寺」言之，「雙遣」是佛法中對

---

[22] 饒宗頤：《饒宗頤二十世紀學術文集・選堂詩詞集》，卷十四，頁 703。

[23] 〔日〕貝塚茂樹：〈龜卜と筮〉，《殷周古代史の再構成》（東京：中央公論社，1977 年 7 月），《貝塚茂樹著作集》，第三卷，頁 7-69。

[24] 饒宗頤：〈殷代易卦及有關占卜諸問題〉，《文史》第二十輯（北京：中華書局，1983 年 9 月），頁 1-13。

[25] 王宇信、楊升南主編：《甲骨學一百年》（北京：社會科學文獻出版社，1999 年 9 月），頁 217-218。

正面命題及反面命題皆不予以吸納，在否定雙重實相層中不執著，由中道提升超越到空有的醍醐至味境界。中間敘述殷易卦辨識的困難與推敲定名的不易，末四句情景交融，從眼前景致發抒作結，以南朝宋詩人謝靈運〈從斤竹澗越嶺溪行〉詩：「蘋萍泛沉深，菰蒲冒清淺」移花接木作結，將醍醐寺荷池的清芬搖曳，水草的高低參差，閒逸雅靜的風光表露無遺。全詩首尾呼應，自然天成，將最新鑽研成果分享的硬度，化在一片清淨無塵的優雅柔美天地，時間有似定格，令人流連在靜謐生姿的倒影中，縈盪心懷。

（二）詩詞中以青銅銘文命題者

先生關於青銅銘文的論著，收錄在《文集》卷四「經術、禮樂」的類屬，尤其集中在〈隨縣曾侯乙墓鐘磬銘辭研究〉的部分，但先生詩詞中所吟詠的，顯然宕出它的邊界。卷十四《羈旅集》中收有〈與棪齋北溝摩挲器物，紬讀書畫，不覺浹旬，莊尚嚴那志良二君冒風雨餉人輦散氏盤相示，意尤可感，因紀以詩。〉詩云：

> 能來觸暑復衝寒，南港北溝屢往還。凌晨驅車排日至，荒村寂寂證古歡。鴻都建業足儔匹，山花寶器同斑斕。毛公舊鼎摩挲久，郭熙發興青林間。亦知望古古遙集，佳書直作故人看。平生一事最堪憶，暮雨滿山輦散盤。[26]

詩中透露出先生與李棪先生在臺北市郊南港、臺中霧峰北溝往還多次，「摩挲器物，紬讀書畫」已過十天，當時天氣觸暑還寒，早至晚歸，記憶中最深刻的事，就是「莊尚嚴、那志良二君冒風雨餉人輦散氏盤相示」，亦即詩末所詠「平生一事最堪憶，暮雨滿山輦散盤。」大家都知道，〈毛公鼎〉和〈散氏盤〉是臺北國立故宮博物院最重要的西周寶器，國際知名，「散盤 357 字為散、矢二國的約劑條文，可以考見西周履勘田地與立約形式，於土地制度

---

26 饒宗頤：《饒宗頤二十世紀學術文集·選堂詩詞集》，卷十四，頁 432。

有重要研究價值」、「毛公鼎 500 字，詳載周王對毛公厝的殷殷告誡與勖勉，其冊命封官之隆崇與管理範圍之大，為金文所僅見」[27]，先生能細觀摩挲，真是人間難得！

（三）詩詞中以侯馬盟書命題者

據《侯馬盟書》所言，「山西省侯馬的春秋晚期晉國遺址，是從乙巳年開始挖掘的」，也就是從「1965 年 11 月～1966 年 5 月，考古工作者在牛村古城附近的澮河北岸臺地上發現並發掘了侯馬盟書」，「盟主為趙嘉（趙桓子），盟書主盟人約在晉定公十七年（約西元前 424 年）舉行盟誓的」，係中國自 1949 年以來的「十大考古發現之一，已成為國寶級的文物。」[28]施議對編纂《文學與神明——饒宗頤訪談錄》時，先生曾自道：「我寫過一本《敦煌白畫》，學習唐代白描，並於甲骨、楚帛書、侯馬盟書以及流沙墜簡等出土古物上的文字，用過功夫。」[29]可見侯馬盟書對先生的書畫文字影響之深，在《選堂詩詞續集·苞俊集》中，收有先生〈訪侯馬盟書出土遺址〉詩一首，詩云：

> 且看帶屬好山河，玉策盟書久不磨，靈秀所鍾神物出，古芬疇及此邦多。[30]

首句典出《史記·高祖功臣侯者年表第六》中的「封爵誓詞」，誓曰：「使河如帶，泰山若厲，國以永寧，爰及苗裔。」[31]先將「出土遺址」的地理座標

[27] 游國慶文字撰述、國立故宮編輯委員會編輯：〈導言〉，《故宮西周金文錄》（臺北：國立故宮博物院，2001 年 7 月），頁 14。

[28] 參見山西省文物工作委員會：〈侯馬盟書及其發掘與整理〉，《侯馬盟書》（上海：文物出版社，1976 年 12 月），頁 13；張頷、陶正剛、張守中：《侯馬盟書》（太原：山西古籍出版社，2006 年 4 月），頁 3；張道升：《侯馬盟書文字研究》（新北：花木蘭文化事業有限公司，2014 年 3 月），上冊，頁 1-3。

[29] 施議對：〈大師與大大師〉，《文學與神明——饒宗頤訪談錄》（香港：三聯書店有限公司，2010 年 5 月），頁 16。

[30] 饒宗頤：《饒宗頤二十世紀學術文集·選堂詩詞續集》，卷十四，頁 671。

[31] 〔西漢〕司馬遷撰、〔南朝宋〕裴駰集解、〔唐〕司馬貞索隱、〔唐〕張守節正義：《史記》

點明，以見黃河環繞如綿亙細長的衣帶，秦山磊岑有如硬小的砥石，那麼，視野的高標凌舉如空拍姿態也就顯現出來。次句則說明侯馬盟書屬於「玉（石）」材「冊」式與「盟載」之書的性質，得以永存而不磨滅。三、四句則評述出侯馬盟書的價值為「古芬」的「神物」，並讚嘆山西晉邦為鍾靈毓秀之地，歷史文物含藏量相當豐富，令人驚艷！此從先生所選用的「好」、「久」、「靈秀」、「神」、「古芬」諸詞也可嗅出個中欣羨之意。全詩由時空經緯，具足「景、事、情、理」四要素。而先生不管治學或創作，翰墨之餘，能行萬里路，遠赴山西實地求訪，真心體會，於斯也可窺見一斑！

（四）詩詞中以楚帛書命題者

　　《文集》中詩詞涉及楚帛書命題者有四首。其一言及最先「提出『楚文化』一詞，研討戰國楚帛書」，即〈自題濠鏡畫展三首〉之三[32]詩云：

　　也曾自署荊蠻民，出入群書若有神；我謝東皇多指點，滔滔江漢獨相親。

自注云：「余自署曰『今荊蠻民』，向於楚事探索最力，首提出『楚文化』一詞，研討戰國楚帛畫。」可見先生「獨相親」的是「楚文化」部分，尤其是「戰國楚帛畫」更是「探索最力」，此從《文集》卷三所收《長沙楚帛書研究》也可推知一二，共收錄有〈楚帛書新證〉、〈楚帛書十二月名與爾雅〉、〈楚帛書之內涵試說〉、〈楚帛書象緯及德匿解〉、〈帛書丙篇與日書合證〉以及〈長沙子彈庫殘帛文字小記〉諸篇，持續最久，考索綿密，觸類多方，說法也「備受重視」[33]，可資證明。另外，先生亦嘗言：「十餘年來，楚地出土文物，倍蓰於前，余亦屢次漫遊荊楚，作實地考察，所見益廣。」[34]甚且遠

（臺北：鼎文書局，1975 年），第一冊，頁 877。

[32] 饒宗頤：《饒宗頤二十世紀學術文集・選堂詩詞集》，卷十四，頁 694。

[33] 饒宗頤：《饒宗頤二十世紀學術文集》，卷三，頁 233-368。

[34] 饒宗頤：《饒宗頤二十世紀學術文集》，卷三，頁 234。

至美洲，尋訪帛書蹤影。《冰炭集》中曾載先生〈初見楚繒書於紐約戴氏家〉二詩，詩云[35]：

> 十載爬梳意自遲，驚看寶繪在天涯。祝融猶喜行間見，待起龍門問世家。

> 一卷居然敵楚辭，渚宮舊物自無疑。蕭從玄月萌秋興，遙想洞庭葉脫時。

《文集》中也屢次對此造訪再三致意，可見其重視程度與影響之深遠，如〈楚帛書十二月名與爾雅〉一文中說：「余於楚人文化若有夙嗜。長沙出土帛書，論之再四……一九六四年秋經京都，將訪教授（春案：指金關丈夫教授）於奈良，復以行程匆促未果。嗣余自加赴美，獲睹帛書原物於紐約戴潤齋先生處，積疑冰釋，至快平生。」「帛書原物曾有一長時期由 J. H. Cox 寄存於紐約大都會博物院（Metropolitan Museum），一度歸國人戴潤齋先生收藏（J. T. Tai）。余於一九六四年九月中旬訪戴君於紐約，承出示該圖，經反覆勘讀，凡三小時之久。」又於〈楚帛書十二月名與爾雅〉中指出：「余在美時，初得見繒書原物，因題二絕句云……其時此圖歸國人所有，故喜極而書此。今原物復易手，握管重理舊稿，前塵俯仰，為之憮然。」復在〈長沙子彈庫殘帛文字小記〉中載及：「一九六四年九月，余在紐約，于戴潤齋先生（J. T. Tai）許，初次獲見子彈庫楚墓所出繒書原物，仔細觀察歷三小時之久。其上帶有若干文字殘跡，在『玄司秋』句之側，似是從他處有文字之絲織物所黏上，經攝影後，附著殘文，有『君』字尚約略可睹，嗣在哈佛時，與楊聯陞教授共據照片辨認，所見相同。因揣知當時出土必有其他殘縑，惜已散失。」[36]由上觀之，此絕句二首寫作的背景係因「此圖歸國人所有，故喜極而書此」，「國人」指的是當時的帛書主人戴潤先（J. T. Tai）先生[37]，

---

[35] 饒宗頤：《饒宗頤二十世紀學術文集》，卷十四，頁 521。

[36] 饒宗頤：《饒宗頤二十世紀學術文集》，卷三，頁 298-299、312、358。

[37] 李零：《長沙子彈庫戰國楚帛書研究》（北京：中華書局，1985 年 7 月），頁 20。

潤齋是他的號。寫作的時間點是在「一九六四年九月中旬」，鑑賞原圖歷經「反覆勘讀，凡三小時之久」，成果是「積疑冰釋，至快平生」，則詩中「驚看寶繪在天涯」的「驚」字分量也就可想而知，顯現先生喜孜痛快，酣暢至極的心情，而勘定古物無誤，對楚文化的追索與貢獻價值極大，比起《楚辭》來堪可匹敵，不遑多讓，故先生謂「一卷居然敵楚辭」，更燃起先生一探再探的好奇與熱情，「猶喜」、「待起」的蓬勃興意溢於言表，排戛而出，此正與「楚帛書所受到海內外學術界的關注程度是其他戰國文字材料所無法比擬的」[38]相符契，怪不得陳槃跋先生《楚繒書疏證》為「勝義絡繹，深造有得，精思卓識，斯可謂難能矣」。[39]

　　除此二絕句外，先生在〈楚帛書之內涵試說〉文後，附二收錄〈楚繒書歌次東坡石鼓歌韻〉詩，卷十四《羈旅集》中也收〈楚繒書歌次東坡石皷歌韻〉詩，比勘之下，二詩或序用字稍有不同，如卷三〈序〉「詩以紀之」，卷十四用「詩以記之」；卷三「初讀祇驚口銜箝」，卷十四作「初讀秪驚口銜箝」；卷三「篇長何止儷鐘卣」，卷十四則作「篇長何止儷鍾卣」；卷三「九州汜濫思鯀叟」，卷十四則作「九州汜濫思鯀嫂」；卷三「更窮盈縮識天栝」，卷十四則作「更窮贏縮識天掊（栝）」。若以「次東坡石皷歌韻」考之，韻腳作「嫂」、「掊」者是，餘則古通用。至於寫作緣起，先生自序因由說：「繒書原物既歸 Sackler 博士，哥倫比亞大學特為召開討論會，由 Goodrich 教授主其事，詩以記之。」詩云：

　　　　涂月招搖位當丑，是孰維綱訊蒙叟。久訝俶詭劫灰餘，旋出窮泉不脛走。因思黃繚南方強，問天惠施肆開口。繩繩鋪陳數百言，悠悠況二

---

[38] 徐在國：《楚帛書詁林》（合肥：安徽大學出版社，2010 年 8 月），〈前言〉引曾憲通語，頁 2。

[39] 饒宗頤：〈楚繒書疏證〉，附陳槃〈楚繒書疏證跋〉，《中央研究院歷史語言研究所集刊》第四十本上，1968 年 10 月，頁 1-35。李零：《長沙子彈庫戰國楚帛書研究》，頁 25，曾云：「這是作者關於帛書文字最詳盡的一篇考證，陳氏跋語評為『勝義絡繹，深造有得，精思卓識，斯可謂難能矣。』在已經發表的帛書釋文考證中此文比較晚出，並且所據複製本相當精確，故能夠糾正過去的不少誤釋，並提出一些新的看法，質量較高。」

千年後。營丘重黎舊有圖，平子描繪頭唯九。於斯獨舉五木精，待起鄒生問榆柳。若從時月揣宜忌，艱于南北辨箕斗。初讀祇驚口銜箝，細推備覺襟見肘。妙悟偶然矜創獲，缺閭通篇多藜莠。最春三閭悲長勤，敢云千載許尚友。窈窕方哀世多艱，神祀但嗟民有穀。當春行事勤卉木，論書波磔異蝌蚪。曷以利眾會諸侯，欲齎油素叩黃耇。誰取幼官校時則，漫稽爾雅勞指喉。辭清直可追雅頌，篇長何止儷鐘卣。四神格奠尊祝融，九州氾濫思鯀瞍。留與叔師補楚騷，還笑退之悲峋嶁。撥根應手未灰滅，地不愛寶天所厚。獨看神像繞周圍，不知指意屬誰某。我行萬里獲開眼，寶繪喜歸賢者有。考文幾翬費猜疑，歷劫終欣脫箝杻。感極咨嗟且涕洟，自古文章抵芻狗。鑽研我意亦蹉跎，摩挲彷彿喪神偶。方今舉國盡奔波，剗苔掘臼走黔首。欲杜德機示地文，更窮嬴縮識天掊（棓）。博古龍威遠流傳，講經虎觀知去取。且從書證試闡幽，何當爬羅與刮垢。無復鷺飄嘆鳳泊，定知神物長呵守。西顧因茲屢吟哦，扛鼎力猶未衰朽。莫言尺縑岡重輕，惟有十鼓堪比壽。[40]

這首七言古詩，波瀾壯闊，筆力驚人，風雲氣長，迴盪久遠。本來，唐人以古文字入詩，《全唐詩》僅收有杜甫的〈李潮八分小篆歌〉、韋應物的〈石鼓歌〉、韓愈的〈石鼓歌〉[41]。宋人則以蘇軾〈鳳翔八觀〉之一的〈石鼓歌〉最為有名，亦即先生所次韻者。〈鳳翔八觀〉詩序中曾言及：「自傷不見古人，而欲觀其遺跡」的寫作動機，八觀指鳳翔的八處名勝古蹟，有名的〈石鼓文〉

[40] 饒宗頤：《饒宗頤二十世紀學術文集》，卷三，頁 331；卷十四，頁 427。

[41] 〔清〕曹寅、彭定求等：《御定全唐詩》，《文津閣四庫全書》（北京：商務印書館，2005年1月），第四百七十五冊，卷二百二十二，頁 710、卷一百九十四，頁 625、第四百七十六冊，卷三百四十，頁 218。關於古文字入詩題的詳細情形，請參沈寶春：〈論《汗簡》、《古文四聲韻》引李商隱《字略》書名異稱溯因〉，〔日〕東方學研究論集刊行會編集：《東方學研究論集（高田時雄教授退休紀念）〔中文分冊〕》（京都：臨川書店，2014年6月），頁 205-219。

與〈詛楚文〉都側躋其列。〈石鼓歌〉中蘇軾表明自己在識讀石鼓文的困難，比起韓愈有過之而無不及，詩首云：「冬十二月歲辛丑，我初從政見魯叟。舊聞石鼓今見之，文字鬱律蛟蛇走。細觀初以指畫肚，欲讀嗟如箝在口。韓公好古生已遲，我今況又百年後。強尋偏旁推點畫，時得一二遺八九。我車既攻馬亦同，其魚維鱮貫之柳。」[42]先生初讀情境與之彷彿：「初讀衹驚口銜箝，細推備覺襟見肘。妙悟偶然矜創獲，缺闇通篇多藜莠」，可是幾經考索鑽研，終於有所突破，試將這圖文並茂，大約 47×38 公分由三組文字和兩組圖像組成的整幅帛書解讀出來，真可驚天地而動鬼神，對戰國楚文字及文化思想的貢獻很大[43]，怪不得先生吟哦道：「考文幾輩費猜疑，歷劫終欣脫箝杻。感極咨嗟且涕洟，自古文章抵芻狗。」雖然，「鑽研我意亦蹉跎，摩挲彷彿喪神偶」，透過凝鍊詩體的情境發抒，寄寓感歎，個中艱辛的考證歷程，也就一五一十地呈現出來，如繪在目。當然，對於中國最早寫在縑帛上的戰國楚帛書，李零也曾有感而發說：「一九四六年，子彈庫帛書流失海外，圍繞它的討論，不但歷時長，而且參與討論者眾，具有真正的國際性。」又說：「子彈庫帛書非常難讀，一是文字難認，二是內容陌生。正是因為難，才吸引了很多學界高手，一遍一遍，反覆研讀，即使最優秀的學者也不可能畢其功於一役。」[44]這在先生的身上，也有很傳神的映現，以故詩末先生也回歸次韻主題，將之與石鼓比綿長稱輕重，實更甚矣！

（五）詩詞中以戰國竹簡命題者

本來，「辛未（1991）八月」所出的《聊復集》中，也收有「與曹錦炎、何琳儀同登七里瀨嚴子釣臺」的〈念奴嬌〉一闋，寫景兼發幽情，謂「來遊

---

[42] 〔宋〕蘇軾：《東坡全集》（北京：商務印書館，2005 年），《文津閣四庫全書》，第三百七十冊，卷一，頁 19。

[43] 饒宗頤、曾憲通：《楚帛書》（香港：中華書局，1985 年 1 月）。

[44] 李零：〈自序〉，《楚帛書研究》（上海：中西書局，2013 年 12 月），頁 1。

都是人傑」（《文集》卷十四，頁 748），因與古文字無涉，故暫按下不表。
另先生於「壬子（1972）時在一星洲」所輯《冰炭集》中收有〈羅子期以手
摹楚簡見貺報之以詩〉，詩云：

> 殘賵千年不化烟，更能留命待桑田。天教疏鑿詞源手，為補秦官博學
> 篇。香魂會有弔書客，彩筆當年聞醴陵。不逐花蟲隨粉蠹，荊榛寒雨
> 汗仍青。楚宮萬古雜然疑，翠墨行行勢最奇。今日寒蟬昨夜鵑，秋墳
> 共唱鮑家詩。[45]

若試加考索，可知 1972 年前所出土的楚簡資料並不多，大抵有湖南長沙五
里牌（1951）、湖南長沙仰天湖（1953）、湖南長沙楊家灣（1954）、河南信
陽長臺關（1957）、湖北江陵望山（1965-1966）[46]等五批竹簡，若以詩中所
言「殘賵」、「楚宮萬古雜然疑，翠墨行行勢最奇」來看，正契合此五批竹簡
內容大抵屬「遣冊」及「卜筮祭禱」性質，其中戰國楚簡文字正可補苴「秦
官博學篇」汰罷後的不足。詩句大抵脫胎自唐代詩人李賀〈秋來〉詩：「桐
風驚心壯士苦，衰燈絡緯啼寒素。誰看青簡一編書，不遣花蟲粉空蠹。思牽
今夜腸應直，雨冷香魂弔書客。秋墳鬼唱鮑家詩，恨血千年土中碧。」痕跡
顯著，並以江淹彩筆、鮑照詩動鬼神來讚譽羅福頤先生（1905-1981）手摹
楚簡的雄奇氣勢，精彩傳神。

又「辛未（1991）秋月」所輯《苟俊集》中，載〈衡岳用退之謁衡山廟
韻〉詩，言及「望山楚簡」、「帛書」都有「祝融」的名號，詩云：

> 丹靈四顧廓然公，敢謂須彌在掌中。下視紫蓋如培塿，天柱石廩喪其
> 雄。潮陽太守嘗到此，絕頂未登勝難窮。精誠能掃三峰霧，炎方潁洞
> 想高風。〈黃帝鹽〉傳古樂曲，〈霓裳〉彷彿神相通。落日亭皋遙望極，

---

45 饒宗頤：《饒宗頤二十世紀學術文集‧選堂詩詞集》，卷十四，頁 519。
46 駢宇騫、段書安：《本世紀以來出土簡帛概述》（臺北：萬卷樓圖書股份有限公司，1999
年 4 月），頁 8-18；何琳儀：《戰國文字通論（訂補）》（南京：江蘇教育出版社，2003 年 1
月），頁 157-164。

清詞野鶴唳清空。厚坤萬古稱赤帝，簡書分明陳祝融。馬祖庵前哀磨鏡，鄰疾（春案：「疾」字當為「侯」字之誤。衡嶽有「鄰侯祠」）祠畔思巍宮。一從霜雪交摧折，山花尚放淺深紅。於今祠宇空無有，升階何以明至衷。靈期曩記人莫識，成行松柏徒鞠躬。廟貌誠可比嵩岱，嶽瀆佳氣古今同。我行萬里斯仰止，欲覓懷讓與韓終。俯臨突兀峰千百，征車立可收奇功。來時冥冥羌晝晦，歸去雲雨兼瞳朧。神仙邈矣不可接，何必苦索東海東。

自注云：「望山簡、楚帛書俱見祝融名號。姜夔嘗於祝融峰得霓裳古譜。」[47]所謂「姜夔嘗於祝融峰得霓裳古譜」即姜夔在〈霓裳中序・第一〉言及：「丙午歲（1186 年，宋孝宗淳熙十三年丙午），留長沙，登祝融，因得其祠神之曲，曰〈黃帝鹽〉、〈蘇合香〉。又于樂工故書中得商調〈霓裳曲〉十八闋，皆虛譜無辭。按沈氏樂律『霓裳道調』，此乃商調。樂天詩云『散序六闋』。此特兩闋。未知孰是？然音節閒雅，不類今曲。予不暇盡作，作中序一闋傳於世。予方羈遊，感此古音，不自知其辭之怨抑也。」[48]而先生用韓愈〈謁衡嶽廟遂宿嶽寺題門樓〉詩韻，詩中也涉及「祝融」之事，云：「五嶽祭秩皆三公，四方環鎮嵩當中。火維地荒足妖怪，天假神柄專其雄。噴雲泄霧藏牛腹，雖有絕頂誰能窮。我來正逢秋雨節，陰氣晦昧無清風。潛心默禱若有應，豈非正直能感通。須臾靜掃眾峰出，仰見突兀撐青空。紫蓋連延接天柱，石廩騰擲堆祝融。森然魄動下馬拜，松柏一逕趨靈宮。粉牆丹柱動光彩，鬼物圖畫填青紅……」[49]另外，關於「厚坤萬古稱赤帝，簡書分明陳祝融」之事，先生在《長沙出土戰國繒書新釋》中曾言：「祝融二字，影本極清晰。祝字偏旁以屬羌鐘做字旁之作𥄂，證知𠃬即兄，故祝為祝無疑。𥁕

---

[47] 饒宗頤：《饒宗頤二十世紀學術文集・選堂詩詞續集》，卷十四，頁 668-669。

[48] 〔南宋〕姜夔撰，夏承燾校、吳無聞注釋：《姜白石詞校注》（廣州：廣東人民出版社，1983 年 11 月），頁 8。

[49] 〔唐〕韓愈：《韓昌黎全集》（上海：世界書局，1935 年 12 月），頁 52-53。

字與邾公釛鐘之陸𩁹相似，亦从二虫。《金文叢考》謂陸𩁹即祝融。故繒書上人名祝為祝融無疑。戰國以來並以祝融配炎帝。《呂覽・仲夏紀》：『其帝炎帝，其神祝。』《淮南子・天文訓》：『南方火也，其帝炎帝，其佐朱明。』高誘注：『舊說云祝融是圖言炎帝命祝融，因祝融為其佐也。』」[50]又在《楚帛書新證》「炎帝乃命祝𩁹（融）」句下云：「融字實作，商摹作，下从木，非。《潛夫論・五德志》：『炎帝神農氏，代伏羲氏。』上文先言雹戲（及包犧），故接言炎帝。楚人羋姓，出于祝融。《國語・鄭語》、《史記・楚世家》備言之。戰國以來，言月令者並以祝融配炎帝以為其佐。《呂覽・仲夏紀》、《禮記・月令》、《淮南子・天文訓》皆同。」至於望山簡的「祝融」，可參李家浩在〈包山竹簡所記楚先祖名及其相關的問題〉中說：「『祝蜳』亦見於江陵望山楚簡和長沙楚帛書，早已有學者指出即祝融。『蜳』字原文有下面兩種寫法：

A1  包山

A2  望山

此字从『𦎫』从二『虫』，當是由邾公釛鐘銘文中與陸終之『終』相當的字省變而成。

A3  《三代吉金文存》1.19.2

有人懷疑它們是兩個不同的字（李零：〈楚國族源、世系的文字學證明〉，《文物》1991 年 2 期 48 頁），非是。」以及董蓮池在〈《上海博物館藏戰國楚竹書（一）・孔子詩論》三詁〉所說的：「長沙出土的戰國楚帛書有字、望山楚簡有字，包山楚簡有字，均用作祝融之融。」[51]即詩中「簡書分明陳祝融」的「簡書」所由。而詩將「周流所歷」、「苞俊咀華」、「玉英可采」的情韻充分展現出來。

---

[50] 饒宗頤：《長沙出土戰國繒書新釋》（香港：義友昌記印務公司，1958 年），選堂叢書之四，頁 16。

[51] 以上所引諸說，詳參徐在國：《楚帛書詁林》，頁 11「祝」條；頁 175-178「融」條。

　　秦簡部分，1975 年 12 月在湖北睡虎地十一號秦墓出土有秦律、〈大事記〉和《日書》，先生於 1982 年與曾憲通合撰《雲夢秦簡日書研究》，由香港中文大學出版社出版，並於〈睡虎地秦簡日書研究〉中主張《日書》「當在秦政之時，蓋戰國晚期至秦之物」[52]。曾作一首吟詠赴美參加日書會議以示李學勤先生的詩〈柏克萊秦簡日書會議賦示李學勤〉云：

> 密樹高標覓路難，小橋逝水自潺潺。鉏荒代有才人出，虎觀龍文已不看。
>
> 調時列夢幾潛夫，楚塚頻驚出異書。物論由來齊不得，且從濠上數遊魚。[53]

自注「潛夫」句云：「會上論王符者三人。」王符撰有《潛夫論》，中有〈夢列篇〉，先生〈睡虎地秦簡日書研究・夢・犳觭・宛奇〉引《日書》「夢」條云：「『人有惡夢，瘳（覺）乃繹髮西北面坐鑷（禱）之日：皋（嗥）敢告璽（爾）犳觭，某有惡夢，走歸犳觭之所。犳觭強歙強食，賜某大幅，非錢非布，非繭乃絮，則止矣。』（簡八八三反面八八二反面）禳除惡夢乃禱於犳觭之所。字書未見『犳』字，犳觭當是伯奇。《續漢禮儀志》：『大儺逐疫十二神……伯奇食夢……』是食夢者為伯奇……秦簡以逐夢之神為犳觭，言其強飲強食，則與窮奇之食人食禽獸（見《神異經》）最為相近。犳觭又稱『宛奇』，見簡一〇八九、一〇九〇，宛與窮形近。《潛夫論・夢列篇》、王延壽

---

[52] 饒宗頤：《饒宗頤二十世紀學術文集》，卷三，頁 373-374。

[53] 饒宗頤：《饒宗頤二十世紀學術文集》，卷十四，頁 724。案：遍查饒先生著作目錄及曾憲通主編：《饒宗頤學術研討會論文集》（香港：翰墨軒出版有限公司，1997 年），書末所附「饒宗頤教授學術、藝術活動年表簡編」，均未提及柏克萊相關訊息，此詩所言或可補其不足。饒、李二先生去 UC Berkeley，並非為秦簡研討會，而是有關甲骨是否為問句的討論會，係針對裘錫圭先生說法來的。

Prof. Jao Tsung-I （饒宗頤教授），"Comment on Prof. Qiu Xigui （裘錫圭教授）'s paper'An Examination of whether the Charges in Shang Oracle-Bone Inscriptions are Questions'"，Early China , Issue 14; Berkeley, USA; 1989; pp. 133-138。詳見 Early China 雜誌當期的文章網址：http://journals.cambridge.org/action/displayIssue?jid=EAC&volumeId=14&seriesId=0&issueId=-1。

《夢賦》皆不言豺琦。故此一有關占夢之材料，彌覺可貴。」[54]此即「列夢幾潛夫」所因，而王充《論衡・譋時》卻曾駁斥將歲、月等時間概念說成是「鬼神之怪，禍福之驗」的荒誕，則為「譋時」所本；出自楚地的秦《日書》[55]，卻是「古代日者根據天象預卜時日宜忌和人事吉凶的曆書」，即詩中歌詠的「楚塚頻驚出異書」。先生與李先生的論辯機鋒，各有主張，有如《莊子・齊物論》，此「物論由來齊不得」所由發；至於知己論辯之樂，優遊自如，又如〈秋水〉篇的莊子與惠子，此從「濠上數遊魚」可觀知揣度矣。

三　結語

先生曾於〈詞學理論綜考序〉文中談到，「詞中三昧，尤在託體高渾，眇盡比興。試攄寄託於片言，譬投水乳於一瓿。作者誠能意內而言外，讀者自可據顯以知幽。玉蔥層剝，微闚內蘊之心；珠簾半捲，且覓歸來之燕。空中傳恨，更誰定厥是非；表裏相宣，聊假類以自達」[56]，實則不僅詞如此，詩亦如此。透過先生在《文集》詩詞中的古文字命題諸作，除「君子不器」，所涉多方外，亦可觀看到先生巧妙地將枯澀、呆板、嚴肅的專業學問，浸潤化出一片才情勃發，生機盎然的詩詞天地，形成一種景、事、情、理交織渾融的奇崛風格，用字奇、內容奇、情境也奇。而因緣際會下與友朋間的一段身姿、一個側影，無盡深美韻致，也在背景烘托鋪排下，展露無遺，斯為嚴謹求實的學術論文之外，不易見到的。《莊子・逍遙遊》曾寄感歎說：「日月出矣，而爝火不息，其於光也，不亦難乎！時雨至矣，而猶浸灌，其於澤也，

---

[54] 饒宗頤：《饒宗頤二十世紀學術文集》，卷三，頁 395。
[55] 曾憲通：〈睡虎地秦簡日書《歲》篇疏證〉，《曾憲通學術文集》（汕頭：汕頭大學出版社，2002 年 7 月），頁 235，曾推論說：「我們頗疑心日書本來是流行於楚地雲夢一帶的占時用書，所以它反映著楚人的習俗，雲夢入秦之後，秦人對楚日書加以利用和改造，並且為著秦人使用的方便，才有必要把秦楚月名加以對照。」
[56] 饒宗頤：《饒宗頤二十世紀學術文集》，卷十四，頁 764-765。

不亦勞乎！」[57]先生涉獵之廣，經歷之富，才情之多方，理趣之豐美，值是百尺樓上，吾自視缺然，亦如「爛泥溝渠中仰望星空」（王爾德語），對映於先生的博學鴻裁，深通廣肆，此褊狹小拙文實言不及萬一，然區區心意，野人獻曝，斯則願為先生上上壽矣！

原文發表於《饒宗頤教授百歲華誕國際學術研討會會議論文集》（第一冊），香港：香港大學，2015 年 12 月 5-7 日，頁 122-133；又收入鄭煒明主編：《饒宗頤教授百歲華誕國際學術研討會論文選集》，香港：紫荊出版社，2016 年 6 月，頁 108-119。（邱郁茹校對）

---

[57] 王叔岷：《莊子校詮》（臺北：中央研究院歷史語言研究所，1988 年 3 月），中央研究院歷史語言研究所專刊之八十八，上冊，頁 21。

從古文字的構形規律談「信」字六書的歸屬問題

一　前言

　　「民無信不立」(《論語‧顏淵》),「信」在許慎《說文解字‧敘》列舉六書定義與字例中,是會意結構二字例的其中之一,無論是品德倫理或文字學理上的探討都相當重要。許慎以「誠」來解釋「信」,並分析結構屬「从人言」(或「从人从言」)的「人言無不信」的「會意」結構,歷來也沒有異議。唯古文字不斷出土後,卻動搖了《說文解字》所主張的說法,此從宋、元之際的戴侗首倡「信」屬「从言人聲」的形聲結構後,追蹤其續的學者漸起,舉如王國維、方國瑜、何琳儀、裘錫圭、季旭昇、劉釗等都各有看法,若追溯文字構形原型與歷史發展軌跡下的類型來分析,振葉尋根,或許較能肯確地掌握個中流變與演化訊息,從而觀察這種「人言無不信」就六書形構屬逆向演變的規律可否成立,其本身是值得進一步考索釐清的課題。

　　自古以來,探討「信」的相關論述真是汗牛充棟,不勝枚舉。尤其集中在先秦儒家或戰國中期偏晚的郭店楚簡對「忠信」之道的主張,大抵是從哲學、倫理學或道德觀出發。但是,從文字結構與文化訊息面上兩相結合,去追索內涵的轉移有可能牽動到文字形構的變異,並觀察類型的演變與分析其來龍去脈的文章相對地少。如果以《古文字考釋提要總覽》[1]所收錄的,從漢代到近現代以來學者談到「信」字結構的,自東漢許慎以來,收錄有方國瑜、丁佛言、張守中、裘錫圭、劉彬徽、戴家祥、蔡運章、彭浩、劉祖信、王傳富、濮茅左、劉樂賢、陳偉、張光裕、李零、劉釗、黃人二、林志鵬、董珊、王志平、丁四新、趙建功、何有祖等諸人的論說節錄,其中關涉到的

---

[1] 潘玉坤分冊主編:《古文字考釋提要總覽》(上海:上海人民出版社,2008 年 8 月),第一冊,頁 614-616。

材質除傳世典籍外，尚有金文、楚簡、璽印、貨幣等四大出土文獻。採擷雖多，但問題似乎尚未完全解決。

二 諸家對「信」字形義結構的解析

大家耳熟能詳的，「信」字收錄在許慎《說文解字》三篇上的「言」部，解釋為：「誠也。从人言。㐰，古文信省也。䚐，古文信也。」段《注》云：「人言則無不信者，故从人言。古多以為屈伸之伸……言必由衷之意。」[2]另外在列舉六書定義與字例中，「信」是會意結構兩個字例的其中之一，所謂：「四曰會意。會意者，比類合誼，以見指撝，武、信是也。」段《注》云：「比合人言之誼，可以見必是信字」[3]，講得非常地肯切篤定，歷來學者對此說解似乎也沒有異議，只有宋、元交迭之際的學者戴侗在《六書故》中獨排眾議，主張「信」乃「从言、人聲」[4]，平地起了一聲雷。其後因古文字尤其是戰國文字如雨後春筍般不斷出土，反而證實了戴侗的說法，卻動搖了《說文解字》的詮釋。1926 年，當王國維撰〈桐鄉徐氏印譜序〉時，曾列舉古鈢「信」字構形與《說文》古文相近，並提出「信字本从言人聲，千字亦人聲，故亦得千聲」[5]，屬六國遺器文字，並與殷周古文及小篆有異；其後，方國瑜承其餘緒，也主張「信从人，亦可从千；信从言，亦可从口。

---

[2] 〔東漢〕許慎撰、〔清〕段玉裁注：《說文解字注》（臺北：藝文印書館，2005 年 10 月），頁 93。按：大徐本作「誠也。从人从言，會意。㐰，古文从言省。䚐，古文信。」參見丁福保纂輯、楊家駱主編：《說文解字詁林正補合編》（臺北：鼎文書局，1983 年 4 月），第三冊，頁 520。

[3] 〔東漢〕許慎撰、〔清〕段玉裁注：《說文解字注》，頁 763。

[4] 參〔南宋〕戴侗：《六書故》（臺北：臺灣商務印書館，1976 年據故宮博物院藏文淵閣本景印），《四庫全書珍本》六集，第二冊，卷十一，頁 29。按：戴侗有此看法，應受鐘鼎彝器銘文的影響，可參沈寶春：〈論戴侗《六書故》的金文應用〉，中國文字學會主編：《文字論叢》第二輯（臺北：文史哲出版社有限公司，2004 年 4 月），頁 259-285。

[5] 王國維：《觀堂集林附別集》（北京：中華書局，1961 年 6 月），第一冊，卷六，頁 301-302。

蓋人千同音，言口同義……以是言之，信為『从言人聲』之形聲字甚明。若以人言二字連續成意，而曰『人言則無不信』，此語於事實不盡相合；蓋人之出言，不定為誠信也。故信之義，以有寄於言者，故从言或从口，而其聲由卩轉，故从人或从千：推原如是，許段之說非也。」[6]他除了對許慎與段玉裁詮釋「信」的形義提出質疑，修正其六書歸屬為「形聲」而非「會意」外，並歸納出「信」字結構的三種類型，認定「信」字不管是從「人」或「千」聲，追溯其來源都是從「卩」聲而起，頗值得商榷。

又其後郭沫若、裘錫圭[7]、季旭昇、劉釗[8]都依從「信」字為「形聲」結構，只是所從聲符越來越多元豐富，說法有些不同。如季旭昇在《說文新證》「釋形」單元就分析「信」字為「從言，千聲（或身聲、人聲，皆音近），秦文字從言、仁聲，或從人聲，《說文》因而誤以為從人言會意」，六書屬「形聲」。[9]認為許慎標舉「信」為「會意」本身是個錯誤，已蒐羅出「信」字聲符從「人」、「千」、「身」、「仁」等四種寫法，並特別指出「秦」文字「從言、仁聲，或從人聲」的寫法。前此，何琳儀在《戰國古文字典》中也曾對「信」字的各種構形做最全面的討論，如舉「a䚒璽彙0232　璋兩鄗逞～鉨」以下諸形後說：「信，從言，從人，會人言有信之意，人亦聲。䚒訫（信之繁文）從仁聲。《說文》：『䚒，誠也。从人，从言，會意。𠃬，古文，从言省。㐰，古文信。』（三上六）戰國文字信之異文甚多，齊系文字或作仾、伫，燕系文字或作身、訠。晉系文字或作㥍、身、訠，楚系文字或作身、㥶。」又云：

6　方國瑜：〈字說六則〉，《師大國學叢刊》，第1卷第1期（1931年），頁51-52。按：潘玉坤分冊主編：《古文字考釋提要總覽》，頁614引作「1930年」，有誤。

7　參見郭沫若：《金文叢考》（北京：人民出版社，1954年6月），頁216「〈長信侯鼎〉」；裘錫圭：〈〈武功縣出土平安君鼎〉讀後記〉，《考古與文物》，1982年第2期，頁53贊同郭沫若「从言、千聲」的說法，爾後在氏著：《文字學概要》（臺北：萬卷樓圖書股份有限公司，1995年4月），頁121認為《說文》所舉兩個會意字都有問題，主張「現代學者大多數認為『信』本是从『言』『人』聲的形聲字」。

8　劉釗：《郭店楚簡校釋》（福州：福建人民出版社，2003年12月），〈老子（丙本）〉主張「信」從古文作「從言、千聲」，頁38。

9　季旭昇：《說文新證》（臺北：藝文印書館，2004年11月），下冊，頁297。

「仳，金文作仳（馭叔鼎）。从口，从人，會人言有信之意。人亦聲。信之異文。戰國文字承襲金文，與《說文》信之古文仳吻合。」接著又說：「伈，从心，从人，人亦聲。信之異文。又仁之古文作忢，與伈形體吻合。唯偏旁位置由左右結構易為上下結構。或據忢从千，謂戰國文字信、仳、伈均从千聲。信，心紐；千，清紐；均屬齒音真部，諧聲尤為密合。人、千一字分化。參千字。」並把「从玉，伈聲」疑為「伈（信）」的繁文，因為「古人析玉為信，以玉為信物。《公羊·哀六》『與之玉節而走之』，注『節，信也。析玉與陽生，留其半為後，當迎之合以為信，防稱矯也。』《說文》：『瑞，以玉為信也。』」[10]基本上已根據當時可取得的材料，如金文、璽印、漆書……分出戰國時期的齊、燕、晉、楚、秦五系字體的異同，若排除假借情況，已收錄「信」的異體字有「訫、仳、伈、恁、諹、恴」六種不同的變化字形，那麼，「信」字最初的原型為何？又是怎麼分出各個異體字的？諸家似乎也未暇振葉尋根，追本溯源，一探究竟。可是，「信」無論在古或今，都是五倫六德不可或缺的重要德目，其文字形義演變的來龍去脈，應當有比較清晰肯確的梳理。

三　「信」字原型與形體的類型分析

追溯文字的構形源頭，本該從殷商甲骨文開始，有關「信」字形義的探討也應遵循如此的原則。但困難的是，所有甲骨文的字書並沒有收錄「信」字，這似乎表明了殷商時代尚未有「信」的需求與創制。

但我們也留意到，在《甲骨文合集》30373 片上有一從大從言作「炡」形的何組卜辭，劉釗、李宗焜皆隸定作「煹」[11]，也就是說，他們不認為此

---

[10] 何琳儀：《戰國古文字典：戰國文字聲系》（北京：中華書局，1998 年 9 月），下冊，頁 1135-1137。

[11] 參看劉釗、洪颺、張新俊編：《新甲骨文編》（福州：福建人民出版社，2009 年 5 月），卷三，頁 134；李宗焜編著：《甲骨文字編》（北京：中華書局，2012 年 3 月），上冊，頁

字是「信」字，而《甲骨文字詁林》也是以未識字來處理的[12]。若以「義近形旁通作」的規律比觀，「大」旁與「人」旁因義近的關係是可以彼此互相替代的，如競字🧍（《合》106 正）與🧍（《合》4338）；㚔字🧍（《合》5879）與🧍（《合》6877 正）；㬚字🧍（《屯》1082）與🧍（《合》28905）、🧍（《合》17166 正）與🧍（《合》2341）；疾字🧍（《花東》69）與🧍（《合》22099）；奚字🧍（《英》1759）與🧍（《合》32905）；𢦐字🧍（《合》6017 正）與🧍（《合》6018）[13]，那麼，這個字是否有可能為後世所認定的五大德目之一的「信」字呢？觀察 30373 片有三條卜辭作：（1）辛亥卜，貞其衣，翌日其征隋于室。（2）貞🧍🧍工……（3）貞弜🧍箙……[14]（附圖一），因為置於否定詞「勿」、「弜」後，可能具動詞性質，再加上是兩條殘辭，單文孤證，要判定或確認它的詞意並不容易，留疑存缺還是比較謹慎的。但如果它可以成立的話，這「大人之言」很顯然的是屬會意結構，因「大」與「信」的聲韻相差甚遠。

至於金文部分，《金文編》沒有收「信」字，倒是收有〈中山王𩫖壺〉：「余智其忠訫施」的「訫」字編號為 0379[15]，但並不認為是「信」字。後來，陳初生編《金文常用字典》時，討論「信」字就收錄了 1973 年陝西省藍田縣出土的西周中期〈訧叔鼎〉[16]的「信」字形：

　🧍 訧叔鼎　　🧍 辟大夫虎符　　🧍 中山王𩫖鼎

並在「析形」時說：「信字金文或從口人聲，或從言千聲，或從言身聲，信、

239，編號 0802，為「何組一類」，即祖甲到武乙時期的「A11」。

[12] 于省吾主編：《甲骨文字詁林》（北京：中華書局，1996 年 6 月），第一冊，頁 698，編號 726 云：「按：字不可識，其義不詳。」

[13] 劉釗、洪颺、張新俊編：《新甲骨文編》，頁 134、295、302-303、443、585、810。

[14] 郭沫若主編：《甲骨文合集》（上海：中華書局，1981 年 12 月），第十冊，頁 3711；胡厚宣主編：《甲骨文合集釋文》（北京：中國社會科學出版社，1999 年 8 月），第三冊，編號 30373。

[15] 容庚編著：《金文編》（北京：中華書局，1985 年 7 月），卷三，頁 150。

[16] 尚志儒、樊維岳、吳梓林：〈陝西藍田縣出土訧叔鼎〉，《文物》，1976 年第 1 期，頁 94；馬承源主編：《商周青銅器銘文選》（北京：文物出版社，1988 年 4 月），第三卷，頁 258。

人、千、身古皆真部字。《周禮·春官·大宗伯》：『侯執信圭。』注：『信當為身。』《太平御覽·珍寶部》引《三禮圖》：『信圭，謂圭上琢為人頭身之形。』《說文》古文一與訣叔鼎字同，古文二則是从言心聲（心，侵部）。故小篆之信應為从言人聲。許慎僅據一體以為會意，未及其餘。」主張〈訣叔鼎〉：「糛（訣）弔（叔）𠃌（信）姬乍（作）寶鼎。」其中「信」作「𠃌」為訣姬的「人名」。[17]這是最早出現與《說文》古文能相合的「信」字，可惜當人名用，無法從文句中推知形義彼此間的關係。[18]

關鍵時期是在戰國。到了戰國時期及其後，「信」字反常地大量出現，應用得也非常頻繁，此從字書的收錄情況也可略窺一斑，結構變化之大也比各家解析的還要來得豐富多元。茲依「信」字偏旁結構梳理二十一種類型如下[19]：

---

[17] 陳初生編：《金文常用字典》（高雄：復文圖書有限公司，1992 年 5 月），頁 248-249。
[18] 董來運：《漢字的文化解析》（上海：上海古籍出版社，2002 年 9 月），曾對金文「信」字作解釋，認為「信」字本作「辛」；「信」由古代刻木符契而來，引申為一般的書信，又引申為相信、信任，進而引申為信仰、信奉等義。案：此說並沒有事實的根據，可商。
[19] 滕壬生：《楚系簡帛文字編》（武漢：湖北教育出版社，2008 年 10 月），頁 218-220。李守奎、曲冰、孫偉龍編著：《上海博物館藏戰國楚竹書（一～五）文字編》（北京：作家出版社，2007 年 12 月），頁 117-118、670。張守中編：《包山楚簡文字編》（北京：文物出版社，1996 年 8 月），頁 34。湯餘惠：《戰國文字編》（福州：福建人民出版社，2005 年 8 月），頁 138-139。徐在國、黃德寬編：《古老子文字編》（合肥：安徽大學出版社，2007 年 8 月），頁 71-72。張守中編：《中山王嚳器文字編》（北京：中華書局，1991 年 5 月），頁 67。羅福頤：《古璽文編》（北京：文物出版社，1981 年 10 月），頁 51-52。李知君：《戰國璽印文字研究》（高雄：國立高雄師範大學國文學系碩士論文，2000 年），（下編）之《新見戰國璽印文編》卷三·二～三，頁 26-27。孫剛編：《齊文字編》（福州：福建人民出版社，2010 年 1 月），頁 57-58。商承祚、王貴忱、譚棣華合編：《先秦貨幣文編》（北京：書目文獻出版社，1983 年 3 月），頁 31。陳初生編：《金文常用字典》，頁 248-249。許雄志編：《秦印文字彙編》（鄭州：河南美術出版社，2001 年 9 月），頁 43-44。吳良寶：《先秦貨幣文字編》（福州：福建人民出版社，2006 年 3 月），頁 39。張守中編：《睡虎地秦簡文字編》（北京：文物出版社，1994 年 2 月），頁 32。陳斯鵬、石小力、蘇清芳編：《新見金文字編》（福州：福建人民出版社，2012 年 5 月），頁 72。高明、葛英會編：《古陶文字徵》（北京：中華書局，1991 年 2 月），頁 21-22。湯志彪：《三晉文字編》（長春：吉林大學博士論文，2009 年 10 月），頁 130-131。

（一）作「卬」形，左「人」右「口」者，凡 7 例，如：

卜陶文編 3.17　　北考藏 1.33　　圖錄 3.596.2　碑 21　碑 49

增 5.350　　648[20]

（二）作「信」形，左「人」右「言」者，凡 30 例，如：

馬甲 24　　馬甲 124　　馬乙 185 上　　馬乙 232 下

馬乙 233 上

信徒閑　　干信　　王信　　信士　　信　　信　　信

中信　　中信　　皇帝信璽　　信宮車府　　長信私丞

信安鄉印　　圓錢錢範（文信）　　為七　　為一二

偏將軍虎節　　信宮罍　　碑 38　　碑 81

增 5-350　　篆 4.28　　通 7.282　　廣 4.22　　分 1.21

（三）作「訒」形，左「言」右「人」者，凡 4 例，如：

中信　　5.76（咸郦里信）　　陶文編 3.17　　圓錢（文信）

（四）作「音」形，外「人」內「音」者，凡 9 例，唯或謂為「鼻」從言從
廾，此字《上博·紂衣》、《郭店·紂衣》、〈成之聞之〉皆作「誥」字解，如：

四 4-18　　碑 23　　碑 8　　廣 4.22　　分 1.21

增 5-350　　選 4-13　　四 4-18　　碑 23

（五）作「訂」形，左「言」右「丨」者，凡 2 例，應為「人」或「千」與
「言」合筆而成，如：

一·緇 10.2　　一·緇 23.14

---

[20] 按：此字構形較奇特。

313

（六）作「伈」形，左「人」右「心」者，凡 1 例，如：

〔图〕選 4.13

（七）作「忋」形，左「心」右「人」者，凡 3 例，如：

〔图〕璽彙 0062　　〔图〕璽彙 0282　　〔图〕璽彙 0482

（八）作「訠」形，左「言」右「仁」者，凡 2 例，如：

〔图〕A 十鐘　　〔图〕莊信

（九）作「仁」形，左「仁」右「言」者，凡 2 例，如：

〔图〕A 珍秦 190　　〔图〕審信

（十）作「信」形，左「千」右「言」者，凡 22 例，如：

〔图〕古璽 5508　　〔图〕古璽 1690　　〔图〕古璽 4504　　〔图〕古璽 2557

〔图〕古璽 3703　　〔图〕古璽 0191　　〔图〕古璽 0323

〔图〕郭·忠·1　　〔图〕郭·忠·1　　〔图〕郭·忠·1　　〔图〕郭·忠·2

〔图〕郭·忠·2　　〔图〕郭·忠·2　　〔图〕郭·忠·3　　〔图〕郭·忠·3

〔图〕郭·忠·4　　〔图〕郭·忠·5　　〔图〕郭·忠·6　　〔图〕郭·忠·7

〔图〕郭·忠·8　　〔图〕郭·忠·8　　〔图〕（信）辟大夫虎符　集成 18.12107

（十一）作「訐」形，左「言」右「千」者，凡 127 例，如：

〔图〕包二·90　〔图〕包二·121　〔图〕包二·121　〔图〕包二·137

〔图〕包二·144　〔图〕包二·136　〔图〕郭·老丙·1　〔图〕郭·老丙·2

〔图〕郭·六·1〔图〕郭·六·2　〔图〕郭·六·5　〔图〕郭·六·20

郭・六・36　郭・六・20　郭・六・34　郭・六・35

郭・緇・17[21]　郭・緇・18　郭・緇・25　郭・緇・35

郭・緇・44　郭・五・33　郭・性・22　郭・性・23

郭・性・40　郭・性・40　郭・性・49　郭・性・51

郭・性・51　郭・性・66　郭・成・1　郭・成・2

郭・成・2　郭・成・24　郭・成・25　郭・成・25

郭・成・36　郭・尊・2　郭・尊・4　郭・尊・15

郭・尊・21　郭・尊・33　郭・語一・21　郭・語一・66

郭・語一・107　上（一）・孔・7　上（一）・紂・1

上（一）・紂・23　上（二）・從（甲）・10　上（二）・从乙・1

上（二）・从・1　上（一）・性・14　上（二）・容・9

一・性13.7　一・性14.7　一・性40.3　一・性・殘1.4

二・從甲1.34　二・從甲10.9　二・從乙1.36　二・容9.12

三・亙4.14　三・亙4.20　五・季21.7　五・君4.16

五・弟8.10　五・弟8.28　五・弟21.6　五・三15.19

二・從甲10.9（合文）

一・孔7.22　一・孔21.41　一・孔22.38　一・緇13.39

一・緇17.52　四・采5.5　一・緇10.2

景3.18　慎2.10　天乙4.28　天乙4.32　天甲5.13

天甲5.17　天甲13.15　用5.30　·121　144

B 璽彙5509　B 璽彙1664　B 璽彙3736

B 包山144　B 郭店・成之2　D 璽彙0232

---

21 按：裘錫圭以為此字非「信」，其右半為「針」之初文。詳參裘錫圭：〈釋郭店〈緇衣〉「出言有丨，黎民所訂」──兼說「丨」為「針」之初文〉，《古墓新知──紀念郭店楚簡出土十周年論文專輯》（香港：國際炎黃文化出版社，2003 年 12 月），頁 1-6，後收入裘錫圭：《中國出土古文獻十講》（上海：復旦大學出版社，2004 年 12 月），頁 296-299、《裘錫圭學術文集 2：簡牘帛書卷》（上海：復旦大學出版社，2012 年 6 月），頁 389-394。

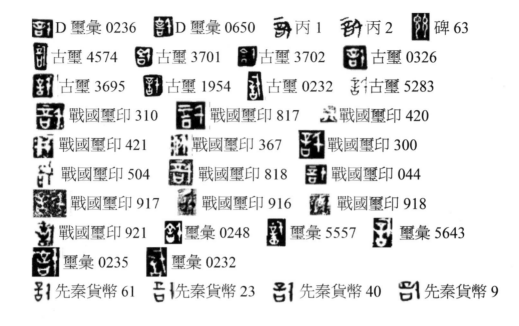

D 璽彙 0236　　D 璽彙 0650　　丙 1　　丙 2　　碑 63

古璽 4574　　古璽 3701　　古璽 3702　　古璽 0326

古璽 3695　　古璽 1954　　古璽 0232　　古璽 5283

戰國璽印 310　　戰國璽印 817　　戰國璽印 420

戰國璽印 421　　戰國璽印 367　　戰國璽印 300

戰國璽印 504　　戰國璽印 818　　戰國璽印 044

戰國璽印 917　　戰國璽印 916　　戰國璽印 918

戰國璽印 921　　璽彙 0248　　璽彙 5557　　璽彙 5643

璽彙 0235　　璽彙 0232

先秦貨幣 61　　先秦貨幣 23　　先秦貨幣 40　　先秦貨幣 9

（十二）作「忏」形，左「心」右「千」者，凡 29 例，如：

戰國璽印 3722　　戰國璽印 0651　　戰國璽印 1562

戰國璽印 1149　　戰國璽印 1147　　戰國璽印 3087

戰國璽印 2187　　戰國璽印 0234　　戰國璽印 1956

戰國璽印 1326　　戰國璽印 3700　　戰國璽印 3728

戰國璽印 0249　　戰國璽印 0244　　戰國璽印 3715

戰國璽印 0247　　戰國璽印 0237　　戰國璽印 3714

戰國璽印 4033　　戰國璽印 0246　　戰國璽印 3719

戰國璽印 214　　戰國璽印 392　　戰國璽印 297

古陶文字 5.39　　D 璽彙 5537　　D 璽彙 3125

圖錄 2.702.1　　彙考 37 頁

（十三）作「躬」形，左「身」右「口」者，凡 1 例，如：

集成 2746　　梁十九年亡智鼎

（十四）作「唚」形，左「口」右「身」者，凡 1 例，如：

　　璽彙 5195

（十五）作「躬」形，左「身」右「言」者，凡 6 例，如：

　　C 璽彙 5287　　E 璽彙 5427　　E 璽彙 5685　　璽彙 4662

　　璽彙 4660　　珍秦　　戰 204

（十六）作「誩」形，左「言」右「身」者，凡 8 例，如：

　　集成 2451／梁上官鼎　　集成 2773／信安君鼎

　　集成 2773／信安君鼎　　集成 2304／長信侯鼎

　　銘文選 2881／中山王䁐方壺　　集成 11055／信陰君戈

　　璽彙 5695　　珍秦 843

（十七）作「謵」形，左「言」右「躬」者，凡 2 例，如：

　　C 封成 19　　922 戰國璽印

（十八）作「訸」形，左「言」右「䏏」者，凡 1 例，如：

　　C 璽彙 3129

（十九）作「䚪」形，左「躬」右「音」者，凡 1 例，如：

　　璽彙 5450

（二十）作「慦」形，上「身」下「心」者，凡 3 例，如：

　　璽彙 4654　　璽彙 3345　　C 璽彙 5381

（二十一）作「偳」形，左「人」右「身」者，凡 1 例，如：

偳 港印 154

　　從上面的結構類型分析，可知文字的演變與結構的更迭有其地域與時代性，尤其在戰國時期更形明顯。《說文‧敘》中指出的戰國時期「言語異聲，文字異形」的現象，在「信」字各種構形中進一步獲得有力的證實。有趣的是，信字除了西周金文「从人从口」作「佝」形得到繼承外，共有「信」、「訒」、「鼠」、「訐」、「伈」、「伩」、「訧」、「仁」、「信」、「訐」、「忏」、「釦」、「哟」、「躬」、「謅」、「謝」、「謝」、「軀」、「悬」、「偳」等的類型變化，形聲結構中形符聲符作左右、上下、內外結構的都有，可見其偏旁位置的不固定特性。觀察其形符有從「口」、從「言」、從「心」、從「音」的變化，大抵屬義近形旁通用的範疇；其聲符有從「人」、從「仁」、從「千」、從「身」、從「躬」、從「釦」、從「井」的不同，其中從「躬」（或「釦」）、從「井」可進一步討論外，其它應屬聲近可通而替換聲符的情況。更特別的是，「雙聲符」字「偳」形的出現。但在二十一種類型中，乃未見前所引方國瑜主張的「其聲由卩轉，故从人或从千，推原如是」，可見方國瑜推求聲符釋「由卩轉」的說法並不可信。

　　但可考慮的是，形旁從「口」到「言」、「音」到「心」，《說文》解釋「口」的主要功能是「人所以言、食也」，將「語言」擺在「飲食」的前面；另外解釋「舌」字時也說：「在口所以言、別味者也」[22]，一樣強調「口」的「語言」功能是勝過「飲食」功能的，所以「信」字從「口」改成從「言」是更精準地表達「信」與語言的關係，以故《說文》不將「信」擺在「口」或「人」部，而放在「言」部正說明這一點，更何況古人認為語言是萬物之靈的人類

---

22 〔東漢〕許慎撰、〔清〕段玉裁注：《說文解字注》，頁 54 口字；頁 87 舌字。

所獨具的溝通能力，是跟禽獸有大大的區別，由是將語言提高到表裡如一、言行一致的「信」的層次上，亦即徐鍇在《說文解字繫傳・通論》中所指出的：「鸚猩能言，不離禽獸。言而不信，非為人也，故於文人言為信。」[23]此從傳世文獻如《論語・學而》云：「與朋友交，言而有信」、〈子路〉云：「言必信，行必果」、《詩經・唐風・采苓》：「人之為言，苟亦無信」、〈鄭風・揚之水〉所謂的「無信人之言，人實不信」、《穀梁傳・僖公二十二年》：「言而不信，何以為言？」正是此意。另外，「言必由衷」，「言為心聲」，若往內追索，言由心來發動，所以「言」又改從「心」旁，於理應有跡可循的。至於從「音」者，蓋「音」是「言」的分化字，口中一短橫乃「分化符號」，故古文字中「言」、「音」往往可以互用[24]。

　　至於「信」字的聲符部分，歸納起來有從「人」、從「仁」、從「千」、從「身」、從「躬」或「躳」、從「廾」的不同。「信」字古音為心紐真部；「人」、「仁」字古音為日紐真部；「千」字古音為清紐真部；「身」字古音為書紐真部；「躬」或「躳」字古音為見紐冬部；「廾」字古音為見紐東部[25]，可見除「躬」或「躳」、「廾」二字古音與「信」字懸隔外，其餘韻部相同，聲紐皆屬齒音一類可通。況「千」旁是從「人」旁加點後作橫畫演變而成，此從「年」字從「人」演變成從「千」也可略微窺知，如《易・乾・文言》：「君子體仁，足以長人。」《釋文》作：「『體仁』，京房、荀爽、董遇本作『體信』」；又《周禮・春官・大宗伯》：「侯執信圭」，鄭《注》：「信當為身，聲之誤也。」[26]都表明了「仁」與「身」作為「信」字聲符是可信的。唯「人」、「仁」、「身」、「躬」於義亦有聯繫，此〈晉語〉所云「忠自中而信自身」之

---

[23] 丁福保纂輯、楊家駱主編：《說文解字詁林正補合編》，第三冊，頁 520。

[24] 于省吾：〈釋古文字中附劃因聲指事字的一例〉，《甲骨文字釋林》（北京：中華書局，1979 年 6 月），頁 445-462。

[25] 郭錫良：《漢字古音手冊》（北京：北京大學出版社，1986 年 11 月），頁 205、230、238、282。

[26] 高亨：《古字通假會典》（濟南：齊魯書社，1989 年 7 月），頁 82。

謂。《說文》以「親也」解釋「仁」，段《注》引《孟子》說：「仁也者，人也。謂能行仁思者，人也。」解「身」為「躬」，解「躬」為「身」，屬於互訓。尤其解釋被視為雙聲符的「傳」字時說：「神也。从人、身聲。」段《注》云：「按：『神』當作『身』，聲之誤也……『身』者，古字；『傳』者，今字……此舉形聲包會意。」[27]從此方面來談，這些字都跟「天地之性最貴者也」的「人」有關，實屬「形聲包會意」的類型，也就是說，其聲符是兼義的。當然，這其中的「躬」或「躬」聲符成立與否？其實推測來源，可能是「身」字的繁化，也就是先從「身」加兩短橫畫後，短橫畫再演變成兩個圓圈而來，或簡省成一圓圈狀[28]；至於「廾」旁，恐怕是從「人」訛成從「八」後，「八」再演變成從「廾」而形成的特異類型，也就聲符無法與「信」聲相符合了。

再從戰國及其後「信」字的發展歷程來觀察，上表不憚其煩地羅列各類型字表，除可比較書寫者細微的差異與不同外，如《郭店》簡「信」字「言」旁大抵寫作「𧥻」，《包山》簡與《上博》簡則大都書作「𧥻」，「言」上有加橫畫或不加橫畫的差別存在，更可從字表數量上的差異，間接折射出一些訊息，如以收字多寡為序，依次為：「訐」129、「忻」29、「信」30、「信」22、「𧥻」9、「誽」8、「仍」7、「躬」6、「訒」4、「㐰」、「愿」皆3，「訫」、「訨」、「仁」、「謟」皆2，其餘「㐰」、「躬」、「哼」、「謝」、「軀」、「傳」則僅1例而已。可見戰國時期因楚簡出土多，楚系寫法「訐」較為通行，但也不限此種寫法；秦統一天下後，在「書同文字」、「罷其不與秦文合者」的旗纛揭櫫之後，留存下來的異體字少，秦系寫法乃成為正宗，秦漢以還，就以「信」字最為通行。故以「信」為「從言，千聲（或身聲、人聲）」的主張者是照顧到戰國時期的情況；反之，許慎在《說文》標舉為字頭的篆文「信」中，

---

[27] 〔東漢〕許慎撰、〔清〕段玉裁注：《說文解字注》，頁369人、仁字；頁347躬字；頁387傳字；頁392身字。

[28] 何琳儀亦以一個圈或兩個圈的「躬」、「躬」字為「身」的繁化部件，乃「躬」的同形字而非同字，見氏著：《戰國古文字典：戰國文字聲系》，下冊，頁1140。

正是反映秦漢文字的使用現象。當然,「信」字除了是屬「會意」字外,其實它的「人」旁也應聲化成兼義的聲符了。

四　結語

　　總而言之,學者公認漢字由表意字走向形聲字是整體的大趨勢;反之,從表意字走向形聲字是少數的逆向演變;偏旁由「人」變成「千」是正向的一種分化作用,但從「千」變回「人」也是違反演變的規律。「信」字從上文的溯源與結構類型分析,可知殷商時期可能存在「大人之言」作「焆」的「信」,到西周中期產生「眾人之口」作「佲」形的「信」字,到戰國時期有二十一種「信」字類型的紛繁景象,而《說文》系統是攏收戰國時期「文字異形」的現象,承繼秦系文字的正統位置而來的。因此,「不論是『誠』字還是『信』字,二者又都從『言』字,因此,出語以誠,信守諾言,實踐諾言,是關於誠信的本質內涵。」[29]「信」的結構有可能本屬會意也屬形聲,也即是為「形聲兼會意」的「亦聲字」類型。茲將「信」字的演變序列大略製表如下:

殷商時期	西周時期	春秋戰國	秦漢
（焆）	佲	佲、信、訒、𩿨、訂、㐰、㐰、㐰、訐、忓、𤔲、唒、𧬍、諲、譶、諭、𧭉、㥊、倀	訑、𠈹、信、佲、訒

　　《論語·為政》篇曾說:「人而無信,不知其可也。大車無輗,小車無軏,其何以行之哉?」已將「信」與「人」的品德形成有力的連結;而所謂

---

[29] 劉家軍:〈從文獻中再思「誠信」與「求實」〉,《求實》,2006 年第 II 期,頁 178。

「天行不信，不能成歲；地行不信，草木不大」，也強調在天地化育中「信」的調順功能。推想從春秋之前宗教信仰上的人神契約式要求，到孔子時代對在上位者處理政務的道德持守，以及之後擴充到一般人民的道德期許與規範，文化認同上的轉移，折射成文字的結構變異現象。而許慎在優選形態下指出的「人言為信」，實能充分表露出他身為「五經無雙」的經學家理想化的文字詮釋傾向，其實也相當值得重視的！

原文發表於馬來亞大學中文系、馬來亞大學中文系畢業生協會主辦：「跨古今說中文：中國語言文字國際學術研討會（馬來亞大學中文系50周年系慶暨中國語言文字國際學術研討會）」，2013 年 10 月 5-6 日，收入崔彥、潘碧絲主編：《跨越古今——中國語言文字學論文集（古代卷）》，馬來亞大中文系學術文叢 15，吉隆坡：馬來亞大學中文系，2013 年 10 月，頁 79-99。（邱郁茹校對）

附圖一　《甲骨文合集》30373

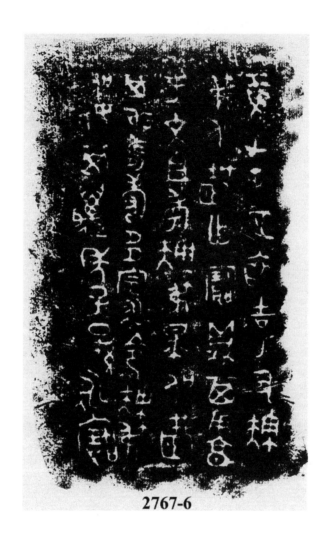

2767-6

附圖二　　默叔鼎[30]

30　「漢達金文資料庫」：http://www.chant.org.er.lib.ncku.edu.tw:2048/Jinwen/。

「沉檀輕注」句解

一　前言

　　夫詞以情韻為主，[1]文字之考校本為餘事。自來解家亦以陳其幽微深隱、曲厚遠伸之情韻為務，而於文字之考校則視為末技，甚少措意。至或措意，則以文字乃情意之所寄，而命意之幽遠，用情之深厚，有非尋常言語，成理文字所能拘墟者，況神韻之清空婉秀，各逞妙諦，焉能於言語文字中求矩問矱，質其實而究其非耶？是恐落言筌，遭飣餖猥瑣之譏，以故所謂「校箋」、所謂「評註」，往往獨抒己見；或匯集眾說，存而不論；或別其短長，評其優劣，而於立說之根本，是非之難明，則未暇深究。

　　惟咀嚼情韻，會其深意，本自隻言片字中濫觴。如何琢字而鍊句，鍛章而謀篇？如何肆意而染神，用情而造韻？如何淪其肌而浹其髓，義洽而理明？因能排困滯而撥疑惑，將前人之精蘊點出，作者之神采備現，則非確立文字之是非，追索文字明轉暗化之軌轍不可，以是進而辨其短長，評其優劣，心領神會，思飛境通，而將款深溫雅之情意源本道出，是焉能不著相而染神，藉言筌以會情意乎？設非如是，則作者之用心益晦，而真情亦難大白於世矣！

　　斯舉其卓犖淺顯之大者言之。歷來詞家，無人不知、也無人不愛南唐後主——李煜，李後主以其獨特之真情厚意，柔骨清神，而首領風騷，南面稱王。[2]無論就其居於「玉樹瓊枝」、「鳳閣龍樓」之中流連歡情，品歌賞舞時

---

[1] 詞之所重，諸家見解不一，私意以陳廷焯〈李後主晏叔原詞情勝〉條云：「李後主、曼叔原皆非詞中正聲，而其詞則無人不愛，以其情勝也。情不深而為詞，雖雅不韻，何足感人。」言李詞情深而韻，頗得其髓。見〔清〕陳廷焯：《白雨齋詞話》，唐圭璋編：《詞話叢編》（臺北：新文豐出版股份有限公司，1988 年 2 月），第四冊，卷七，頁 3952。

[2] 〔清〕沈雄：《古今詞話》，上卷所引沈去矜之說云：「後主疏於治國，在詞中猶不失為南面王。」收入唐圭璋編：《詞話叢編》，第一冊，頁 755。

所作之詞，抑或是「歸為臣虜」，於「秋風庭院蘚侵階」中所作之「眼界始大，感慨遂深」，所謂「士大夫」之詞，率皆感人肺腑，接聲慨嘆。然悲恨易寫，歡愉難工。第就其詞作之中極寫歡情嬌態者，隨手拈來，如〈一斛珠〉一闋，乃濡染品歌飲酒之種種情態，亦常人吟哦不疑之作。然僅「沉檀輕注些兒箇」一句，卻諸家數解，古今不一，而其確解，實攸關全篇情韻，故不嫌猥瑣釘餖，浪擲筆墨，以證一二云耳。

二　「沉檀輕注」句版本文字之異

> 晚（曉）妝初過，沉（濃）檀輕注些兒箇，向人微露丁香顆。一曲清歌，暫引櫻桃破。　　羅袖裛殘殷色可，杯深旋被香醪涴。繡床斜憑嬌無那，爛嚼紅茸，笑向檀郎唾。——李煜〈一斛珠〉

觀李後主所作〈一斛珠〉詞，除首二句因版本不同，文字略異外，其餘諸句，各本亦稍有差別，個中惟《醉翁琴趣外篇》獨多，[3]如：「向」人作「見」人，「暫」引作「漸」引，香醪「涴」作香醪「污」，「嬌」無那作「情」無那，「爛」嚼紅茸作「亂」嚼紅茸。

據謝世涯《李後主詞書目》所引，知南唐以來，諸家著錄李詞者多矣！[4]而首句首字作「曉」者，若明正統辛酉（1441）常熟吳訥《唐宋名賢百家詞》中《傳鈔本南唐二主詞》、明潘游龍《古今詩餘》、明陳仁錫《類選箋釋草堂詩餘》、清賀裳《皺水軒詞筌》、清夏秉衡《清綺軒詞選》、清楊文斌《三李詞》、清邵長光《未定稿本南唐二主詞》是也。至若南宋刊本之《醉翁琴

---

[3] 《醉翁琴趣外篇》南宋刊本今藏國家圖書館善本書室，僅存卷四至卷六凡三卷，今據〔南唐〕李璟、李煜著，王仲聞校訂：《南唐二主詞校訂》（臺北：河洛圖書出版社，1975年10月），及〔宋〕無名氏輯，王次聰校注：《南唐二主詞校注》（臺北：世界書局，1959年）。
[4] 按謝世涯所編《李後主詞書目》結集甚早，一九六九年手寫影印本，是後起書目皆未遑收錄。

趣外篇》亦作「曉」，惟誤為歐陽修之作！[5]作「晚」者，則若《尊前集》、《增修箋注妙選羣英草堂詩餘》、明溫博《花間集補》、明陳耀文《花草粹編》、《詞的》、《詩餘圖譜》、《古今詞統》、《歷代詩餘》、《全唐詩》、《詞譜》[6]是也，皆各有所本。

二句「沉檀輕注些兒箇」，除舊題為歐陽修所作《醉翁琴趣外篇》卷二「沉」字作「濃」字外，餘如《全唐詩》[7]、《尊前集》[8]及往後諸本，則俱作「沉」。其他諸字各本無異。

惟〈一斛珠〉此闋詞，《醉翁琴趣外篇》卷二收錄，意以為歐陽修所作。殆以「詞雖小技，昔之鉅公通儒，往往為之。」[9]況歐公「一代儒宗，風流自命」，[10]詞風渾婉疏雋，詞作見於《歐陽文忠公全集》之〈近體樂府〉三卷、汲古閣所刻《六一詞》、及《醉翁琴趣外篇》六卷中。而《醉翁琴趣外篇》自北宋以來，已頗疑其偽作，如曾慥〈樂府雅詞序〉云：

> 歐公一代儒宗，風流自賞，詞章幼眇，世所矜式。當時小人，或作艷語，謬為公詞。

它如羅泌、王灼、陳振孫、陸瑩、王奕清、胡薇元諸人，皆疑是篇中攙有小

---

5 關於《醉翁琴趣外篇》之真偽問題，前人已詳加辨解，李栖：《歐陽修詞研究及其校注》（臺北：文史哲出版社有限公司，1982 年 3 月），第五章〈醉翁琴趣外篇真偽考〉。

6 〔南唐〕李璟、李煜著，王仲聞校訂：《南唐二主詞校訂》，頁 12-13。

7 據〔清〕曹寅、彭定求等：《御定全唐詩》（臺北：世界書局，1988 年），《景印摛藻堂四庫全書薈要·集部》，第九十四冊，卷八百八十九，頁 10（441-574）。〈一斛珠〉，一名〈醉落魄〉。

8 〔明〕顧梧芳編：《尊前集》，毛子水主編：《世界文學大系》（臺北：啟明書局，1960 年 4 月），中國之部·第一冊，頁 2；又〔明〕吳訥原編、林大椿重編：《百家詞》（天津：天津市古籍書店，1992 年 3 月），上冊，頁 92《尊前集》商調〈一斛珠〉。按蔡厚示主編：《李璟李煜詞賞析集》（成都：巴蜀書社，1988 年 9 月），頁 10 云：「沉檀：當依《尊前集》作『濃檀』。」其《尊前集》作「濃」字不知何據？

9 〔清〕江順詒輯：《詞學集成》，唐圭璋：《詞話叢編》，第四冊，卷五，頁 3265〈詞宜有寄託〉引〈紅鹽詞序〉云。

10 〔北宋〕曾慥：《樂府雅詞》（臺北：藝文印書館，1965 年據清咸豐伍崇曜校刊本影印），《百部叢書集成》，第六十四輯，頁 1 序云：「歐公一代儒宗，風流自賞。」此據曾氏說。

人鄙褻浮艷之語，[11]恐非歐公所作。或是篇中非盡為歐公所作，間有誤收他人詞作者，如王灼云：「歐陽永叔所集歌詞，自作者三之一耳，其他他人數章。」[12]陳振孫《直齋書錄解題》亦以：「其間多有與陽春、花間相雜者。」而清人沈曾植於《菌閣瑣談》中，逕立〈醉翁琴趣中偽作〉條云：

> 《醉翁琴趣》，頗多通俗俚語，故往往與《樂章》相混。山谷俚語，歐公先之矣。《琴趣》中若〈醉蓬萊〉、〈看花迴〉、〈蝶戀花〉、〈詠枕兒〉、〈惜芳時〉、〈阮郎歸〉、〈愁春郎〉、〈滴滴金〉、〈卜算子〉第一首、〈好女兒令〉、〈南鄉子〉、〈鹽角兒〉、〈憶秦娥〉、〈玉樓春〉、〈夜行船〉，皆摩寫刻摯，不避褻猥。與山谷詞之〈望遠行〉、〈千秋歲〉、〈江城子〉、〈兩同心〉諸作不異……[13]

《醉翁琴趣外篇》是否悉為歐公所作，李栖於《歐陽修詞研究及其校注》一書中，嘗別立〈醉翁琴趣外篇真偽考〉一章專論之，茲不贅述。惟其亦言及可確考為他人所作而誤闌入者曰：

> 如今在《琴趣》中已確知非歐詞的有〈賀明朝〉「憶昔花間初識面」、〈浣溪沙〉「天羅碧衣拂地垂」是歐陽炯詞，〈一斛珠〉「曉妝初過」是李煜詞，〈南鄉子〉「細雨濕花」是馮延巳詞，〈浣溪沙〉「樓倚江邊百尺高」是張先詞，〈江神子〉「碧闌干外小中亭」是張泌詞，〈夜行船〉「昨夕佳期初共」是謝絳詞。[14]

是〈一斛珠〉亦在「確知非歐詞」之列。至其所根據，乃是詞後注云：「按此詞見李後主詞。」《全宋詞》並不收，惟於存目詞注云：「李煜詞，見《尊前集》。」而《尊前集》正作李後主。[15]今國家圖書館所藏南宋刊本《醉翁琴

---

[11] 李栖：《歐陽修詞研究及其校注》，頁 57-59。

[12] 〔南宋〕王灼：《碧雞漫志》，唐圭璋編：《詞話叢編》，第一冊，卷三，頁 35。

[13] 〔清〕沈曾植：《菌閣瑣談》，唐圭璋編：《詞話叢編》，第四冊，頁 3610-3611〈醉翁琴趣中偽作〉條。

[14] 李栖：《歐陽修詞研究及其校注》，頁 63。

[15] 李栖：《歐陽修詞研究及其校注》，頁 389。

趣外篇》僅存卷四至卷六,並無卷二之〈一斛珠〉。然觀是書中,若卷四〈滿路花〉:「小鬟無事須來喚,呵破點唇檀。」〈轉調木蘭花〉:「清淡園林春過後,杏腮輕粉口摧紅。」〈南鄉子〉:「深點唇兒淡抹腮。」諸闋,言其動作,則用「點」用「摧」而不用「注」;言其動作之對象,則直切言「唇」言「口」,而不用「沉檀輕注」之轉深一層,表達出婉藏曲致,不著跡相之韻味。況〈南鄉子〉:「些子精神更與誰?」亦與「些兒箇」之口語有別。至若〈轉調木蘭花〉:「佳人向晚新妝就,圓膩歌喉珠欲溜。當筵莫放酒盃遲,樂事良辰難入手。」卷五之〈減字木蘭花〉:「歌檀斂袂,繚繞雕樑塵暗起。柔潤清圓,百斛明珠一線穿。 櫻唇玉齒,天上仙音心下事。留住行雲,蒲坐迷魂酒半醺。」二闋,直似〈一斛珠〉之淺白註解,然形容逕直顯露,明陳感慨,比喻用典,整飭而殊少流麗。況作者與人物之間,似有界溝,未若〈一斛珠〉之溶溶無間,不存罅隙也。故自來以〈一斛珠〉歸李氏名下,當非空感妄指。況觀乎歐詞中用色有:紅、綠、白、翠、朱、碧、玉(白)、金(黃)、青、紫、黃、鵝黃(淺黃)、丹、絳諸色,[16]未見其以紅、朱、丹、絳等幾近檀色者以形容口唇之色澤,而前引之「唇檀」、「歌檀」則以色澤或用色澤以代唇口,雖用法近似,然詞風不類。是王次聰於《南唐二主詞校注》〈一斛珠〉下按語云:

> 元吳師道《吳禮部詩話》云:「歐公小詞,間見諸詞集。陳氏書錄云一卷,其間多有與陽春、花間相雜者。亦有鄙褻之語一二廁其中,當是仇人無名子所為。近有《醉翁琴趣外篇》凡六卷二百餘首,所謂鄙褻之語往往而是,不止一二也。前題東坡居士序近八九語,所云:『散落尊酒間,盛為人所愛。尚猶小技,其上有取焉者。』詞氣卑陋,不類坡作。益可證詞之偽。」近人吳昌綬雙照樓影刊汲古閣影宋抄本《醉翁琴趣外篇》凡六卷,與吳師道所云相符,蘇軾序已佚。《醉翁琴趣

---

[16] 江正誠:《歐陽修的生平及其文學》(臺北:臺灣大學中國文學研究所博士論文,1978年6月)。頁652-659。唯江文中未注意「檀」亦為顏色名。

外篇》是否偽作，雖尚難以斷定，但此書誤收他人作品，如張先、歐
陽炯、謝絳、馮延巳、杜安世、張泌等多首，不甚可恃。〈一斛珠〉
以從《尊前集》作李煜為是。[17]

依《尊前集》所著錄，言其為李煜之作，允是較持平之論。

三　「沉檀輕注」句諸家註解

宋尤袤《遂初堂書目》樂曲類有《李後主詞》一書，以後則未見著錄。
傳本《南唐二主詞》乃南宋人輯。自南宋以來，為李詞作箋註考校者多矣！
而於〈一斛珠〉：「沉檀輕注些兒箇」句末「些兒箇」一詞，諸家並無多大異
解，皆視為當時之「方言口語」，如詹幼馨之箋注云：

> 些兒箇：方言。些兒，即今語一些兒。箇或寫作個、个，語助詞。有
> 時稱「些子兒」，或逕稱「些子」，亦有稱「些箇」者，都表示少的意
> 思。[18]

是「些兒箇」一詞，係採當時方言口語入詞，活潑鮮俏，妙造自然，能將視
界焦野縮成一小點，以突顯主題。

至若句前之「沉檀輕注」，則諸家頗有異說，蓋以主語「沉檀」，諸家看
法略別，茲枚舉其說如下：

（一）作「帳中香」解

此一說法，見楊繼曾《李後主詞》「沉檀」下註引宋洪芻《香譜》云：
「江南李主帳中香法，用丁香、馢香、沉香、檀香、麝香各一兩，甲香三兩，
細剉，加以鵝梨十枚，研取汁於銀器內盛卻，蒸三次，梨汁乾即用之。」[19]
雖不明言其為帳中用香，然以所引觀之，其意當為用此沉香、檀香二香以總

---

[17] 〔宋〕無名氏輯，王次聰校注：《南唐二主詞校注》，頁 13。

[18] 詹幼馨：《南唐二主詞研究》（武漢：武漢出版社，1992 年），頁 24。

[19] 楊繼曾注：《李後主詞》（臺北：新陸書局，1957 年），頁 10。

括其餘，乃李後主帳中用香也。

（二）作「口中香」解

　　此一說法，則見於《評註南唐二主詞》〈一斛珠〉注釋一下曰：「沉檀，即沉香、檀香，可注於口取香。沉香，又名沉水香、蜜香，為常綠亞喬木，木材為著名之薰香料。蘇頌曰：『沉香出海南諸國及交、廣、崖州。』沈懷遠《南越志》：『交阯蜜香樹，彼人取之，先斷其積年老木根，經年，其外皮幹俱朽爛，木心與枝節不壞，堅黑沉水者，即沉香也。』」[20]又王熙元等編《詞曲選注》〈一斛珠〉注釋二下云：「沉檀：即沉香與檀香，可注於口取香。《梁書‧盤盤國傳》：『累遣使貢牙像及塔，並獻沉檀等香數十種。』」[21]皆主沉檀乃注口取香之香料也。

（三）作「帳中香或口中香」解

　　此一說法，則見於佘雪曼《李後主詞欣賞》〈一斛珠〉下解：「沉檀是一種香，後主宮中用香有一、二十種之多，沉檀一種，較為名貴，不僅可以灑在帳中，還可以放在嘴裡，其作用類似如今的口香糖。」[22]是以「沉檀」為一種名貴香料，既為帳中用香，亦為口中香也。

（四）作「口唇顏色」解

　　此一說法，見《中國文學欣賞全集》〈唐五代詞〉部分中注〈一斛珠〉此句云：「檀是一種顏色，即淺絳色。色深而潤澤叫『沉』。唐宋婦女閨妝多喜用這種顏色，或用在眉端，或用於口唇，這裡是用於口唇。《花間集》閣選〈虞美人〉詞：『臂留檀印齒痕香。』毛熙震〈後庭花〉詞：『歌聲慢發開

[20] 王瓊珊評註：《評註南唐二主詞》（臺北：廣文書局，1961 年），頁 16。
[21] 王熙元等編：《詞曲選注》（臺北：臺灣學生書局，1985 年 9 月），頁 51。
[22] 佘雪曼：《李後主詞欣賞》（臺北：文化圖書公司，1959 年），頁 12。

檀點。』都是以檀注唇的例證。……意思是承上句說，梳妝好了，口唇還點了一些『沉檀』。」[23]又如唐圭璋等撰《唐宋詞鑑賞》中，羊春秋於〈一斛珠〉解為：「剛剛梳洗完畢，在唇上輕輕地點上一層潤澤而深紅的顏色。這裡的『沉檀』，是指深紅的顏色。」[24]是用「沉」形容「檀」之深而潤澤貌，而「檀」為絳紅色也。

（五）作「唇膏」解

此一說法，見詹幼馨《南唐二主詞研究》〈一斛珠〉下箋注云：「『沉檀』：香名。香沉水下者佳，故有此名，俗謂沉香。宋洪芻《香譜》：『江南李主帳中香法，用丁香、馢香、沉香、檀香、麝香各一兩，甲香三兩，細剉，加以鵝梨十枚，研取汁於銀器內盛卻，蒸三次，梨汁乾，即用之。』據此，則『沉檀』相當於今之『唇膏』。一說：檀，淺紅色。加沉字，說明顏色較深。尹鶚〈醉公子〉：『何處惱佳人，檀痕衣上新』，閣選〈虞美人〉：『臂留檀印齒痕香』，所謂『檀痕』、『檀印』，都是說美人的『唇膏』留下的痕跡，這種唇膏，統稱為『檀』。」[25]其意以「沉檀」既可為唇膏解，亦可為深紅色之唇膏解也。

（六）作「點唇之濃檀紅」解

按此一說，乃蔡厚示於《李璟李煜詞賞析集》中，獨採《醉翁琴趣外篇》作「濃檀」，卻誤為《尊前集》。其說云：「沉檀：當依《尊前集》作『濃檀』，指濃的檀紅，用來點唇。因此紅唇也叫『檀口』。……曉妝過後，又在唇上

[23] 姜濤主編：《中國文學欣賞全集》（臺北：莊嚴出版社，1985 年 11 月），第十九冊，詞篇卷一〈唐五代詞〉，頁 271。
[24] 唐圭璋等撰：《唐宋詞鑑賞》（臺北：五南圖書出版股份有限公司，1991 年），頁 149。又陳錦榮：《李煜李清照詞注》（臺北：遠流出版事業股份有限公司，1988 年），《中國歷代詩人選集》，第十九冊，頁 4。
[25] 詹幼馨：《南唐二主詞研究》，頁 24。

輕注些檀紅。《花間集》顧夐詞〈應天長〉云：『背人勻檀注。』〈虞美人〉云：『淺眉微斂注檀輕。』寫的都是五代時貴族婦女的點唇習慣。後一句正與『濃檀輕注些兒箇』意同。如作『沉檀』，就指沉香和檀香，那便講不通了。這一句，開始從整體中突出『口』的形象。」[26]則依「濃檀」解為點唇所用之色濃檀紅也。

以上六解，乃尋常可見。所據之典故或有交集，擷取之旁證亦略差近，然由此演繹之說辭卻存有不同，何者斯能丸轉而可恃？何者圓融而確鑿？則不可不辨之矣。

四　「檀」字源流考證

細審「沉檀輕注」一句，就中「檀」字係為主詞。「注」係動詞。「輕」係形容「注」之動作程度之副詞。「些兒」則為形容所注數量之量詞。「箇」字為語尾助詞。而「沉」字，或係形容「檀」字之形容詞？或為加深「檀」字之程度副詞？或為補足「檀」字，兩者係同類之複合詞？則容後再辨。惟可確立者，句中至為鈐鍵緊要者，非「檀」字莫屬。其餘諸字，乃若眾星拱月，隨之意轉也。今試從主詞「檀」字考之。

（一）「檀」為堅木名

夫「檀」字，甲骨文、金文中未見。《說文解字》六上木部曰：「檀，木也。從木，亶聲。」段玉裁《說文解字注》云：

〈鄭風〉《傳》曰：「檀，彊刃之木。」刃，今韌字。檿醾似檀，齊人諺曰：「上山斫檀，檿醾先殫。」[27]

桂馥《說文解字義證》引書曰：

---

26 蔡厚示編：《李璟李煜詞賞析集》，頁 10、11。
27 丁福保纂輯、楊家駱主編：《說文解字詁林正續合編》（臺北：鼎文書局，1983 年 4 月），第五冊，頁 547。

《論衡》〈狀留篇〉：「樹檀以五月生葉，後彼春榮之木。其材彊勁，車以為軸。」《遁甲開山圖》：「河東有獨頭山，多青檀，可以為良弓木也者。」《六書故》：「檀木堅忍，葉頗類槐，有黃、白二種，黃者尤堅忍。」顏注《急就篇》：「檀，堅韌木也。」《詩》〈將仲子〉：「無折我樹檀。」《傳》云：「檀，彊韌之木。」陸機《疏》云：「檀，木皮正青滑澤，與繫迷相似，又似駁馬。駁馬，梓榆。故里語云：『斫檀不諦得繫迷，繫迷尚可得駁馬。』繫迷，一名挈櫨，故齊人諺曰：『上山斫檀，挈櫨先殫。』」馥案：挈櫨，即《爾雅》樸櫨。駁馬，即《詩》「隰有六駁」是也。[28]

而《淵鑑類函》卷四一六引《群芳譜》曰：

檀，善木也，其字從亶。有黃、白二種，江淮河朔山中皆有之。葉如槐，皮青而澤，肌細而膩，體重而堅。狀如梓榆，莢迷相似。材可以為車輻及斧鎚。諸柯臘月分根，傍小枝種。[29]

檢諸《詩經》，「檀」字出現者凡五，曰：

1、〈鄭風·將仲子〉：「將仲子兮，無踰我園，無折我樹檀。」毛《傳》：「檀，彊韌之木。」孔《疏》：「檀材可以為車，故云『彊韌之木』。陸機《疏》云：『檀，木皮正青滑澤，與繫迷相似……。』」朱熹《詩集傳》注：「檀，皮青，滑澤，材彊韌，可為車。」

2、〈魏風·伐檀〉：「坎坎伐檀兮，寘之河之干兮。」毛《傳》：「檀，木名。」朱熹《注》：「檀，木可為車者。」

3、〈小雅·杕杜〉：「檀車幝幝，四牡痯痯。」毛《傳》：「檀車，役車。」孔《疏》：「以檀木為車。〈伐檀〉曰：『坎坎伐檀兮。』又曰：『伐輪伐輻。』是檀可為車之輪輻。又〈大明〉云：『檀車煌煌，武王

---

[28]〔清〕桂馥：《說文解字義證》（臺北：廣文書局，1972 年），第六冊，頁 1931。

[29]〔清〕康熙敕撰：《淵鑑類函》（臺北：新興書局，1971 年 10 月據康熙四十九年〔1710〕刊本影印），卷四一六，頁 28。

之戎車。』是檀之所施於車廣矣。」朱熹《注》:「檀木堅,宜為車。」

4、〈小雅·鶴鳴〉:「樂彼之園,爰有樹檀,其下維蘀。」孔《疏》:「善樹之檀。」

5、〈大雅·大明〉:「牧野洋洋,檀車煌煌,駟騵彭彭。」朱熹《注》:「檀,堅木,宜為車者也。」[30]

由上眾例諸說中可知,「檀」字本為木名,係「江淮河朔」北方名物,有黃、白二種,其皮正青而滑澤,肌細而膩,體重而堅,可為車弓及斧鎚,而未有言其「香」之特質,抑或言其可作「香料」之用,甚或用為「顏色唇膏」解者。

(二)「檀」作「香料」解

據《梁書》卷五十四〈諸夷列傳〉云:「盤盤國,宋文帝元嘉,孝武孝建、大明中,並遣使貢獻。……(梁武帝)中大通元年五月,累遣使貢牙像及塔,並獻沉、檀等香數十種。」[31]此處之「沉檀」,殆指沉香與檀香而言。而知「檀」之作為「香料」之一者,為時甚晚,若依洪芻《香譜》卷下所載:

> 古者爇蕭灌鬱,焚椒佩蘭,所謂香者,如是而已。漢世始通南粵,《西京雜記》有丁緩作被中香爐。《漢武內傳》載西王母降,爇嬰香。自是而後,殊方外域多貢奇香。閩越賈舶,往來島國,香之珍異日繁,而合和窨造之法日盛。[32]

知「漢世始通南粵」後,殊方外域之異香始入,盤盤國所貢「沉檀」即其二

---

[30] 〔西漢〕毛亨傳、〔東漢〕鄭玄箋、〔唐〕孔穎達疏:《重栞宋本毛詩注疏附校勘記》(臺北:藝文印書館,1985 年 12 月),頁 162、210、341、377;又〔南宋〕朱熹:《詩集傳》(臺北:中華書局,1991 年 3 月),頁 48、66、108、178。

[31] 〔唐〕姚思廉:《梁書》(臺北:鼎文書局,1978 年),卷五四,頁 793。

[32] 〔北宋〕洪芻:《香譜》(臺北:新文豐出版股份有限公司,1985 年 1 月),《叢書集成新編》,第四十七冊,卷下,頁 33。

也。又據李時珍《本草綱目》卷三十四〈檀香〉條云：

> 按《大明一統志》云：「檀香出廣東、雲南，及占城、真臘、瓜哇、
> 渤泥、暹邏、三佛齊、回回等國，今嶺南諸地，亦皆有之。樹葉皆似
> 荔枝，皮青色而滑澤。」葉廷珪《香譜》云：「皮實而色黃者為黃檀；
> 皮潔而色白者為白檀；皮腐而色紫者為紫檀。其木並堅重清香，而白
> 檀尤良。宜以紙封收，則不洩氣。」王佐《格古論》云：「紫檀，諸
> 溪峒出之。性堅。新者色紅，舊者色紫，有蟹爪文。新者以水浸之，
> 可染物。真者揩壁上色紫，故有紫檀色。黃檀最香，俱可作帶骻、扇
> 骨等物。」[33]

其中「黃檀」、「白檀」與前文「江淮河朔」所生之木同類，惟江淮河朔所產
不香耳。[34]而「紫檀」，又稱紫檀木、紫檀香、紅木、紫旃木、赤檀，係產於
嶺南及印度、錫蘭、印尼……等東南亞諸國，非中國固有。[35]據《杜陽編》
云：「宣州觀察使楊牧，造檀香亭子，初成，命賓樂之。」[36]疑此檀香，或係
通用之檀香木，而非用製作香料之紫檀也。然則檀香木雖非中國固有，惟人
間已徧用此香木來窨造合成香料矣！

（三）「檀」作絳紅色解

紫檀木性既堅，新者色紅，以水浸之可染物，故亦用為絳紅色解。明楊
慎《辭品》卷二〈檀色〉條云：

---

[33] 〔明〕李時珍：《本草綱目》（臺北：鼎文書局，1973 年 9 月），卷三四，頁 20（1112）。
[34] 按：《本草綱目》引頌曰：「檀香有數種，黃、白、紫之異，今人盛用之。江淮河朔所生檀木即其類，但不香爾。」
[35] 人文出版社編輯委員會編：《植物大辭典》（臺中：人文出版社，1976 年），頁 2921「檀香」條及「紫檀」條。
[36] 〔北宋〕洪芻：《香譜》，《叢書集成新編》，第四十七冊，卷下，頁 20〈檀香亭〉條。惟〔清〕黃葆真編著：《增補事類統編》（臺北：新文豐出版股份有限公司，1976 年 4 月），卷七三，頁 62「香亭香戶」句下注引《杜陽編》則作：「觀察使楊收造白檀香亭子。」略異。

畫家七十二色，有檀色。淺赭所合，辭所謂檀畫荔枝紅也，而婦女暈眉色似之。唐人詩辭多用，試舉其略：徐凝〈宮中曲〉云：「檀妝惟約數條霞。」《花間》辭云：「背人勻檀注。」又：「鈿昏檀粉淚縱橫。」又：「臂留檀印齒痕香。」又：「斜分八字淺檀蛾。」是也。又云：「卓女燒春，濃美小檀霞。」則言酒色似檀色。又云：「檀畫荔枝紅，金蔓蜻蜓軟。」又：「香檀細畫侵桃臉。」又：「淺眉微斂注檀輕。」又：「何處惱佳人，檀痕衣上新。」又：「修蛾慢臉，不語檀心一點。」又：「歌聲慢發開檀點，笑拈金靨。」又：「錦檀偏翹鬢重，翠雲敧。」又：「翠鈿檀注助容光。」又：「粉檀珠淚和。」伊孟昌〈黃蜀葵〉詩：「檀點佳人噴異香。」杜衍〈雨中荷花〉詩：「檀粉不勻香汗濕。」則又指花色似檀色也。東坡〈梅〉詩：「鮫綃剪碎玉簪輕，檀暈妝成雪月明。肯伴老人春一醉，懸知欲落更多情。」唐宋婦女閨妝，面注檀痕，猶漢魏婦女之注玄的也。[37]

據楊氏說，知畫家七十二色中，以淺赭近荔枝紅者稱「檀」，唐宋婦女多用以暈眉、暈面，或用以形容酒色、花色也。惟不見其用指口唇之顏色解者。

然今傳敦煌卷子編號 S1441 號背面有《云（雲）謠集雜曲子》共 30 首，中錄〈破陣子〉一闋詞云：

> 日煖風輕住景，流鶯似問人。正時越溪花捧艷，獨隔千山與萬津，單于迷慮塵。　雪落停梅愁地，香檀往注歌唇。攔徑萋萋芳草淥，紅臉可知珠淚頻，魚箋豈易呈。[38]

---

[37] 〔明〕楊慎：《辭（一作詞）品》（臺北：新文豐出版股份有限公司，1985 年 1 月），《叢書集成新編》，第八十一冊，卷二，頁 64（266）。

[38] 黃永武：《敦煌寶藏》第一輯（臺北：新文豐出版股份有限公司，1981 年），第十冊，頁674，唯其「歌」字重出作「謌」。又臺北藝文印書館所出朱祖謀《彊村叢書》中《尊前集》亦載〈雲謠集雜曲子目錄〉，頁 3 錄〈破陣子〉一闋，「時」作「是」，「慮」作「虜」，「往」作「枉」，「淥」作「綠」耳。按潘慎編：《詞律辭典》（太原：山西人民出版社，1991 年 9月），頁 819 言：「敦煌詞〈破陣子〉四首，上片第二句皆五字句，宋詞則為六字句。」

又〈柳青娘〉一闋云：

> 碧羅冠子結初成，肉紅衫子石榴裙。固著煙脂輕輕染，淡施檀色注詞唇，含情喚小鶯。……[39]

皆是以「香檀」或「檀色」注「歌唇」之明證。是「檀」色非僅暈眉、暈面，並用以染唇，而且可形容酒色、花色也。[40]

綜上所述，知「檀」於漢前，乃作為車（軸）弓斧鎚之堅木解，僅黃、白二種，其木不香。惟漢世通南粵後，南方諸州國所產檀香木始入中國，並以之為香料。唐、宋時，諸色中有「檀」色一種，詩詞中多用以形容眉面唇口之顏色，引申之以形容花酒之淺絳淡紅也。

基此認知，復細考唐五代詞，其中言及「檀」字者，如：

1、溫庭筠〈菩薩蠻〉：「山枕隱穠妝，綠檀金鳳凰。兩蛾愁黛淺，故國吳宮遠。」（卷八，頁 59-60）

2、韓偓〈浣溪沙〉：「羅襪況兼金菡萏，雪肌仍是玉琅玕，骨香腰細見沈檀。」（卷四，頁 93）

3、薛照蘊〈離別難〉：「檀眉半斂愁低，未別心先咽，欲語情難說。」（卷七，頁 126）

4、牛嶠〈女冠子〉：「錦江煙水，卓女曉春濃美，小檀霞。」（卷七，頁 130）

5、牛希濟〈謁金門〉：「夢斷禁城鐘鼓，淚滴枕檀無數。一點凝紅和

---

[39] 黃永武：《敦煌寶藏》第一輯，第十冊，頁 675，「成」字亦重出。〈雲謠集雜曲子目錄〉頁 4〈柳青娘〉中，「榴」作「榴」，「固」作「故」，「詞」作「歌」。

[40] 按「檀」以形容淺紅之花色者，如《御定全唐詩》，卷六六五，頁 2 羅隱〈牡丹〉詩云：「艷多煙重欲開難，紅藥當心一抹檀。」〔北宋〕蘇軾：《集註分類東坡先生詩》（臺北：臺灣商務印書館，1967 年上海商務印書館縮印南海潘氏藏宋務本堂刊本），《四部叢刊初編‧集部》，卷一四，頁 270〈蠟梅一首贈趙景貺〉詩云：「君不見萬松嶺上黃千葉，玉蕊檀心兩奇絕。」至形容口唇顏色者，如〔唐〕韓偓：《玉山樵人集》（臺北：臺灣商務印書館，1979 年），《四部叢刊正編‧集部》，頁 15（8）之〈余作探使以縹綾手帕子寄賀因而有詩〉云：「黛眉印在微微綠，檀口消來薄薄紅。」是也。

薄霧，翠蛾愁不語。」（卷七，頁 136）

6、毛文錫〈攤破浣溪沙〉：「春水輕波浸綠苔，枇杷洲上紫檀開。」
（卷七，頁 145）

7、毛文錫〈虞美人〉：「寶檀金縷鴛鴦枕，綬帶盤宮錦。⋯⋯玉爐香
煖頻添炷，滿地飄輕絮。珠簾不捲度沈煙。」（卷七，頁 146）

8、魏承班〈訴衷情〉：「鬟亂墜金釵，語檀偎。臨行執手重重囑，幾
千回。」（卷八，頁 149）

9、尹鶚〈醉公子〉：「何處惱佳人，檀痕衣上新。」（卷八，頁 155）

10、尹鶚〈金浮圖〉：「和風淡蕩，偷散沈檀氣。」（卷八，頁 160）

11、李珣〈浣溪沙〉：「入夏偏宜澹薄妝，越羅衣褪鬱金黃，翠鈿檀注
助容光。」（卷八，頁 168）

12、李珣〈河傳〉：「愁澀雙蛾，落花深處，啼鳥似逐離歌，粉檀珠淚
和。」（卷九，頁 172）

13、顧敻〈應天長〉：「背人勻檀炷，慢轉橫波偷覷。斂黛春情暗許，
倚屏慵不語。」（卷九，頁 185）

14、顧敻〈虞美人〉：「香檀細畫侵桃臉，羅袂輕輕斂。」（卷九，頁
188）

15、顧敻〈虞美人〉：「小金鸂鶒沈煙細，膩枕堆雲髻。淺眉微斂注檀
輕。」（卷九，頁 189）

16、鹿虔扆〈虞美人〉：「鈿昏檀粉淚縱橫，不勝情。」（卷九，頁 193）

17、歐陽炯〈獻衷心〉：「情未已，信曾通，滿衣猶自染檀紅。」（卷
十，頁 207）

18、毛熙震〈酒泉子〉：「錦檀偏，翹股重，翠雲敧。」（卷十，頁 208）

19、毛熙震〈女冠子〉：「修蛾慢臉，不語檀心一點。」（卷十，頁 209）

20、毛熙震〈後庭花〉：「歌聲慢發開檀點，繡衫斜掩。時將纖手勻紅

臉，笑拈金靨。」（卷十，頁 211）

21、閻選〈虞美人〉：「偷期錦浪荷深處，一夢雲兼雨。臂留檀印齒痕香。」（卷十，頁 218）

22、馮延巳〈謁金門〉：「夢斷禁城鐘鼓，淚滴枕檀無數。一點凝紅新薄霧，翠蛾愁不語。」（卷十二，頁 250）

23、張泌〈生查子〉：「檀畫荔枝紅，金蔓蜻蜓軟。」（卷十三，頁 273）

24、孫光憲〈河傳〉：「孤眠，枕檀雲髻偏。」（卷十四，頁 306）

25、徐昌圖〈木蘭花〉：「沈檀煙起盤紅霧，一箭霜風吹繡戶。漢宮花面學梅妝，謝女雪詩裁柳絮。」（卷十五，頁 309）[41]

觀上諸例，知其連用「沉檀」二字者，殆指沉香、檀香而言，其煙氣則似紅霧，若 2、10、25 諸條是也。至若「檀」字用於眉者如 3、14 是也。其用腮面者，若 4、11、12、13、[42]16、17 諸條是也。其用於口唇者，則 8、9、15、19、20、21、23 諸條是也。而用以指木花者，如 6 者是也。個中惟「枕檀」連用或「枕」、「檀」對文者，其意難明。依「山枕隱穠妝，綠檀金鳳凰」、「寶檀金縷鴛鴦枕」及「淚滴枕檀無數」、「錦檀偏、翹骨重、翠雲敲」、「枕檀雲髻偏」諸詞推之，其以「綠」、「寶」、「錦」形容，疑其當與枕同為床上名物。按：《釋名》卷七〈釋用器〉云：「檀，坦也。摩之使坦然平也。」畢沅《疏證》云：

　　檀之為器，未詳其用。案《說文》云：「㮳，摩田器。」據云：「摩之

---

[41] 以上諸條所據本子係唐圭璋編：《全唐五代詞・全宋詞》（臺北：盤庚出版社，1978 年 10 月）。

[42] 按：「卓女曉春濃美，小檀霞。」楊慎《辭品》則斷為：「卓女燒春，濃美小檀霞。」故用以言「酒色似檀色」。惟校以溫庭筠、韋莊、李珣諸詞，當以唐氏所定為是。說可見潘慎編：《詞律辭典》，頁 790，故亦以暈臉言之。「背人勻檀炷」句，楊慎《辭品》以為婦女暈眉色，然畫眉少用「勻」字，「勻」字大抵施於臉或脣上，如溫庭筠〈菩薩蠻〉：「無言勻睡臉，枕上屏風掩。」韓偓〈木蘭花〉：「臉粉難勻蜀酒濃，口脂易印吳綾薄。白居易〈和夢春遊詩〉：「朱脣素指勻，粉汗紅綿撲。」況「炷」字用在香或燈上，故當用「注」字。然畫眉描脣宜專注，焉能「偷覷」？是而宜作勻臉解。其他諸條，除「斜分八字淺檀蛾」可確立為暈眉外，餘皆可商，未遑細辨耳。

使坦然平。」竊疑檀即檽也。[43]

據畢氏所推，檀既為摩田器檽，何為置諸床上，而側近枕耶？雖則二物非必為一，然疑其「摩之使坦然平」之特質容或相似。審諸床上名物，枕席同稱者多矣！疑「檀」或係「栴」即「旃」即「氈」之假借字，指毛織物之氈席言，亦《鹽鐵論》〈鹽鐵取下〉所云「同床旃席，侍御滿側者，不知負轑輓船，登高絕流者之難也」中之旃席。是枕、氈乃寢具常備，用綠、用寶、用錦字修飾，或繡以金鳳凰圖案，其義皆能妥貼適洽，通達無礙。故疑 7、18、22、24 諸條，或當以「檀」為「旃」即「氈」者視之。

五　「沉檀輕注」句解

「檀」字考證既如上述，惟於此句中如何說解乎？觀唐五代詞中，如韓偓、尹鶚、徐昌圖諸人所用之「沉檀」，確指沉香、檀香或其煙氣而言。惟不見其注諸口以取香者，是沉檀當係室中香或帳中香。據宋洪芻《香譜》卷下載〈江南李主帳中香法〉云：

> 丁香　馣香　沉香　檀香　麝香已上各一兩　甲香三兩，製如常法。
> 右件用沉香一兩，細剉，加以鵝梨十枚，研取汁於銀器內，盛卻，蒸三次，梨汁乾即用之。[44]

則後主帳中香或可用「沉檀」以擱括其餘諸香，然從「乾即用之」看，其香當係固體，若王沂孫〈天香・龍涎香〉詞中以「冰環玉指」來形容「香餅形狀況如環如指」[45]是也，則用「注」字不切。如毛文錫〈虞美人〉：「玉爐香煖頻添炷。」尹鶚〈秋夜月〉：「炷沉煙，熏繡被。」顧敻〈酒泉子〉：「帳深

[43] 〔東漢〕劉熙撰、〔清〕畢沅疏證：《釋名疏證》（臺北：廣文書局，1979 年 4 月），卷七，頁 50。

[44] 〔南宋〕洪芻：《香譜》，《叢書集成新編》，第四十七冊，卷下，頁 29（759）。

[45] 〔清〕朱古微輯、唐圭璋箋注：《宋詞三百首箋注》（臺北：臺灣中華書局，1983 年），頁 244-45。

枕膩炷沉煙。」又〈浣溪沙〉：「翠幃金鴨炷香平。」毛熙震〈更漏子〉：「博山香炷融。」又：「炷香斜裊煙輕。」孫光憲〈虞美人〉：「博山香炷炫旋抽條。」香皆用「炷」不用「注」。炷者，焚也、灼也，二字劃然有別。

自來言及唇妝者，其動詞則用「注」用「點」，如白居易〈時世妝〉詩有「烏膏注唇」句，《清異錄》亦言：「僖、昭時，都下競事妝唇，婦女以此分妍否。其點注之工，名色差繁。」[46]而敦煌《雲謠集雜曲子》之「香檀往注歌唇」、「淡施檀色注歌唇」及詞中之「檀注」或「注檀」皆當指妝唇言。否則炷煙何必「輕」？香餅子成塊成枚，何必「些兒」乎？知釋以「帳中香」，則動詞及量詞皆虛無著力處。

又據《香譜》所言：「沉香如烏文木之色澤，而更取其堅格，是美之至也。」是「人間所共貴」，「所以奉高天上聖，百靈不敢當也。」且其性「易和」，色黑。而沉香又名天香，知其乃香之最美者，又能與諸香和，故與「檀」字合用為妝唇之物，是「沉」取其「香」，而「檀」取其「色」，亦即《雲謠集雜曲子》中所謂「香檀」，惟其香至珍至貴耳。唇脂所尚，在「香」與「色」，其用以代稱唇脂，以見詞中用辭之委婉曲致，香艷富麗，故「沉」非形容「檀」，作深紅潤澤之色解，亦非加重檀色之程度副詞，設果如是，何來動詞，何來量詞？故必以「沉」字與「檀」字平列成同類複合詞，而以之代「唇脂」，其後之動詞量詞斯有其著力點矣！《紅樓夢》四十四回中載平兒理妝時，寶玉給予一盛裝在白玉盒，如同「玫瑰膏子」般之上等胭脂，並告之飾唇時：「只要用細簪子挑一點兒，抹在唇上，足夠了。」亦正是「沉檀輕注些兒箇」之意矣！

---

[46] 詳細情形可參見汪維玲、王定祥：《中國古代婦女化妝》（西安：陝西人民出版社，1991年2月），頁33-36，〈櫻唇點檀〉一節。

六 結語

綜此而論，則輕注之「沉檀」，既非帳中香，亦非口中香。「沉」也非程度副詞，用以形容檀色作深紅色解，亦非徑作唇脂解，而是以其至貴至香，至美至色之材質，所謂「色香俱全」，來突顯唇脂之特質，而委婉曲詰以代其本體者。況詞中用「以彼代此」之手法者多矣！若溫庭筠〈菩薩蠻〉：「小山重疊金明滅」中之「小山」，李璟〈攤破浣溪沙〉：「手捲真珠上玉鉤」中之「真珠」，晏殊〈踏莎行〉：「小徑紅稀，芳郊綠遍」中之「紅」、「綠」……無不是以其特質，含蓄間接以點染出主體，亦不著一字，盡得風流之餘韻矣！設果如是，則唐圭璋所謂之：「此首詠佳人口：起兩句，寫佳人口注沉檀；向人三句，寫佳人口引清歌；換頭，寫佳人口飲香醪；末三句，寫佳人口唾紅茸。通首佳人之顏色服飾，以及聲音笑貌，無不描畫精細，如見如聞。」[47]之「如見如聞」斯有意思矣！

　　原文發表於《王叔岷先生八十壽慶論文集》，臺北：大安出版社，1993年6月，頁331-328。（龐壯城、邱郁茹校對）

---

[47] 唐圭璋：《唐宋詞簡釋》（臺北：木鐸出版社，1982年3月），頁30。

論訓詁學的多邊關係──
由唐人「父自稱」或「子稱父」為「哥哥」談起

一　前言

　　自從中國進入父系社會以來，父親的威嚴森聳，「以父之名」，「假父為名」，是頂神聖不可侵犯的。尤其在密嚴無縫的宗族制度宰制中，徵現在親屬的稱謂上也顯得格外的謹當不苟。

　　然而在這謹當不苟、森聳掌控稱謂的實踐中，卻在唐皇室用語中被顛覆了，浮現出異乎尋常的斷裂走位現象，而此種稱謂上的錯置淆亂，前人早已見及，如顧炎武《日知錄》卷二十四中有關「哥」的一條即指出：

> 唐時人稱父為哥。《舊唐書‧王琚傳》玄宗泣曰：「四哥仁孝，同氣惟有太平」，睿宗行四故也。玄宗子〈棣王琰傳〉「惟三哥辨其罪」，玄宗行三故也。有父之親，有君之尊，而稱之為四哥、三哥，亦可謂名之不正也已。

> 玄宗與寧王憲書稱大哥，又有〈同玉真公主過大哥園池〉詩，則唐時宮中稱父稱兄皆曰哥。[1]

顧氏雖表示《舊唐書》中皇室既有「君之尊」，復有「父之親」，稱謂上卻有違逆傳統的「名不正」現象，顯得相當怪奇，但卻沒有進一步闡釋或追索造成此種脫序悖離現象之後的可能原因？當然，前哲時賢針對此現象也有嘗試作解人的，而提出下列的看法。

---

[1] 〔清〕顧炎武：《顧炎武全集》（上海：上海古籍出版社，2011年12月），第十九冊，頁918。

二　諸家說解

　　察清代以來，學者專家已對此問題存有些許看法，若試將董理爬梳，可分成幾種說法：

（一）以「唐代家法」視之者

　　此說以清梁章鉅在《稱謂錄》卷一〈父自稱〉條中所說的：

　　　哥哥，《淳化閣帖》有唐太宗與高宗書，稱「哥哥勅」，父對子自稱「哥哥」，蓋唐代家法如是。

又「哥」條云：

　　　《舊唐書・王琚傳》：「元宗泣曰：『四哥仁孝。』」稱睿宗也。〈棣王琰傳〉：「惟三哥辨其罪。」稱元宗也。案：〈長安四年觀世音石像銘〉，中山郡王隆所造，亦稱睿宗為四哥，皆子稱父之詞。[2]

觀梁氏「哥」條引證資料與顧氏相同，以及《淳化閣帖》中唐太宗與高宗書「哥哥勅」，依據這些有限的資訊，梁氏認為不管是「父對子自稱哥哥」或「子稱父之詞」的「哥」，都只是有唐一代，家中父子相呼，自成一格的「唐代家法」。

（二）以「方言」視之者

　　在徐成志編的《事物異名別稱詞典・人事部・父親》條中曾指出：

　　　「歌歌」，「哥哥」，方言對父親的稱呼。敦煌變文《搜神記・行孝》一：「其田章年始五歲，乃于家啼哭，喚歌歌娘娘。」蔣禮鴻《敦煌變文字義通釋・釋稱謂》：「哥哥娘娘，即阿耶阿娘，現在浙江武義還

---

[2] 上引見〔清〕梁章鉅：《稱謂錄》（上海：上海古籍出版社，1989年11月），收入〔日〕長澤規矩也編：《明清俗語辭書集成》，第一冊，頁15（619）；頁17（620）。

有管父親叫哥哥的。」[3]

由此可知徐氏根據敦煌變文《搜神記》與蔣氏據浙江武義方言的殘存來推測「哥哥」或「歌歌」係屬方言對父親的稱呼。

（三）以「臨時移用」視之者

在《文史辭源》「哥」字「哥哥」的詞條釋解中，本為「兄之稱」，但下作說解云：

> 《舊唐書·王琚傳》：「玄宗泣曰：『四哥仁孝，同氣唯有太平。』」四哥，指其父睿宗。《淳化閣帖》有〈唐太宗與高宗書〉，自稱「哥哥敕」。哥，平時是同輩稱謂，此係臨時移用，非哥哥可以為父子互稱之詞。[4]

也是據《舊唐書》與《淳化閣帖》的個案而推斷這是「臨時移用」的結果，並不是放諸四海皆準的恆定狀態，只不過偶爾客串，臨時充當罷了，「非哥哥可以為父子互稱之詞」，也就是不承認它的客串用法具有合法合理性。

（四）懷疑為「北方民族長子繼承王父妻妾的風俗」

呂叔湘曾在《未晚齋語文漫談》中舉出前文已見的顧炎武《日知錄》與《敦煌變文集》中卷八八四的句道興《搜神記》資料外，另指出「元曲的《牆頭馬上》第三折有下面一段」：

---

[3] 徐志成編：《事物異名別稱詞典》（濟南：齊魯書社，1990年5月），人事部父親，頁320；又蔣禮鴻：《敦煌變文字義通釋（第四次增訂本）》（上海：上海古籍出版社，1988年9月），〈第一篇　釋稱謂·歌歌哥哥·父親〉條，頁15云：「田章五歲時，父母親都不在家裡，所以要哭喚『歌歌孃孃』，即阿耶阿娘。現在浙江武義還有管父親叫哥哥的。」又引「任二北說：斯一四九七、斯六九二三等卷內，有『少小皇宮養』者，乃一印度戲文，演須大挈太子將親生兒女施捨給人的故事。兒唱：『我今隨順哥哥意，只恨娘娘猶未知。』『哥哥』指太子，其父；『娘娘』指太子妃，其母。」
[4] 天成出版社編：《文史辭源》（臺北：天成出版社，1984年5月），第一冊，頁516。

〔端端云〕妳妳，我接爹爹去來。〔正旦云〕還未來哩。（唱）〔么篇〕你哥哥這其間未是他來時節。〔豆葉兒〕接不著你哥哥，正撞見你爺爺。

他的解讀是「『爹爹』和『哥哥』所指相同，都是父親。稱父親為哥哥，是唐朝的風俗，居然到元朝還存在。」又指出在趙翼的《陔餘叢考》卷三七中談「哥」，「還引了些兄稱弟為『哥』；父稱子為『哥』；僚友相稱為『哥』；以及兒子命名（小名）帶『哥』字的例子，結論是不足為怪」，但呂氏卻深不以為然，而提出他的懷疑說：

可是我總覺得別的情況都比較容易理解，即說話的人借用一晚輩的身分說話，惟獨子稱父為「哥」不好理解。「哥」外來語，最早還寫作「歌」。我懷疑這跟我國北方某些民族長子繼承亡父的妻妾（除生母外）的風俗有關。[5]

認為這個問題需待「歷史學者」和「民俗學者」的研究了。

（五）懷疑是「用低一級的稱呼來表示親熱」

王力在《漢語史稿》第四章〈詞彙的發展‧親屬的名稱〉說「從唐代起，『哥』字開始在口語裡代替了『兄』字」下註：

「哥」又可以用來稱父。《舊唐書‧王琚傳》：「玄宗泣曰：四哥仁孝」，四哥指睿宗。《淳化閣帖》有唐太宗與高宗書，稱「哥哥敕」。這可能是用低一級的稱呼來表示親熱；如果「哥」有「父」義，則「四哥」不可解。清高翔麟《說文字通》云：「北齊太子稱生母為姊姊，宋時呼生母為大姊姊」，這種情形與「哥」字同。[6]

其後更列舉了稱「哥」當「兄」之例，如《舊唐書‧邠王守禮傳》的「岐王

---

5 以上有關引據呂叔湘：《未晚齋語文漫談》（北京：語文出版社，1992 年 6 月），頁 9-10。
6 王力：《漢語史稿》（北京：中華書局，2013 年 8 月），頁 484。

等奏之云：『邠哥有術。』」《酉陽雜俎》的「帝呼寧王為寧哥」以及張九齡〈敕賜寧王池宴詩序〉的「上幸寧王第，敘家人禮，上曰：『大哥好作主人』。」並推論說：「這『哥』字可能是外來語。須待進一步的研究，才能確定。」[7]所以，王力還是認為「哥」是「兄」義，是用低一級的稱呼來表示親熱，而他的理由是，以「父」替代「哥」的位置，那是不詞，也不可解。

由上可知，這個問題眾說紛紜，若想得一究竟，還需從原典追溯起。

三　「父對子自稱」與「子稱父」為「哥」或「哥哥」的內容

若由上面諸說來加予觀察，可知其依據大抵是從五方面來：（一）是《舊唐書》；（二）是《淳化閣帖》；（三）是敦煌變文中的《搜神記》；（四）是元曲中的《牆頭馬上》；（五）是浙江武義的方言。當然，就這五方面來說，《舊唐書》、《淳化閣帖》、敦煌變文乃鈐鍵攸關，至於元曲的《牆頭馬上》，可並參看，但若浙江武義的方言，又其末流餘裔，雖揚波濡沫，關係不大，可先不論；但振葉尋根，溯流探源，必當從四個向度攏束起。

（一）談《舊唐書》中的「哥」字

觀察《舊唐書》中的稱謂，恆常狀態是父親稱「父」，兄長稱「兄」，標準型態如卷一百四十八〈李吉甫傳〉中「吉甫奏曰」：

> 昔漢章帝時，欲為光武原陵、明帝顯節陵各起邑屋，東平王蒼上疏言其不可。東平王即光武之愛子，明帝之愛弟。賢王之心，豈惜費於父兄哉！誠以非禮之事，人君所當慎也。[8]

又如卷八十八〈蘇瓌列傳〉中提到蘇瓌子蘇頲，及其弟詵、冰、乂說：

---

[7] 王力：《漢語史稿》，頁484。
[8] 〔後晉〕劉昫等撰、楊家駱主編：《新校本舊唐書附索引》（臺北：鼎文書局，1981年1月），卷一百四十八，頁3994。

詵，歷授右司郎中、給事中、徐州刺史。先是，拜給事中時，頲為中書侍郎，上表讓詵所授。玄宗曰：「古來有內舉不避親乎？」頲曰：「晉祁奚是也。」玄宗曰：「若然，則朕用蘇詵，何得屢言？近日卿父子猶同在中書，兄弟有何不得？卿言非至公也。」冰，為虞部郎中。义，為職方郎中。[9]

而在卷一百三十六〈盧邁列傳〉中敘述盧邁的動機說：

> 邁以叔父兄弟姊妹悉在江介，屬蝗蟲歲饑，懇求江南上佐，由是授滁州刺史。[10]

以及卷一百九十三的〈列女列傳〉中提到孝女王和子說：

> 孝女王和子者，徐州人。其父及兄為防秋卒，戍涇州。元和中，吐蕃寇邊，父兄戰死，無子，母先亡。和子時年十七，聞父兄歿於邊上，被髮徒跣縗裳，獨往涇州，行丐取父兄之喪，歸徐營葬，手植松柏，剪髮壞形，廬於墓所。節度使王智興以狀聞，詔旌表之。[11]

此外，如卷四〈高宗本紀〉中說：

> 高宗天皇大聖大弘孝皇帝，諱治，太宗第九子也。母曰文德順聖長孫皇后。以貞觀二年六月，生於東宮之麗正殿。五年，封晉王。七年，遙授并州都督。幼而岐嶷端審，寬仁孝友。初授《孝經》於著作郎蕭德言，太宗問曰：「此書中何言為要？」對曰：「夫孝，始於事親，中於事君，終於立身。君子之事上，進思盡忠，退思補過，將順其美，匡救其惡。」太宗大悅曰：「行此，足以事父兄，為臣子矣。」[12]

從上列《舊唐書》所取樣的資料，我們可以觀察到稱「父」稱「兄」是不分階層，具有普遍性的，從唐皇室成員的口語對談中（如唐太宗與高宗）、皇

---

[9] 〔後晉〕劉昫等撰、楊家駱主編：《新校本舊唐書附索引》，卷八十八，頁2882。

[10] 〔後晉〕劉昫等撰、楊家駱主編：《新校本舊唐書附索引》，卷一百三十六，頁3753。

[11] 〔後晉〕劉昫等撰、楊家駱主編：《新校本舊唐書附索引》，卷一百九十三，頁5151-5152。

[12] 〔後晉〕劉昫等撰、楊家駱主編：《新校本舊唐書附索引》，卷四，頁65。

帝與臣子對答所例舉的皇室成員中（如李吉甫上奏舉漢光武帝、明帝及東平王蒼）、皇帝與臣子的當下對談中（如唐玄宗與蘇頲）、臣子的自舉（如盧邁）以及平民階層的稱謂（如孝女王和子）中，都是以「父」、「兄」或「父兄」為稱的，且不管在書面或口語中，都是先父後兄，絕無例外。

至於「哥」或「哥哥」這個用語，在《舊唐書》之前是例當「歌詠」之「歌」字來使用的，如《史記》卷三十四〈燕召公世家〉中云：

> 召公之治四方，甚得兆民和。召公巡行鄉邑，有棠樹，決獄政事其下，自侯伯至庶人各得其所，無失職者。召公卒，而民人思召公之政，懷棠樹不敢伐，哥詠之，作〈甘棠〉之詩。[13]

《隋書》卷三十五〈經籍志四‧道經〉中亦載及：

> 太武始光之初，奉其書而獻之。帝使謁者，奉玉帛牲牢，祀嵩岳，迎致其餘弟子，於代都東南起壇宇，給道士百二十餘人，顯揚其法，宣布天下。太武親備法駕，而受符籙焉。自是道業大行，每帝即位，必受符籙，以為故事，刻天尊及諸仙之象，而供養焉。遷洛已後，置道場於南郊之傍，方二百步。正月、十月之十五日，並有道士哥人百六人，拜而祠焉。[14]

可知不管是「哥詠」或「哥人」，都當作「歌唱」之「歌」，古作「哥」，今作「歌」罷了。

及至《舊唐書》中，「哥」字的用法和詞義則顯得較為豐富，除用為姓與名，如竄哥、哥舒翰、哥舒晃、哥舒曜、達哥之、五哥之、哥舒闕俟斤、哥舒處半俟斤、契苾哥楞；州國之名，如哥勿州都督府、哥係州、哥鄰國王

---

13 〔西漢〕司馬遷撰、楊家駱主編：《新校本史記三家注并附編二種》（臺北：鼎文書局，1984 年 1 月），卷三十四，頁 1550。
14 〔唐〕魏徵等撰、楊家駱主編：《新校本隋書附索引》（臺北：鼎文書局，1983 年 12 月），卷三十五，頁 1093-1094。

董臥庭；及小字，如李林甫小字「哥奴」外[15]，其餘如《舊唐書》卷六十四〈高祖二十二子列傳〉云：

> 舒王元名，高祖第十八子也。年十歲時，高祖在大安宮，太宗晨夕使尚宮起居送珍饌，元名保傅等謂元名曰：「尚宮品秩高者，見宜拜之。」元名曰：「此我二哥家婢也，何用拜為？」太宗聞而壯之，曰：「此真我弟也。」貞觀五年，封譙王。十一年，徙封舒王，賜實封八百戶，拜壽州刺史。[16]

卷九十五〈睿宗諸子列傳・讓皇帝憲〉中云：

> 睿宗六子：昭成順聖皇后竇氏生玄宗，肅明順聖皇后劉氏生讓皇帝……讓皇帝憲，本名成器，睿宗長子也。……及冊斂之日，內出御衣一副，仍令右監門大將軍高力士齎手書置于靈座之前，其書曰：「隆基白：『一代兄弟，一朝存歿，家人之禮，是用申情，興言感思，悲涕交集。大哥孝友，近古莫儔，嘗號五王，同開邸第。遠自童幼，洎乎長成，出則同遊，學則同業，事均形影，無不相隨。頃以國步艱危，義資克定，先帝御極，日月照臨。大哥嫡長，合當儲貳，以功見讓，爰在薄躬。既嗣守紫宸，萬機事總，聽朝之暇，得展于懷。十數年間，棣華凋落，謂之手足，唯有大哥。今復淪亡，眇然無對，以茲感慕，何恨如之。然以厥初生人，孰不徂謝？所貴光昭德行，以示崇高，立德立名，斯為不朽。大哥事跡，身歿讓存，故冊曰讓皇帝，神之昭格，當茲寵榮。況庭訓傳家，璡等申讓，善述先志，實有遺風，成其美也。恭惟緒言，恍焉如在，寄之翰墨，悲不自勝。』」[17]

以及卷八十六〈高宗中宗諸子列傳・章懷太子賢・賢子邠王守禮〉中云：

---

[15] 「哥」字條詳見中央研究院歷史語言研究所「漢籍全文資料庫」：http://hanchi.ihp.sinica.edu.tw/ihp/hanji.htm。

[16] 〔後晉〕劉昫等撰、楊家駱主編：《新校本舊唐書附索引》，卷六十四，頁 2433。

[17] 〔後晉〕劉昫等撰、楊家駱主編：《新校本舊唐書附索引》，卷九十五，頁 3009-3013。

守禮本名光仁，垂拱初改名守禮，授太子洗馬，封嗣雍王。……常帶數千貫錢債，或有諫之者曰：「王年漸高，家累甚眾，須有愛惜。」守禮曰：「豈有天子兄沒人葬？」諸王因內讌言之，以為歡笑。雖積陰累日，守禮白於諸王曰：「欲晴。」果晴。愆陽涉旬，守禮曰：「即雨。」果連澍。岐王等奏之，云：「邠哥有術。」守禮曰：「臣無術也。則天時以章懷遷謫，臣幽閉宮中十餘年，每歲被敕杖數頓，見瘢痕甚厚。欲雨，臣脊上即沉悶；欲晴，即輕健，臣以此知之，非有術也。」涕泗霑襟，玄宗亦憫然。[18]

另外，如卷一百六〈王琚傳〉中云：

王琚，懷州河內人也。叔父隱客，則天朝為鳳閣侍郎。琚少孤而聰敏，有才略，好玄象合鍊之學。……玄宗遽召見之，琚曰：「頃韋庶人智識淺短，親行弒逆，人心盡搖，思立李氏，殿下誅之為易。今社稷已安，太平則天之女，凶狡無比，專思立功，朝之大臣，多為其用。主上以元妹之愛，能忍其過。賤臣淺識，為殿下深憂。」玄宗命之同榻而坐。玄宗泣曰：「四哥仁孝，同氣唯有太平，言之恐有違犯，不言憂患轉深，為臣為子，計無所出。」[19]

以及卷一百七〈玄宗諸子列傳・棣王琰傳〉中說：

棣王琰，玄宗第四子也，初名嗣真。……二十四年，改名琰。……先是，琰妃韋氏有過，琰怒之，不敢奏聞，乃斥於別室。寵二孺人，孺人又不相協。至十一載，孺人乃密求巫者，書符置於琰履中以求媚。琰與監院中官有隙，中官聞其事，密奏於玄宗，云琰厭魅聖躬；玄宗使人掩其履而獲之。玄宗大怒，引琰詰責之。琰頓首謝曰：「臣之罪合死矣，請一言以就鼎鑊。然臣與新婦，情義絕者，二年于茲，臣有

---

18 〔後晉〕劉昫等撰、楊家駱主編：《新校本舊唐書附索引》，卷八十六，頁2833-2834。
19 〔後晉〕劉昫等撰、楊家駱主編：《新校本舊唐書附索引》，卷一百六，頁3248-3250。

二孺人，又皆爭長。臣實不知有符，恐此三人所為也。惟三哥辯其罪人。」及推問之，竟孺人也。玄宗猶疑琰知情，怒未解，太子已下皆為請，命囚於鷹狗坊中，絕朝請，憂懼而死。[20]

前三條資料中，首條的「我二哥」與「真我弟」相對，次條唐玄宗李隆基以「一代兄弟」言長兄「讓皇帝憲」為「大哥孝友」、「大哥嫡長」、「唯有大哥」、「大哥事跡」的「大哥」排序，第三條則稱「天子兄」為「邠哥」，可見用的是當「兄」長與「弟」對稱的「哥」義；至於後二條的「四哥仁孝」、「三哥辯其罪人」，則非比尋常的替代了與「母」對稱的「父」義，這現象也間接反映出「哥」字用在稱謂上，非屬恆定，而是徘徊拉鋸在「父」或「兄」義之中的，呈顯出一種非穩定的特質。

當然，我們知道，《舊唐書》是依據實錄、國史以成書，且因常就藍本照抄，於是「今上」、「我」等字遂屢加出現（當然，「今上」係指唐史館撰述時之當代帝王，「我」則自指唐朝）。[21]而且唐代史官制度完善，[22]史權確立，[23]在這種情況底下，《舊唐書》所反映的史實，是相當原始與寫實的，誠如褚遂良所說的：「臣職載筆，君舉必書。」或如劉洎所補充的：「使遂良不

---

[20] 〔後晉〕劉昫等撰、楊家駱主編：《新校本舊唐書附索引》，卷一百七，頁 3257-3261。

[21] 以上文字參見楊家駱：〈兩唐書識語〉，〔後晉〕劉昫等撰、楊家駱主編：《新校本舊唐書附索引》，頁 2、8。

[22] 唐代史官制度的完善，可參見〔北宋〕歐陽修、宋祁撰：《新唐書》（臺北：鼎文書局，1980 年 1 月），卷四十七，頁 1208〈百官志・門下省〉所載「起居郎」二人，「掌錄天子起居法度。天子御正殿，則郎居左，舍人居右。有命，俯陛以聽，退而書之，季終以授史官。貞觀初，以給事中、諫議大夫兼知起居注，或知起居事。每仗下，議政事，起居郎一人執筆記錄于前，史官隨之。其後，復置起居舍人，分侍左右，秉筆隨宰相入殿；若仗在紫宸內閣，則夾香案分立殿下，直第二螭首，和墨濡筆，皆即坳處，時號螭頭」。

[23] 按史權的確立，可參見《新唐書》，卷一百九十八，頁 5648〈儒學列傳・朱子奢〉：「帝（案即太宗）嘗詔：『起居紀錄臧否，朕欲見之以知得失，若何？』子奢曰：『陛下所舉無過事，雖見無嫌，然以此開後世史官之禍，可懼也。史官全身畏死，則悠悠千載，尚有聞乎？』」；又卷一百五，頁 4025〈褚遂良列傳〉云：「（褚遂良）遷諫議大夫，兼知起居事。帝（案即太宗）曰：『卿記起居，大抵人君得觀之否？』對曰：『今之起居，古左右史也，善惡必記，戒人主不為非法，未聞天子自觀史也。』帝曰：『朕有不善，卿必記邪？』對曰：『守道不如守官，臣職載筆，君舉必書。』劉洎曰：『使遂良不記，天下之人亦記之矣。』」可知史官的載記能獨立於皇權之上。

記，天下之人亦記之。」它的寫實性，卻在《新唐書》的更作中而失真湮滅，比如上舉的〈王琚傳〉與〈玄宗諸子列傳‧棣王琰傳〉，《新唐書》在沒有如此的寫作氛圍下，喪失了那麼一點原真寫實性，而在卷八十二〈玄宗諸子列傳‧棣王琰傳〉只作：

> 棣王琰，開元二年始王鄫，與鄂、鄖二王同封。後徙王棣，領太原牧、太原以北諸軍節度大使。天寶初，為武威郡都督，經略節度河西、隴右。會妃韋以過置別室，而二孺人爭寵不平，求巫者密置符琰履中以求媚。仇人告琰厭魅上，帝伺其朝，使人取履視之，信。帝怒責琰，琰頓首謝曰：「臣罪宜死，然臣與婦不相見二年，有二孺人爭長，臣恐此三人為之。」及推，果驗。然帝猶疑琰，怒未置，太子以下皆為請，乃囚於鷹狗坊，以憂薨。[24]

及在卷一百二十一的〈王琚列傳〉則概述其行誼說：

> （王）琚是時方補諸暨縣主簿，過謝東宮（案即玄宗），至廷中，徐行高視，侍衛何止曰：「太子在！」琚怒曰：「在外惟聞太平公主，不聞有太子。太子本有功於社稷，孝於君親，安得此聲？」太子遽召見，琚曰：「韋氏躬行弒逆，天下動搖，人思李氏，故殿下取之易也。今天下已定，太平專思立功，左右大臣多為其用，天子以元妹，能忍其過，臣竊為殿下寒心。」太子命坐，且泣曰：「計將安便？」[25]

明顯的可看出，由於《新唐書》的簡鍊筆墨，已輕易的削掉了那「名不正」的關鍵稱謂，而將那種特殊性也給湮滅了。反之，《舊唐書》就顯得翔實如現，且生動逼真多了。

其實，這種「名不正」的稱呼，也對應在載錄唐皇室書信與唐代變文之中，我們先就唐皇室的書信稱謂用詞來比觀吧！

---

24 〔北宋〕歐陽脩、宋祁撰：《新唐書》，卷八十二，頁3608。
25 〔北宋〕歐陽脩、宋祁撰：《新唐書》，卷一百二十一，頁4332-4333。

（二）談《淳化閣帖》的「哥哥」

　　清乾隆三十四年（1769），高宗曾欽定校正《淳化閣帖釋文》十卷，是以內府所藏宋畢士安家《淳化閣帖》賜本詳加釐正，重勒貞玟的。在卷一的〈歷代帝王法帖〉中有〈唐太宗書〉，「舊二十三帖，今併一帖」，其之一云：

> 兩度得大內書，不見奴表，耶耶忌欲恆死。少時間，忽得奴手書，報娘子患，憂惶一時頓解，欲似死而更生。今日已後，但頭風發，信便即報耶耶。若少有疾患，即一一具報。今得遼東消息，錄狀送憶奴，欲死不知何計，使還具，耶耶敕。

之二云：

> 懷讓患水邊，身腫復利，形勢極惡，耶耶意多恐不濟。遺愛勞發大重，氣候似少可，於豆盧亦似難差，傷念不可言，奴報其婦知也。

之三云：

> 使至辱書，知公所苦，少可慰意何言，不知信復，更復何似？時氣漸冷，善將息也。所請景賢公，即宜留聽，追然後遣。若無好藥，更遣揀擇。今為北邊動靜奉敕即行，相去大近，信使非遙，實情欣怕耳！遣無具。李世民呈。

之十九云：

> 數年來每有征動，雖復事非為己，猶恐下有怨咨，所以廢甘泉之遊，履燋金之弊，寧可違涼忍暑，不能適己勞民。想汝誠心，惟吾是念，自非孝情深結，孰能以此為懷？省書潸然，益增感念。善自將愛，遣此不多。哥哥敕。[26]

由上引書信中的用詞觀之，一作「李世民」，二作「耶耶」，一作「哥哥」，

---

[26] 以上詳見《欽定重刻淳化閣帖》（臺北：藝文印書館，1969 年據清乾隆敕刊聚珍版叢書本影印），《百部叢書集成》，卷一，頁 5、8。又《淳化閣帖釋文》（北京：中華書局，1985 年），《叢書集成初編》，第一，頁 4-5、7-8。

而「耶耶」和「哥哥」係唐太宗李世民對第九子的唐高宗李治的自稱，在前引的《舊唐書‧高宗本紀》中，唐太宗是以「父」自稱的，而相對應的「耶耶」稱呼，根據袁庭棟的《古人稱謂漫談》所說：

> 「爺」，在古代是對成年男子較廣義的稱呼。……但早在魏晉南北朝就用作對父親之稱，或寫作「耶」。《玉篇》：「爺，俗作父耶字。」如古樂府中著名的〈木蘭詩〉：「軍書十二卷，卷卷有耶名。」《南史‧王絢傳》又稱「耶耶」，同書〈侯景傳〉中又稱「爺爺」。[27]

則知「耶耶」是「父」的俗稱，而「父」、「耶耶」、「哥哥」的錯文併用來稱呼父親，亦見於敦煌變文中。

（三）談敦煌變文中的「哥哥」、「歌歌」

在潘重規編著的《敦煌變文集新書》卷八中，收錄了句道興撰的《搜神記》一卷，載錄未記出處的「田崑崙」娶天女事，敘述田崑崙因家貧，未娶妻室。禾熟之時，在水池邊看見三女洗浴，隨即變為白鶴。田崑崙因偷得其中一個的天衣，因此共為夫妻。天女與田崑崙生下一子，取名田章。後來田崑崙西行，臨行前殷勤囑母，不可將天衣交還天女，此後一去不還。天女用計賺回天衣，於是騰空而去。時田章年已五歲，日夜思念父母悲哭不休，幸得董仲指點，到水池邊尋找母親。天女與兩個姐姐就帶著田章上天庭，天公十分愛憐，於是教他方術藝能……等等。關於「田章尋母」一事，在晉干寶的《搜神記》毛衣女故事中尚屬未見，而在敦煌變文後半段中才增添這一段情節。[28]其文作：

> 其田章年始五歲，乃於家啼哭，喚歌歌孃孃，乃於野田悲哭不休。其

---

[27] 袁庭棟：〈親屬稱謂〉，《古人稱謂漫談》（北京：中華書局，1994年6月），頁57。

[28] 洪淑苓：《牛郎織女研究》（臺北：臺灣學生書局，1988年10月），頁68、77-78、99、118、188、193。按：其實干寶的《搜神記》中已提及「生三女，其母後使女問父，知衣在積稻下。得之，衣而飛去。後復以迎三女，女亦得飛去」。

時乃有董仲先生來賢（閒）行。知是天女之男，又知天女欲來下界，即語小兒曰：「恰日中時，你即向池邊看，有婦人著白練裙，三箇來，兩箇舉頭看你，一箇低頭佯不看你者，即是〔你〕母也。」田章即用董仲之言，恰日中時，遂見池內相有三箇天女，並白練裙衫，於池邊割菜。田章向前看之，其天女等遙見，知是兒來，兩箇阿姊語小妹曰：「你兒來也。」即啼哭喚言阿孃，其妹雖然慚恥不看，不那腸中而出，遂即悲啼泣淚。三箇姊妹遂將天衣，共乘此小兒上天而去。[29]

從這一段文字中，我們可以發現到稱父為「歌歌」（即「哥哥」）並不是唐代皇室的專利，在五歲田章的口吻裡，那可是一種「母語」，一點都不特殊。另外在《敦煌歌辭總編》卷三〈雜曲・普通聯章〉中收錄 S1497、S6923 失調名的「須大拏太子度男女」十一首中，有「父」與「兒」之間的對答如下：

（兒言）少小皇宮養。萬事未曾知。饑亦不曾受。渴亦未受持。佛子。

（父言）羅睺一心成聖果。莫學五逆墮阿鼻。生生莫做冤家子。世世長為僥倖兒。佛子。

（兒言）我今隨順哥哥意。只恨娘娘猶未知。放兒暫見娘娘面。須臾還去亦何遲。佛子。

（父言）我今為宿持。不用見夫人。夫人心體輭。母子最為親。佛子。

……

（父言）一歲二歲耶娘養。三歲四歲弄嬰孩。五歲六歲學人言。七歲八歲辨東西。佛子。

（父言）一切恩愛有離別。一切江河有枯竭。拏如拏延好伏侍婆羅門。莫教婆羅門一日嗔。佛子。

（兒言）鳥雀羣飛唯失伴。男女恩愛暫時間。拏如拏延好伏侍婆羅門。

---

29 潘重規：《敦煌變文集新書》（臺北：文津出版社，1994 年 12 月），卷八，句道興《搜神記》，頁 20（1232）。

早晚卻見父娘面。佛子。[30]

在第二次須大拏太子回答他父親的話語裡，有「我今隨順『哥哥』意，只恨『娘娘』猶未知」，哥哥既和娘娘對文，而娘娘指的是他的母親，所謂「母子最為親」的「母」，那麼再與後文的「一歲二歲『耶娘』養」、「早晚卻見『父娘』面」參看，顯而易見的，此處的「哥哥」與「耶」、「父」並行互用，於文義上也依然是當作「父親」之義的，與田章相同，在口語中用為以子與稱父之詞。另外，在《敦煌變文集新書》卷五〈董永變文〉中的「大眾志心須靜聽，先須孝須阿耶孃」與「父母骨肉在堂內，又領攀發出於堂」、「董永哭泣阿耶孃。直至三日復墓了，拜辭父母幾田常；父母見兒拜辭次，願兒身健早歸鄉」諸詞[31]，我們若以「基本條例」加予系聯，可知這組稱父之詞的關係是相當密切的，稱「父」為「哥哥」當不是偶發事件吧！

當然，在敦煌變文中，一般的「歌」字還是以「歌唱」義為最普遍，如在《敦煌歌辭總編》中收錄的 S1441〈破陣子〉「單于迷虜塵」中的「雪落梅庭愁地，香檀枉注歌脣」的「歌脣」、S0289〈歌樂還鄉〉中的「一去掃除蕩陣，為須歌樂還鄉，為須歌樂還鄉」的「歌樂」[32]；或如《敦煌變文集新書》中〈歡喜國王緣〉「縱使清歌每動頻（嚬）」、「忽因歌舞次」的「清歌」、「歌舞」，〈伍子胥變文〉中「潛身伏於蘆中，按劍悲歌而歎曰」的「悲歌」，〈王昭君變文〉中的「異方歌樂，不解奴愁；別城（域）之歡，不令人愛」的「歌樂」等等。[33]另以「哥」字作為「兄長」之義使用的，如《敦煌歌辭總編》中 P3137〈臨江仙〉「少年夫壻」一闋說：

---

[30] 任半塘：《敦煌歌辭總編》（上海：上海古籍出版社，1987年12月），卷三，頁786-787。

[31] 潘重規：《敦煌變文集新書》，卷五，頁95-96（925-926）。

[32] 任半塘：《敦煌歌辭總編》，卷一，頁170；卷二，頁480。

[33] 潘重規：《敦煌變文集新書》，卷四，頁87（755）；卷五，頁12（842）；卷五，頁83（913）。

少年夫婿奉恩多。霜臉上淚痕多。千回□去自消磨。羅帶上鸞鳳。擬
拆意如何。　錦帳屏幃多冷落。何處戀嬌娥。回來只擬苦過磨。思量
□得，還是諜哥哥。[34]

或如《敦煌變文集新書》卷六〈舜子變〉記載的：

> 瞽叟喚言舜子：「阿耶暫到遼陽，遣子勾當家事，緣甚於家不孝？阿
> 孃上樹摘桃，樹下多埋惡刺，刺他兩腳成瘡，這個是阿誰不是？」舜
> 子心自知之，恐傷母情；舜子與招伏罪過，又恐帶累阿孃。「己身是
> 兒，千重萬過，一任阿耶鞭恥。」瞽叟忽聞此言，聞嗔且不可嗔，聞
> 喜且不是喜，高聲喚言：「象兒！與阿耶三條荊杖來，與打殺前家歌
> （哥）子！」〔象〕兒〔聞〕道取荊杖，走入阿孃房裏，報云：「阿耶
> 交兒取杖，打殺前家歌（哥）子！」[35]

可知〈臨江仙〉一詞的「哥哥」是少婦暱稱「夫婿」為「兄長」的「哥哥」；
至於〈舜子變〉中的「歌子」，係瞽叟以舜弟象兒的立場稱呼舜為「前家哥
子」，不管「哥哥」或「歌子」，都是稱「兄」之詞。

（四）元白樸《牆頭馬上》的「哥哥」

談到此，我想，我們得順便談談白樸在元雜劇《牆頭馬上》中所用到的
「哥哥」一詞。白仁甫所撰的〈裴少俊牆頭馬上雜劇〉第三折中除院公稱少
主人裴少俊為「哥哥」外，便是裴少俊的「一雙兒女，小廝兒叫做端端，女
兒喚作重陽。端端六歲，重陽四歲」與母親李千金的一段唱白要注意，唱白
云：

〔端端云〕妳妳，我接爹爹去來。〔正旦云〕還未來哩！〔唱〕【么篇】

---

34 任半塘：《敦煌歌辭總編》，卷二，頁 350。
35 潘重規：《敦煌變文集新書》，卷六，頁 2-3（952-953）。

便將球棒兒撇，不把膽瓶藉。你哥哥這其間未是他來時節，怎抵死的要去接。

又云：

> 〔二人見旦科云〕我兩人接爹爹去，見一老爹，問是誰家的？〔正旦云〕孩兒也，我教你休出去，兀的怎了？〔尚書做意科云〕這兩個小的不是尋常之家。這老子其中有詐，我且到堂上看來。〔正旦唱〕【豆葉兒】接不著你哥哥，正撞見你爺爺。魄散魂消，腸慌腹熱，手腳麋狂去不迭。相公把柱杖掂詳，院公把掃帚支吾，孩兒把衣袂掀著。[36]

在正旦李千金的口吻中，「孩子的爹」即是「你哥哥」，「哥哥」也是用來稱「父」、「爹」之詞。可是，值得我們去細思的是，這齣雜劇的時代背景是設定在「唐高宗」（文中沖末裴尚書說的「方今唐高宗即位儀鳳三年」），李千金的父親李總管是「李廣之後，當今皇上之族」，「前任京兆留守」，「謫降洛陽總管」，所以李千金吐露的言語，係皇族之後，京兆、洛陽的語言。白樸要掌握人物的時空特質，故有此種語言的表露，跟前引《舊唐書》與《淳化閣帖》所載頗能前呼後應。可是白樸出身書香世家，[37] 又得大儒元好問親自指授，嫻習舊典，他雖反映唐代的語言事實，但我們要留意如王力說的：「文章的古今界限是很不清楚的：寫文章的人是讀書人，讀過書的人的腦子裡，是古今詞彙混雜著的」的「混雜」現象。[38]

---

[36] 〔明〕臧晉叔編：《元曲選》（北京：中華書局，1958 年 10 月），第一冊，頁 340-341。
[37] 白樸的父親白華，在金代「初為應奉翰林文字」，後官樞密院判官，「凡省院一切事務，顧問之際一不能應，輒以不用心被譴，其職為甚難，故以華處之。」可見其身居要津，是個「夙儒」，詳見〔元〕脫脫等撰：《金史》（臺北：鼎文書局，1980 年 12 月），卷一百十四，頁 2503-2513。
[38] 王力：〈古語的死亡殘留和轉生〉，《龍蟲並雕齋文集》（北京：中華書局，1980 年 1 月），第一冊，頁 413。

四　稱父為「哥」、「哥哥」、「歌歌」的辨析

　　由上面內容所呈現的，我們很明顯的可看出，解釋此現象係「『唐』代『家』法」與「臨時移用」是值得懷疑的。因為前舉諸例中，其時代限斷並不止於唐代，反而在元雜劇與現代方言中都還留有它綽約的身影；至於說它是屬於「僅此一家，別無分號」的唐代皇室專利用語，那麼在屬於民間的通俗文學，如敦煌變文與敦煌歌辭中就當被剝奪此種權利，為何膽敢如此「僭越」？至於說臨時移用，那麼，它可以在唐代，也可以在元代，也可以在現代，這個「臨時」所跨越的時間未免太遙渺無限；況一下在史書，一下在書敕，一下在變文，一下在歌辭，甚至雜劇、方言都用上了，那麼這個「移用」，也未免太無遠弗屆、神通廣大些，而既如此，為何不「驗明正身」，卻還要妾身未明似的「臨時移用」一下呢？這不是啟人疑竇嗎？

　　談到此種現象係「用低一級的稱呼來表示親熱」，這應驗在婦女兒女的對話上也還說得過去，可是用在皇帝的口吻中總顯得不倫，況且唐太宗似乎不需對高宗表示卑微取媚似的親熱；而棣王琰與唐玄宗的對話，是在「玄宗大怒」的情況下；王琚與唐玄宗的對話，則在「玄宗泣曰」的氛圍中，兩者都沒有表示「親熱」的條件；至如田章的「啼哭喚歌歌孃孃」，更喪失了「親熱」的對象，但他們齊聲呼父或自呼為「哥」、「哥哥」、「歌歌」，豈不空穴來風？或表錯情態呢？

　　至如說它是一種「方言」現象，那麼，根據《舊唐書・高祖本紀》的記載，唐高祖李淵的祖先係「隴西狄道人」，高祖在「周天和元年生於長安」[39]，那麼，他或唐皇室說的語言是時屬北周後為隋京兆郡、唐京畿道的長安語；敦煌變文中《搜神記》裡的田章與敦煌歌辭〈失調名〉「須大拏太子度男女」裡並無明言其郡道之名，以「敦煌」視之，它是「隴右道」；而元曲

---

[39] 〔後晉〕劉昫等撰、楊家駱主編：《新校本舊唐書附索引》，卷一，頁1。

中白樸撰的〈裴少俊牆頭馬上雜劇〉中的李千金操的是長安或洛陽的語言；至於蔣氏所舉的是浙江武義的現代方言，這些地域雖有交疊，可也有南差北隔的；尤其奇怪的是，與唐玄宗對話的王琚，他是「懷州河內人」，是屬於都畿道河南府[40]，但他對玄宗所用的「方言」一點都沒有隔閡，也不訝異，馬上接口道：「天子之孝，貴於安宗廟，定萬人。」若以「方言」視之，則這「方」言，似不止「一方一域」吧，況且它又大半部分屬於中原正音的京畿地區呢！

那麼，它是有可能屬「北方民族的長子繼承王父妻妾的風俗」嗎？早年朱子曾說：「唐原流出於夷狄，故閨門失禮之事不以為異」[41]，〈高祖本紀〉也說他的祖先籍貫是「隴西狄道人」，《舊唐書》卷一百九十九〈北狄列傳〉中說：「（契丹）其俗死者不得作塚墓，以馬駕車送入大山，置之樹上，亦無服紀。子孫死，父母晨夕哭之；父母死，子孫不哭。其餘風俗與突厥同。」[42]而在《隋書》卷八十四〈突厥傳〉中提到突厥的習俗是「父兄死，子弟妻其群母及嫂」[43]，也就是呂氏不指實的「北方民族長子繼承王父妻妾」的風俗，但不管唐源流是否出於夷狄，在突厥的習慣法中，卻有「唯尊者不得下淫」的規矩[44]，雖然，唐皇室不免有「烝母報嫂」的情況產生，且因「唐承六朝以來胡漢融合之緒，不嚴夷夏之防，每乏種族之限，故能將華夷視之如一」[45]，而唐太宗也曾說：「夷狄亦人耳，其情與中夏不殊。人主患德澤不

[40] 譚其驤主編：〈隋唐五代十國時期〉，《中國歷史地圖集》（上海：中國地球出版社，1989年6月），第五冊，頁40-41、44-45。

[41] 〔南宋〕朱熹：〈歷代類三〉，《朱子語類》（臺北：華世出版社，1987年1月），卷一百三十六，頁3245。

[42] 〔後晉〕劉昫等撰、楊家駱主編：《新校本舊唐書附索引》，卷一百九十九下，頁5350。

[43] 〔唐〕魏徵等撰、楊家駱主編：《新校本隋書附索引》，卷八十四，頁1864。

[44] 〔北宋〕王欽若等編纂：〈外臣部·土門風三〉，《冊府元龜》（臺北：中華書局，1981年8月），第二十冊，卷九百六十一，頁11311。

[45] 任育才：〈突厥之文化形態及其對唐代之影響〉，《唐史研究論集》（臺北：鼎文書局，1975年10月），頁215。

加，不必猜忌異類。蓋德澤洽，則四夷可使如一家；猜忌多，則骨肉不免為讎敵。」又說：「自古皆貴中華，賤夷、狄，朕獨愛之如一」[46]，但總不至於公然宣之於口，騰之唇吻吧！況在敦煌歌辭與敦煌變文中，天女之子田章與須大拏太子「兒言」中大可不必用如此「亂倫」之下的言語表徵，畢竟它還有「父」或「耶耶」的稱呼好用呀！

這就讓我們聯想到那傳述異國風味的敦煌歌辭中〈失調名〉的「須大拏太子度男女」故事中詠歎的「我今隨順哥哥意，只恨娘娘猶未知」的「哥哥」來，難道它是印度梵語？亦即王力所懷疑的「哥」字可能是個外來語？今察梵語稱父親為「**जनकः**」，梵語的羅馬拼音作「janakaḥ」[47]，巴利文亦同，漢語音譯即作「哥哥」，是漢語「哥哥」的指稱「父親」，有可能是從梵語翻譯而來的「譯音詞」。以有唐一代觀之，佛教信仰之興盛，譯經事業之發達，可間接地從杜牧的「南朝四百八十寺，多少樓臺煙雨中」表現出來。何況李淵一家，本信佛教[48]，在唐王朝（618-907）的二十個帝王中，除武宗李炎反佛外，其餘大致是扶植利用佛教的，尤其唐太宗還誠心發願，在《全唐文》卷十〈宏福寺施齋願文〉中說：「皇帝菩薩戒弟子……惟以丹誠，歸依三寶」[49]；至於唐玄宗的崇奉佛教，可從他接受「灌頂法」，做「佛弟子」，「御注」佛經，闡揚教義，在開元二十四年（736），將《御注金剛般若經》「頒行天下」，並說：「僧徒固請，欲以興教；心有所得，輒復疏之」[50]，可見玄宗是常頌讀、鑽研注解佛經的，既如此，則唐皇室對載記梵文當不陌生，也無怪

---

[46] 〔北宋〕司馬光撰：〈太宗紀〉，《資治通鑑》（臺北：洪氏出版社，1980 年 10 月），第七冊，卷一百九十七，頁 6215-6216；卷一百九十八，頁 6247。

[47] 釋惠敏、釋齎因編譯：《梵語初階》（臺北：法鼓文化事業股份有限公司，1996 年 9 月），頁 256。「毛瑞爾梵文教程 01-3（漢譯梵）」則只作「janaka」，參考網址：https://www.douban.com/note/681473271/。（瀏覽日期：2018 年 12 月 6 日）

[48] 章群：《唐史》（臺北：中國文化大學出版部，1980 年 12 月），第三冊，頁 658-659。

[49] 〔清〕董誥編纂：《欽定全唐文》，文懷沙主編：《四部文明》（西安：陝西人民出版社，2007 年 8 月），第五十三冊，頁 220。

[50] 郭朋：〈第四章　隋唐佛教〉，《中國佛教簡史》（福州：福建人民出版社，1990 年 4 月），頁 167-173。

乎唐太宗與唐玄宗會用「哥哥」自稱或稱父，然崇佛者眾，未必有此用法，或許得加上唐皇室特殊的出身背景，兩相作用下，光影乍現爾。本來，「翻譯佛經的原文是由多種文字寫成的。有曾在印度西北部和中亞細亞通行的佉留文；有由印度南部地方口語幾經演變而成的巴利文；還有『胡語』──安息文、康居文、于闐文、龜茲文；但總的來說，以梵文經典占主要部分。而早期譯經，後漢至南北朝，以印度古代俗語和西域古代文字為多；南北朝以後的譯經就開始重梵本而輕胡本，隋以後所譯的佛經原本，則統屬梵本。」[51]那麼，「哥哥」可能是梵語，也可能跟「隋以後」譯經主流統屬「梵本」相契合，但這稱父義的音譯詞生命太短暫，反而當兄義的取得了全面的勝利，當父義的只殘存在文人筆下與少數方言中，以致後來諸說，或「以今視昔」，或「以今律古」，而目之為「名不正」，也就甚無謂了。

五　論訓詁學的多邊關係

從上面唐人稱父或自稱「哥哥」的用詞辨析引據情況，可知其牽涉的範疇是多方面的，或史學，或敦煌學，或民俗學，或翻譯，並不僅止於訓詁學而已。正如胡奇光在《中國小學史‧緒論》中說的：「從文化史的角度研究小學史，要求把小學當作一種文化現象來考察，即不僅把小學看作文字、聲韻、訓詁的綜合整體，而且還要把小學視為溝通各個文化領域的基本工具，並從小學與別的文化形態（如名學、經學、文學、考據學、考古學等相鄰學科）的關係中，去展示小學發展的歷程。」[52]則作為小學的一環──訓詁學，其與諸學科的關係，當也是如此看待吧！

---

[51] 梁曉虹：〈前言〉，《佛教詞語的構造與漢語詞彙的發展》（北京：北京語言學院出版社，1994 年 4 月），頁 13，注釋 9。
[52] 胡奇光：〈緒論〉，《中國小學史》（上海：上海人民出版社，1987 年 11 月），頁 10。

原文發表於國立中山大學中國文學系、中國訓詁學會主辦：「第一屆
國際暨第三屆全國訓詁學學術研討會」論文集，高雄：國立中山大學
中國文學系，1997 年 4 月 19-20 日，頁 691-713。（洪鼎倫繕打／邱
郁茹校對）

古今共構，內外互補
——以臺灣《中文大辭典》、《異體字字典》的編纂為例

一　前言

　　1992 年曹先擢、陳秉才等人曾根據北京大學圖書館典藏的清代以前至 1988 年 12 月止出版的中文辭書約八千種，纂成《八千種中文辭書類編提要》一書，由北京大學出版社出版。曹先生並在書前撰有一篇〈中文辭書發展述略（代序）〉，簡要地回顧並評驚歷代中文辭書的發展脈絡，認為從 1979 年至今，中文辭書的出版數量多、門類全、質量高，成就之大，舉世矚目。而 1990 年八卷本的《漢語大字典》收字之多，形、音、義分析之全面，內容之豐富，超過了以往任何字典。《漢語大詞典》十三卷，全書收單字條 2.5 萬，複詞條 38 萬，共 6,000 萬字，內容源流並重，古今兼收，頗能反映漢語詞彙（主要是書面語）的全貌以及詞義的發展變化。

　　但文中也明確指出：「由於資料的所限，未能將海峽彼岸臺灣的以及港澳中文辭書在一起作介紹。臺灣中文辭書也有可觀的發展。就大型辭書言，臺灣中國文化大學與中華學術院編纂的《中華百科全書》，收條 1.5 萬，10 卷本，1,000 萬字……出版了大型的《中文大辭典》，收字 5 萬，詞 37 萬條。」[1]另外，在書中〈近現代辭書部分·語文詞典·普通語文詞典〉，也對《中文大辭典》作如下的說明：「【中文大辭典】40 冊，中文大辭典編纂委員會編，林尹、高明主編，臺灣中國文化研究所 1962-1968 年版」，後另收 1972 年臺灣中國文化研究所 10 冊普及本及 1973 年由臺灣華崗出版有限公司出版的 40 冊修訂本；同樣的，對於域外日本《大漢和辭典》的說明則更簡略，僅

---

[1] 曹先擢：〈中文辭書發展述略（代序）〉，曹先擢、陳秉才主編：《八千種中文辭書類編提要》（北京：北京大學出版社，1992 年 7 月），頁 12-16。

作：「【大漢和辭典】，〔日〕諸橋轍次編著，臺灣北一出版社　1983 年版」。
[2]其中，針對臺灣出版的《中文大辭典》也只說明其收字與詞條的數量、主編者、出版者、版次與冊數等，其餘都付諸闕如，或許是矜慎態度使然，揀其所知，點到即止，若對「提要」的性質有些許要求，未免是一項不足與遺憾。

　　另一方面，1988 年後臺灣出版的書面與網路辭書依然蓬勃的發展，且更如火如荼的進行，要全面的介紹其實有篇幅上的限制與困難，但若略述其梗概，勾勒其萬一，或可勉力為之；尤其是，前有集辭書大成的《中文大辭典》，與後繼發展號稱全世界收字最多的《異體字字典》，最能反映出臺灣辭書的編纂旨趣。本文試圖站在文字發展擴充必植基於古文字的脈絡下這個側面，反思這兩大辭書在處理傳世文獻與出土文物間的文字平衡點，故不揣翦陋，概述一二。

二　1988 年後臺灣出版語文類辭書概況

　　首先，略微回顧 1988 年後臺灣出版語文類辭書的概況，當然這是要儘可能的接續補足《八千種中文辭書類編提要》的遺漏和不足，並稍微反映臺灣出版語文類辭書的一個特質。

（一）有關國語辭書部分
　　就目前坊間書肆與圖書館典藏的 1988 年後臺灣出版語文類辭書來觀察，除延續國語辭典的編纂外，有些語文類辭典又重新修訂或出版，舉如《辭源》、《辭海》、《國語日報辭典》、《國語活用辭典》、《辭典》、《國民常用標準字典》（修訂本），李行健《形音義規範字典》（五南，2003 年 7 月，原語文

---

[2] 曹先擢、陳秉才主編：《八千種中文辭書類編提要》，頁 183。

出版社《現代漢語規範字典》）、圖解《標準字體國語辭典》等；有的則編纂出新，加入辭典浩瀚的行列，如《新辭典》（三民，1989 年 5 月）、《學典》（三民，1991 年 5 月）、楊莞皈《形音義字典》（武陵，2000 年 3 月）、遲嘯川、張嘉文《標準體國語大辭典》（華文網，2000 年 8 月）、遲嘯川、胡振盛《最近彩色國語字典》（華文網，2000 年 11 月）、丁德先《新創標準便利字典》（北辰，2001 年 5 月）、《華杏國語辭典》（華杏，2001 年 7 月）、鄭志民《學生一字多音辭典》（昇旺，2002 年 8 月）、周何、邱德修《國語活用辭典（最新修訂）（三版）》（五南，2008 年 4 月）……可見辭書的需求是與日俱增，民間書肆參與的活力，尤其在華語熱潮的帶動下，如鄒嘉彥、游汝傑的《21 世紀華語新詞語辭典》（麗文，2008 年 9 月）乃著因於華語文化的淵遠流長，由於歷史和地域的因素，各地使用的華語詞彙也有顯著的差別，故收集出現於中國（北京、上海、廣州）、臺灣、香港以及新加坡 2000 年以後產生或流行的最新詞語 1,500 條輯錄成冊，以各地媒體總共一億字巨型漢語語料庫「LIVAC」，超過一萬條新詞語的新詞庫為依據，各詞條附有注音符號、漢語拼音及粵語拼音，加上注解與比較，讓讀者對各地華語加深了解，促進溝通，相當具有與時俱進的代表性。

另一方面，辭書也針對特殊的需求，有不同的側重，舉如成語辭典部分，則有馮作民、宋秀玲《中國成語名言大辭典》（星光，1990 年）、謝秀宗《實用成語辭典》（雷鼓，1991 年）、胡汝章《成語辭海》（方家，1993 年修訂版）、熊光儀《中國成語大辭典》（遠東，1995 年）、陳鐵君《遠流活用成語辭典》（遠流，1996 年）、吳新勳、張奇雲《成語典》（登福，1998 年）、五南成語辭典編輯小組《多功能實用成語典》（五南，1998 年）、周宏溟《五用成語大辭典》（大孚，2000 年）、謝邱啟聖、許晉璋《分類成語辭典》（五南，2005 年）、侯迺慧《成語典》（三民，2005 年）、張嘉文《最新成語字典》（俊嘉文化，2007 年）、洪淑芬、林于弘、趙天儀《實用成語辭典》（臺灣

實業，2007 年）、劉鑑平《常用成語八解辭典（修訂）》（劉鑑平，國家，2008 年）、沈君同《最新成語大辭典（注音大字典藏版）》（黃金屋文化，2008 年）；其它如堅智《中華辭韻多功能詞庫》（正展，2005 年）、黃墩岩《實用分類辭彙》，（上友，2007 年）、劉元柏《常用近義詞、反義詞應用辭典》（文國，2000 年）、廖惠玲《反義詞辭典（進階級）》（三遠文化，2006 年）、林寶貴《常用手語辭典》（教育部，2008 年）、戴郁軌《韓華大辭典》（五洲，2007 年）、莊隆福《21 世紀日語漢字辭典──注音符號檢索查詢》（萬人，2006 年）等，或在字音、或在字義及類別對譯上各有所偏重。

（二）有關閩南語辭書部分

由於臺灣地處多元族群組合，閩、客又是二大族群，在建立國家主體意識的同時，除國語辭書的編纂重訂外，各方言辭典尤以閩南語辭典如雨後春筍般蓬勃地發展，如 1954 年即有沈富進的《彙音寶鑑》出版，累至 1993 年已 39 版《增補彙音寶鑑》（文藝學社）、或如 1963 年初版的李木杞《國臺音通用字典》，1997 年也已出第 7 版，還在不斷的推出。1988 年後，臺灣新出版的閩南語辭典，如林央敏《簡明台語字典》（前衛，1991 年）、陳修《台灣話大詞典（閩南話漳泉二腔系部分）》（遠流，1991 年）、徐金松《台語字典》（1991 年）、許極燉的《常用漢字台語詞典》（自立晚報，1992 年）、許成章《臺灣漢語辭典》（自立晚報，1992 年）、魏南安《臺語大字典》（自立晚報，1992 年）、黃有實《台灣十五音辭典》（武陵，1993 年）、李木杞《閩南語有聲彙音字典》（1995 年）、林柏年、林繼雄《育德通用台音辭典》（育德文教基金會，1995 年）、楊青矗《台灣俗語辭典》（敦理，1997 年）、林建一《實用台語辭典》（林縱，1999 年）、吳清波《臺語正字》（臺南縣立文化中心，1999 年）、王壬辰《台語字彙》（萬人，2000 年）、國立編譯館《臺灣

閩南語辭典》（五南，2001 年）、吳崑松《通用台語字典（上、下冊）》（南天，2003 年）、吳金澤《常用台語字源》（前衛，2005 年）、施福珍《台語瞬間入門辭典》（巧兒文化，2006 年）、王康旼《台音正字彙編（台灣羅馬字版）》（前衛，2007 年）、陳冠學《高階標準臺語字典（上冊）》（前衛，2007 年）等，也不斷的推陳出新。

另外，當作國臺語介面的辭書則如陳成福《國臺音彙音寶典》（西北，1991 年）、楊青矗《國台雙語辭典──台華雙語辭典》（敦理，1992 年）、林繼雄《簡明台語漢字字典》（成功大學台語文研究社，1993 年）、邱文錫、陳憲國《實用華語臺語對照典》（樟樹，1996 年）、陳慶洲、陳宇勳《台華字典》（陳慶洲，1997 年）、劉辰雄《台語通俗字典》（劉辰雄，1998 年）、吳守禮《國臺對照活用辭典》上下冊（遠流，2000 年）、邱文錫、陳憲國《新編華台語對照典》（樟樹，2002 年）、許極燉《台語漢字讀音詞典》（開拓，2004 年）、劉辰雄《台語中文對照通俗字典》（劉辰雄，2005 年）；其它如臺語常用詞彙部分，則有王育德《臺灣語常用語彙》（武陵，1993 年；另《王育德全集 6．台灣語常用語彙》由陳恆嘉翻譯日文版而來，前衛，2007 年）；臺語分類部分，則有胡鑫麟《分類台語小辭典》（自立晚報，1994 年）；跨語部分，前有小川尚義《臺日大辭典（上、下冊）》（眾文，1981 年）；後有林文松、許聞智《新台灣人通用字典（台語、客語、華語、日語多語字典）》（松林，1999 年）等，展現其不同的編纂旨趣。

（三）有關客語辭書部分

比起閩南語，客語辭書的編纂似乎稍晚，如 1992 年劉添珍《常用客話字典》（自立晚報，1992 年）、中原週刊社客家文化學術研究會《客話辭典》（臺灣客家中原週刊社，1992 年）、彭德修《客家話發音字典》（南天，1996 年）、楊政男等《客語字音詞典》（臺灣書店，1998 年）、徐兆泉《臺灣客家

話辭典》（南天，2001 年）、詹益雲《海陸客語字典》（詹益雲，2003 年）、鍾有猷《標注國語注音符號四縣客音字典》（張致遠文化工作室，2005 年）、徐兆泉《臺灣四縣腔・海陸腔客家話辭典》（南天，2007 年），也此起彼落，方興未艾。

（四）有關原住民語言辭書部分

　　除了閩、客二大族群的語文辭典外，臺灣也出版一些少數族群的語文辭書，舉如林生安、陳約翰《阿美族圖解實用字典》（臺北縣政府，1995 年）、李王癸、土田滋《巴宰語詞典》（中央研究院語言學研究所籌備處《語言暨語言學》專刊甲種之二，2001 年）、何德華、董瑪女《達悟語：語料、參考語法、及詞彙》（中央研究院語言學研究所《語言暨語言學》專刊甲種之十，2006 年）、李王癸、土田滋《噶瑪蘭語詞典》（中央研究院語言學研究所《語言暨語言學》專刊甲種之十九，2006 年）、蔡豐念、胡智賢《太魯閣族語簡易字典》（花蓮縣秀林鄉公所，2006 年），以及由菲律賓毗舍耶族人萬益嘉費時七年始完成的《西拉雅詞彙初探》（平埔族西拉雅文化協會、臺南縣政府文化處，2008 年），而這種少數族群的辭書，非得藉助公家機構基於維護儲存文化資產的立場，「在歷史縫隙中進行語言復育工作」的使命感出版，否則不易發行。

（五）有關網路或光碟版辭書部分

　　在電腦產業日新月異的同時，也改變了傳統書面辭書的面目和功能。尤其網路版、光碟版電子辭典的相繼開發，迅速蔓延，舉如《中文大辭典》網路版的問世，以及教育部國語推行委員會編製的「電子辭典」中[3]，收有《重編國語辭典修訂本》、《國語辭典簡編本》、《國語小字典》、《異體字字典》、

---

[3] 網址：http://www.edu.tw/MANDR/content.aspx?site-content-sn=3391。（瀏覽日期：2008 年 10 月 23 日）

《成語典》、《臺灣客家語常用詞辭典》（試用版）、《臺灣閩南語常用詞辭典》、《臺灣原住民族歷史語言文化大辭典》[4]，教育部《常用手語辭典·電子書》（教育部，2008 年 6 月），以及最近推出的《臺灣閩南語我嘛會》（線上有聲功能網）[5]等，都別開生面，爐灶另起，功能超強，方便連結檢索，影響頗為深遠。

當然，不管這些辭書如何紛繁的推出，都不動搖《中文大辭典》與《異體字字典》做為大型辭書的地位，尤其《異體字字典》以「正式一版總收字為十萬六千〇二字，其中正字二萬九千八百七十一字；異體字七萬六千一百三十一字……是集結國內文字專家智慧的字庫，也是目前全世界最大的中文文字資料庫。」[6]故下文以此兩大辭書為主，稍作評析論略。

三 《中文大辭典》編纂內容評述

《中文大辭典》是臺灣所編纂的紙本語文辭書之中，材料蒐集最廣博，編輯體例相當嚴密有序，鴻裁鉅製為其它辭書難以望其項背的最大部頭工具書。[7]有關《中文大辭典》的編纂種種詳情，可以參考《中文大辭典》書前收錄的 1962 年張其昀所寫的〈序〉、林尹的〈序〉以及〈中文大辭典重版序〉和〈凡例〉，都清楚的述及《中文大辭典》的編纂緣起與標舉的高蠹，

---

[4] 如《重編國語辭典修訂本》自民國 86 年 7 月至 97 年 10 月 23 日，已約有 62,466,175 人次；《成語典》自民國 92 年 2 月 17 日起至 97 年 10 月 23 日，也約 24,745,097 人次。（瀏覽日期：2008 年 10 月 23 日）

[5] 此為教育部為協助民眾對臺灣閩南語發音及台羅拼音的掌握，特別規劃「臺灣閩南語我嘛會線上有聲功能網」（網址：http:\\guamae.moe.gov.tw），以八十期教育部電子報專欄《臺灣閩南語我嘛會》為資料庫內容，除詞目、例句輔有線上發音外，也規劃設計「電子報期數」、「筆劃」及「條件檢索」（輸入台羅拼音、漢字、華語詞）」等功能，期望能提供民眾更有效、更便捷的學習資源，未來將陸續增加音檔的建置與資料庫擴充。目前電子報期數自 232-311 期，共 80 期，每期五個詞彙，合計 400 條詞目。

[6] 參《異體字字典》網頁：http://140.111.1.40。（瀏覽日期：2008 年 10 月 23 日）

[7] 孔仲溫：〈中文大辭典巡禮〉，《國文天地》，第 29 期（1987 年 10 月 1 日），頁 60-62。

以及「編輯要旨」、「字辭選錄」、「單字解釋」、「辭彙說明」、「典例圖表」、「排列檢索」。當然，如果要追本溯源，還應先參考張其昀在《景福門回憶錄》中的陳述。[8]；另外，孔仲溫在 1987 年 10 月 1 日的《國文天地》中，也有一篇〈中文大辭典巡禮〉的文章曾大略介紹。

（一）編纂計畫與旨趣

　　茲根據辭典原始構想人張其昀在《景福門回憶錄》所述，將《中文大辭典》的編纂計畫與旨趣迻錄如下：

> 1、本書為《中華民國百科全書》之基礎工作，亦為其起點，《百科全書》第一期之編纂，除本書外，尚有《方言大辭典》、《國史大辭典》、《美術大辭典》、《佛學大辭典》、《圖書大辭典》等，預計於五、六年陸續完成之。各書互相補充，避免重複。
>
> 2、本書注重中國文字之源流，即「字源學」的解釋，上溯甲骨金文，以說明文字構造之本源，及形、聲、義三者相互之關係；其次則注重辭彙之孳乳，成語與格言的來歷，使閱者有渙然冰釋之快，俾對各級學校之國文教育有所裨益。
>
> 3、本書本於左圖右史之旨，凡有圖可稽者，悉附以圖，或重加繪製，以求清晰；至注解則力求精確扼要，務以適用為貴。
>
> 4、本書所有例句，作有系統之選擇，以整理民族遺產、發揚民族精神為旨歸，故本書不僅為考證文獻之工具書，亦為吾國數千年來偉大著作精華薈萃之結晶，冀能繼往開來，有助於中國文藝復興

---

[8] 張其昀：《景福門回憶錄》（臺北：中國新聞出版公司，1962 年 1 月），《中國文化研究所叢書》，頁 49。《中文大辭典》係在他接掌教育部長任內（1954-1958），曾有「中國文化研究所之籌設，其宗旨即欲致力於中國之文藝復興……其工作主要目標之一，則為『中華民國百科全書』之完成。一面對中華學術作系統之整理與闡揚，一面展開大規模之譯述運動，就世界各種文字之百科全書，為取精用弘之譯述與攝取，使未來之『中華民國百科全書』具有『集中外之精華』之特色。」並以「編纂《中文大辭典》作為『中華民國百科全書』的起點」，以達到真、善、美、聖的四大目標。

之新機運。

> 5、本書本於言必徵信之旨，凡各條重要出處，詳細註明來源或撰稿
> 人。近年重要貢獻，如日人諸橋轍次《大漢和辭典》等書，均為
> 比較參考之資料，如有引用，亦加註明，以示不掠美。[9]

其中標舉的「整理民族遺產、發揚民族精神為旨歸」，就是《中文大辭典》編纂的核心價值，也是匯聚中華文化「數千年來偉大著作精華薈萃之結晶」，為的是能夠「繼往開來，有助於中國文藝復興之新機運」，而在這種旨標的驅策之下，由張其昀監修，高明、林尹二位國學碩儒策劃主編，及當時博碩士研究生「皆為高、林二先生之從游弟子」前後計六十餘人組成編輯群，戮力完成，由中國文化研究所單獨發行。而自 1962 年 10 月起到 1968 年 8 月全書告成，初版四十巨冊；1973 年作第一次修訂版普及本十冊。爾後陸續出版刊定，並於 2003 年 7 月著手《中文大辭典》數位化，將其收錄的 49,880 單字，371,231 餘條辭彙，約 8,000 萬餘字的總字數，依據教育部於 1982 年 9 月所公布常用字表 4,808 字，先進行數位化上傳單字與詞語約 15,000 餘筆資料（關於《中文大辭典》版次，可參閱全國圖書書目資訊網 http://nbinet2.ncl.edu.tw/，瀏覽日期：2008 年 10 月 23 日）。

（二）資料來源

《中文大辭典》的資料來源，主要網羅經史子集，旁擷類書、叢書、輯佚書、字書、辭書、暨字兼辭者，以為依據，其材料來源茲分述如後：

> 1、經書：《十三經注疏》、《通志堂經解》、《皇清經解》、《續皇清經解》，及近代諸經學名著。
> 2、史書：正史自《史記》至清史、政書《資治通鑑》、《十通》及古今重要史籍。

---

[9] 張其昀：《景福門回憶錄》，頁 49。

3、子書：先秦諸子及漢魏以下諸子部要籍。

4、文集：歷史著名諸總集別集。

5、類書：《藝文類聚》、《北堂書鈔》、《初學記》、《太平御覽》、《冊府
元龜》、《玉海》、《山堂肆考》、《永樂大典》、《古今圖書集成》、《淵
鑑類函》、《駢字類編》、《佩文韻府》、《函海》等數十種。

6、叢書：《四部叢刊》、《四部備要》、《叢書集成》等多種。

7、輯佚書：《玉函山房輯佚書》、《黃氏逸書》等數種。

8、字書：《爾雅》、《小爾雅》、《急就章》、《方言》、《說文》、《說文解
字詁林》、《釋名》、《玉篇》、《廣雅》、《康熙字典》、《龍龕手鑑》、
《廣韻》、《集韻》、《經籍纂詁》、《甲骨文編》、《續甲骨文編》、《殷
虛文字類編》、《鐘鼎字源》、《薛氏鐘鼎款識》、《重訂金文編》、《說
文古籀補》、《說文古籀補補》、《說文古籀三補》、《古籀彙編》、《石
刻篆文編》、《漢隸字源》、《隸辨》、《草字彙》、《楷法溯源》、《中
華大字典》、《古篆文大字典》。

9、辭書：《經傳釋詞》、《經詞衍釋》、《辭通》、《聯綿字典》、《詩詞曲
語辭典》、《古中詞語考釋》、《元劇俗語方言例釋》、當代諸家百科
專科辭典。

10、字兼辭者：《辭源》、《辭海》、《國語辭典》、日本諸橋轍次《大漢
和辭典》。

11、圖繪：《漢武梁祠畫像考》、《古玉圖考》、《長沙古物聞見記》、《十
二家吉金圖錄》、《南陽漢畫象彙存》、《新鄭彝器》。[10]

在這些資料中，可注意到《中文大辭典》除了採擷匯聚傳世文獻材料外，也
特別留意出土材料整理的成果，如《甲骨文編》、《續甲骨文編》、《殷虛文字
類編》、《重訂金文編》、《新鄭彝器》之類，是王國維二重證據的體現，也是

---

[10] 中文大辭典編纂處：〈編後記〉，林尹、高明主編：《中文大辭典（第一次修訂版普及本）》
（臺北：中國文化大學出版部，1990 年 9 月），第十冊。

辭書編纂與時俱進的一大突破。

（三）特點與缺失

　　《中文大辭典》雖然體例完密，採擷豐贍，編校雖謹嚴，在每一筆資料初編之後，都再三複閱，總計四編六校，「凡有譌訛，悉為考正」，但時賢已為文指出的缺失，也所在多有，亦分述如下：

　　1、單字的形音譌錯

　　《中文大辭典》相當注意文字之流變，「凡字形之有甲骨文、金文、籀文、篆文、漢碑、漢晉竹簡，以及古代璽印、古匋，下逮晉、唐、宋、元、明、清諸家書法名家之字體，靡不羅列，獨創新例，藉便參稽。」凡「遇有一字之異形者，如古作某、籀作某、或作某及俗作某、譌作某、暨與某同、與某通，廣蒐並載，一一標舉引例，以明出處，使閱者得省翻檢之勞。」都屬其創例與特色[11]，但有時辨識未精，釋形不確，反生困擾，如「世」下列舉字形，誤「百世」合文為「世」字、誤「肙」為「辰」之類；或是字音部分本是要呈現隨時而變的特質，它採用了《廣韻》、《集韻》、《韻會》、《正韻》諸書的反切，一一列舉，至於韻書未載及的字，也分別參酌研析加予注音，將當代國語注音與羅馬音符並用，相當方便。但個中也不免審音未確，略有參差的，如「丞」的字音《廣韻》作「署陵切」讀「ㄔㄥ」，當作「ㄔㄥˊ」音；《廣韻》作「常證切」則漏注「ㄓㄥˋ」音；《集韻》作「蒸之上聲」讀為「ㄔㄥˋ」的，當作「ㄓㄥˇ」音之類。[12]

　　2、辭彙的意義出處有誤

　　《中文大辭典》的字義解釋係根據本義、引申義、假借義的詞義系統有

---

[11]　如孫中運在〈「閤」「閣」的歷史與現狀〉一文引述《中文大辭典》的「閤，姓也，與閣通。」認為其說法較宜，係繁簡體的一體兩面寫法。見《咬文嚼字》，2003 年第 9 期，頁 9-19。

[12]　以上諸例可參孔仲溫：〈中文大辭典巡禮〉，《國文天地》，第 29 期（1987 年 10 月 1 日），頁 60-62。

序的排列，引申義、假借義則由實詞到虛詞依名詞、動詞、形容詞、助詞排序；辭彙說明除直接解釋外，再依轉義、應用各載出典與例句，例句又依經史子集和時代前後為序，其條理井然，網絡綿密，詮釋得宜[13]。然而在辭彙出處的部分，亦不免百密一疏，偶見罅隙，如平川所指出的「祭詩」一詞，《中文大辭典》認為典出《唐書・賈島傳》，實際上見於唐代馮贄的《雲仙雜記》卷四[14]；或是李明曉根據出土文獻來追本溯源，指出「餓鬼」一詞非如《中文大辭典》所謂，乃「佛家語。梵語 Preta 之譯。薜荔哆。常受饑渴之苦之種生類」的外來語，秦墓睡虎地秦簡《日書》即有，為全民用語，指的是「口饞或餓極的人」[15]。

在辭彙的意義部分，也有一些值得再行斟酌商榷的地方，舉如封常曦在〈張冠李戴說「三川」〉一文中詳細討論的，《中文大辭典》以「三川」乃指「唐以劍南西、劍南東及山南西三道為三川。〔唐書、杜甫傳〕祿山亂，天子入蜀、甫避走三川。」但杜甫走避的「三川」，其實是「關內道鄜州的一個縣，故址在今陝西洛川縣西北，因華池水、黑水、洛水三川交會而得名。」[16]或是增補其義，詳細區分個中差異的，例如萬久富認為「何所」在中古漢語中作疑問詞，除詢問地點、事物外，還可詢問時間，故增補《中文大辭典》未釋的「何處」、「何許」、「何所」皆具「何時」義[17]；或是黃國華等在〈「通帛」「雜帛」釋義辨正〉一文中，補苴「通帛」的「旗也」為「正幅和裝飾物均用純赤色絲帛製作的曲柄旗」，補足「雜帛」的「帛素飾其側也」

---

[13] 舉如杜亞非在〈兒女子「辨」〉一文引《中文大辭典》釋為「猶婦孺輩」，證成其意義「有時偏指婦人，有時偏指小孩，有進用作指小孩婦人」，是一個「平列的聯合結構」，詳見《綿陽師範高等專科學校學報》，1999 年第 3 期，頁 45-46。

[14] 平川：〈臺灣《中文大辭典》指瑕一則〉，《孝感職業技術學院學報》，2002 年第 3 期，頁 74。

[15] 李明曉：〈「餓鬼」考源〉，《古漢語研究》，2006 年第 4 期，頁 92。

[16] 封常曦：〈張冠李戴說「三川」〉，《咬文嚼字》，2002 年第 6 期，頁 6-42。

[17] 萬久富：〈何所「具」「何時」義〉，《古漢語研究》，1998 年第 3 期，頁 92。

為「用絳帛製作旗幟的正幅，在正幅的周圍鑲上白帛作為裝飾物的雜色旗。」[18]皆屬此類。

此外，聯綿詞的釋義也是關注的焦點，例如梁宗奎〈也談「狼狽」〉一文中，指出《中文大辭典》將「狼狽」釋作：「二獸相附而行，離則顛撲，故以為顛蹶困頓之喻，引申為顛倒失意，悽惶之意。一作狼跋。」其實「狼狽」當是個聯綿詞，不能拆開分解，其本義指「兩足相背不順」，引申有「進退有難」或「猝遽」之義，又作郎貝、狼貝、狼跋、剌𧿳……等字形。[19]又若郭在貽及甘漢銓指出的，《中文大辭典》解釋「摘索」為「索取也」，但「摘索」實際上是個疊韻聯綿詞，表示「微幅的顫動」，與抖擻、哆嗦、窄索、蹀躞……相通。[20]都是沒有掌握住聯綿詞的特質而誤釋的例子。

3、標點符號簡略誤謬

在《中文大辭典》數位線上版計畫中指出，其書在「紙本所採用的標點符號僅使用中括號『〔〕』、頓號『、』與句號『。』三種符號。」[21]而這種早期書面辭典的缺失，在數位化時已進行改善，採用新式標點。但個中還不免在語義解讀，利用標點符號來「離經辨志」時，可以再行斟酌的。舉例言之，當我們披覽辛棄疾著名詞作〈破陣子‧為陳同甫賦壯詞以寄〉：「八百里分麾下炙，五十弦翻塞外聲」，或是賞析蘇軾〈約公擇飲是日大風〉詩：「要當啖公八百里，豪氣一洗儒生酸」時，不免想得知「八百里」典出何故？可是翻開《中文大辭典》八部八字下，並無「八百里」詞條，但有收「八百里駮」詞條云：「牛名。〔晉書、王濟傳〕王愷有牛、名八百里駮、常瑩其蹄角、王

---

[18] 黃國華、朱習文、孫淑娟：〈「通帛」「雜帛」釋義辨正〉，《漢字文化》，2008年第2期，頁72-73。

[19] 梁宗奎：〈也談「狼狽」〉，《文史雜志》，1997年第4期，頁29。

[20] 郭在貽：《訓詁學》（北京：中華書局，2005年9月），頁85-89，又〈唐代俗語詞雜釋〉、〈唐詩與俗語詞〉，《郭在貽文集》（北京：中華書局，2002年5月），第一卷，頁103；第三卷，頁63；又甘漢銓：〈摘索與料峭——唐詩聯綿詞釋詁二則〉，《語言文字與教學國際學術研討會論文集》，臺中：東海大學中國文學系，2008年11月29-30日，頁342-348。

[21] 參見網址 http://ap6.pccn.edu.tw/Dichonary/leam.asp。（瀏覽日期：2008年10月23日）

濟請以錢千萬、與牛對射而賭之、愷亦自恃其能、令濟先射、一發破的、因據胡牀叱左右、速探牛心來、須臾而至、一割便去。」[22]這段出處中的「王濟請以錢千萬、與牛對射而賭之」，本是用「千萬」和「牛」對賭，以「射」的方式來決定勝負，但標點將「千萬」和「牛」分開，變成「王濟」與「牛」對射，詞義相差很多。關於這條，還可參酌《世說新語‧汰侈》：「王君夫有牛，名『八百里駁駮』，常瑩其蹄角。王武子語君夫：『我射不如卿，今指賭卿牛，以千萬對之。』君夫既恃手快，且謂駿物無有殺理，便相然可。令武子先射。武子一起便破的；卻據胡牀，叱左右：『速探牛心來！』須臾炙至，一臠便去。」[23]除標點清楚外，詞義更明，可知《中文大辭典》除標點符號的句讀問題外，會讓文獻的解讀產生不必要的歧異。

　　4、引書稱名體例不一

　　《中文大辭典》引用古籍，根據〈凡例〉所言，係涵蓋經史子集，以及旁採類書、叢書、輯佚書、字書、辭書、暨字兼辭者以為依據，但並不包括如孔文說的《方言大辭典》、《圖書大辭典》、《人名大辭典》、《地名大辭典》等三十六種。[24]其中辭書收的是《經傳釋詞》、《經詞衍釋》、《辭通》、《聯綿字典》、《詩詞曲語辭典》、《古中詞語考釋》、《元劇俗語方言例釋》、當代諸家百科專科辭典，未知上舉三十六種係在「當代諸家百科專科辭典」之屬？個中諸書稱名，容或分歧，雖「編校謹嚴」，「複閱再三」，但卻常常出現同書異名繁簡不一的現象，如《易》、《周易》、《易經》，一書使用三名；《國策》、《戰國》，一書使用兩名。或使用簡稱，如：《昭明文選》使用《文選》，《經典釋文》使用《釋文》，《大方廣佛華嚴經音義》使用《慧苑音義》等等。對於使用者而言，在使用上實有不便之處。[25]而這種形式上的不統一，在數位

---

[22] 林尹、高明主編：《中文大辭典（第一次修訂版普及本）》，第一冊，頁1404。

[23] 楊勇：《世說新語校箋》（臺南：平平出版社，1975年7月），頁659-660。

[24] 根據《中文大辭典》〈凡例〉所言，上舉諸書是《中華民國百科全書》的範疇，與《中文大辭典》是互相補充的，而非將上舉三十六種辭書一併收入，唯說「熔鑄於一爐」則可。

[25] 參見網址 http://ap6.pccn.edu.tw/Dichonary/leam.asp。（瀏覽日期：2008年10月23日）

化時已加予改善，但還不夠周全罷了。

5、收字有待全面增補

蔣妙琴曾在其所著《龍龕手鑑引新舊藏考》第四章第三節中，談及《龍龕手鑑》「對《中文大辭典》修補之價值」。[26]此不贅述。然《中文大辭典》既引《十三經注疏》與《說文》、《說文解字詁林》、《說文古籀補》、《說文古籀補補》、《說文古籀三補》、《古籀彙編》諸書，理應注意到《儀禮》與段玉裁《注》中用字與本篆隸定後的差異，舉例言之，就《漢語大詞典》歺部「殔」字：「瘞也。从歺，隸聲。」段《注》：「土部曰：『瘞，幽薶也。』〈士喪禮〉『掘肂』注曰：『肂，埋棺之坎也。』棺在肂中斂屍焉，所謂殯也，肂者所以殯，故其字次於殯，可證上文將遷葬柩之誤。」[27]但《中文大辭典》卻失收。《漢語大詞典》則作：

> 殔〔si ㄙˋ〕
>
> 〔《廣韻》息利切，去至，心。〕
>
> 假葬；暫厝。亦指埋棺之坎。《儀禮·士喪禮》：「掘肂見衽。」鄭玄注：「肂，埋棺之坎也。」賈公彥疏：「肂，訓為陳，謂陳尸於坎。」《呂氏春秋·先識》：「威公薨，肂九月不得葬，周乃分為二。」高誘注：「下棺置地中謂之肂。」《釋名·釋喪制》：「假葬於道側曰肂。」南朝宋顏延之〈宋文皇帝元皇后哀策文〉：「戒涼在肂，杪秋即窆。」宋司馬光〈員外啟殯文〉：「爰擇令辰，肇開旅肂，遷就祖域，永有依歸。」清龔自珍〈潘阿細碣〉：「細悲吟，淚霏霏；子先肂，辰以奄。」[28]

---

26 蔣妙琴：《龍龕手鑑引新舊藏考》（臺北：中國文化大學印度文化研究所碩士論文，1987年）。

27 〔東漢〕鄭玄注、〔唐〕賈公彥疏：《重栞宋本儀禮注疏附校勘記》（臺北：藝文印書館，1979年3月），頁433；〔東漢〕許慎撰、〔清〕段玉裁注：《說文解字注》（臺北：藝文印書館，2005年10月），頁165。

28 羅竹風主編：《漢語大詞典》（臺北：東華書局，1997年9月），第九卷，頁244。

或是前舉「八百里」典出《世說新語‧汰侈》篇，「汰」又作「汱」，《中文大辭典》還是失收「汱」字。更遑論先秦出土文字材料中，《中文大辭典》雖參考了《甲骨文編》、《續甲骨文編》、《殷虛文字類編》、《鐘鼎字源》、《薛氏鐘鼎款識》、《重訂金文編》諸書，但個中尚不免有遺珠之憾，比如有名盛酒青銅器的〈國差𦉢〉，其「𦉢」字作「罎」，係「𦉢」字的一字異寫（見附圖三）[29]，《中文大辭典》亦不收；或如臺灣冬候鳥「高蹺鴴」，閩南鄉土名稱為「躼腳仔」[30]（見附圖四），亦無方言用字「躼」字；或如中國關中、甘肅地區的方言用字「塬」等[31]，亦不載及；或是在日文中鮮活使用的字，《中文大辭典》只能解為「義未詳」的，如日本特用漢字「雫」即是（見附圖五），凡此種種，或出於時代因素，或不免百密一疏，都有待更進一步的補苴增訂，而這一曠日費時的浩大工程，部分就由後出纂詳的《異體字字典》來取代了。比如「躼」字[32]《異體字字典》作：

| 躼 | （身材）高；長，與「矮」相對。 | 廈門方言詞典‧77 | 字書無 |

---

[29] 如馬承源：《中國青銅器（修訂本）》（上海：上海古籍出版社，2007 年 9 月），頁 251。書云：「罎字从缶詹聲，古从缶从瓦常通用，即𦉢字。《廣雅‧釋器》云𦉢為『瓶也』。《史記‧貨殖列傳》：『醬千𦉢』，《集解》引徐廣云：『𦉢，大罌缶。』字或作罎，《後漢書‧明帝紀》注引《埤蒼》謂大罌。《方言‧五》：『罃，……齊之東北海岱之間謂之𦉢。』罃與罌字音相近，為同類器之異寫。由此，𦉢為瓶形或罌形之大容器，瓶形器必斂口，罌為大腹，是為斂口之大腹器。國差罎銘云：『工師偮鑄西郭寶罎四秉，用實旨酒。』又可參見漢語大字典編輯委員會編：《漢語大字典》（臺北：建宏出版社，1998 年 10 月），缶部，頁 1226。
[30] 陳加盛：《台灣鳥類圖誌》（臺北：田野影像出版社，2006 年 4 月），頁 184。
[31] 李學勤：「何尊是西周前期最重要的青銅器之一，1963 年出土於陝西寶雞的賈村塬。」李學勤：《青銅器與古代史》（臺北：聯經出版事業公司，2005 年 5 月），頁 183。又可參漢語大字典編輯委員會編：《漢語大字典》，土部，頁 198。
[32] 《異體字字典》「漢語方言用字參考表」：http://140.111.1.40/fulu/fu7/page15.htm。（瀏覽日期：2008 年 10 月 23 日）

而「塬」字[33]《異體字字典》則作：

字號	C01762	正字	【塬】土-10-13
音讀	ㄩㄢˊ		
釋義	因地殼變動、海平面下降或河流下切所形成的階地，地勢平坦，邊緣陡峭。如關中地區有「頭道塬」、甘肅地區有「董志塬」。		

至於「霊」字[34]《異體字字典》則作：

字形	霊	部首筆畫數	雨-03-11
音讀	（一）／da　　（二）／shizuku		
釋義	水點、水滴。合雨、下二字構成。		

由此可見《異體字字典》的超強檢索釋義的功能了。

四　《異體字字典》編纂內容評述

在利用網路迅捷便利豐富資訊的現代，一部網路版的無所不包的集大成語文工具書就有其需求的迫切性，再加上各國間透過網路的聯結而無遠弗屆，《異體字字典》就在這樣的時空背景下產生。

---

[33] 《異體字字典》，土部 10 畫：http://140.111.1.40/yitic/frc/frc01762.htm。（瀏覽日期：2008年 10 月 23 日）

[34] 《異體字字典》「日本特用漢字表」：http://140.111.1.40/fulu/fu5/jap/jap173.htm。（瀏覽日期：2008 年 10 月 23 日）

（一）《異體字字典》的編纂

關於《異體字字典》的編纂過程，在其網路版說明中有很詳盡的介紹，而探討的相關研究可見的有《異體字字典》的主編曾榮汾所撰的〈教育部異體字字典析介〉[35]和〈試論國內語文工具書編輯觀念之成就〉[36]、〈網路版詞典編輯經驗析介〉[37]三文，文中除對編纂此書的來龍去脈，有關的特色、體例、參考資料、技術等方面舉例詳加說明外，同時也提出字典中尚待努力與改進之處。另外，在 2005 年的碩士論文中，也有涉及此書而企圖增補的，如鄭淑昭的《《北魏墓誌百種》研究》第五章「《北魏墓誌百種》研究價值」中，第五點有「添補《異體字字典》之字形」一節[38]。李瑩娟的《漢語異體字整理法研究》第五章「現代異體字專門字典整理異體字的方法」中，將臺灣的《異體字字典》與中國的《異體字手冊》、《異體字字典》等書進行比較[39]，都關注到《異體字字典》編輯內容的良窳與局限，也給予適切的評價。

《異體字字典》的編纂緣起，實起於 1994 年陳新雄教授赴韓參加「第二屆漢字文化圈內生活漢字問題國際研討會」，會中決定各國編訂《異體字典》。此後臺灣則由教育部國語推行委員會鳩集十餘位文字學專家組成編輯委員會，於 1995 年 7 月開始編輯，2000 年推出網路試用版本，2001 年 6 月推出網路正式版本，2002 年 10 月發行光碟版本[40]，今網路上檢索者則為 2004 年 1 月正式五版本。此書歷六年（1995-2001）編輯成書，總收字數為

---

[35] 曾榮汾：〈教育部異體字字典析介〉，《第十四屆中國文字學全國學術研討會論文集》（高雄：國立中山大學中國文學系所，2003 年 3 月），頁 301-320。

[36] 曾榮汾：〈試論國內語文工具書編輯觀念之成就〉，《辭典學論文集 1987-2004》（臺北：辭典學研究室，2004 年 12 月），頁 350。

[37] 曾榮汾：〈網路版詞典編輯經驗析介〉，《佛教圖書館館訊》，第 34 期（2003 年 6 月），頁 41-46。

[38] 鄭淑昭：《《北魏墓誌百種》研究》（臺南：國立臺南大學語文教育學系教學碩士論文，2005 年），頁 214。

[39] 李瑩娟：《漢語異體字整理法研究》（斗六：雲林科技大學漢學資料整理研究所碩士論文，2004 年），頁 131-155。

[40] 曾榮汾：〈教育部異體字字典析介〉，《第十四屆中國文字學全國學術研討會論文集》，頁 301。

正字與異體字共 106,230 字（其中正字 29,892 字，異體字 76,338 字），乃薈萃臺灣文字專家學養智慧的結晶，也是目前全世界最大的中文文字資料庫，對漢學的研究與教學，各國間學術的交流溝通，起著相當大的作用。

本來《異體字字典》的編纂目標，係作為語文教育及研究的參考、提供國際漢字標準化、統一化工作的依據、並修訂原《異體字表》以及作為日後擴編中文電腦內碼的基礎而設的，以故建起如此龐大豐贍的漢字字形資料庫。

（二）《異體字字典》的內容特色

若根據《異體字字典》網路版說明（2004 年 1 月正式 5 版），字典係以正字為編輯綱領，除部分罕用字字義外，逐字附上形音義及所領屬的異體字。至於異體字部分，則逐字陳列於其所對應之正字下。依字形、部首筆畫、內容編輯。異體字的內容主要呈現所據的關鍵文獻，並說明該字所有之對應關係。若有委員「研訂說明」則顯示連結訊息。關鍵文獻欄，僅展示未涉著作權之文獻。讀者若有需要，則要依所附辦法提出申請。字典的檢索採部首與筆畫索引，含正字、異體字之檢索。並附有「問題與解答」，將使用時可能發生的一般狀況與處理方法先作整理。表中收錄各種文獻，藉以觀察正字與異體字孳乳與演變的脈絡。並附〈異體字例表〉、〈偏旁變形歸納表〉、〈二一四部首各種形體歸併表〉、〈聯綿詞異形表〉、〈中日韓共用漢字表〉、〈民俗文獻用字表〉、〈兩岸化學元素用字對照表〉、〈避諱字參考表〉、〈方言用字表〉、〈單位詞參考表〉、〈符號詞參考表〉、〈待考正字表〉、〈異體字表修訂版〉、〈原異體字表修訂紀錄〉、〈編輯總報告書〉等諸表，可謂工程浩大，組織嚴密，包羅萬象，涵蓋周全。

在現今網路時代，《異體字字典》所提供的方便迅捷全文搜尋系統，無疑的超越了紙版辭書的種種限制，諸如紙面版印量有限，修訂困難，查索不

易，也無法結合多媒體，不能多方連結，快速運算，大量儲存，持續編修，隨時維護；反之，資料數位化後，則文字、影像、聲音都可蒐羅殆盡[41]，雖然《異體字字典》處理連結的，因數量龐大，並沒有語音檔的部分，但盛況空前也可窺一斑，試舉「泉」字觀之：

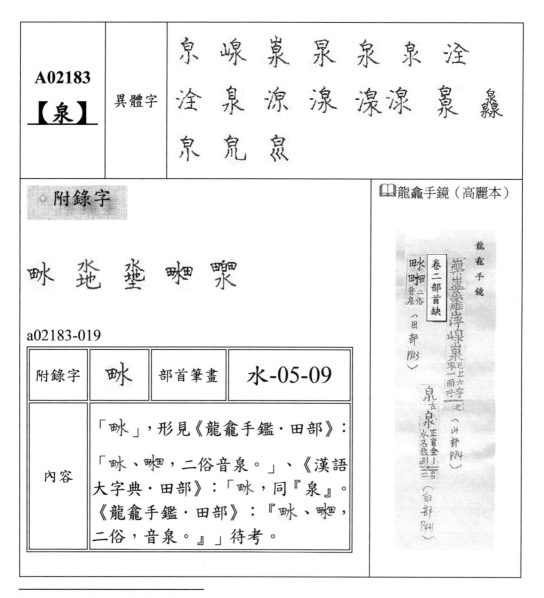

41　曾榮汾：〈網路版詞典編輯經驗析介〉，《佛教圖書館館訊》，第 34 期（2003 年 6 月），頁 38-46。

a02183-023			
附錄字	水地	部首筆畫	水-06-10
內　容			「水地」，形見《四聲篇海·水部》：「水地，결泉二音。」、《中華字海·水部》：「水地，疑同『泉』。《篇海》：『水地，결、泉二音。』」待考。

a02183-021			
附錄字	㙒	部首筆畫	水-09-13
內容			「㙒」，形見《中華字海·水部》：「㙒，同『泉』。字見《篇海》。」還原未見，待考。

a02183-020			
附錄字	畖田	部首筆畫	水-10-14
內容			「畖田」，形見《龍龕手鑑·田部》：「畖、畖田，二俗音泉。」、《字彙補·田部》：「畖田，都感切，音膽，蔭也。」、《漢語大字典·田部》：「畖田，同『畖（泉）』。《龍龕手鑑·田部》：『畖田』，同『畖』。《字彙補·田部》：『畖田，音泉。』」待考。

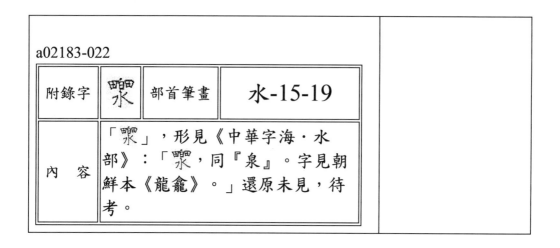

從上舉「泉」的異體字處理模式可知，誠如曾文指出的，《異體字字典》有七大特色：1、收字最為宏富。2、字字交代出處。3、附錄原始文獻。4、提供異體字例。5、並列日韓用字。6、結合方俗用字。7、使用電腦編輯。個個都具足了辭書該有的功能，也是它足以傲人的成就。

（三）《異體字字典》的缺失

但無可諱言的，《異體字字典》相對的也存在著一些缺失，曾文已明白舉出字典待改進之處凡六：1、文獻收錄的不足。2、手寫字形的失真。3、全面釋義的待補。4、圖片處理的改進。5、部首互見的補正。6、參見線索的修正。[42]從上舉「泉」字中也可略窺端倪，比如「全面釋義的待補」方面，一字而有五個「待考」；或是引書稱名也不統一，如《龍龕手鑑》又作《龍龕》；或是標點符號不一，如「二俗，音泉」又作「二俗音泉」；或是字型圖檔無法顯現成亂碼之類，例如「﨑」字內容中的「脉」字則顯示成「결」。當然，其中最大的不足還是在傳世文獻與出土文獻收錄判別的不足上。

若舉一臠以賅其餘來看，就「文獻收錄的不足」一項檢核，《異體字字

---

[42] 曾榮汾：〈教育部異體字字典析介〉，《第十四屆中國文字學全國學術研討會論文集》，頁301、315。

典》的編輯「是一部以蒐羅文獻字形為主的語文工具書」[43]，其「文獻選錄原則」係「依文字發展史及編輯目標選錄文獻」的，其中文獻選錄類型分為二大部分，包括基本文獻六十三部，參考文獻多達一千四百四十二種。比較特殊的，是它還收「日本特有漢字」，收錄日本所造而未見於字典正文中的漢字，共八十五個，逐字注上日本音讀及釋義，容或有較明確地顯示出構字線索的，也會略加分析，至所依據的材料是從諸橋轍次主編的《大漢和辭典》（大修館，1986 年 9 月）和鈴木修次、武部良朋、水上靜夫編的《角川漢和辭典》（角川書店，1992 年 1 版）而來；另一特殊的，是收有「韓國特有漢字」，收錄韓國所造而未見於字典正文中之漢字，共 255 個，也逐字注上韓國音讀及釋義。此部分材料是委由韓國鄭錫元根據張三植主編的《大漢韓辭典》（韓國，博文出版社）、金鍾塤《韓國固有漢字研究》（集文堂）、崔範勳《漢字音訓借用表記體系研究》、韓國檀國大學校東洋學研究所編《韓國漢字語辭典》等書編輯而成的，材料相當豐富。

如果以《異體字字典》的基本文獻來看，按照性質內容稍作區分，大致可分：

1、說文類：大徐本《說文解字》、段注本《說文解字》。

2、古文字類：《校正甲骨文編》、《甲骨文字集釋》、《金文編》、《古文字類編》、《漢語古文字字形表》、《古璽文編》、《古文四聲韻》。

3、簡牘類：《漢簡文字類篇》。

4、隸書類：《漢隸字源》、《隸辨》。

5、碑刻類：《金石文字辨異》、《偏類碑別字》、《碑別字新編》。

6、書帖類：《中國書法大字典》、《草書大字典》、《歷代書法字彙》。

7、字書類：《玉篇》、《玉篇零卷》、《字彙》、《佩觿》、《字鑑》、《六書正》、《字學三正》、《正字通》、《字彙補》、《康熙字典》（校正本）、

---

[43] 曾榮汾：〈網路版詞典編輯經驗析介〉，《佛教圖書館館訊》，第 34 期（2003 年 6 月），頁 41。

《康熙字典》（新修本）、《經典文字辨證書》、《增廣字學舉隅》、《彙音寶鑑》。

8、韻書類：《廣韻》、《集韻》、《類篇》、《精嚴新集大藏音》、《四聲篇海》、《集韻考正》、《重訂直音篇》。

9、字樣書類：《干祿字書》、《五經文字》、《新加九經字樣》、《古今正俗字詁》、《字辨》、《異體字手冊》、《簡化字總表》、《韓國基礎漢字表》、《中日朝漢字對照表》、《簡體字表》、《異體字表》。

10、俗字譜類：《敦煌俗字譜》、《六朝別字記新編》、《宋元以來俗字譜》、《俗書刊誤》。

11、佛經文字類：《龍龕手鏡》（高麗本）、《龍龕手鑑》、《佛教難字字典》。

12、現代字書類：《角川漢和辭典》、《中文大辭典》、《漢語大字典》、《國字標準字體宋體母稿》、《學生簡體字字典》、《中華字海》。

雖然如此地蒐羅備盡，但如前舉《中文大辭典》失收的「殔」字、「佚」字或「墙」字依然闕如，就不免令人心生遺憾了！[44]

五　古今共構與內外互補

當然，每本辭書的產生都有其特殊的時空背景，如《中文大辭典》就是在文化復興的核心使命下，利用傳世文獻與出土文獻建立出古今文獻共構會通的模式，當然也採擷《大漢和辭典》；而《異體字字典》卻是在國際化的訴求中，結合了新科技的運用，推出除臺灣典藏的全面資料外，並擴及日、

---

[44] 鄭淑昭在《《北魏墓誌百種》研究》第五章〈《北魏墓誌百種》研究價值〉中有「五、添補《異體字字典》之字形」一小節云：「近年臺灣以眾學者之力，利用電腦的便利性，規劃製作了《異體字字典》，除了提供研究者以電腦網路查閱外，並為彙整字形的一大利器。本研究所輯錄之字形，經比對《異體字字典》後，發現有部分字形可增補此字典字形，因受限篇幅，僅取其中十數頁置於附錄四。」（見附圖六）

韓方面的辭書與特用漢字，具備內外互補相足的架構，拉大使用範圍的視界。但若細加推究，語文辭書的基本功能，實際上就是要解決國際社會各界在應用解讀漢字時，各式各樣的疑難雜症，它是專家學者的事業但並非專家學者的禁臠，其目的主要在服務人群方便檢索與理解，而不是讓大眾一籌莫展。

　　唯無可否認的，各大型語文辭書在收字方面卻各有所偏，如以《中文大辭典》、《大漢和辭典》和《漢語大字典》、《漢語大詞典》比較其收字情況，略舉「一」到「乙」部列表以示之，其中《漢語大字典》、《漢語大詞典》獨多的有：

部　首	《漢語大字典》字例（《漢語大詞典》附見）					
一部	专	奈	丛	丙	东	丝
	乔	亚	丧	卌	函	厼
	夋	亐	互	租	神	畾
	酟	夏	同	㢈		
漢語大詞典 一部	奈					
丨部	尸	临				
丶部	为	曰	月	㿼	举	
丿部	与	鸟	申	用	乐	肎
	甪	弟	𡥄	甪	焱	毡
漢語大詞典 丿部	与	申				
乙部	瓦	乾	乛	乚	书	尹
	尸	尹	兊	开	專	乳

	㠯	屮屮	㕕	刁	习	买
	乩	弓				
漢語大詞典 乙部	乱	尸	尹			

其中頗多簡化字，顯現出中國地區特殊的時空因素，也主導著辭書編輯收字的內容了。

一部古今共構，內外互補的語文綜合性大辭書，尤其是在國際交流頻繁的現代，既要滿足社會各界在解讀文獻時有著暢行無礙的通關密語，辭書在解碼的過程中，舉凡生活所及、閱讀所需皆能一應俱全，而依傍專家學者的解讀、判斷、辨析、詮釋，並轉化成淺顯易懂的現代語彙，跟時義用法緊密的結合，其實是使用者求全責備的希冀，而實際上目前所見辭書能不能滿足這樣的需求，發揮它極限的功能呢？

試舉一例來驗證，「首唱整理域外漢文學及域外漢文小說」[45]的法國科研中心中國文化研究所退休學者陳慶浩，頃近攜北京大學及私人珍藏的十四卷顧道民脫稿、客夫人校字，清代初年的《東遊記》一書來訪（見附圖七），談及個中用字無法辨析，常常鎖碼，辭書也無法濟其窮。試用號稱全世界收字最多的《異體字字典》來檢索一番，可發現一頁之中即遍尋不著「婍」、「詯」、「詑」、「僜」、「媄」諸字的芳蹤，收字的不足，也形成大型語文辭書的致命傷。

當然，自我批判是自我更新的一個重要機制，前文所言，對《中文大辭典》與《異體字字典》來說，無疑是九牛一毛，蚍蜉撼大樹，其大醇小疵，瑕不掩瑜，設若站在歷史的角度上，其影響層面的深廣與應用的便捷，實應予以高度的肯定！

---

[45] 王三慶：〈《日本漢文小說叢刊》王序〉，《日本漢文小說叢刊》（臺北：臺灣學生書局，2003 年），第一冊，頁 17。

附圖一　《臺灣閩南語我嘛會》線上有聲功能網

附圖二　《中文大辭典》網路版
（《中文大辭典》網路版：http://ap6.pccu.edu.tw/Dictionary/index.asp）

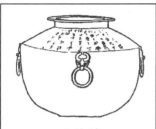		
國差罎 北京故宮博物院藏品	**交龍紋四耳罎** 《商周彝器通考》圖807	**絡紋罎** 山西長治分水嶺出土
斂口短頸廣肩平底式：頸短，口有一周平邊，廣肩，腹圓而寬，腹上沿有四犧首銜環，底平。春秋中期器。	斂口短頸廣肩鼓腹平底式：口斂，唇呈弧線形外侈，頸短，肩廣而圓，下部亦如此，故整體有渾圓感。肩上四交龍銜耳。春秋晚期器。	斂口短頸廣肩鼓腹圈足式：頸短，口有一周平邊，廣肩而圓，體上下皆渾圓。肩有雙獸耳套環，有的對稱的兩側有立龍棱脊。下有圈足甚淺，據造型特點屬罎類。戰國早期器。

附圖三　罎的類型（馬承源《中國青銅器（修訂本）》，頁252）

附圖四　高蹺鴴（陳加盛《台灣鳥類圖誌》，頁184）

附圖五　日本特用漢字「雫」

（亞樹直原作、沖本秀繪、涂翠花、莊湘萍譯：《神之雫（一）》，臺北：
尖端出版社，2006 年 2 月）

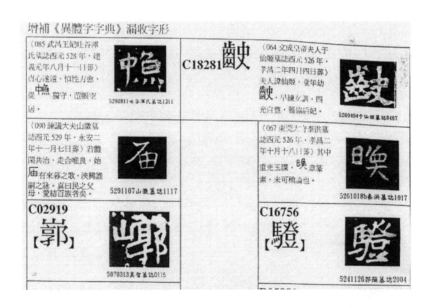

附圖六　鄭淑昭《《北魏墓誌百種》研究》，附錄四（節錄）

附圖七　《東遊記》

1、狐屳口（1撏）人見（2纍）（3嬬）舘鈔匣東遊記

2、顧道民脫稾　客夫人校（4寧）

3、悟頭詩曰：詠月吟風詞罷講談今道古話重論花花草草

4、春如舊古古今今事不倫昨日紅顏今日老前人事業

5、後人評到頭只（5剝）中麤芏禾黍（6雖）（6雖）弍望驚

6、金（7䤵）孔雀尾（8弟）第十弍（9畵）堂春

7、（10靈靈）（11對對）在匡床綠窗粉廦明光誰逐拮覿錦鴛鴦牝

8、戶（12貌）瑠○此輩南（13閣）（14夬）有未如東芏披猖占人（15
　安）（16躬）（17夆）

9、人郎徑入閨房

10、（18詥）（19詺）東弗婆提的事与（20佫）芏（21躬）仝大（22
　异）的（23正）還不止弍（24媄）

原文發表於「『漢韓大辭典』完刊記念辭典學國際學術會議──東亞細亞辭典의 歷史의 未來」研討會論文集，首爾：檀國大學校東洋學研究所，2008 年 12 月 17 日，頁 7-33；韓文版〈고금을 아우르고 나라 간에 상호보충하다─臺灣《中文大辭典》괴 《異體字字典》의 편찬을 예로 하여〉另見同名別冊，頁 9-30。後收入〔韓〕檀國大學校東洋學研究院編：《東洋學》第四十六輯，2009 年 8 月，頁 285-309 及단국대학교 동양학연구원 편찬실：《동아시아 한자사전과 『한한대사전』》，서울：단국대학교출판부（檀國大學校東洋學研究院編纂：《東亞細亞漢字辭典與《漢韓大辭典》》，首爾：檀國大學校出版部），頁 501-543（韓文版）、頁 544-582（中文版）。（邱郁茹校對）

論合體結構中的文字位移現象
──以「心」部為對象的考察

一　問題的提出

　　當碰到構字成分完全一模一樣，偏旁的空間安置布局卻不一樣，字義則相同或不同的情況時，大多令人困惑。舉例言之，同為「從心亡聲」的「忘」與「忙」，兩者分用劃然，有所區別，《說文解字》釋「忘」為「不識」，段《注》說「識」為「意」，也就是所謂的「知識」和「記憶」，「忘」即不記憶，並分析其結構係屬「從心亡聲」的形聲字[1]；至於「忙」字則造字較晚，《樂府詩集·橫吹曲辭·木蘭詩》中有：「出門看火伴，火伴皆驚忙」（《古文苑》則作「驚惶」）句，而唐代詩歌中則更常見，如杜甫〈新婚別〉詩：「暮婚晨告別，無乃太匆忙」、〈乘雨入行軍六弟宅〉詩：「巢燕得泥忙」，或是杜牧〈寄阿宜姪〉詩：「讀書日日忙」、〈郡齋獨酌〉詩：「屈指百萬世，過如霹靂忙」之類，《玉篇·心部》雖收有「㤀，憂、忙同㤀。」《廣韻》說：「忙，怖也。」《集韻》云：「忙，心迫也。」《篇海》言：「忙，不暇也。」[2]可見「忙」字晚至梁顧野王《玉篇》及其後的宋代字書、韻書中才有收錄，是不同時間點所造的新字。那麼，在文字結構組合關係的探討時，其共時現象與歷時的演變如何？其中是否可歸納出其依循何種規律？而要知其然且知其所以然，則需進一步探究其成因為何？

　　當然，對於這種現象，文字學者也多所關注，比如裘錫圭在討論形聲字

---

[1] 〔東漢〕許慎撰、〔清〕段玉裁注：《說文解字注》（臺北：藝文印書館，2005 年 10 月），頁 514。以下徵引，簡稱《說文》。

[2] 林尹、高明主編：《中文大辭典（第一次修訂版普及本）》（臺北：中國文化大學出版部，1990 年 9 月），第三冊，頁 1712；〔韓〕檀國大學校附設東洋學研究所編：《漢韓大辭典》（首爾：檀國大學校出版部，2008 年 9 月），第五冊，頁 408。

「形旁和聲旁的位置」時，曾指出：「古漢字的偏旁位置是很不固定的。在形聲字裏，這一現象尤其突出。到成熟的楷書裏，情況有了很大改變，形旁和聲旁有不止一種配置方式的形聲字雖然還有，但是已經不是很多了。」又說：「有時候，同樣的形旁和聲旁由於配置方式不同而形成不同的形聲字。例如：忡≠忠、怡≠怠、吟≠含、旰≠旱、枷≠架、裸≠裏。這種依靠偏旁配置方式來區分同成分形聲字的辦法，在先秦古文字裏通常是看不到的。」上面所舉的幾對同成分的形聲字，有的在傳世古書裏仍有不加區分的用例。例如《禮記・曲禮上》：「男女不雜坐，不同椸枷」，「椸枷」當衣架講，這個「枷」就是用來表示「架」的。另外，裘先生談「異體字」的「偏旁相同但配置方式不同」時，曾舉表意字的「拿－氖」、「縣－綿」（有一個偏旁只是相近而不是完全相同）和形聲字的「翭－翅」、「蠏－蟹」、「棊－棋」、「鑑－鑒」（此字「監」旁所從的「皿」變「罒」，並移至右側）、「䳘－鵝－鵞」（《康熙字典》還收有古文鵞）、「蠢－蚊」（有一個偏旁只是相近而不是完全相同）為例[3]。若考察裘氏所說的，僅止於現象的提出與區分，沒有說明其原因何在；另一方面主張「靠偏旁配置方式來區分同成分形聲字的辦法，在先秦古文字裏通常是看不到的」，相對的，在「成熟的楷書」裏，「形旁和聲旁有不止一種配置方式的形聲字」已不很多的情況，果真如此呢？還是不存在這種對立刻板的二分法呢？凡此種種，皆是本文亟欲探索的問題。

二　「位移」用詞的混亂

在探討前述兩個課題前，先談談此方面用辭的混亂情況。

修辭、翻譯、章法、字義上，常見「移位」一詞，如修辭學上「移位」指的是句子組成部分作不合常規次序的移動，在句子各個成分與次序大抵

---

[3] 裘錫圭：《文字學概要（修訂本）》（北京：商務印書館，2013 年 7 月），頁 162-163；200。

固定不容隨便更改下，移位的結構雖然改變，但基本意思卻不變，只在附帶意義或情味色彩上形成細微的差別。[4]或是將已重複使用過千百次的習慣固有的尋常詞彙進行悖理移用，構成不和諧的反常組合以獲得異於一般的表達效果。[5]至於翻譯上的「移位法」(nepecrahobka)，是翻譯轉換的一種類型，指的是在譯語中改變原語成分的位置（順序），可以移位的通常是詞、詞組、複合句中的分句、話語中的獨立句子(apxynapob，1975：191)[6]。至於應用在字義系統上的，如董性茂〈再論形聲字「聲符」表意的複雜性〉一文中，談到「聲符本義或形聲字本義因引申或假借關係而『本義移位』」[7]，也擷取了「移位」一詞。

可在文字學上，「移位」現象的用詞就相對地游移不定，混亂多變，尚未凝結共識，凝固成一尊。

比如採用「偏旁位置不固定」、「方位互作」、「偏旁不固定」諸語者，早在馬國權〈戰國楚竹簡文字略說〉一文中，就曾探討「偏旁位置不固定」的問題，言「形符、聲符和偏旁不固定，在商周時代已存在這種情況，戰國時由於形聲制度的發展，因之更形泛濫。在楚竹簡中也有所反映。」又言「偏旁位置的不固定，最明顯的是《禮記》的『禱』字，或示旁在左，壽聲在右：祷、礜，或示旁在下，壽聲在上：𥛱，兩者均數見。」[8]其後何琳儀在《戰國文字通論》中，言「戰國文字是上承殷周文字，下啟秦漢文字的過渡文字」，探討戰國文字「不但要注意此地與彼地之間的橫向聯繫，而且也要注意前代

---

[4] 成偉鈞、唐仲揚、向宏業主編：《修辭通鑒》（北京：中國青年出版社，1991年6月），頁213-216。

[5] 蔣有經：《模糊修辭淺說》（北京：光明日報出版社，1991年6月），頁98。

[6] 陳潔：〈論翻譯移位法遵循的語序機制〉，「同文譯館」網址：OkTranslation.com。（瀏覽日期：2009年7月6日）

[7] 董性茂：〈再論形聲字「聲符」表意的複雜性〉，《信陽師範學院學報（哲學社會科學版）》2003年第3期，頁75-76。

[8] 馬國權：〈戰國楚竹簡文字略說〉，《古文字研究》第三輯（北京：中華書局，1980年11月），頁155-156。

與後代之間的縱向聯繫」，故在「異中求同」中歸納出簡化、繁化、異化、同化、特殊符號的形體變化規律，而將「移位」現象歸諸於「異化」節中的「方位互作」，並定義為「指文字的形體方向和偏旁位置的變異」，分「正反互作」、「正倒互作」、「正側互作」、「左右互作」、「上下互作」、「內外互作」、「四周互作」諸目，歸究它的成因，是由於戰國時代「政令不一，文字異形」所致[9]；其後何說為諸家所承襲，如 1991 年，劉釗在《古文字構形研究》書中的論述[10]，或是 1995 年王仲翊在《包山楚簡文字研究》中也曾討論簡文中「偏旁不固定」的問題，亦即「簡文中出現同一個字，但在不同字例之間，偏旁聚結成字的組合方式不同的現象」，共整理出 35 例，並歸結其變異現象最常見者為左右互換，其次為上下與左右互換，少數字例如「被」、「搞」則較複雜[11]。另在〈包山楚簡文字偏旁之不定形現象試析（提要）〉[12]一文中，認為「偏旁位置不固定」比起「偏旁的增省與代換」來說是單純多了，因為它不牽涉到字音字義的解釋。

或取用「調整布局」一語，如李運富在《楚國簡帛文字構形系統研究》第二章「單字整理」中，有「調整布局」單元，係「指所從構件在擺放位置上有不同，或左或右，或上或下，或內或外，或分或合，或偏居一隅」，但「位置盡管不同，而構件之間的功能關係并不改變，這是有別于異構字的」，且「布局的調整大都發生在形聲字內」[13]。

或用「偏旁移位」、「位移」、「方位移動」諸語者，如羅運環在〈論楚國金文「月」「肉」「舟」及「止」「止」「出」的演變規律〉一文中，曾分析「古

---

[9] 何琳儀：《戰國文字通論（訂補）》（南京：江蘇教育出版社，2003 年 1 月），頁 202、226-229。

[10] 劉釗：《古文字構形研究》（長春：吉林大學中國古文字專業博士論文，1991 年），頁 10。

[11] 王仲翊：《包山楚簡文字研究》（高雄：中山大學中文研究所碩士論文，1995 年），頁 99-106。

[12] 王仲翊：〈包山楚簡文字偏旁之不定形現象試析〉，收入《黃侃學術研究》（湖北：武漢大學出版社，1997 年 5 月），頁 472-473；又王仲翊：《包山楚簡文字研究》，頁 99-125。

[13] 李運富：《楚國簡帛文字構形系統研究》（長沙：嶽麓書社，1997 年 10 月），頁 34-35。

文字雖偏旁可以移位，但不是所有的字都是可以移位的。特別是會意字不能移位或不能隨意移位」，並舉「㫚」、「旦」、「明」為例，以證成「朏」與「肯」的區別分明，「凡用為月出之意的朏祇見左右移位，不見上下移動」的[14]。另外黃文杰在討論〈睡虎地秦簡文字形體的特點〉時，也針對「移位」現象，歸結出「左右型偏旁移位」、「上下型偏旁移位」、「錯綜型偏旁移位」三類，並認為戰國末期的秦國文字偏旁位置相對於古文字來說還是比較固定的；並說「偏旁的移位是就合體字內部偏旁位置的變化而言的」[15]。又如陳初生在〈古文字形體的動態分析〉一文中，則用「位移」一詞，並曾舉「保」、「惠」、「裹」、「耿」、「渦」、「後」、「孟」的「筆畫位移」現象。[16]以至於林清源撰《楚國文字構形演變研究》，在第四章「構形演變的變異現象」中，有所謂「方位移動」，係指文字構成部件的方向或位置發生移動的現象，屬偏旁位置的更動比較常見，並區分其型態為「左右互換」、「上下互換」、「內外互換（文中例舉則稱「偏旁包孕式與非包孕式互換」）、「上下式與左右式互換」等四種[17]，大抵皆屬此類。

最簡單的則單用「移」一字，其中參雜著「偏旁易位」，如趙平安《隸變研究》談及「隸變的現象和規律」，其中有所謂的「移」，認為「移是為了字形平穩和書寫便利，而移動字的整體或部件的位置」一項，其中舉了「秋」偏旁左右互移為例；另外在「隸變階段未識字考」中，也有「據隸變時字形省變移位的慣例釋字」的「直、減、連、拆、添、移、曲、延、縮」中，舉了「坐」的「偏旁易位」、「像」在「漢印中為了字的結構緊湊，往往將人旁

---

[14] 羅運環：〈論楚國金文「月」「肉」「舟」及「止」「止」「出」的演變規律〉，《江漢考古》，1989 年第 2 期，頁 67-70。

[15] 黃文杰：〈睡虎地秦簡文字形體的特點〉，《中山大學學報（社會科學版）》，1994 年第 2 期，頁 127-129。

[16] 陳初生：〈古文字形體的動態分析〉，《暨南學報（哲學社會科學）》，1993 年第 1 期，頁 127。

[17] 林清源：《楚國文字構形演變研究》（臺中：東海大學中文研究所博士論文，1997 年），頁 138-140。

從左邊移到字下某一個角落」、「將」字「『又』換成『攴』，並互易了攴、月（肉）的位置」，並說漢印中「偏旁易位也數見不鮮」，[18]亦屬此類。

從上所知，不管是「偏旁位置不固定」、「偏旁移位」、「方位互作」、「調整布局」、「偏旁位移」、「位移」、「方位移動」、「移」、「偏旁易位」，各家用詞不一，其指涉內容有筆畫、部件、偏旁，寬窄之間容或不同，但用詞混亂，則必須加予統一。若以文字結構成分的空間位置經營與布局來說，應用「位移」一詞較適切，指涉的主體是偏旁的位置，探討的是方位移動的變與不變狀況。

三　「位移」現象規律的解釋

若先從文字發展的序列來加予觀察，試以「忘」與「忙」字來說，前文言及「忙」係後造字，在先秦典籍與考古材料中並未見，然與之結構成分相同的「忘」字，卻出現得較早，至遲到春秋戰國時期業已出現，舉如下表所示[19]：

	金文	竹簡文字
忘	〈陳侯午錞〉 〈陳侯午錞〉 〈十年陳侯午錞〉	A 雲夢・為吏 23　　B 郭店・尊德 14 B 郭店・語叢 2.16 44-26-04　　45-19-03　　30-06-01

---

[18] 趙平安：《隸變研究》（保定：河北大學出版社，2009 年 3 月），頁 46、78-81。

[19] 按：金文材料據容庚編著：《金文編》（北京：中華書局，1989 年 8 月），頁 720；竹簡材料則綜合李守奎：《楚文字編》（上海：華東師範大學出版社，2003 年 12 月），頁 614、湯餘惠：《戰國文字編》（福州：福建人民出版社，2001 年 12 月），頁 710 收郭店楚簡 2 字；另據「戰國楚簡帛電子文字編」收上海博物館藏戰國楚簡 18 筆，網址：http：//140.122.115.157/shnew-work/search.php。以下表列皆據此，不贅。

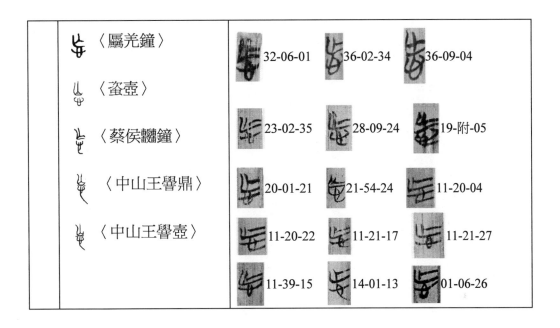

從表中可觀察到，東周時期的〈蔡侯龘（申）鐘〉已出現「忘」字，蔡侯龘即春秋文獻中的蔡昭侯申（518-491B.C.），當東周敬王時（519-480B.C.）[20]，戰國時期竹簡應用頻繁凡二十一次，唯不管是正體書寫的金文，或是俗體表徵的竹簡，其位置結構固定有其安排的一致性，皆作上亡下心之形。

其實這種正、俗體結構一致的現象非為必然，其彼此之間關係是相當錯綜複雜的。但如果正、俗體的結構在位置安排的長期固化凝結下，也即是如「忘」字結構位置如此安定一致的現象存在，那麼，在後起的別義造字中，就會迴避固化結構以區分彼此字義的差異，而以移位的方式儘量避免同形字的產生，用以分別同成分偏旁而不同文字的構形，如先秦古文字中的「忠」、「念」、「忢」、「怠」、「忌」、諸字所示，詳見下表所列：

---

[20] 劉彬徽、劉長武：《楚系金文彙編》（武漢：湖北教育出版社，2009 年 5 月），頁 16、176「余非敢盜忘」，唯末〈楚系金文字表〉頁 579-580「心部」失收。

字例	頁碼	金文	竹簡文字
忠	701	〈中山王𰯼壺〉	A 雲夢·語書 6　　B 郭店·魯穆 1　　B 郭店·魯穆 2　　B 郭店·尊德 4　　B 郭店·尊德 20　　B 郭店·緇衣 20　　B 郭店·忠信 1　　B 郭店·唐虞 9　　31-03-02　　35-01-14　　37-13-13　　12-21-08　　12-22-05　　08-04-17　　01-26-01　　02-11-23
念	702	〈者汈鐘〉〈中山𰯼王鼎〉	B 郭店·語叢 2.13　　29-07-04
怠	709	〈中山王𰯼壺〉	B 郭店·語叢 1.67　　B 郭店·老甲 36　　39-03-34　　39-04-07　　32-02-17　　33-02-13　　12-26-03
忌	711-712	〈邾公牼鐘〉	A 雲夢·日甲 151 反

406

		〈邾公華鐘〉 〈歸父盤〉	B 郭店・太一 7 1 35-15-19	B 郭店・尊德
恐 （恐）	716	〈中山王𰯼鼎〉	B 九店 621.13	

　　唯前引裘氏說：「這種依靠偏旁配置方式來區分同成分形聲字的辦法，在先秦古文字裏通常是看不到的」，說法大抵正確，但也存有一些零星例子，比如心部中《戰國文字編》把「怠」、「怡」分立，《楚文字編》把「忠」、「忡」分立即是[21]。而這種現象，到東漢《說文解字》時，應用得更多，如心部中除釋作「敬也，盡心曰忠」的「忠」與釋為「憂也」的「忡」字、釋作「慢也」的「怠」與釋為「龢也」的「怡」字外，還有釋作「忽也」的「忿」與釋為「憂也」的「忦」（段《注》：「此與上介下心之字義別」）字、釋作「亂也」的「㤳」與釋為「恚也」的「怒」字、釋作「肅也」的「恭」與釋為「戰栗也」的「恐」（段《注》：「此與上共下心之恭字義別」）字、釋作「勇也」的「悍」與釋為「厶也」的姦古文「悬」字、釋為「懼也」的「愚」（段《注》：「此與愚各字，猶慕與慎各字也」）與釋為「戇也」的「愚」字、釋作「忼慨」的「慨」與釋為「惠也」的「惡」古文「愍」字、釋作「勉也」的「慎」（段《注》：「按《爾雅音義》云：『亦作慕。』今《說文》慎、慕分列，或恐出後人竄」，則與前說意見不一。）與釋為「習也」的「慕」字[22]，雖同屬

---

[21] 湯餘惠：《戰國文字編》，頁 704「怡」、頁 709「怠」。另李守奎：《楚文字編》頁 606 收「忠」，頁 617 收「忡」，實際上「忡」所從偏旁「中」從「終」之古文。

[22] 〔東漢〕許慎撰、〔清〕段玉裁注：《說文解字注》，頁 507、518；514、508；514、517；515、516；508、519；514、632；512、514；507、510；511、511。

形聲，結構成分相同，但透過偏旁位置的上下左右移動，以分別各字劃清字義，增生寖多；而其不分者，也不過「𢙱」[23]一字而已。

　　若以「心」部字的發展路徑來觀察，據《新編甲骨文字形總表》所收屬心部合體結構者有：「𢝵」、「念」、「态」、「忠」、「怒」、「㤅」、「慜」、「恩」等八字[24]，見諸傳世文獻者有「念」、「怒」、「㤅」、「恩」四字，其中「𢝵」雖未見，但《搜真玉鏡》收「音心」的「忈」字，作上口下心之形，其義則未詳。[25]至於《金文編》所收「心」部合體結構者有：「息」、「性」、「志」、「悳」、「癭」、「慎」、「忠」、「念」、「憲」、「憼」、「恕」、「慈」、「慶」、「慈」、「惟」、「懷」、「意」、「慺」、「懼」、「恃」、「㤅」、「戀」、「慕」、「忓」、「怒」、「恁」、「念」、「愉」、「愚」、「憃」、「怠」、「懈」、「忽」、「忘」、「忨」、「𢙹」、「惑」、「忌」、「㤁」、「憑」、「憚」、「恐」、「惕」、「忍」、「忤」、「㤅」、「怂」、「忎」、「𢗭」、「盅」、「恚」、「忌」、「慾」、「恩」、「𢙸」、「悌」、「羕」、「𢝵」、「憼」、「憧」、「憾」、「㤅」[26]，增至六十一字，較諸甲骨文，已多五十三字。至若據《戰國文字編》中所收「心」部合體結構者，包括：「息」、「情」、「志」、「意」、「悳」、「應」、「慎」、「忠」、「憨」、「快」、「念」、「憲」、「難」、「忻」、「惇」、「慧」、「恕」、「恬」、「恢」、「恭」、「憼」、「恕」、「怡」、「慈」、「恩」、「愁」、「慶」、「慈」、「恂」、「惟」、「懷」、「懼」、「恃」、「㤅」、「忎」、「慎」、「戀」、「悌」、「愿」、「惱」、「厭」、「恤」、「忓（忎）」、「懼」、「怒」、「疊」、「急」、「恆」、「怪」、「恁」、「念」、「忒」、「愚」、「愉」、「悍」、「怪」、「怠」、「惰」、「念」、「忽」、「忘」、「悝」、「悅」、「忨」、「慾」、「惑」、「惛」、「忌」、「忿」、「悁」、「恚」、「怨」、「怒」、「慍」、「惡」、「忍」、「悔」、「愭」、「快」、「悶」、「愴」、「悲」、「惻」、「感」、「憂」、「羞」、「惴」、「恦」、「惙」、「恩」、「慽」、

---

[23] 〔東漢〕許慎撰、〔清〕段玉裁注：《說文解字注》，頁517。

[24] 沈建華、曹錦炎編著：《新編甲骨文字形總表》（香港：香港中文大學出版社，2001年12月），頁99-100。

[25] 林尹、高明主編：《中文大辭典（第一次修訂版普及本）》，第三冊，頁1724。

[26] 容庚編著：《金文編》（北京：中華書局，1989年8月），頁712-725。

「惎」、「患」、「悐」、「憚」、「恐」、「惕」、「惎」、「恥」、「惡」、「怍」、「憐」、

「忍」、「懲」、「懌」、「忘」、「忡」、「思」、「忑」、「志」、「忢」、「态」、「忮」、

「忎」、「悁」、「忓」、「思」、「愿」、「忽」、「愍」、「慝」、「忐」、「忠」、「惢」、

「悍」、「忦」、「忘」、「懷」、「急」、「怵」、「悷」、「息」、「宓」、「悐」、「忩」、

「宓」、「忬」、「恕」、「惠」、「陀」、「刾」、「惢」、「忩」、「悬」、「愚」、「恖」、

「悃」、「悟」、「惵」、「愊」、「忿」、「愛」、「陓」、「悌」、「悆」、「悒」、「悫」、

「奪」、「惢」、「悐」、「愨」、「恚」、「悚」、「憍」、「愛」、「恝」、「懇」、「惛」、

「體」、「慄」、「愍」、「寋」、「歇」、「慇」、「憲」、「憍」、「憲」、「慮」、「憭」、

「懂」、「懲」、「憲」、「熱」、「懺」、「憐」、「懲」、「戀」、「寒」、「慪」、「憍」、

「蔥」、「熒」、「慇」、「僕」、「寒」、「慙」、「慇」、「慇」、「慇」、「圜」、「懬」、

「慄」、「懷」、「慇」、「懸」、「慇」、「懼」、「慇」、「慇」、「慇」、「懇」、「懨」、

「慇」、「侈」、「忘」、「懇」、「怨」、「愊」、「縈」[27]，則增至 219 字，三倍成

長，可見戰國時期合體結構增生得多快[28]。當然，戰國時期楚系文字大量湧
現增益「心」旁的現象，如楚簡中表示期望的「尚」字下加「心」旁作🈐《包
山》2.197，表示心智衰退的衰字下加「心」作🈐《郭店・窮達》10，表示誠心祈
禱的「祈」字加心作🈐《新乙》4.113；他如表示違心的🈐《上博・民》11，表示
疑心的🈐《郭店・語叢二》3.6，皆於字下加「心」旁，不一而足，幾乎與心理
活動有關的字皆加「心」旁以足義。這就是《戰國文字編》「心」部字驟增
三倍的主要原因。然而，《戰國文字編》「心」部所收 219 文，其中一半以為
《說文解字》所無，表明這些為某一專義而造的專用字在《說文》小篆中並
沒有被繼承下來。[29]如以《戰國文字編》中合體結構位置經營來觀察，其中

---

[27] 湯餘惠：《戰國文字編》，頁 699-732。
[28] 根據李國清：《戰國東方五國文字構形系統研究》（上海：上海教育出版社，2005 年 10
月）所說：「戰國時代正是義音合成字大量增加的時代，五國文字中的義音合成字占了很大
的比例，總數有 1,856 個，占所統計數的 73.16%」，頁 33。
[29] 自「當然」以下至「在《說文》小篆中並沒有被繼承下來」一段，係由第二位匿名審查
人提供的意見，謹此致謝！

屬上下結構者凡 187 字，屬左右結構者凡 11 字，而上下、左右結構並存者則有：情（上下結構郭店 5 例，左右結構秦玉版 1 例）、慎（上下結構楚、齊系共 2 例，左右結構秦系 2 例）、快（上下結構楚系 4 例，左右結構秦系璽印 2 例）、懼（上下結構者楚、晉、齊、燕共 6 例，左右結構者秦系 1 例）、悔（上下結構者鳥書箴言帶鈎 1 例、侯馬 1 例，左右結構秦系 2 例）、惕（上下結構者秦、楚、晉系共 7 例，左右結構者僅侯馬 1 例）、恥（上下結構楚系 1 例，左右結構楚系 2 例）、憍（上下結構秦系 1 例，左右結構楚系 1 例）等共 8 字，其中上下結構者大抵為楚系文字；而左右結構，多為楚系以外之他系文字，尤以秦系居多[30]。

《說文解字》心部字則有 263 之多，大抵屬形聲結構（除「息」、「意」、「悳」、「慶」、「思」、「愚」、「態」、「懣」、「憙」諸字許慎說為「會意」），增益的幅度則稍為緩合。以心部小篆合體結構的方格切分方式來看，大抵以二分法為主，若非左右結構，即屬上下結構，而像「慶」、「辯」的三切分方式較少，其中又以左右結構者居多，共 156 字，占的比例達 59% 之多。而以「形聲字是漢字構形體系中的最優結構。它採用義符和聲符相互配合，分工合作，互為區別，互相限定，具有較強的區別性；它採用複合結構，組合構件還可以進一步歸納成少量形位，實現了有限手段的無限運用，具有很強的歸納性。」[31]可見這種合體結構置位權的確立，係透過形聲與左右結構的雙重強化下，推想應該在小篆時期已然完成，甚或更早的戰國時期已隱然成形。也即是在既定的有限空間中經營方位以區別字義是被限制的，不再那麼隨意變化，無所拘束。

---

[30] 按：心部尚有不屬上下或左右結構者，惟（上下結構者 1 例、居左下角者 1 例）、慭（僅 1 例，居左下角）、惎（上下結構者 4 例，「心」居左下者 3 例，「心」居右下者 2 例）、慶（左右結構者 3 例，「心」居中間者 17 例）、隱（「心」居右下）、悈（「心」居左下者 1 例，居右下者 1 例）、怂（「心」居右下）、怸（「心」居左下角）、軆（「心」皆居右下角）、懋（「心」居右下）、憨（「心」居右下角）、戀（「心」皆居右下角）、懼（僅《璽彙》有 1 例「心」居右下）、戀（「心」居左下角），共計 14 字。

[31] 李國英：《小篆形聲字研究》（北京：北京師範大學出版社，1996 年 3 月），頁 2。

考察這種合體結構中雙構組合兩素成分的可移轉性與不可移轉性，可從合體結構置位權的確立下，經不斷強化其固定的模式構形，使得處於有限空間先取得置位權的文字結構排擠下，合體結構中兩素成分就必須自我調整，以完成不同形構來區別字義的任務。而這種任務，也可能隨著字義的相同而弱化，瓦解其經過長久時間的位置固化而取得置位權的確立優勢，而使位置的移動規範較少，形式的選擇變得更隨意自由。而形成這種階段性變化的總結果，可由附表「《中文大辭典》所收心部合體結構位移總表」的統計數字呈現，其中屬 1、合體結構「位移別義」者凡 65 例，屬 2、合體結構「位移同義」者凡 62 例，兩者不相上下，勢略均等，以此檢驗裘氏所說的，在「成熟的楷書」裡，「形旁和聲旁有不止一種配置方式的形聲字」已不很多的情況，可就有商榷之必要了。

四　結語

從上論述可知，「位移」的用詞雖混亂，有「偏旁位置不固定」、「偏旁移位」、「方位互作」、「調整布局」、「偏旁位移」、「位移」、「方位移動」、「移」、「偏旁易位」諸多不同，較貼切的可以「位移」名之，以別於修辭、翻譯、章法、字義上所用的「移位」一詞。

諸家對「位移」現象雖有相當多的分析歸納，但大抵為共時的考察，無法建立其位置經營與字義同異間的區別規律，強化或弱化置位權的規則，僅知其然而不知其所以然。本文透過文字歷時的考察，強調合體結構中雙構組合兩素成分的可移轉性與不可移轉性，係在合體結構置位權的確立下，是經過長時間的強化其固定模式而形成，在有限空間經營下自我形構調整的結果。而位移同義者就顯得隨意多了，其位移別義的「別嫌」目的既已弱化或取消，那麼，結構經營也就不那麼刻意安排了。

另外，從小篆始多的位移別義，透過位移的轉位安排以建立別義規律，

並沒有完全取代或排擠位移同義的情景，也不因成熟的楷書的緣故，而完全
拋棄自古存有的隨意自由型式，這從附表「《中文大辭典》所收心部合體結
構位移總表」的統計數字可看得非常的分明。所以說「成熟的楷書裏，形旁
和聲旁有不止一種配置方式的形聲字」已不很多的情況，可要有所保留了。

附表 《中文大辭典》所收心部合體結構位移總表

1、合體結構位移別義者

序次	字例	字　義	字例	字　義
1	忉	《廣韻》：「忉，憂心皃。」	忍	《說文》：「忍，怒也。从心刀，讀若頟。」
2	忙	《集韻》：「忙，心迫也。」《廣韻》：「忙，怖也。」	忘	《說文》：「忘，不識也。从心亡聲。」
3	忋	《廣雅・釋詁》：「忋，恃也。」	忌	《說文》：「忌，憎惡也。从心己聲。」
4	忦	義未詳。《搜真玉鏡》：「忦，音下。」	忎	《正字通》：「忎，懼也。」
5	忦	《玉篇》：「忦，心急也。」	忎	《說文》：「恐，忎古文。」
6	忬	《集韻》：「悇，《廣雅》：『憂也』。或作忬。」	忌	義未詳。《龍龕手鑑》：「忌，音忌。」
7	忏	《集韻》：「忏，怒也。」	忎	《說文》：「仁，忎，古文仁，从千心。」
8	忕	《廣韻》：「忕，心動。」	忒	《說文》：「忒，夏也。从心弋聲。」
9	忡	《說文》：「忡，愚也。从心中聲。《詩》曰：『憂心忡忡。』」	忠	《說文》：「忠，敬也。盡心曰忠。从心中聲。」
10	忔	《廣雅》：「忔，喜貌。」	忥	《說文》：「忥，癡皃。从心气聲。」
11	忻	《說文》：「忻，闓也。《司馬	忎	《搜真玉鏡》：「忎，思也。」

412

		法》曰：『善者忻民之善，閉民之惡。』」		
12	怀	《字彙補》：「怀，怒也。」	丕	義未詳。《搜真玉鏡》：「丕，音甫。」
13	怜	《玉篇》：「怜，心急也。」	念	《說文》：「念，常思也。」
14	份	《字彙補》：「份，音紛。《列子‧黃帝》：『份然而封戎』。」	忿	《說文》：「忿，悁也。」
15	松	《玉篇》：「松，驚也。」	忩	《正字通》：「忩，俗悤字。」
16	怙	《說文》：「怙，恃也。」	怘	《集韻》：「固，《說文》：四塞也。一曰：再辞。一曰堅也。古作怘。」
17	怵	《說文》：「怵，死也。从心朮聲。」	恋	《字彙補》：「恋，古文悉字。」
18	悔	《集韻》：「悔，受也。」《集韻》：「侮，《說文》：傷也。一曰，慢也，古作悔。」	㤴	《集韻》：「謀，或作㤴。」
19	怡	《說文》：「怡，和也。」	怠	《說文》：「怠，慢也。」
20	怣	《集韻》：「怣，忽忘也。」	尣	《集韻》：「尤，古作尣。」
21	怍	《說文》：「怍，慙也。」	怎	《五音集韻》：「怎，語辭也。」
22	怤	《集韻》：「怤，心附也。」	怤	《說文》：「怤，思也。」
23	㣽	《說文》：「㣽，亂也。《詩》曰：『以謹惛㣽』。」	怒	《說文》：「怒，恚也。从心奴聲。」
24	恲	《玉篇》：「恲，滿也。」	恲	《字彙》：「恲，腹痛。」
25	悉	《集韻》：「悉，惑也。或作憷。」	悉	《正字通》：「悉同悉。」
26	恨	《正字通》：「恨，怨極也。本作恨。」	恳	《辭海》：「恳，懇俗字。」
27	供	《說文》：「供，戰栗也。从心共聲。」	恭／恭	《說文》：「恭，肅也。从心共聲。」
28	恤	《說文》：「恤，惪也、收也。	恤	《集韻》：「惪，急也。」

		從心血聲。」		
29	悑	《玉篇》：「心動也。」	恴	義未詳。《搜真玉鏡》：「恴，音德。」
30	恎	《正字通》：「恎，俗怪字。」	悥	《五音篇海》：「悥，憶也。」
31	恫	《集韻》：「恫，昏亂兒。」	恩	《集韻》：「恩同悉。」
32	伽	《正字通》：「伽、恘字之譌。」	恕	《說文》：「恕，仁也。從心如聲。忞古文省。」
33	恰	《廣韻》：「恰，用心也。」	念	《集韻》：「念，合也。」
34	恿	《玉篇》：「恿，怒也、忿也。」	悥	《集韻》：「恿，《說文》：氣也。一曰：健也。或從心，亦書作勇。」
35	悧	《辭海》：「悧，同俐。」	悡	《正字通》：「悡，同愁。」愁與黎同，《集韻》：「黎或省。」《說文》：「黎，悝也。從心黎聲。」
36	悍	《說文》：「悍，勇也。從心旱聲。」	悬	《說文》：「姦，悬，古文姦，從旱心。」
37	恾	與趏同。	悹	《正字通》：「悹，本作懁。」
38	悇	《廣韻》：「悇，憂懼。」	念	《說文》：「念，忘也。從心余聲。」
39	惋	《一切經音義》：「惋，嘆驚異也。」	悐	《說文》：「宛，悐，宛或從心。」
40	惐	《集韻》：「惐，痛心也。」	惑	《說文》：「惑，亂也。從心或聲。」
41	悽	《集韻》：「悽，心鬱也。」	惡	《說文》：「過也。從心亞聲。」
42	恒	《五音集韻》：「恒，專也。」	悳	《說文》：「悳，外得於人，內得於己也。從直心。」
43	惏	《說文》：「惏，河內之北謂貪曰惏。從心林聲。」	悆	《廣韻》：「悆，地名，出《玉篇》。」
44	惔	《說文》：「惔，憂也。從心炎	惢	《字彙補》：「惢，古憐字。」

		聲。《詩》曰：『憂心如炎』。」		
45	悱	《說文新附》：「悱，口悱悱也。從心非聲。」	悲	《說文》：「悲，痛也。從心非聲。」
46	惆	《說文》：「惆，失意也。從心周聲。」	慯	《集韻》：「讎，古作慯。」
47	悋	《集韻》：「悋，《說文》：聚也。或作佫。」	愙	《說文》：「愙，怨愙也。從心咎聲。」
48	愔	《集韻》：「愔，愔愔，安和皃。」	意	《說文》：「意，志也。從心音。察言而知意也。」
49	愚	《說文》：「愚，憃也。從心禺聲。琅邪朱虛有愚亭。」	愚	《說文》：「愚，戇也。從心禺。禺，母猴屬，獸之愚者。」
50	愉	《說文》：「愉，薄也。從心俞聲。《論語》曰：私覿愉愉如也。」	愈	《廣雅·釋言》：「愈，賢也。」
51	慽	《廣韻》：「慽，慽恓，意不安也。」	感	《說文》：「感，動人心也。從心咸聲。」
52	惰	《字彙補》：「惰，嬾惰也。」	煮	義未詳。《搜真玉鏡》：「煮，音示。」
53	愼	《集韻》：「順，古作愼。」	憂	《說文》：「憂，愁也，從心頁。心形於顏面，故從頁。」
54	慔	《說文》：「慔，撫也。從心某聲。讀若侮。」	慕	《集韻》：「謀，古作慕。」
55	怏	《集韻》：「怏，憂也。」《集韻》：「怏，懼也。」	悤	《中華大字典》：「悤，怏俗字。」
56	悃	《集韻》：「悃，或書作悃。」	悃	《說文》：「悃，愊也。從心囷聲。」
57	慁	《集韻》：「慁，或從留。」	慁	《字彙補》：「慁，怨也。」
58	慧	《集韻》：「慧，謹也。」	慧	《說文》：「慧，儇也。從心彗聲。」
59	愜	《廣雅·釋詁》：「愜，慙也。」《集韻》：「愜，愧也。《方言》：	慝	《廣雅·釋詁》：「慝，惡也。」

		梁中曰憪。」		
60	憪	《廣韻》：「憪，恨也。」	惡	義未詳。《五音篇海》：「惡，音心。」
61	憥	《集韻》：「憥，懊憥，悔也。」	惌	《玉篇》：「惌，心力乏也。疾也。」
62	憿	《廣韻》：「憿，憿悅，驚兒。」	憿	《字彙補》：「憿，憿憿，急速貌。」
63	憿	《說文》：「憿，幸也。從心敫聲。」	憿	《玉篇》：「憿，疾也。」
64	憹	《廣韻》：「憹，憹悷，不調。」	憓	《集韻》：「憓，憓忽，遽兒。」
65	懤	《集韻》：「懤，忖度也。」	懇	《集韻》：「懇，《博雅》：悵也。」

2、合體結構位移同義者

序次	字例	字　義	字例	字　義
1	㣼	《集韻》：「忍，或作㣼。」	忍	《說文》：「忍，能也。從心刃聲。」
2	忧／忳	《說文》：「忧，誠也。從心尤聲。《詩》曰：『天命匪忧。』」忳，俗忧字。	㤞	《正字通》：「㤞，俗忧字。」
3	忬	《廣韻》：「忬，㤥忬，伏態之貌。」	㤥	《字彙補》：「㤥，同忬。」
4	忟	與「忞」同。	忞	《說文》：「忞，自勉彊也。從心文聲，讀若旻。」
5	㤆	《說文長箋》：「㤆同忽。」	忽	《說文》：「忽，忘也。從心勿聲。」
6	忣	《正字通》：「忣，同忢。」	忢	《字彙》：「忢，與急同。」
7	怛	《說文》：「怛，僭也。《詩》曰：『信誓悬悬』。」	悬	《說文》：「悬、怛或從心在下。」
8	怫	《說文》：「怫，鬱也。從心弗	愇	《韻會》：「愇，古文弼字。」

		聲。」		《玉篇》:「悑同怖。」
9	㣺	《正字通》:「㣺、悆通。」	悆	《說文》:「懕，悆或省。」
10	怩	《說文新附》:「怩，忸怩，慙也。」《廣韻》:「忸怩，心慙也。」	㦛	《集韻》:「怩，古作㦛。」
11	怕	《集韻》:「怕，懼也。」	息	怕之古字。
12	怗	《廣雅·釋詁四》:「怗，靜也。」	忥	《集韻》:「忥，或書作怗。」
13	恣	《說文長箋》:「恣，與恣同。」	恣	《說文》:「恣，縱也。從心次聲。」
14	恚	與恚同。按：無引書。	恚	《說文》:「恚，怒也。從心圭聲。」
15	恪	《說文》:「愙，敬也。從心客聲。《春秋傳》:『以陳備三愙。』」段《注》:今字作恪。	愙	《正字通》:「恪，或作愙，省作愙。」
16	怕	《正字通》:「怕，同息。」	息	《說文》:「息，喘也。從心自。」
17	恁	《集韻》:「恁，或書作恁也。」	恁	《說文》:「恁，下齎也。從心任聲。」
18	悖	《集韻》:「誖，《說文》:亂也。或從心。」	誖	與誖同。按：無引書。
19	悔	《說文》:「悔，悔恨也。從心每聲。」	懗	《正字通》:「懗，同悔。」
20	愀	《正字通》:「愀，俗愁字。」	愁	《集韻》:「惕，《說文》:敬也。或從狄。」
21	悏	《正字通》:「悏，同㥦。」	㥦	《說文》:「㥦，思貌。從心夾聲。」
22	惌	《玉篇》:「惌，同悹。」	悹	《說文》:「悹，憂也。從心官聲。」
23	惎	《正字通》:「惎，同惎。」	惎	《說文》:「惎，毒也。從心其聲。《周書》:來就惎惎。」

24	惕	《說文》：「惕，敬也。从心易聲。」	悐	《集韻》：「惕，《說文》：敬也。古作悐。」
25	悼	《說文》：「悼，懼也。陳楚謂懼曰悼。从心卓聲。」	慏	《正字通》：「慏，同悼。」
26	惟	《說文》：「惟，凡思也。从心隹聲。」	愳	《字彙補》：「愳，古惟字。」
27	恪	《集韻》：「恪，恪忦，多伏計。」 《正字通》：「恪，同愙。」	愙	《正字通》：「愙，同恪。《說文》：敬也。」
28	愀	《禮記·哀公問》：「孔子愀然作色而對。」《注》曰：「愀然，變動貌也。」 《集韻》：「愀，或作愁。」	愁／憱	《集韻》：「愁，或書作憱。」 《說文》：「憱，戚也。从心炊聲。」
29	愗	與霿同。	愁	《廣雅·釋詁》：「愁，愚也。」 《集韻》：「霿、瞉、霿，鄙吝也。或作愗。」 按：《集韻》此條列於「愁」字下。《異體字字典》列此字為「懋」之異體字。
30	假	《康熙字典》：「假，俗愍字。」	愍	《玉篇》：「懕愍，難語也。」
31	愜	《說文》：「愜，快也。从心匧聲。」	慝	《廣韻》：「愜、慝同。」
32	惻	《說文》：「惻，痛也。从心則聲。」	戁	《玉篇》：「戁，古文惻。」
33	惵	《集韻》：「悵，安也。或作惵。」 《集韻》：「歙，懼皃。或作惵。」	㥄	《集韻》：「㥄，不安貌。」 《正字通》：「㥄，同惵。」
34	惹	《集韻》：「惹，心然也。古作㷀。」 《集韻》：「惹，或書作惹。」	惹	《說文新附》：「惹，亂也。从心若聲。」

35	悈	《廣韻》：「嫉、悈同。」	痎	《字彙補》：「痎，與嫉同。」
36	惄	《說文》：「惄，憝兒。从心弱聲。讀與怒同。」	愵	《集韻》：「惄，亦書作愵。」
37	愿	《集韻》：「愿，測量也。」《正字通》：「愿，同愿。」	愿	《說文》：「愿，謹也。从心原聲。」
38	慎	《說文》：「慎，謹也。从心眞聲。」《字彙補》：「𢟽，古文慎字。」	𢟽	《篇海》：「𢟽，恚也。」《字彙補》：「𢟽，古文慎字。」
39	惇	《玉篇》：「惇，同愿。」	愿	《玉篇》：「愿，古辱字。」
40	慇	《字彙補》：「慇，同慇。」	慇	《說文》：「慇，痛也。从心殷聲。」
41	愍	《說文》：「閔、愍，古文閔。」	𢡏	《康熙字典》：「𢡏，亦書作愍。」
42	慚	《集韻》：「慙，或書作慚。」	慙	《說文》：「慙，媿也。从心斬聲。」
43	懣	《說文》：「懣，忘也。懣，兜也。从心㒼聲。」	懣	《正字通》：「懣，同懣。」
44	慔	《說文》：「慔，勉也。从心莫聲。」《正字通》：「慔，一說與慕通。」	慕／慕	《字彙補》：「慕，古文慕字。」《說文》：「慕，習也。从心莫聲。」
45	懘	《集韻》：「懘，懘忦，心不安也。」《集韻》：「懘，或書作懘。」	懘	《說文》：「懘，高也。从心帶聲。」
46	慟	《廣韻》：「慟，慟哭，哀過也。」《說文新附》：「慟，大哭也。从心動聲。」	憅	《說文長箋》：「憅，與慟同。」

47	慨	《說文》：「慨，忼慨也。从心既聲。」	懸	《集韻》：「悥，說文惠也，或作愛，古文作懸。」 《集韻》：「悥，通作壓，亦書作慨。」
48	憐	《說文》：「憐，哀也。从心粦聲。」	㦪	《正字通》：「㦪，同憐。」
49	憿	《集韻》：「憋，或書作憿。」	憋	《韻會》：「憋，急速貌。」 《集韻》：「憋，或書作憿。」
50	憚	《說文》：「憚，忌難也。从心單聲。一曰難也。」	曍	《集韻》：「憚，通作曍。」
51	憫	《集韻》：「憫，憂也。」	閔	與憫同。
52	憙	《字彙補》：「憙，古文喜字。」	憙	《說文》：「憙，說也。从心喜，喜亦聲。」
53	憨	《集韻》：「憨，怒也。」 《正字通》：「憨，與憨同。」	憨	《玉篇》：「憨，愚也，癡也。」
54	憍	《說文》：「憍，不敬也。从心墮省聲。《春秋傳》曰：執玉憍。」	憜	與憍同。
55	懈	《說文》：「懈，怠也。从心解聲。」	懈	《字彙補》：「懈，古文懈字。」
56	辯	《說文》：「辯，惡也。从心辡聲。」	懯	《集韻》：「辯，或作懯。」
57	懤	《集韻》：「怞，朗也，憂也。或从壽。」	懤	《正字通》：「懤，同懤。」
58	懊	《集韻》：「懮，亦書作懊。」	懮 ／ 㦽	《說文》：「懮，趣步懮懮也。从心與聲。」 《說文長箋》：「㦽，同懮。」
59	懝	《說文》：「懝，騃也。从心疑，疑亦聲。」 《集韻》：「懝，或書作懘。」	懘	《字彙》：「懘，同懝。」

60	懕	《正字通》:「懕、懕同。」	懕	《說文》:「懕,安也。從心厭聲。《詩》曰:懕懕夜歈。」
61	懟	《說文》:「懟,怨也。從心對聲。」	懟	《說文長箋》:「懟,與懟同。」
62	懭	《集韻》:「懭,懭悢,意不得也。」《正字通》:「懭,同懭。」	懭	《說文》:「懭,闊也、廣大也。從心廣聲,廣亦聲。一曰,寬也。《詩》曰:懭彼淮夷。」

原文發表於行政院國家科學委員會人文處主辦:《「國科會中文學門小學類 92-97 研究成果發表會」論文集》,臺北:國立臺灣師範大學文學院、國文學系出版,2011 年 3 月 20 日,頁 251-266。(高佑仁校對)

史實與依託——

由雲林蒲姓談「蒲」字與「河東角獸」

一　前言

　　眾所周知，蒲氏的來源既多元且複雜，有源於漢族的姒姓、己姓、嬴姓、高陽氏，有從女真族、蒙古族、回族、滿族改從漢姓而來。尤其回族漢姓化的蒲氏，關涉到東、西方間的航海交通、文化交融、經濟發展、政治變遷各方面，此方面的文章討論頗豐，又有學者專家專文討論[1]，非本文著墨所在。根據劉志成《詔安蒲氏族譜》曾談及詔安的蒲氏係由泉州分派，居漳浦沙崗村，後移居詔安。〈譜引〉自稱「河東」，泉州東魯巷蒲氏後裔收藏的一方蒲氏古墓碑，有「河東蒲」。而泉州《蒲氏族譜》標榜「吾蒲氏，河東角獸」，證明蒲壽庚家族以「河東」為族號。其後，劉志成還考證出多支蒲壽庚後裔子孫移居臺灣的情形：永春五里街蒲氏五世斯祐「往臺郡未歸」、「衍炳住臺」、「六世德漸移臺灣」、「七世衍軟，往臺灣，死後葬在當地」。詔安蒲氏五世志，後裔往臺灣諸羅縣，「七世燦、哮，俱往臺灣。」[2]陳信雄也指出「泉州穆斯林裔族群移居臺灣者，其源流明顯，人口眾多，具有代表性者，有郭、丁二姓，乃中東阿拉伯、波斯人後裔。泉州阿、波裔還有蒲姓（蒲壽庚家族）、金姓（元將金吉的後裔）移民臺灣，但是人數較少且散居多處，其族群跡象未可得覓。」[3]坦言泉州阿、波裔蒲姓移居臺灣的「人數較少」，

---

[1] 李玉昆：〈20世紀蒲壽庚研究述評〉，《中國史研究動態》，2001年第8期，頁16-23。

[2] 李玉昆：〈20世紀蒲壽庚研究述評〉，《中國史研究動態》，2001年第8期，頁21。

[3] 陳信雄：〈大陸「非漢族」裔移入臺灣歷史淺識——女真粘氏、泉州穆斯林裔、錫蘭世氏移入臺灣考〉，國立成功大學「發展國際一流大學及頂尖研究中心計畫」人文社會標竿創新計畫，東亞歷史變遷研究計畫（標竿第二年主題：身體、性別與多元文化）期末報告，2010年8月，頁99。

而且「散居多處」，所以無法覓得「族群跡象」，那麼，是否有蛛絲馬跡可循呢？

在趙振績的《台灣區族譜目錄》中，收錄有蒲氏族譜凡四，依年代分別為：（一）1945年蒲佛助、蒲鴻文重修出自福建的《河東世譜》一冊27頁寫本，始祖蒲樸直，一至七世，散居高雄；（二）1955年羅香林所撰出自福建晉江的《蒲壽庚傳》附《蒲氏族譜》一冊172頁刊本，始祖蒲宗孟，一至二十世，散居福建、廣東；（三）蒲添生、蒲永昌等人查證抄錄出自福建漳浦的《台灣省彰化縣永靖田尾二鄉蒲氏族譜》一冊26頁刊本，始祖蒲顯耀，八世，散居彰化永靖；（四）未著撰者的《台灣地區世譜河東發祥》一冊34頁刊本，始祖蒲顯耀，十二至十九世，散居高雄。[4]另據陳龍貴主編的《國立故宮博物館所藏族譜簡目》中，除前引四種版本外，又增加兩種：1984年蒲達欽等編纂的《蒲氏族譜不分卷》，打印本一冊，出自福建漳州漳浦，散居高雄、彰化；另一種為1977年編者不詳的《蒲氏世系表》，寫本五頁，原藏者蒲魏傳，散居南投埔里。[5]由此可知，前此能掌握的臺灣蒲氏族群的分布有彰化永靖和田尾、高雄以及南投埔里。另在蒲發軔編著的《蒲姓族譜第一冊》中根據戶籍資料統計，「台灣目前約有宗親四百餘戶，達三千多人。今者，台北市、高雄市、彰化縣宗親會，及世界宗親總會已先後成立」[6]，可知臺北市亦有蒲氏居住，卻未見載及雲林蒲氏。但蒲發軔在《蒲姓族譜第一冊》的「第三目・閩系及其他族裔繁衍概況」中，曾談到「基公生二子，長曰燦（詔派七世），次曰哮，俱於乾隆年間遷往台灣嘉義居住。迄今，其裔孫在台相傳六世歷百餘年，今居斗南之蒲忠等，或為其族裔。」又云：「同安二都窯頭堡人蒲富公，於清乾隆末，率子蒲賜字俊德，自同安

---

[4] 趙振績：《台灣區族譜目錄》（中壢：台灣省各姓歷史淵源發展研究學會，1987年1月）。

[5] 陳龍貴：《國立故宮博物館所藏族譜簡目》（臺北：國立故宮博物院，2001年4月），頁628。此外，尚有蒲元一編纂的《大埔蒲氏家譜節抄不分卷》，係民國間寫本一冊，原藏香港大學馮平山圖書館，出自廣東南海番禺潮州潮安（海陽）。

[6] 蒲發軔：《蒲姓族譜第一冊》（臺南：世界蒲姓宗親總會，1988年春），頁6。

窯頭堡遷居台灣嘉義關廂街……。今居台南市之輻光及斗南崙仔之財教等族人為其裔孫。」[7]這就與雲林蒲姓有關了。

　　根據內政部戶政司 2005 年統計的《臺閩地區姓氏統計‧附錄一‧姓氏排名與人數一覽表》資料來看，蒲氏排名 170，人數 2964。[8]而 1987 年潘英在《同宗同鄉關係與臺灣人口之祖籍及姓氏分布的研究》中，曾將 1956 年蒲氏分布的情況列表，分台北、基隆、台中、台南、高雄及本省籍、外省籍、山胞做區分，蒲姓合計 308 人，其中本省籍來自福建的 219 人佔 71.1%，來自廣東的 9 人僅佔 2.9%[9]，可見是以福建移民為主，但未統計彰化、雲林兩地的蒲姓。根據 1978 年纂修的《雲林縣志稿‧卷二人民志》〈氏族篇〉（下）說「本縣有蒲氏二九戶，一七五口，其分佈情形，詳列于后」：

鄉鎮別	戶數	人口	鄉鎮別	戶數	人口
斗六鎮	四	一九	大埤鄉		一
斗南鎮	二〇	一二九	元長鄉	一	三
古坑鄉	四	二三			

並以「蒲氏望出河東，姓有二源，一為虞舜之後，一為有扈氏之後。」[10]但在《雲林縣志稿‧卷一人民志》第二篇〈氏族〉中，則詳列 289 個姓氏「入臺年代」（又分：明朝年代、清朝年代、日據年代、光復之後）、「分佈狀態」（又細分：斗六鎮、古坑鄉、林內鄉、斗南鎮、大埤鄉、虎尾鎮、莿桐鄉、西螺鎮、二崙鄉、崙背鄉、麥寮鄉、土庫鎮、褒忠鄉、東勢鄉、臺西鄉、元長鄉、北港鎮、水林鄉、四湖鄉、口湖鄉）與「祖籍」（又分：閩漳、閩泉、

---

[7] 蒲發軔：《蒲姓族譜第一冊》，頁 44、48。

[8] 內政部戶政司：《臺閩地區姓氏統計》（臺北：內政部戶政司，2005 年 4 月），頁 106。

[9] 潘英：《同宗同鄉關係與臺灣人口之祖籍及姓氏分布的研究》（臺中：臺灣省文獻委員會，1987 年 6 月），頁 34。

[10] 林恒生、王守明監修，仇德哉主修，陳其懷纂修：《雲林縣志稿‧卷二人民志‧氏族篇（下）》（斗六：雲林縣文獻委員會，1978 年 4 月），頁 253。

閩他縣、粵省、他省），蒲姓在雲林二十鄉鎮中，明朝年代入臺者古坑鄉 1，斗南鎮 9，其中祖籍「閩漳」者 8，「閩泉」者 2；清朝年代入臺者斗六鎮 10，古坑鄉 3，斗南鎮 6，其中祖籍「閩漳」者 9，「閩泉」者 3，「粵省」者 5，「他省」者 2，蒲姓合計 34，其中以移居斗南 17 居多，斗六 13 居次，土庫 7 次之，古坑 4 最末。而以閩漳籍者 19 最多，閩泉、粵省籍者各 6 次之，他省 2 又次之，閩他縣 1 最末[11]。可見雲林蒲姓係以「閩漳」為主，且比彰化縣永靖、田尾二鄉蒲氏較早來臺，明代已有。

另外，在《台灣省彰化縣永靖、田尾二鄉蒲氏族譜》的〈序言〉中也曾敘及：「尋葉：①永靖、田尾蒲約六、七十戶、據族譜記載係由福建省漳浦縣移入、十代約二百八十年、②嘉義、斗南蒲據添生、忠稱由福建省詔安縣移入、五代一百一十年約廿戶、③斗南（部份）蒲據財教稱：由福建省同安縣移入、九代約二百餘年、現有十戶等三系均由福建省先後移入、④福建詔安蒲據達欽稱：由漳浦縣杜任移入、再 1、第四房遷廣東省南海縣約五、六百戶（經洪溪 37 年間查證無訛），復部份遷香港及南洋群島、2、部份遷台灣南、北部、3、榮欽等遷香港、4、洪欽等遷印尼蘇島、5、炳文等遷新加坡及馬來西亞、6、永春蒲振宗遷越南（現回台住樹林）稱、尚〔有〕泰國、澳、美國亦有宗親。」[12]「又據張玉光金德寶報告發現蒲壽庚家譜經過，所

---

[11] 廖禎祥監修、王君華主纂修：《雲林縣志稿・卷一・人民志》（雲林：雲林縣文獻委員會，1971 年 10 月），頁 232〈第二篇氏族・氏族現況〉：「本縣現有氏族，凡二百八十九姓，多自遜清時代東徙而來，明代次之，日據時代更次之，光復之後而來者次復次之。惟在此二百八十九姓氏中，考其祖籍，來自福建漳、泉二州者佔百分之九十以上，次為粵省。」又於頁 83〈概說〉中云：「處於縣下沿海地帶之居民大多為泉屬，處於縣下山陬地帶之居民大多為漳屬，標誌分明，絲毫不苟。凡此皆為鄉土觀念高於一切有以致之。」

[12] 蒲添生等抄：《台灣省彰化縣永靖、田尾二鄉蒲氏族譜》（不詳，1980 年手寫本），頁 1。1984 年再版的《台灣地區世譜・河東發祥》則略有增刪，將海外蒲氏一律刪除。另據 1993 年 3 月 31 日《永靖鄉土資料研究集》第二篇〈簇群建築──民居〉的訪談資料云：「永靖蒲厝來歷，似乎可從台中縣清水鎮壽天宮壁堵刻的該宮沿革（民國七十七年）知道一些：壽天宮媽祖神像經歷之由來，是明末清初之時，鄭國姓收復台灣驅逐荷蕃，始引漳、泉等人民紛紛來台開拓土地，使民得安居樂業。在清康熙四十八年（西曆一七○九年），迄今二七九年，福建省泉州府晉江縣漳浦九都杜潯堡沙碅鄉人蒲顯耀公，為蒲姓漳蒲第十

記在德化所見蒲振宗曾云:『我們族姓泉州很少,福州有一部分,永春數十戶,詔安千餘戶。據說我們蒲家被勦,不敢姓蒲,改姓吳,因為吳蒲一音相近。我們的族人不甘心,在死了人時,墓上正面寫吳某某之墓,反面暗寫蒲某某之墓。』可知壽庚子孫今在泉州者反少,而詔安獨多。」[13]那麼,蒲氏所謂的「自稱」,所謂的「標榜」,所謂「正吳背蒲」的「暗寫手法」,細心品味,是否存有目的性的託附與隱藏?這是「史實」?抑或是「依託」?頗值得進一步探究。以故透過臺灣雲林蒲姓發想,並分兩方面來加予以追索,先由「蒲」字切入以溯其源,企圖窺見文字記載之初;再由「河東角獸」談起,用以發掘箇中隱藏的象徵意涵。

二　談「蒲」字與「河東角獸」

關於蒲氏的起源,《元和姓纂》曾舉《風俗通》言詹事蒲昌,又有蒲遵。並引《晉書・苻洪傳》云:「其先居池上,生蒲,皆長三丈,因號蒲,家遂以為氏。後改為苻也。」[14]只舉漢代二人,其時代頗晚。後來鄭樵在《通志・氏族略》的「以事為氏」分類中,認為「蒲氏」出自姒姓,是有扈氏的後代,被夏啟滅掉;世世代代為西羌的酋長。在《晉書・苻洪傳》東晉時期,有酋長因為家中池水生昌蒲,長五丈五節形狀像竹子,因此當時的人就稱呼他家為「蒲」家,後來改為「苻」,並引《風俗通》有詹事蒲昌,又有蒲遵,更進一步分析說:「今蜀中多此姓。望出河東。」[15]那麼,蒲氏的來源就顯得

二世祖,攜眷渡台謀生,隨身攜帶媽祖暨太子爺神像,以保身護安,至其裔孫昆仲二人,因感情不睦,其弟分得太子爺神像遷居彰化縣永靖、田尾等地……」參見網址:http://www.yces.chc.edu.tw/ycescountry/yj/se2/ch12.htm。(瀏覽日期:2017 年 9 月 21 日)

[13] 羅香林:《蒲壽庚傳》(臺北:中華文化出版事業委員會,1955 年 6 月),頁 68-69。

[14] 〔唐〕林寶撰:《元和姓纂》,李學勤主編:《中華漢語工具書書庫》(合肥:安徽教育出版社,2002 年 1 月),第七十三冊,頁 29。

[15] 〔南宋〕鄭樵:《通志》(北京:中華書局,1987 年 1 月據萬有文庫十通本影印),卷二十八,頁 470。文作:「蒲氏,姒姓,有扈氏之後,為啟所滅。世為西羌酋長。《晉書・苻洪傳》:因其家池水生昌蒲,長五丈,五節形如竹,時人遂以為蒲家。後改為苻,《風俗通》

很早，遠在夏代就有「有扈氏之後」的「蒲」了。至於《萬姓統譜》則指出蒲氏的郡望以及姓氏的根由，並擴及五音的配置說：「蒲，河東。角音。蒲洪先代家居池上，生蒲，長三丈，因以為氏。主洪改姓苻。今蜀中多此姓。」[16]可見這些資料彼此之間是有承襲的關係，但也存有一些殊異的現象。

「蒲」作為姓氏使用本是一種假借現象，未必與本義有關。而語言或許產生得很早，但記錄語言的文字卻也未必能同時同步展開。若透過出土材料來看，《新甲骨文編》、《甲骨文字編》都沒有收錄「蒲」字，僅收「甫」和從甫從艸的「虗」字[17]。在《甲骨文字詁林》中，姚孝遂按語則根據羅振玉的說法，認為「甫」字形作甫《合》20217，為「从中从田」的結構，「象田中有植物形，實亦『圃』之本字。卜辭用為人名或地名。」[18]季旭昇也主張「甫」為「圃」的初文，假為人名、族名、地名。金文則多假為「父」、「夫」字，字形方面則分化為从用父聲；至於蔬圃義則加義符口作圃，用以區別。[19]那麼，殷商時代的甲骨文用為人名[20]、族名、地名的「甫」有可能是「蒲」的最初型態根源之一，一直沿續到戰國楚簡中仍然保有如此的用法，如《清華簡（貳）·繫年》簡 105 云：「秦異公命子甫（蒲）、子虎率師救楚。」[21]或是

有詹事蒲昌，又有蒲遵。今蜀中多此姓，望出河東。」

16 〔明〕凌迪知撰：《萬姓統譜》，李學勤主編：《中華漢語工具書書庫》（合肥：安徽教育出版社，2002 年 1 月），第七十四冊，頁 271。書前頁 3〈凡例〉言：「姓有望、有音、有氏。曰『望』者，如河間、渤海等郡名是也。曰『音』者，宮、商、角、徵、羽是也。曰『氏』者，如以國、以邑、以官為氏等類是也。是編以韻為先後，以朝代為次序，每一姓下：一曰望，二曰音，三曰氏，使姓各得所系之本，不失受氏之宗，庶為氏族全書也。」

17 劉釗、洪颺、張新俊編纂：《新甲骨文編》（福州：福建人民出版社，2009 年 5 月），頁 206；李宗焜編著：《甲骨文字編》（北京：中華書局，2012 年 2 月），中冊，頁 826。

18 于省吾主編：《甲骨文字詁林》（北京：中華書局，1996 年 5 月），第三冊，頁 2120。

19 季旭昇：《說文新證》（臺北：藝文印書館，2004 年 11 月），上冊，頁 241。

20 另有釋為「苗」的，如朱歧祥：《甲骨文詞譜》（臺北：里仁書局，2013 年 12 月），第四冊，頁 66 引《通釋稿》云：「从中生於田中，即苗字，从艸从中義通。今當釋為苗字是。一用為武丁時處守西北方的將領名，助殷王狩獵，和沚、羌方、工方同辭。苗字復用為地名。」

21 李學勤主編、清華大學出土文獻研究與保護中心編：《清華大學藏戰國楚竹書（貳）》（上海：中西書局，2011 年 12 月），下冊，頁 184-185。注四云：「《左傳》定公五年：『申包胥以秦師至，秦子蒲、子虎率車五百乘以救楚』，大敗吳軍，『秋七月，子蒲、子虎滅唐。』」

《先秦貨幣文字編》所收錄的多個「甫反一釿」、「甫反半釿」橋形布[22]，即是其殘跡。另一方面，「蒲」也可能借「莆」為之，如戰國常見的「莆反戈」，「莆反」乃讀為「蒲阪」或「蒲坂」，是個地名。[23]「莆」字另見於戰國魏器〈三年莆子戈〉[24]，及戰國三晉貨幣方足小布面文的「莆子」[25]。梁曉景認為「莆子」是「古地名，春秋晉地，戰國屬魏。在今山西隰縣西北。」[26]何琳儀則據《漢書‧地理志》認為「莆子」屬「河東郡，在今山西隰縣。」[27]漢印則作「蒲子」，如「蒲子令印」。[28]至於《清華簡（貳）‧繫年》簡 69：「高之固至莆池，乃逃歸（歸）。」與《左傳》宣公十七年可以合證，整理者以簡文「莆池」疑在今河南濮陽東南，很可能就在瓠子河上而瀕於斂盂，[29]另外，戰國楚簡〈陳公治兵〉：「陳公性（狂）安巽（選）楚邦之古（故）【簡12】戰（戰）而峙=（侍之）。先君武王與邔人戰（戰）於莆蒐，帀（師）不罎（絕）▪。先君文王與……【簡2】」，其中「 （莆）蒐」即《左傳‧桓公十一年》「鄖人軍於蒲騷」的「蒲騷」。[30]

《說文》訓「莆」為「萐莆也。从艸甫聲」[31]，本是一種植物名稱，但

[22] 吳良寶編著：《先秦貨幣文字編》（福州：福建人民出版社，2006 年 3 月），頁 45。

[23] 何琳儀：《戰國古文字典：戰國文字聲系》（北京：中華書局，2007 年 5 月），頁 596。

[24] 董蓮池編：《新金文編》（北京：作家出版社，2011 年 10 月），上冊，卷一，頁 66，戰國‧17.11293B。

[25] 吳良寶編著：《先秦貨幣文字編》，頁 15-16。

[26] 梁曉景：《中國錢幣大辭典‧先秦編》，又見潘玉坤主編：《古文字考釋提要總覽》（上海：上海人民出版社，2008 年 1 月），第一冊，頁 120。

[27] 何琳儀：《戰國古文字典：戰國文字聲系》，頁 596。

[28] 〔清〕袁日省集編、謝景卿續編、孟昭鴻三集：《漢印分韻合編》（上海：上海書店，1995 年 4 月），頁 48。

[29] 李學勤主編、清華大學出土文獻研究與保護中心編：《清華大學藏戰國楚竹書（貳）》，頁 168，注 9。今子居《繫年》之「莆池」很可能就在瓠子河上而瀕於斂盂。參蘇建洲等合著：《清華二《繫年》集解》（臺北：萬卷樓圖書股份有限公司，2013 年 12 月），頁 512。

[30] 「〈陳公治兵〉初讀」，youren（高佑仁）第 1 樓、第 23 樓跟帖，武漢大學簡帛網：http://www.bsm.org.cn/bbs/read.php?tid=3024，發布日期：2013 年 1 月 5、6 日。（瀏覽日期：2019 年 2 月 10 日）

[31] 〔東漢〕許慎撰、〔清〕段玉裁注：《說文解字注》（臺北：天工書局，1992 年 11 月），頁 22。

在戰國時期大抵用作地名。至於當作人名使用的，可見諸春秋晚期或戰國早期的《侯馬盟書》三・一四「莆敢不……」，《侯馬盟書字表》云：「宗盟類。參盟人名」[32]。那麼，依據目前所能見到的出土材料來看，「蒲」字是何時出現的？有當姓氏使用的嗎？

其實，戰國時期當地名使用的「莆反」在秦系文字中係作「蒲反」，如《秦文字編》中收錄的「🔲封泥印・111：蒲反丞印、🔲集證・154.336：蒲反丞印、🔲封泥集・313・3 蒲反丞印、🔲秦陶・1261：蒲反」，或是當咸陽里名用的「蒲里」，如「🔲集證・216.216：咸蒲里奇、🔲集證・217.232：咸蒲里奇、🔲秦印編 11：咸蒲里奇」[33]，已然寫作「蒲」而不作「莆」了[34]；另外在睡虎地秦簡中「蒲阪」亦作「蒲反」，陳振裕、劉信芳按語認為：「蒲反，魏地，今山西省永濟西。『反』古書作阪、坂。」[35]《秦封泥彙》在「蒲反丞印」解云：「《漢志》，河東郡有蒲反縣，『有光山、守山祠。雷首山在南，故曰蒲，秦更名。』《史記・秦本紀》：秦昭襄王四年『取蒲阪』，『五年，魏王來朝應亭，復與魏蒲阪、皮氏。』十七年，『秦以垣為蒲阪、皮氏。』《水經・河水》：『又南過蒲坂縣西，《地理志》曰：縣，故蒲也，王莽更名蒲城。應劭曰：秦始皇東巡，見有長坂，故加坂也。孟康曰：晉文公以賕秦，秦人還蒲與魏，魏人喜曰：蒲反矣，故曰蒲反也。』《讀史》：『州東南五里……漢曰蒲反縣……後漢曰蒲坂縣，建武十八年上幸蒲坂，祠后土……隋開皇初為蒲州治，尋析置河東縣，大業初以蒲坂并入焉。』清為山西省蒲州府之永

---

[32] 張頷、陶正剛、張守中著：《侯馬盟書》（上海：文物出版社，1976 年 12 月），頁 202、326。

[33] 王輝主編：《秦文字編》（北京：中華書局，2015 年 4 月），頁 109；王輝、程學華撰：《秦文字集證》（臺北：藝文印書館，1999 年 1 月），頁 216、217，圖版 216、232；袁仲一編著：《秦代陶文》（西安：三秦出版社，1987 年 5 月），頁 118、350，圖版 1261。

[34] 許雄志主編：《秦印文字彙編》（鄭州：河南美術出版社，2001 年 9 月），頁 11；孫慰祖主編：《古封泥集成》（上海：上海書店出版社，1996 年 4 月），頁 164。

[35] 陳振裕、劉信芳編著：《睡虎地秦簡文字編》（武漢：湖北人民出版社，1993 年 12 月），頁 154。

濟縣。蒲反縣秦約屬河東郡，今在山西省永濟縣西。」[36]而這種用法，一直
沿續到漢代，如《張家山漢墓竹簡〔二四七號墓〕‧二年律令‧秩律》言及
「蒲反」，注一八說：「蒲反，屬河東郡。」或是漢金文有「蒲反田官」。[37]關
於蒲阪的歷史地理沿革，可參閱相關研究，在此不贅[38]。當然，睡虎地秦簡
的《秦律》簡 131：「毋（無）茦者以蒲、蘭。」或是《馬王堆帛書‧五十
二病方》中的「器物、物品類藥」方中有「取故蒲席厭」、「取敝蒲席若籍之
弱（蒻）」[39]以及《銀雀山漢墓竹簡‧守法守令十三篇》中的「沮澤蒲葦」、
「山林溪谷，蒲葦魚鱉所出」、「沈澤蒲葦」，[40]用的都是「蒲」的本義，根據
《北京大學藏西漢竹簡〔壹〕‧蒼頡篇》簡 64 有「莞蒲蘭蔣」句，注 7 解釋
「莞蒲」亦名「蒲」，水草名。《爾雅‧釋草》：「莞，苻蘺。」郭璞《注》：
「今西方人呼蒲為莞蒲，……今江東謂之苻蘺，西方亦名蒲，……用之為
席。」[41]亦即是《說文》所說的：「蒲，水草也，或以作席。从艸浦聲。」[42]
尤可注意的是，馬繼興在《馬王堆古醫書考釋》注 1 云：「《別錄》名『敗蒲
席』。云：『主筋溢，惡瘡。』陶弘景《注》：『燒之，蒲席惟船家用，狀如蒲
帆耳。』《唐本草》注：『席、薦一也。皆人臥之，以得人氣為佳也。《藥性
論》：『敝蒲席亦可單用，主破血，從高墜下，損瘀在腹刺痛。取久臥者燒灰，

---

36 周曉陸、陸東之編著：《秦封泥彙》（西安：三秦出版社，2000 年 5 月），頁 313、423、
428。

37 張家山二四七號漢墓竹簡整理小組：《張家山漢墓竹簡〔二四七號墓〕》（北京：文物出
版社，2001 年 11 月），頁 195；周曉陸、陸東之編著：《秦封泥彙》，頁 313。

38 如〔清〕周景柱纂修：《乾隆蒲州府志》，《中國地方志集成‧山西府縣志輯 66》；李鄒洋：
《一座歷史名城的生命史：蒲州故城沿革研究》（太原：山西大學碩士學位論文，2013 年
6 月）；任振河：〈芻議中華文明與華夏文化發祥於河東蒲阪〉，《山西高等學校社會科學學
報》，2007 年第 2 期，頁 113-118。

39 王輝主編：《秦文字編》，頁 109。另據馬繼興：《馬王堆古醫書考釋》（長沙：湖南科學
技術出版社，1992 年 11 月），頁 119、336、418。

40 吳九龍釋：《銀雀山漢簡釋文》（北京：文物出版社，1985 年 12 月），頁 26、43、45；
駢宇騫編著：《銀雀山漢簡文字編》（北京：文物出版社，2001 年 7 月），頁 20。

41 北京大學出土文獻研究所編：《北京大學藏西漢竹書（壹）》（上海：上海古籍出版社，
2015 年 9 月），頁 132。

42 〔東漢〕許慎撰、〔清〕段玉裁注：《說文解字注》，頁 28。

酒服二錢。』」又注 2 云：「敝蒲席，一種舊的臥席，以蒲草編成。《別錄》收入本草，稱為『敗蒲席』。」[43]由此可知，蒲席是蒲草編成的，大抵是用在船家，是西方人的一種稱呼。[44]至於西陲漢簡中的「（施）荊駐鹿蒲即付楨中隊長程伯」[45]以及額濟納漢簡中的「□大且居蒲妻子人眾凡萬餘人皆降餘覽喜拜之□□□□□□□符蒲等其⋯⋯」[46]，有可能「鹿蒲」係地名而「居蒲」、「符蒲」則為人名矣！

　　曹錦炎曾指出「在傳世的古璽中，私璽所佔的比例甚大，約佔十分之七。私璽的出現是為了適應私人之間社會生活方面的需要⋯⋯私璽對研究先秦姓氏譜系很有價值。」[47]其實私璽非僅對研究先秦姓氏譜系很有價值，對秦漢的姓氏譜系研究依然是相當重要。戰國時期私璽已相當多，卻未見以「莆」或「蒲」為姓氏的。到了漢代，以「蒲」為姓氏的漸出，如《漢印文字徵》收錄的「蒲宮」、「蒲居」、「蒲陽之印」等。[48]此正與《風俗通義佚文》卷六〈姓氏下〉著錄「蒲氏」的時代相合，其言：「漢有詹事蒲昌。又有蒲遵（《元和姓纂》二、《姓解》二、《廣韻》十一模、《通志・氏族略》）。」[49]由此可知，「蒲」字出現得頗晚，遲至戰國時期才出現，而「蒲」字作為姓氏使用，出

---

[43] 馬繼興：《馬王堆古醫書考釋》，頁 119、336、418。

[44] 按「蒲」字在漢代或許有一種比較特殊的假借用法是字書或字典詞義項沒有提及的，追溯其根源，有可能是由「秦相趙高指鹿為馬，束蒲為脯，二世不覺」的典故而來的，本由混淆「蒲」、「脯」來表示顛倒是非黑白的分際。此可參〔東漢〕應劭：《風俗通義〔附佚文〕》（臺北：成文出版社，1968 年 4 月），中法漢學研究所通檢叢刊之三，〈佚文〉，卷一，頁 83，出自《文選・西征賦》注。而在馬王堆漢墓帛書的《相馬經》六：「以蒲，毋相其餘」就有一種可能是適用法。參《相馬經》，李敖主編：《中國名著精華全集》（臺北：遠流出版事業股份有限公司，1983 年 7 月），第二十六冊，頁 6。

[45] 勞榦：《漢晉西陲木簡新考》（臺北：中央研究院歷史語言研究所，1985 年 12 月），中央研究院歷史語言研究所單刊甲種之廿七，頁 4，圖版陸釋文。

[46] 孫家洲主編：《額濟納漢簡釋文校本》（北京：文物出版社，2007 年 10 月），頁 85。

[47] 曹錦炎：《古璽通論（修訂本）》（杭州：浙江大學出版社，2017 年 6 月），頁 47。

[48] 羅福頤：《增訂漢印文字徵》（北京：紫禁城出版社，2010 年 6 月），頁 25-26。其中「蒲陽」有作地名者，然此處與頁 24「薛崇之印」、「薛回之印」、「薛賀之印」、「薛廣之印」類同，「蒲」當作姓氏解。

[49] 〔東漢〕應劭：《風俗通義〔附佚文〕》，中法漢學研究所通檢叢刊之三，〈佚文〉，卷六，頁 143。

土文獻與傳世文獻的時代大概能相互契合。以此回顧傳說「蒲」氏的來源，可能會有不一樣的解讀了。

回頭檢視先秦典籍，「蒲」字卻早已出現，比如用其本義為植物名的，如《詩經・揚之水》的「不流束蒲」、〈澤陂〉的「有蒲與荷」、「有蒲與蕑」、「有蒲菡萏」、〈魚藻〉的「依于其蒲」、〈韓奕〉的「維筍及蒲」，《儀禮》中的「蒲筵」、「蒲蔽」（蔽以蒲草）、「蒲菆」（牡蒲莖）、《周禮》的「深蒲」、「葦蒲」、「蒲璧」、「蒲魚」、《禮記》的「蒲席」、「蒲勺」、《春秋左氏傳》的「妾織蒲」、「萑蒲」、「而蒲之愛，董澤之蒲」、「蒲宮」（輯蒲為王殿屋屏），以及《楚辭・天問》：「莆雚是營」，《注》：「莆，疑即蒲字」之類；用為地名的，如《尚書・周書・蔡仲之命》中的「蒲姑」、《周禮・夏官司馬・職方氏》中的「弦蒲（浦）」、《春秋左氏傳》中的「蒲」、「蒲騷」、「蒲城」、「蒲姑」、「蒲隧」、「蒲圃」（場圃名）、「棘蒲」、「蒲胥之市」（市名）之類；用為人名的，如《禮記・檀弓上》的「子蒲」、《春秋左氏傳》中的「盧蒲」、「盧蒲癸」、「盧蒲嫳」、「盧蒲姜」、「州蒲」、「衛蒲」之類；比較特殊的，有用為聯綿詞的如《禮記・中庸》「蒲盧」（細腰蜂）、《戰國策・秦三・范雎至秦》的「蒲服」（即匍匐、伏服、蒲伏）之類；而當姓氏使用的，大抵以複姓居多，如《春秋左氏傳》中記載的「蒲侯氏」（襄公二十三年）、「蒲餘侯」（昭公十四年）、「蒲姑氏」（昭公二十年）之類[50]，以至於先後發展成「蒲衣」、「蒲盧」、「蒲化」、「蒲侯」、「蒲鮮」、「蒲察」、「蒲城」、「蒲姑（一作薄姑）」、「蒲蘆」、「蒲如」、「蒲成」、「蒲圉」、「蒲圂」、「蒲團」、「蒲且」、「蒲餘」[51]諸複姓矣，但卻未見單姓的「蒲」。

---

[50] 中央研究院歷史語言研究所「漢籍電子文獻資料庫」：http://hanchi.ihp.sinica.edu.tw/ihp/hanji.htm。（瀏覽日期：2017 年 10 月 15 日）

[51] 朱則奎：《姓氏簡介》（臺北：自刊本，三民書局經售，1991 年 9 月），頁 240-241；陳連慶：《中國古代少數民族姓氏研究》（長春：吉林文史出版社，1993 年 6 月），頁 288。

　　《姓氏考略》以「蒲」氏一說源於「夏封舜後於州蒲，因氏，望出河東」。
[52]來源頗早，但傳世典籍與出土文獻到目前為止似乎未必能證成。何況姓氏
的來源隨著時空環境的推移轉變，在文字書寫的背後其實是含藏著相當複
雜的元素，有時是夾纏不清的，此給欲圖尋根振葉，推本溯源者造成一定的
困難。比如桑原騭藏就提到阿拉伯人由海上絲路東來時的漢姓「蒲」氏說：

> Abou（abu）之義為「父」。與「子」義之 Ibn。同為阿剌伯人最習見
> 之人名（虎士《伊斯蘭字典》四二九頁）。華人之譯 Abu。多用「阿
> 蒲」或「阿卜」字樣。如阿拔斯王朝之哈利發 Abu Jafar。《舊唐書·
> 西戎傳》作阿蒲恭拂。恭蓋荼之誤（不乃須奈德《古支那人所有之阿
> 剌伯人知識》九頁）。又《明史·外國傳》之蘇門答剌王阿卜賽亦的。
> 乃 abusaid 之音譯（許乃蓋而地名考一八九九年《通報》四七四頁及
> 幾利尼《多利買東亞地志研究》六五二頁）。有時略云最初之母音。
> 僅用一「卜」或一「蒲」字。如伊兒汗旭烈兀之玄孫 Abu Said。《元
> 史·文宗本紀》作不賽因（不乃須奈德《中古研究》二卷十三頁）。
> 又 Abraham 一名。《諸蕃志》卷上（《趙汝适》一四五頁）及元陳元
> 靚《事林廣記》辛集八作蒲囉吽是也。

並引其師坪井博士書《趙汝适之海南島》四至五頁論蒲姓處，在《宋史》四
百九十大食國條下，以「蒲」字當「Abu」者例證如下云：

> P'u Hsi-mi（蒲希密＝Abu' Hamid?）
>
> P'u Ma-wu（蒲麻勿 wu, Canton mat＝Abú Mahamed?）
>
> P'u Ka-hsin（蒲加心＝Abú Kasim?）
>
> P'u Sha-i（蒲沙乙 i, Canton, yit＝Abú Said?）[53]

有趣的是，《姓氏考略》以「蒲」氏源於「夏封舜後於州蒲，因氏，望出河

---

[52] 王素存編著：《姓錄》（臺北：中華叢書編審委員會，1960 年 5 月），頁 171。

[53] 〔日〕桑原騭藏著，陳裕菁譯：《蒲壽庚考》（北京：中華書局，2009 年 5 月），日本學
者中國史研究叢刊，頁 96、97。

東」,「夏封舜後」的三代之說本是一種依託,可以不論。可是出自中東人後裔,宋、元時期東來經商的阿拉伯人,何以取「蒲」字作爲漢姓,除了音譯的關係之外,隱藏在背後是否還有另一層依託?其實,若以從「甫」爲聲符的來考察,至少存有 86 字[54],考《廣韻》上平十一模「酺」小韻下切「薄胡切」收「匍、蒲、莆、樸、菩、蒱、蒲、捕、簙」凡九字,在「蒲」字下云:「草名,似蘭,可以爲席。亦州名,舜所都蒲坂,秦爲河東郡,後魏爲雍州,又改爲秦州,周改爲蒲州,因蒲坂以爲名。又姓,《風俗通》漢有詹事蒲昌。又苻洪之先家池中蒲生,長五丈,如竹形,時咸謂之蒲家,因以爲氏。又漢複姓有蒲姑、蒲城、蒲國三氏,出何氏《姓苑》。」[55]而從《廣韻》的敘述中,可知「蒲」有四個義項:草名、州名、姓及複姓。其他八字則無一當姓氏使用的。至於《集韻》領字「蒲」切「蓬逋切」收錄凡 20 字[56],除「蒲」字外也無一作姓氏用者,雖說沒有選擇性,但追究其實,還是經過選擇的,並非完全或純然依靠其讀音。那麼,這外來的「蒲」姓除了以音對譯外,是否另存有依託寄寓之物藉以區別細分呢?

前引劉志成在《詔安蒲氏族譜》說到詔安蒲氏係由泉州分派,居漳浦沙岡村,後移居詔安,其自稱「河東蒲」,而泉州《蒲氏族譜》也標榜「吾蒲氏,河東角獸」,證明蒲壽庚家族以「河東」爲族號。文中卻隻字未提「角獸」的問題。前此知「蒲」氏追溯早先祖宗發祥地,標記氏族的根源,以「河東」爲郡號堂號,可能是一種依託,即所謂的「標榜」,所謂的「自謂」。但劉氏所言「角獸」又是從何而來?如何解讀?仔細推敲,或有可能與前引的《萬姓統譜》有關。《萬姓統譜》既指出蒲氏郡望及姓氏的根由,特殊的是摻入了姓氏與五音的配置,而「蒲」姓屬五音宮商角徵羽中的「角音」。

---

[54] 參見鄭張尚芳:《上古音系》(上海:上海教育出版社,2003 年 12 月),頁 322-323,從「貐」字到「縛」字凡 86 字,與「蒲」擬音〔baa〕全同者至少 7 字。

[55] 〔北宋〕陳彭年:《新校宋本廣韻》(臺北:宏道文化事業有限公司,1972 年 8 月),頁 81。

[56] 〔北宋〕丁度:《集韻(附索引)》(臺北:學海出版社,1986 年 11 月),上冊,頁 85。

[57]談及五音之事，其實由來也甚久，異說也甚多，對此議題因為篇幅所限於此無法深究。唯《管子》一書曾言及：「聽『宮』如牛鳴窌中，聽『商』如離群羊，凡聽『角』如雉登木以鳴，音疾以清……凡聽『徵』如負豬豕，覺而駭，聽『羽』如鳴馬在野。」[58]雖然等韻圖上把唇舌牙齒喉五聲配合宮商角徵羽五音，最早的等韻圖如南宋鄭樵的《通志・七音略》中，「蒲」字卻屬唇音歸入「羽」音[59]而非《萬姓統譜》的「角」音，可見箇中存有一些差異的。而這「角音」推測後來有可能訛變成「角獸」，再演變成「河東角獸」並以茲代表蒲姓的象徵物之一。

　　關於「角獸」，因為「角」缺乏確切的數詞一或二或三或多角，當然，可以指實為有角之家畜或野獸，如五畜中的牛、羊，而牛羊在一些民族中應是具有象徵意義的，比如古代游牧於中國西部甘、青地區的古老民族羌人，根據《山海經・西山經》的記載，係由崇吾山經三危山、積石山、玉山到翼理山一帶，當地居民所供奉的神「狀皆羊身人面」。這種圖騰形象，在羌字的構形中維妙維肖地被古人刻畫出來。[60]或如春秋晉平公時樂師師曠鼓「清角」之音時，一奏有玄雲從西北方起；再奏之有大風至，大雨隨之，裂帷幕，破俎豆，墮廊瓦，坐者散走……可見這種「角」在古人眼中，被認為是可以感召風雨雲水，巫術性、戰鬥性極強。所謂「清角」，就是用牛角做成的號角，其聲音非常高亢洪亮，可以驚天地，泣鬼神。……傳說「清角」這種號角是用牛形英雄蚩尤頭上的角做成的。可見不僅是牛角，單是用牛角做成的號角發出的聲音，就足以令邪魔惡鬼心驚膽顫[61]。是牛亦具有神奇象徵性。

[57] 〔明〕凌迪知撰：《萬姓統譜》，李學勤主編：《中華漢語工具書書庫》，第七十四冊，頁271；書前頁3〈凡例〉。

[58] 〔周〕管仲撰、〔明〕凌汝亨輯評：《管子》（明萬曆庚申〔四十八年，1620〕吳興凌氏朱墨套印本），卷十九，頁2-3。

[59] 〔南宋〕鄭樵：〈七音略〉，《通志》，卷三十六，頁516。

[60] 陳榮：〈獮豸冠與羌人圖騰崇拜〉，《青海師範大學學報（社會科學版）》，1997年第1期，頁117。

[61] 趙唯：〈漢畫中獸角的民俗文化意蘊〉，《南都學壇（人文社會科學學報）》，2009年第5

但方諸五靈中的獨角「麒麟」,[62]可能就要略遜一籌了。

　　若把「角獸」視作「麒麟」,關於「麒麟」,大家最熟悉的莫過於魯哀公十四年的「西狩獲麟」了。「麒麟」是含仁懷義的「仁獸」,乃「聖王之嘉瑞」,歷來討論的很多[63],但對於「西狩」之「西」,則簡淡看待,如《春秋‧哀公十四年經》載「西狩獲麟」,《傳》則作「十四年春,西狩於大野」,《注》以「大野在魯西,故言西狩」,並指實為「大野在高平鉅野縣東北大澤也」,但到了《疏》引服虔說則認為「西者,有意於西,明夫子有立言,立言之位在西方,故著於西也」。[64]尤其《公羊傳》、《穀梁傳》對此有一段耐人尋味的話,《公羊傳》說「十有四年春,西狩獲麟。何以書?記異也。何異爾?非中國之獸也。」解云:「謂有聖帝明王然後乃來,則知不應華夏無矣,然則以其非中國之常物,故曰非中國之獸」;《穀梁傳》則以「狩地不地,不狩也。非狩而曰狩,大獲麟故大其適也。其不言來,不外麟於中國也。其不言有,不使麟不恒於中國也。」[65]由此可見,「麟」是仁獸,在聖帝明王時才會出現,是具有一種象徵意涵,且「非中國之獸」[66],當然中國也可有,但不恒

期,頁20。

[62] 王暉:〈古文字中的「慶」字與麒麟原型考──兼論麒麟聖化為靈獸的原因〉,《北京師範大學學報(社會科學版)》,2009年第2期,頁64。文中主張「麒麟」頭頂部只有一隻角,古人認為其與鹿屬動物相似,其原型有人推測是印度的犀牛。

[63] 如王暉:〈古文字中的「慶」字與麒麟原型考──兼論麒麟聖化為靈獸的原因〉,《北京師範大學學報(社會科學版)》,2009年第2期;王紅梅:〈漢代獨角鎮墓獸造型中的民族文化元素探析〉,《絲綢之路》,2015年第16期,頁26;郭靖:《漢畫像石中神話動物及功能》,《南都學壇(人文社會科學學報)》,2014年第3期,頁122-123。

[64] 〔周〕左丘明傳、〔西晉〕杜預注、〔唐〕孔穎達疏:《重栞宋本左傳注疏附校勘記》(臺北:藝文印書館,1979年3月),第六冊,頁1030-1031。

[65] 〔西漢〕公羊壽傳、〔西晉〕何休解詁、〔唐〕徐彥疏:《重栞宋本公羊注疏附校勘記》(臺北:藝文印書館,1979年3月),第七冊,頁355;〔西晉〕范寧集解、〔唐〕楊士勛疏:《重栞宋本穀梁注疏附校勘記》(臺北:藝文印書館,1979年3月),第七冊,頁205。

[66] 王紅梅:〈漢代獨角鎮墓獸造型中的民族文化元素探析〉,《絲綢之路》,2015年第16期,頁25-26中曾言及漢代古籍有記載的西域的獨角獸造型是桃拔,又名天祿。《漢書‧西域傳上‧烏弋山離國》:「有桃拔、師子、犀牛。」顏師古《注》引孟康:「桃拔,一名符拔,似鹿、長尾,一角者或為天鹿,兩角者或為辟邪。」由此可知,天祿是來自西域的動物。……麒麟、天祿這類鹿形獨角鎮墓獸具有外來文化的基因,即吸收了西域文化和藝術造型的元

常，且「位在西方」，而特別註明「西方」。

另外，「角獸」也可能指的是「角端」，乃與「麒麟」類似的奇獸，又作「角猯」、「角貓」、「角𪊨」、「甪端」。觀《易·晉》上九「晉其角」下，孔穎達《疏》云：「晉其角者，西南隅也。」宋代周密《癸辛雜識續集·西征異聞》嘗載及成吉思皇帝西征，度流沙萬餘里，其地皆荒寂無人之境，忽有大獸，其高數十丈，一角如犀，能人言⋯⋯左右皆震恐，耶律楚材隨進云：「此名角猯，能日馳萬里，靈異如神鬼，不可犯也。」帝為之回馭。又《宋書·符瑞志下》云：「角端者，日行萬八千里，又曉四夷之語，名君聖主在位，明達外方幽遠之事，則捧書而至。」清人厲荃《事物異名錄·畜獸·麒麟》引《湧幢小品》言「麒麟一名角端」。另按《輟耕錄》言「角端，麟屬。」又元人吳萊《大食瓶詩》：「角猯獨不出，記取西征年。」《史記·司馬相如傳》：「獸則麒麟角𪊨」，裴駰《集解》云：「郭璞曰角𪊨，音端，似豬，角在鼻上，堪作弓，李陵嘗以此弓十張遺蘇武也。」漢代陳琳〈武軍賦〉：「其弓則烏號越耗，繁弱角端。」《後漢書·鮮卑傳》：「又禽獸異於中國者，野馬、原羊、角端牛。以角為弓，俗謂之角端弓者。」李賢《注》：「角端似牛，角可為弓。」《三國志·魏志·鮮卑傳》「鮮卑」裴松之《注》：「其獸異於中國者，野馬、羱羊、端牛。端牛角為弓，世謂之角端也。」所謂「角」屬「西南隅」，「角端」能通曉四夷之語，明達外方幽遠之事，在明君聖主在位時才會捧書而至，也隱約透露出某種非中國的「遠方異物」訊息。[67]

素。

[67] 可參王平：〈對「角端」與成吉思汗西征退兵的探討〉，《黑龍江史志》，2015年第5期，頁39，言據《元史·太祖紀》載：「十九年甲申，帝至東印度國，角端見，班師。」此事元時及後人記載紛雜不一：《元史·耶律楚材傳》云：「甲申，帝至東印度，駐鐵門關，有一角獸，形如鹿而馬尾，其色綠，作人言，謂侍衛者曰：『汝主宜早還。』帝以問楚材，對曰：『此瑞獸也，其名角端，能言四方語，好生惡殺，此天降符以告陛下。陛下天之元子，天下之人，皆陛下之子，願承天心，以全民命。』帝即日班師。」宋周臣所撰耶律公〈神道碑〉所記與此相同，蓋《元史》本出〈神道碑〉。《蒙古源流》云：「成吉思汗將進征額納

　　當然，這種別為標識寄寓依託的分辨手法，一如蒲本是蒲草，或許為了區別「荷」姓之「蒲」，臺灣蒲氏宗族改用筆（蓮）蒲為姓花。所謂「蒲葵，乃吾姓姓花，象徵長青永健，挺拔雄偉，根葉果實皆有用之材。」[68]但除了象徵「長青永健，挺拔雄偉」的「有用之材」外，其實也與蒲姓的發源地及其幽邈的時代有關，按《說文》訓「莆」為「萐莆也。从艸甫聲」，至於「萐」字，《說文》則解為「萐莆，瑞草也。堯時生於庖廚，扇暑而涼。」[69]《義證》引《孝經援神契》云：「王者德至山陵，則澤阜出萐莆。」《春秋潛潭巴》：「君臣和得，道度叶中，則萐莆生於庖廚。」《孫氏瑞應圖》：「萐莆，王者不徵滋味，庖廚不踰深盛，則生於庖廚。……堯時冬死夏生，舜時生於廚。」又《白虎通・封禪篇》：「萐莆者，樹名也。其葉大於門扇。不搖自扇。於飲食清涼，助供養也。」[70]而不管「堯時生於庖廚」，或「舜時生於廚」，這種「瑞草」或「瑞樹」可都與明君聖主有關呢！

特阿克，直抵齊塔納凌嶺之山脊，遇一獨角獸，名曰塞魯，奔至汗前屈膝而叩。汗曰：『彼額納特阿克乃古昔大聖降生之地，今奇獸至前殆上天示意。』遂振旅而還。」宋周密《癸辛雜識》「西征異聞」云：「成吉思皇帝常西征，渡流沙河萬餘里，其地皆荒寂無人之境。忽有大獸，其高數十丈，一角如犀，能人言，忽云：『此非汝世界，宜速還。』左右皆震恐，耶律楚材隨進云：『此名角端，能日馳萬里，靈異如鬼神，不可犯也。』帝為之回馭。」《王國維文集》第四卷〈耶律文正公年譜〉辛巳年下云：「予案，《庶齋老學叢談》引耶律〈柳溪詩〉云：『角端呈瑞移御營，扼吭問罪西域平。』自注：『角端日行萬八千里，能言曉四夷語。昔我聖祖皇帝出師問罪西域，辛巳歲，駐蹕鐵門關。先祖中書令奏曰：五月二十日晚，近侍人登山見異獸，二目如炬，鱗身五色，頂有一角，能人言，此角端也，當於見所備禮祭之，仍依所言□□則吉云云。』」另外劉益明：〈裝飾藝術中的瑞獸「甪端」形象探研〉，《湖南工業大學學報（社會科學版）》，2009 年第 2 期，頁 146 中也提到〔唐〕瞿曇悉達《開元占經》，卷一百一十六〈獸占一周市角端〉：「《瑞應圖》曰：『周市者，神獸名也。星宿之變而見，王者德盛則至。又曰：角端日行萬八千里，能言，曉四夷之語，明君聖主在位，明達方外幽隱之事，則角端奉書而來。』〔南宋〕羅願《爾雅翼》，卷十九〈釋獸〉：「角端，宋《符瑞志》曰：角端日行萬八千里，又曉四夷之語，明聖在位，明達方外幽遠之事，則奉書而至。此乃異物，非以角為弓者。」〔韓〕檀國大學校附設東洋學研究所編：《漢韓大辭典》（首爾：檀國大學出版部，2008 年 9 月），第十二冊，頁 632。

68　蒲發軔：《蒲姓族譜第一冊》，頁 8。

69　〔東漢〕許慎撰、〔清〕段玉裁注：《說文解字注》，頁 22。

70　〔清〕桂馥：《說文解字義證》（濟南：齊魯書社，1987 年 12 月），頁 48。

三　結論

　　總而言之，「蒲」字從目前出土文獻來看，並不像傳世典籍般那麼早出現的，遲至戰國時期秦系文字才有的，而當作姓氏使用的時間則更晚，要推遲到漢代才得見以「蒲」為姓的，此與《風俗通義》所記載相符，也與「河東」於秦漢建郡的時間若合符契。至於宋、元時期東來經商的阿拉伯人取「蒲」為漢姓，除了譯音之外，其實「蒲」字尚潛藏有西方的意象與親水性，可有另一層寄寓和依託。至於泉州《蒲氏族譜》所標榜的「吾蒲氏，河東角獸」，「河東」族號本是一種依託，為求分別，另以「角獸」析出其異，而不管「角獸」係指「角端」或「麒麟」，其實皆具神性靈物，也或許暗寄此物處「西南隅」，能通曉四夷之語，明達外方幽遠之事，於明君聖主如堯舜在位時乃捧書而至，並隱約透露出非屬中國的「遠方異物」訊息！其所以要「自稱」而不是公認，要「標榜」而非明實，推想其餘，或許有那麼一點意圖，想藉由典籍建構的傳說人物來依託理想，所以「蒲」與「角獸」、「蒲葦」不約而同的指涉都指向西方，指向明君聖王，這恐怕不是無的放矢，也可由此窺知史實與依託交錯織就的端倪與痕跡，或許也與墓碑「正吳背蒲」的「暗寫手法」，如出一轍矣！

　　原文發表於華僑大學、香港大學、中國社會科學院文學研究所主辦，華僑大學文學院、香港大學饒宗頤學術館承辦：「中華文化與絲路文明暨第三屆饒宗頤與華學國際學術研討會」會議論文集，廈門：華僑大學，2017 年 11 月 21-23 日，頁 268-279。（高佑仁校對）

附錄篇

花氣渾如百和香——龍宇純先生[1]側記

一　引子

　　年後上臺北幾天，初四早上到臺大教職員宿舍拜望先生。探牆出來的紅櫻繽紛滿枝，灑了一地的落紅。先生雖中風多年（2003 年不幸中風），但師母照顧有加，看起來精神溫潤，氣色清暢。閒聊中，先生含笑細聽，偶有意見，空中指劃，師母總心領神會，代為轉述，先生依舊笑著，不時點頭。告辭時，先生忽地拄起拐杖，入了書房，將出疊起的素宣，示意要我打開，映入眼簾是那整飭的楷體書上杜甫〈即事〉詩中句：「雷聲忽送千峰雨，花氣渾如百和香。」並鈐「龍」、「壽」、「宇純九十以後作」、「病臂臨池活」的篆書朱印，這讓我聯想到先生不也面對那乍雷猛雨的喧囂撞擊，卻修成了「花氣百和」的圓融芬芳，挺出了一種人生的精神。

二　學博思深

　　第一次見到先生，是在參加臺大中文博士班入學口考會場上。當時學界盛事，是臺大和師大兩校教授的交流，臺大的葉慶炳先生到師大國文研究所開「中國文學史專題討論」的課；師大的汪中先生也到臺大中國文學研究所講授「杜詩研究」，非常地轟動。因為修了葉先生「中國文學史專題討論」的緣故，在「魏晉小說專題報告」中以「《旌異記》考異」為題，主要談魯迅《中國小說史略》中有關「隋」朝侯君素《旌異記》裡頭摻雜了很多後來「宋」代的材料，取捨的不當造成評論判斷上的錯誤，得到葉先生公開的讚

---

[1] 以下為敘述明確，直稱師長名諱，並無不敬之意，謹此宣明；而臺大中文系對尊敬的老師教授不分性別皆以「先生」稱之，此處亦作如是觀。

賞，並建議我稍作修改投到《中外文學》去（直到現在，還是沒動，有點愧對葉先生的好意）。1983 年 2 月手寫完 1028 頁的碩士論文《《商周金文錄遺》考釋》後，整個人好像被榨乾，不敢再看自己的論文。可是，讀個不高不下的碩士對我來說，也似懸在半空中，感覺求學的歷程尚未完成，於是，在經濟能力許可的範圍內，我只報考了臺大。

記得那天與教授群的面試是排在早上的十時半到十二時，可是有些延誤，近十一時，門開了，有個考生掩著面哭著衝出來，頓時讓我緊張惶懼不可名狀。喚我進去時，威嚴一列七人在前（後來才知葉先生是所長，餘六位先生是龍宇純、丁邦新、張以仁、梅廣、林文月和廖蔚卿教授）。一般來說，口試會先看考生的屬性，由幾位專業領域相同或相近的先發問，其他則再補問，用以觀察評騭考生的研究質素與潛力。說真的，第一個問題就嚇我一跳：「請問你為何只報考臺大沒報師大？」我愣了一下，心想，在師大讀了三年半，總不能像學長一樣狂恣地批判而遭「欺師滅祖」之譏；況尚未進臺大，也不能說臺大如何如何……雖然當年碩士班入學考，臺大和師大撞期，臺大是我的「未竟之夢」！但這不宜道出，只好硬著頭皮說：「這是我個人的選擇，我拒絕回答這個問題。」空氣一下凝住了，還好葉先生幫我圓了場，忙不迭地說尊重我「個人的選擇」；可第二題也令人頭大：「你的碩士論文是用文言文寫的，為何你的研究計畫用白話文？」打從進師大，觸處皆用文言文，點《十三經注疏》的箚記用文言文，期中期末試卷答題用文言文，期末報告也用文言文，何況讀的大抵也是文言文！浸潤膚受之下，習焉不察；但，我是知道臺大以白話文為主，所以又大膽地回說：「文言文是我們師大的傳統，但我也能寫白話文。」老師們又盯著我直看……漫長的口試結束隔天晚上，全部考生的成績就會在系辦公室的黑板上公開透明地登錄統計排序，考生都可以去觀看，跟現在選舉開票的過程很像。沒想到，錄取五位博士生中我竟然排序第二，而且龍先生要收我為弟子。這讓我第一次感受到臺大學風的

不凡：自由、開放、包容、尊重與理解的氣度；而龍先生竟然要收這麼「嗆」的學生。

　　進臺大中文博士班就讀，沒上過先生講授的「文字學」，倒修了「荀子研究」的課。本來師大章、黃學派頗講究「義理、辭章、考據」三者能並，且是從「考據」立基的；另外師大也重「博通」，點讀《十三經注疏》與《史記》、《漢書》、《說文解字》即是訓練的一環。尤其修習學分頗多，每到期末，短短一個月得交個十篇論文，也就是三天一篇，工夫逼得緊。但臺大給我的感覺頗不一樣，文本的逐篇閱讀討論是課堂上的事，直入本心，了解初意，字斟句酌，學期一開始就形塑期末報告的根基。在師大時，為了解決點書的句讀問題，多少會參閱新標點本；但修這堂課，除了先生給的教材外，還得參酌不同版本的解說來發現一些疑點，如王先謙的《荀子集解》、李滌生的《荀子集釋》、梁啟雄的《荀子簡釋》……當然，課堂聽講以「沉默」居多，偶有所見，惴惴提出，先生則每每頷首稱是，慈藹乍現，不以為忤。先生所撰的《荀子論集》、《荀卿子記餘》，為求真、求善，嚴謹審慎，不惜回還往復，思慮再三，透過鍥而不舍的推敲撞擊激發出美善深熟的成品。這種改之又改，追求盡善盡美完全極致的態度，在先生所撰的《中國文字學》中體現得更清楚，從 1968 年香港崇基書店初版，其後屢經修訂（所謂四年後增訂，又十年後再訂），直至 1994 年才由臺北五四書店出版定本，這種與時俱進，不憚煩改，好學深思，研究不輟的精神，可不是一般人做得來的，所以復旦大學裘錫圭教授要推崇為「創見迭出，勝義紛呈」的不刊之作了。近年出版的《龍宇純全集》中，如《說文讀記》、《中上古漢語音韻論文集》、《絲竹軒詩說》、《韻鏡校注》、《廣韻校記》、《絲竹軒小學論集》、《唐寫全本王仁昫刊謬補缺切韻校箋》……無不折射出如斯的學博思深底蘊。

三　人雅政寬

　　先生在臺大中文系時，曾兼任系所主任的行政工作，但我進臺大中文研究所也晚，未能躬逢其盛。另先生於 1980 年受中山大學李煥校長邀請，協助規劃籌組成立中國文學系，從臺大借調到中山大學擔任首屆系主任，我也沒有機會觀其運籌帷幄。先生於 1989 年從臺大退休時，我正撰寫博士論文，曾惶惑地問先生他退休我怎麼辦？他回說：「放牛吃草！學問靠自己！」呀！一語驚醒夢中人！真乃「師父領進門，修行在個人」，爾後海闊天空，山綠水長，需展翅高翔，練就「獨立研究」的能力。當然，畢業時先生已退休，按規定指導教授只好委請時任所長的黃啟方先生合掛。

　　1991 年我取得博士學位後，有機會到古都臺南的成功大學中國文學系任教，並應中山大學文學院院長鮑國順教授之邀，每週到中山大學中文系日、夜間部講授「文字學」的課。記得第一次到中山大學，穿過幽深清冷的長隧道，盡處是高聳蒼鬱的石壁擋著，轉個彎，眼前出現由下往山上延伸的巍峨紅磚建築，中文系就在裡頭。面對著碧波千頃的西子灣，朝夕聽濤觀星，宛似抱在母親懷裡，感覺既優美又浪漫，幸福得緊。報到時，接觸的人物親切，設想周到，體恤入微，比如我只是兼課，竟然在地下一樓有間頗大的研究室，雖是跟駢文名家張仁青先生同室，但因授課時間錯開，也就是每人都有完整獨立的空間可供備課。更令人驚訝的是，報到第一天就能領到整學期的交通費，且寬綽有餘。當然，我也注意到整個學習環境的經營，一應俱全，設備完善，尤其書法教室更令人驚艷，窗明几淨，牆上掛著學、書雙美的大家作品，如臺靜農先生、戴君仁先生、王叔岷先生……墨寶，彷彿循循善誘的溫厚長者俯瞰著學子……我想，一種學風的建立，並非一蹴可幾的，而軟、硬體的兼顧更不易為，在充滿人文精神的教職員身上，在活潑開朗，溫文恭敬的學子行止中，依稀映現著那披荊斬棘，蓽路藍縷的創系主任的從容大

氣，恢弘意圖，真乃居功厥偉呀！

四　藝精情長

　　1989 年先生自臺大中文系退休後，隔年應聘到東海大學中文研究所擔任講座教授，直到 1999 年聘約期滿。這期間有件事讓我印象相當深刻。

　　大家都知道，先生與愛女龍乃馨老師是京劇名票友，據「文化中國—中國網」報導，父女倆曾在 1993 年榮獲「北京國際京劇票友電視大賽」最高的金龍獎，在 14 國近 700 名選手的激烈角逐中脫穎而出，造成轟動，傳為美談。當時臺大中文系除先生外，楊承祖先生也是箇中好手，曾在臺北中山堂觀賞過他扮演〈三娘教子〉中的家僕薛保，散場時大家開玩笑揶揄他說「一跪得分三段」，是不是食糧都被您吃了？楊先生竟不以為忤，呵呵大笑！至於先生擅長京劇，可說是家學淵源。先生老家安徽望江舊屬安慶府，是京劇創始人程長庚先生與「安慶花部」徽班的故鄉。先生的父親也因地制宜，置辦衣箱，聘請名師，籌組國劇社，在這樣的家庭氛圍薰陶下，先生六歲已學會〈黃金臺〉、〈轅門斬子〉等戲，係宗余派兼學楊派。來臺後，在繁冗的教學與研究之餘，先生游於藝則獨鍾京劇，堅持參加臺大教職員京劇票房活動每年一次的公演。擔任臺大中文系系主任期間，也帶領師生三十餘人合演《四郎探母》，並自演〈坐宮〉中的四郎；我曾觀賞過先生飾演〈文昭關〉中的伍員，唱腔蒼勁悲涼，演得入木三分，令人盪氣迴腸，果然名不虛傳。

　　有一年，先生來成大中文系演講，系上梁冰枏先生的父親梁小鴻先生在成大建築系任教，剛好在藝文櫥窗展覽水彩油畫作品，父女倆都是京劇名票友，再加上系上謝一民先生與夫人馬驦驦女士都是京劇高手。晚飯後，諸先生齊聚鳳凰劇場，二胡一拉，從黃昏唱到晚上，從晚上唱到深夜，坐在臺下觀賞的我強撐到十一時多，想明早先生有課，擔憂他深夜趕回東海大學會不會體力不濟？可看先生放懷快意，神采飛揚，興致正酣，也真不好打斷。突

然先生想起什麼似地，目光朝我這邊望幾眼，樂音乍歇，倏地站起，忙收起道具樂譜，雖興未減卻只能打道回府，清月相隨了。從他身上，我們讀出了前輩學者是如何調和精深的學問與文人的雅致，這也是目前日趨專業窄仄的學術追索中式微了的樣態。先生曾玩笑的說：「以後收學生，要會唱京劇。」唉！誠難！

五　語餘

先生與同仁相處如何？非我所能置喙。倒有一事或許是最佳註腳。1993年 10 月我受張光裕先生之邀，第一次出國參加香港中文大學中國語言及文學系舉辦的「第二屆國際中國古文字學研討會」，發表了〈釋「凡」與「凸凡凵广」〉一文。當時研究《紅樓夢》聲名大噪的吳宏一先生正在香港中文大學擔任文學院院長。素昧平生，又是後生晚輩，他非但邀請我四處參觀，而且還請我在會員制的教授餐廳用餐，談去哈佛與香港任教的趣事……我真是受寵若驚，感激莫名。返臺後修了一封信致謝，他也溫厚地回了一函，我珍藏至今。原來臺大教授是如此這般地愛護學生，只因我是「臺大人」，只因我是「龍先生指導的學生」，愛屋及烏，而蒙受如斯的厚愛。信中說：「香江一晤，飛鴻雪泥，偶然之事耳。語文教育，看似容易卻艱難，最宜小心。臺灣學界頗有人勇於自是而輕於侮昔，此風實不可長。龍宇純先生治學嚴謹，為人方正，君為其高足，自當以為榜樣。古文字學名為『小』學，實則非小，正待今日之青年學者恢弘開拓之也。」所言皆當時談論事，而諄諄告誡，深深期許之長者風範，也溢於言表，尤其箇中概括龍先生「治學嚴謹，為人方正」，不正是臺大校訓標舉的「敦品勵學」嘛？先生在吳先生的心目中，就是個「榜樣」，也是個「典範」呀！

當然，能與先生相互扶持頡頏的，正是夫人杜其容先生，精通語言聲韻之學的她，在先生中風喪失語言能力之後，不厭其煩，耐心照拂：「這是耳

朵，這是鼻子……」一字字地複習著，在她身上，我們讀出了令人動容的樂章，「執子之手，與子偕老」，那無怨無悔，相伴相隨，您指畫，我意會，若不是長年守著歲歲月月，共硯同讀，才思相酬，焉能靈犀相通？書寫這融合無間，渾成一體，蕩漾著無比深長醇厚的情韻，即連遭際那千峰雷雨的狂暴肆虐，卻依然幽吐著馥郁無比的百和芳氣。《詩・小雅・天保》說：「如月之恆，如日之升。如南山之壽，不騫不崩。如松柏之茂，無不爾或承。」拳拳之心，區區之筆，雖不能言及萬一，但衷心祝願二位先生上上壽，「與天地兮比壽，與日月兮齊光」矣！

原文發表於《國文天地》第 402 期（龍宇純、杜其容教授九十雙壽祝賀專輯），臺北：萬卷樓圖書股份有限公司，2018 年 11 月，頁 19-24。（邱郁茹校對）

一樹長存萬古青──談許錟輝老師的古文字學

　　六月一日晚上，老師的足音漸漸走遠，沒入那深邃悲傷的黑暗之中；可是，老師的人格精神、學術文章卻不斷的擴大光圈，萬古永存。

　　與老師結下師生緣，起自 1979 年考上臺灣師範大學國文研究所，時任所長的李鍌教授提醒大家不要再拼命往文學方向擠，應當有人研究較冷門的經學和小學，自忖細心耐心有餘而才氣不足，於是選擇了小學，並恭請老師指導。期間我因結婚、懷孕、生子而唸得比同儕久，撰寫的碩士論文《《商周金文錄遺》考釋》又有 1028 頁之多，的確費了老師不少的心力。爾後執教成功大學中國文學系，因講授「文字學」、「訓詁學」的關係，採用老師所撰的《文字學簡編──基礎篇》為教本，期間又與老師及諸友人訪察上海各大博物館與蠡宮名勝，謦欬相隨之下，對老師的瞭解又稍進一層。

　　誠如老師在臺南大學第 18 屆傑出校友獎致辭中自道的，他一生默默耕耘，克盡職守，平淡中見真純，篤實中寄至道，乃學校之師的典範。他的學問是方的，但氣度卻是圓的；為人是方正的，但性情卻是圓潤的。他堂廡恢弘，氣象廣大，卻謙沖自牧，博蒐眾採，故能海納百川，別開生面，鎔鑄無形，影響深遠。大家都知道，中文領域中的「小學」，屬「實事求是」之學，是理性更重於感性、深具科學質素的，也是最重根基篤實，厚積薄發，此從老師的學思歷程，也可窺見一斑。

　　老師大二時受哥倫比亞大學留學歸來講授「文字學」的高鴻縉先生啟發，對文字產生濃厚的興趣；而碩、博士論文則由章、黃學派的正宗傳人林尹先生指導，紮下文字、聲韻、訓詁之學的厚實基礎；箇中更親受魯實先生的長年教導，薰習浸潤在甲、金文的疑義辨析，正補《說文解字》的學問上，既打破了門戶之見，又回歸到文字形音義的本初，所謂轉益多師，取精用弘。魯先生曾撰有《文字析義》、《說文正補》、《假借遡源》、《轉注釋義》

等專書，其創通義類，引據詳瞻，尤其在戴震、段玉裁「四體二用」說的席捲下，勇於獨標新幟，主張「四體六法」，用與六書皆造字之本遙相呼應。觀老師所撰《文字學簡編——基礎篇》（1999年），考鏡源流，既有師說的繼承，又有友朋的新見，兼容並蓄，融會貫通，執簡馭繁，博綜約取，能在章、黃學派的架構下，做實質上的補苴修正，闡明發皇，深得其精髓，並留下新時代研究成績的印記。

其實，在撰成《文字學簡編——基礎篇》之前，老師已有《師專文字學》（臺北：中華出版社，1974年）、《文字學導讀》（臺北：康橋出版事業公司，1979年）、《國學導讀——文字學》（臺北：三民書局，1993年）的前置作業，並有〈評述龍宇純著《中國文字學》〉之作，可見一書功成，是要經過綜合歸納，比觀參見，不斷推敲，不斷修正，千錘百鍊而成的。除此之外，老師攸關文字學論著尚有：《說文解字重文諧聲考》、《說文重文形體考》、〈說文重文形體考序篇〉、〈形聲釋例（上）〉、〈形聲釋例（中）〉、〈說文「以為」考〉、〈形聲字形符之形成及其演化〉、〈說文脫序文字釋例〉、〈說文訓詁釋例——以《說文》釋「以為」諸字為說〉、〈許慎造字假借說證例〉、〈《說文》形聲字聲符不諧音釋例〉、〈《說文》形聲字聲符不諧音析論〉、〈說文段注假借說述議〉、〈段玉裁引伸假借說平議〉、〈《說文》會意字補述例釋〉、〈《說文》訓詁條例之二——補述例釋〉、〈形聲字形符表義釋例〉、〈形聲字聲符表義釋例〉、〈說文訓詁條例之三——又說例釋〉、〈《說文》段注形聲字聲符兼義述議〉、〈轉注造字說綜論〉、〈《說文》訓詁條例之四——《說文》引經例述（以引《尚書》例為說）〉、〈《說文》訛誤釋例〉、〈《說文》「从某、象形」例及其相關問題之探討〉、〈《說文》「从某聲、象形」及其相關諸字之探討〉、〈從四體六法說看形聲〉、〈《說文》同形字探究〉、〈《說文》簡化字的類型及其對漢字發展的影響〉、〈《說文》形聲字形符繁縟釋例〉、〈《說文》釋義變例舉要——以一曰類及疊釋多義類為討論範圍〉、〈《說文》引揚雄《方

言》不見字詞考徵〉、〈馬氏《說文解字》之訓詁例述補〉、〈魯實先先生轉注釋義述例〉、〈魯實先先生《假借遡原》釋例〉、〈漢字演化規律中的盲點之一——型多文〉、〈漢字字體單一化的省思〉、〈一二三四學問大：從文化傳承看漢字的形貌與內涵〉、〈《字彙補》俗字析論〉、〈臺灣地區語文工作綜論〉、〈文字學對錯別字辨正上的應用〉、〈兩岸標準字體同異比較述要〉、〈識繁寫簡之我見〉……林林總總，琳瑯滿目，可是關注的焦點頗集中在《說文》與六書義例的探討，完善它的體例，兼及漢字標準字體與俗字的辨正上，可謂著述不輟，精義日出，令人敬佩！而編纂《甲金文會錄》、《民國時期語言文字學叢書》、《中國語言文字研究輯刊》，以及執行科技部計畫如 1995 年的《兩岸標準字體之比較研究》、1997 年的《字彙補俗字研究》、1998 年的《龍龕手鑑綜合研究——龍龕手鑑之體例研究》、2003 年的《明鈔本俗字輯證》等，可窺其孜孜矻矻，乾乾不息的精神，乃極盡所能，發揚所學，貢獻所長，服務學術界，真個大公無私，沾漑眾多，可為後學的表率。當然，老師鮮少直接拈出古文字方面的研究，而是寓寄在諸書眾文之中，若能觀其來龍去脈，探賾索隱，就可理洽義明，通透有得矣！

　　身為學人的典範，學術就是他的生命！一如汪中老師所頌讚的：「高林魯大老，督業授簡編。學成振鐸音，鏡象已離銓。門下多高弟，所傳一得專。灼灼桃李華，燦燦何鮮妍。」老師雖身形已杳，凌空而逝，但學術命脈卻不斷傳衍播散，精神感召能永存萬古，猶如那參天大木，屹立著雄偉壯闊的姿態，令人仰望，無不肅然起敬！而伸枝展葉，培育士子，嘉惠後學，不也蓊鬱成林，青翠無際。回想起校園中乒乒乓乓的足音……回想起批閱我碩士論文連趕七天七夜的辛勞……回想起上海豫園街邊枯等諸生逛街半天而無一句責尤……此等修養境界，實非常人所及。一樹堅實，萬古長青，懷念恩師，何能已乎！

原文發表於林文慶、陳姞淨、陳怡如主編：《悼許教授錟輝逝世紀念文集》，2018 年 6 月 17 日，頁 76-77。（莊惠茹、郭妍伶校對）

小學於今盡坦途——記伯元師二三側影

八月十一日週六清晨，細雨霏霏，踩著自行車到系館，瞥見臺北下來的姚老師榮松已在會議室低頭看資料，正等著九點十分即將進行的「2012 歌仔冊學術研討會」開幕式，走進會場時，他迫不及待地跟我邀即將為伯元師出版「紀念」文集的稿，後知後覺的我才知曉老師已於八月一日離我們而去了……一時心緒翻騰，萬想排空，堵在胸臆難以宣懷。

入夜返家進了書房，擡頭望見保存尚稱完好的「廣韻研究報告」——〈聲二十五通例疏證〉、〈蘄春黃氏正韻變韻表之修訂〉二文，工整的鋼筆字，手工線裝的封面，是當年臺灣師範大學國文研究所流行的報告式樣。大學唸淡江文理學院的我，畢業後轉戰各地，希望才情得售，於一九七九年「外銷」到國學重鎮的師大國文研究所。記得當時先在景美分部上課，之後再遷回和平東路的校本部，碩士班修習過伯元師的「廣韻研究」、「古音研究」，就在行政大樓左側具典雅風格的教室上課，可惜現在已拆除。當時所長李爽秋先生常常耳提面命說，師大人要「義理、辭章、考據三者能並」，而在伯元師身上，學子們謦欬相隨，感受到這三者出神入化的體現，典範夙昔，尤其是《廣韻》兩百零六韻反切上下字的系聯、《詩經》韻腳的歸納，是每位研究生焚膏繼晷，孜孜矻矻必蹲的基本功，底盤沉穩，令人印記深刻，後來我在臺灣大學取得博士學位回母校淡江大學教「聲韻學」，一方面是受恩師龍宇純先生的影響，另一方面也得益於伯元師的教誨，這種「不言之教」，如風之行草之偃，微微而自然，也是痕跡不著。

當然，老師學生眾多，本有上中下品之分，指導博碩研究生上百人，亦有親疏遠近之別。我忝為下品末材，有機會站在「美感的適中距離」來觀察。就目前經歷所見，師生情誼之深之切，在伯元師與仲溫學長之間有具體而微的映現。當時師大、政大、文大的研究生因同修林景伊、高仲華、陳伯元老

師的課，同窗共硯，群策群力編字典，培養出積澱深厚的情誼。後來孔仲溫學長執掌中山大學中文系主任，雄姿英發，卻突然離世，學期中幫他代課的我，依稀記得告別式上伯元師聲淚俱下難以繼續的哀祭文，「天喪予！天喪予！」的控訴悲慟，真是摧心拉肝，感人至深，所謂「有慟乎？非夫人之為慟而誰為！」其真情至性的流露，容非理想斬斷焉能至此？其中所透顯出的師徒間無比珍重愛惜之情與承傳發揚之遺憾，使觀者無不動容！而伯元師宛如成大榕樹般，在「群賢畢至，少長咸集」圍繞中，以其華蓋茂枝為小學命脈的永續推展，護蔭後進，獎掖來者，不遺餘力，即連魯鈍如我，亦同享老師的無邊厚愛與關懷。

伯元師上課時神采飛揚，飽含滋味，這應是長期浸淫膚愬經籍文集而凝結成的從容自信，他講聲韻學如是，談東坡詩詞亦如此，甚至兩者合轍融一，羚羊挂角，使人神馳情往，暢游古今天地。記得當時他最常講的是，東坡在宋神宗元豐二年放舟金山時所作的〈大風留金山兩日〉詩：「塔上一鈴獨自語，明日顛風當斷渡。」尤其老師將「顛風當斷渡」拉長唸成「tien～fən～taŋ～tuan～tu～」，聽聽！那不是鈴鐘隨風擺盪搖曳的聲響嘿？老師以他滿溢聲采腴潤之美的韻學知識興奮地演繹著……同學們聽得如癡如醉，而如今，那「木鐸」卻成了絕響，網路上貼出的布告：「敬愛的讀者您好！感謝您對國家圖書館辦理的『千古風流人物—蘇東坡』講座的支持，2012/10/20由陳新雄名譽教授（國立臺灣師範大學國文系）主講之『算詩人相得如我與君稀稀在何處』專題講座，因本館接獲通知，先生已於 8 月初病逝於美國，因此本場次活動取消。」真是詩韻相得如師稀呀！也昭示著一代碩儒的消逝，不得不讓人扼腕浩歎！

伯元師是「師大第二代大師」，他曾以今日小成追念師恩，賦〈師大名師〉二十三人，七言絕句九十二首，其中詠第一代大師「林先生景伊」詩有：「訓詁聲音今有書，欲傳大道敢踟躕。算來一事能安慰，小學於今盡坦途。」

乃道師亦自道也，而期勉於後生晚輩的又何其多，拙文雖不能表述於萬一，但伯元師勇於開拓坦途，悠游於學問之海，終生不輟的恆毅精神，真是「高山仰止，景行行止」，令人懷念，令人欽仰，有為者，當亦如是夫！

原文發表於《國文天地》第 328 期，臺北：萬卷樓圖書股份有限公司，2012 年 9 月，頁 59-60。

附

〈卜算子〉

夫教育之妙，在化不可能為可能。伯元師以聲韻名家，尤愛東坡之作，常誦其彷彿，亦填新詞。今追思緬懷，賦此以寄慨矣！

層樹綠窗櫺，絳帳經傳遞，桃李春風化數千，滿園芳菲擬。
廣廈矗巍峨，斯道殘風裡，忍對空廊影獨清，暮色淪天際。

原文發表於《陳新雄教授八秩誕辰紀念論文集》，臺北：萬卷樓圖書股份有限公司，2015 年 3 月，頁 51。（邱郁茹校對）

在權威的縫隙中——以古文字研究為例

一　前言

　　一切學術的發動根源本來是好奇，即永不止息地找答案，尤其研究古文字，更要像科學家般抱持著懷疑的精神，不因他人的權威而懾服。仔細觀察，不難發現在權威所闢的坦途大道上，有著幽微的隙縫正在龜裂，如果您夠仔細的話，所以研究古文字是要夠細心、「錙銖必較」的。而支撐好奇心去探索的，是大量的閱讀，求知若渴的閱讀，披沙揀金的閱讀，在不斷積累文本素材，分類比觀，漸漸凝塑成一個清晰的圖象，而將那正在「龜裂的權威」覆蓋或修復補葺，其過程本身就是「快樂歡呼的學問」，讓學問越做越快樂！

　　其實這樣的觀點，古人已經講過。比如清代樸學思潮的開創祖師顧炎武，不也反對迷信「聖人之言」和「聖人之見」，認為「雖聖人有所不知焉者」、「孔子未免有誤」。也就是說，他並不以「聖人之言」和「聖人之見」當作唯一判斷是非的標準，他奉行「信古而闕疑」，「信古」就是對歷史的尊重，「闕疑」也就是不人云亦云，保留一些懷疑的彈性態度，在「語必博徵，證必多例」的實事求是態度支撐下，建立起他「客觀的學問」，而他的所謂「聖人」，也就是我講的「權威」，不盡然相信權威，質疑權威，基本是建立在「孔子未免有誤」的情況下，也就是即連權威所說，不免也有些縫隙，各個領域都有它的權威，以下就我撰述所及，談談一些淺薄的心得，請各位多多指教！

二　好奇路徑的操作實證

（一）實證之一——〈論段玉裁《說文解字注》的金文應用〉

1、權威如是說

一九六二年，于省吾（1896-1984）曾在《歷史研究》第六期中發表一篇題為〈從古文字學方面來評判清代文字聲韻訓詁之學的得失〉的論文。論文基本上是以「古文字學」的觀點來立論，認為段玉裁（1735-1815）的《說文解字注》如擬諸清代說文其他三大家——桂馥（1736-1805）、王筠（1784-1854）、朱駿聲（1788-1858）來說，其對文字、聲韻、訓詁之學的創始鑿空之功、卓識懸解之力，實非三家所能及。可惜的是，于氏的論據，並非真能從「古文字」本身的應用情況出發，而仍拘守傳統對說文四大家的看法，致使諸家應用「古文字」的情況也不能隨文而略為顯現，進而提出適切的新憑據與新見解。

考察前人對段氏在《說文解字注》中的是否應用過「古文字」，素來的觀念是模糊不清的，如羅振玉（1866-1940）曾在〈說文古籀補跋〉文中，對段玉裁的不懂引用金文來辨析助證文字有一番慨嘆說：

> 予冠歲受小學，篤好金壇段氏注。顧疑當時吉金文字之學已昌盛，而段君於許書所載古、籀文，未嘗援據吉金款識為之考訂，以為美猶有憾。

在這段文字中，不難察覺到羅氏隱約之中透露出來的，對《說文解字注》在精深廣博之外，好像跟當時整個學術風氣的脈動有些不能配合的矜慎保守，而感到有些遺憾惋惜。尤其令羅氏深惑不解的是，以當時吉金文字的昌盛，果能善加利用，其在文字初形本義的追溯上，是個相當貼切而助益良多的輔弼利器。為何段玉裁「未嘗援據吉金款識為之考訂」呢？當然，羅氏此語，究竟是針對「未嘗」來說的？抑或是以其標準來說，段氏或許援據了吉金款識，但並不能「為之考訂」而視同「未嘗」？抑或段氏雖「篤好」，但羅氏在蒐尋識鑑為精的情況下，故雖少而誤以為「未嘗」？不然，段氏何以輕易就放棄此項有利的素材呢？

2、答案這麼說

　　眾所周知，宋代著錄金石文字是相當昌盛的，其不止是用在本身作孤力獨至的研究，甚且旁涉到其他科目，以茲作為參證比觀的材料，如朱熹（1130-1200）在《詩集傳》中，已試著用「古器物款識（銘）」來跟詩義相發明，若〈大雅・行葦〉：「以祈黃耇」句下注的：

> 祈，求也。黃耇，老人之稱。以祈黃耇，猶曰以介眉壽云耳。古器物
> 款識云：用蘄眉壽，萬年無疆。皆此類也。

或在〈大雅・既醉〉：「高朗令終」句下注：

> 朗，虛明也。令終，善終也。〈洪範〉所謂「考終命」，古器物銘所謂
> 「令終」、「令命」是也。

以及〈大雅・江漢〉：「虎拜稽首，對揚王休，作召公考，天子萬壽。」下解釋句意說：

> 對，答。揚，稱。休，美。考，成……言穆公既受賜，遂答稱天子之
> 美命，作康公之廟器，而勒王策命之詞，以考其成，且祝天子以萬壽
> 也。古器物銘云：拜稽首，敢對揚天子休命，用作朕皇考龔伯尊敦，
> 其眉壽萬年無疆。語正相類，但彼自祝其壽，而此祝君壽耳。

在在都試著透過實物資料來跟傳世載籍相比類參證，並藉由詞例的解析，分別異同，以見載籍的實出有據。

　　但段玉裁呢？其實段氏也非如羅振玉所想像的，「未嘗」援據吉金款識為之考訂，只是應用的數量有限，在《說文解字注》中也不過八處，側於九三五三字中，亦不過九牛一毛，其肆力未至，精義未出。羅氏也因誤認段氏未嘗援據吉金款識來考訂文字，甚至連吉金款識的書也未嘗觸及，以故在段玉裁校改《說文解字》的小篆體制時，要驚異的說：

> 段先生注《說文解字》，改正古文之⊥丅兩字為二二，段君未嘗肆力於
> 古金文，而冥與古合，其精思可驚矣！

461

可是他參覽過薛尚功的《歷代鐘鼎彝器款識》，在薛書的卷七〈盠和鐘〉有銘釋作「奄有下國」的，其「下」正作「二」；卷十〈公緘鼎〉銘釋作「天降亦喪于上」的，其「上」正作「二」。是段氏所改是與「古合」，或是根據薛書來的，並不可明知，然並非「冥」耳；羅氏說他「未嘗肆力於古金文」，是貼切的說詞，但只說對一半，段氏不是「未嘗」。羅氏審辨檢索未精，才會有「冥與古合」、「精思可驚」之語，而遺誤後學者亦在此。所以，歷來對段玉裁在應用金文方面的說法，大抵是不精確的。他既在《經韻樓集‧薛尚功歷代鐘鼎彝器款識法帖》中完全應用金文來考證經義與文字，且在《說文解字注》中也比重輕微的零星應用，是前人說他「未嘗」援據吉金款識是不允當的，甚而完全把他剔除在應用金文的行列之外，也是蒙蔽了事實，當是取大體而言之。唯就段氏應用金文的情況論之，「功深力邃」、「高深莫罄」、「能集大成」之語，還是用在稱述他對經籍的掌握上較貼切！

（二）實證之二——〈由桂馥《說文解字義證》的取證金文談「專臚古籍，不下己意」的問題〉

1、權威如是說

對說文四大家之一桂馥《說文解字義證》的評斷，素受王筠的影響，大抵取用了他在《說文釋例‧自序》中所說的：

> 今天下之治《說文》者多矣！莫不窮思畢精，以求為不可加矣！就吾所見論之，桂氏未谷《說文義證》、段氏茂堂《說文解字注》其最盛也。桂氏書徵引雖富，脈絡貫通，前說未盡，則以後說補苴之；前說有誤，則以後說辨之，凡所偁引，皆有次弟，取足達許說而止。故專臚古籍，不下己意也，讀者乃視為類書，不已眯乎？惟是引據之典，時代失於限斷，且泛及藻繢之詞，而又未盡加校改，不皆如其初恉，則其蔽也；段氏書體大思精，所謂通例，又前人所未知，惟是武斷支

離，時或不免，則其蔽也。

王氏對桂氏一書的編纂體例與優蔽短長有指陳，認為它是貫通許書脈絡，補苴辨正諸家說法，條列諸說相當有次序，能客觀的將許氏之說通達的隱現出來，並不是光以羅列資料見長的「類書」而已，但他卻歸結說桂書：「故專臚古籍，不下己意。」而這，也成了桂書的定評。

2、答案這麼說

其實，我們如果從桂馥《說文解字義證》中引證金文的一個切面來看，在三十條桂氏援引金文以輔證《說文解字》的說解中，桂氏取證來源，除了傳統的「群籍」資料外，甚且及於前人或時人的藏器，是明顯的超軼出「專」臚「古籍」的範疇，且非「不下己意」的。我們看他應用金文時，的確大半部分是純粹客觀的羅列資料以輔證《說文解字》的形義，並不顯露的表明意見；但我們尚需注意到，他並不是完全沒有主見的。觀他在歸結式的案語形式中，既隱約地透露出間接的意見，或更坦誠而直接的抒陳己見，或揉合二者，既有判斷式的案語，又有懷疑式的訂訛，其藉由金文的輔證，在呈現客觀的證據之餘，也不忘有主觀的判斷，雖其說解或是或否，而不完全服膺《說文》所詮釋的形義，而以頂格書之的方式，別闢蹊徑，有所發揮，處於那時「吉金不可以證詁訓」的意識形態之中，多少也反襯出他的不與流俗，「能」下己意吧！況清人研究「金石」，每以研究碑帖的居多，實際上研究金文的情況較少，桂氏也不例外。設以《義證》汲引碑帖資料來作《說文》的輔證材料，其引證之富，應用之多端，更不在金文之下，表露的己見，也就更多了。諸家陳陳相因的觀點，似有稍作修正轉圜的餘地吧！

（三）實證之三——〈段、桂注證《說文解字》古文引《汗簡》、《古文四聲韻》的考察〉

1、權威如是說

王國維（1877-1927）曾在《宋代金文著錄‧序》中指出：「國朝乾嘉以後，古文之學復興，輒鄙薄宋人之書，以為不屑道。」此話雖對金文而發，但「鄙薄宋人之書，以為不屑道」的概括刻板印象卻相沿成習，影響深遠，後如李學勤在黃錫全《汗簡注釋》所作的〈序〉文中也說：「清代《說文》之學風行，金文研究日益深入，以《汗簡》為代表的「古文」，被認為上不合於商周，下有悖於《說文》，受到不應有的蔑視。惟一專門研究此書的，是光緒時刊刻的《汗簡箋正》，其作者為遵義鄭珍（1806-1864），但他生前實未完稿，是由子鄭知同補完的。知同在〈序〉中說：『先君子為古篆籀之學，奉《說文》為圭臬，恆苦後來溷亂許學而偽託古文者二：在本書中有徐氏《新附》，在本書外有郭氏《汗簡》。』這段話可為一班《說文》學家態度的代表。」其中所謂的「溷亂許學而偽託古文」，也成了對「宋人之書」如《汗簡》或《古文四聲韻》的一般認知和存有印象，那麼，清乾嘉時期的《說文》學家是否真對「宋人之書」的「古文」資料存有蔑視鄙薄之心？是頗值得深入探索釐清的。

另一方面，緣於學術材料不斷的推陳出新，增添豐實，近三十餘年來有關戰國文字的研究也如火如荼的闢路鋪展，蒙在六國「古文」的奧深詭異冪巾也漸漸被揭露解析開來。值此之際，人們重新檢視宋人輯錄有關戰國古文之書，如北宋郭忠恕（930？-977）的《汗簡》，以及繼之而起的夏竦（985-1051）《古文四聲韻》，其重要價值也越來越受到肯定，成為研究戰國古文用諸比較辨析的雙璧，是解析戰國文字形構的津梁關鍵。誠如何琳儀所說，二書雖然「得失互見」，但「仍不失為研究六國文字的重要參考材料，有很高的文字學價值，大批出土的戰國文字資料已經證明了這一點」，或是他所指陳的：「上世紀七十年代以來，傳抄古文在學術界的地位日益得到認同。其中北宋夏竦《古文四聲韻》一書，由於收錄傳抄古文字資料十分豐富，所以

倍受學者青睞。近年隨著楚簡的不斷發現，一些高難度的文字考釋，往往藉助於《古文四聲韻》才得以迎刃而解。說明《古文四聲韻》在考釋戰國文字中不可替代的字典作用。」在在都表彰出二書在現今研究戰國文字中受重視的程度。

當然，欲認清清乾嘉時期的《說文》學家對保留「古文」資料的「宋人之書」是否存有蔑視鄙薄之心？可能不是一件容易的事。一來清乾嘉時期的《說文》學家何其多，光從丁福保（1874-1952）纂輯的《說文解字詁林正補合編》、尹彭壽《國朝治說文家書目》、馬敘倫（1885-1970）〈清人所著說文之部書目初編草稿〉諸書文所羅列的資料來看，真一代風氣所鍾，蓊鬱成林，何況這些《說文》學家各擁立場，看法並不一致，想窺透箇中好惡去取，誠非易事。勉強能做的，可能是透過定質定量的標準取樣程序去回溯廓清一部分的事實。前人評騭清乾嘉時期的《說文》學，素有所謂「說文四大家」之稱，其中分峙南北顛峰的段玉裁《說文解字注》與桂馥《說文解字義證》是同時的代表，人稱「南段北桂」，雖各擅勝場，卻能表彰乾嘉時期《說文》學的具體成果。緣於對前賢既成觀念的質疑而興發，希望透過段、桂二氏的代表作本身去還原，以求得新的認識與理解，故據《說文解字注》與《說文解字義證》「注」或「義證」《說文》古文時，取證《汗簡》與《古文四聲韻》的情形作為通盤考索，以推求其態度若何？取證辨析介入到何等程度？是否完全蔑視不用等等諸問題。

2、答案這麼說

透過通盤索考分析後，我們可發現前此的種種印象和歸結，似乎跟事實有些悖離。當我們考察段、桂二氏在其《說文》學的代表作——《說文解字注》與《說文解字義證》中，說解注證《說文》古文（一部分為說解籀文或體）時，對《汗簡》與《古文四聲韻》介入與重現的過程，容有一些是非正

訛的分析判斷，卻未嘗看到二氏對二書有任何的微辭，是出之於所謂「輒鄙薄宋人之書，以為不屑道」，或是「受到不應有的蔑視」，反而在二氏援據二書以論證《說文》古文的淵源流變、是非正誤的用詞中，大抵屬於正面肯定的居多，並認為《汗簡》所採輯的《說文》是善本。但我們也不得不承認，在二氏注證《說文》古文時援據二書的字例並不多，段氏凡 35 條，桂氏為 45 條，以《說文》四百八十餘字的古文字數來衡量，似乎少了些，實不及 17%，但這不也反映出二氏汰選有方、採擷精嚴的持守原則。另一方面，從二氏引二書的數量，還可約略呈顯出兩人對二書的態度有一點細微的差別。段氏對二書的採擷大抵勢均力敵，無分軒輊；桂氏卻厚此薄彼，獨喜《汗簡》，對《古文四聲韻》似乎就排斥多了。但不管怎麼樣，段、桂二氏對《汗簡》與《古文四聲韻》的應用，還是比較集中在採擷二書所保留的《說文》古文上，並有時兼及其他，當他們作分析判斷以決定去取時，所反映的，是清乾嘉時期《說文》學家的那種兼容並蓄，冷靜客觀，不蒙昧因襲墨守的實事求是精神，亦即是無稽不信，反覆參證，了解明確而後作評斷是非的展現，在這部分，段氏又較桂氏分明得多了。所以，對於前哲時賢有關乾嘉時期《說文》學家面對《汗簡》與《古文四聲韻》的態度，可能有重新調整修正的必要，至少我們可以肯確的說，代表清乾嘉時期《說文》學高峰的段、桂二大家，對宋人之書絕無輕蔑鄙薄的態度吧！

　　例不過三，三代表多數。各位若能善於體會，舉三隅而予多隅反，那麼，抱持懷疑，尋找證據，細心歸納，客觀研判，那就不僅在權威的縫隙中，甚至能建立權威，甚而在權威之上了。謝謝！

原文發表於國立臺灣師範大學國文學系（演講稿），臺北：國立臺灣師範大學國文學系，2008 年 3 月 24 日。（郭妍伶校對）

「好」個什麼──「好」字的歷史

一 前言

前陣子家庭計畫喊得震天價響時，不是高呼著：「男孩女孩都一樣，兩個孩子恰恰好。」從語句中，我們似乎可察覺到它所欲顛覆的，是那幾近五千年來宰制中國人觀念，牢不可破的「重男輕女」神話，以及「多子多孫多福氣」的三多迷思。

而在我們日常生活語言裡，「好」的出現頻率不也是那麼的高，以致於像空氣一樣，我們對它已渾然不覺，懶得理會，比如人家問你：「最近如何？還好嗎？」你不也漫應故事似的隨口說道：「好！好！」你已無心去對待或認真去思索「好」是個什麼？「好」的來龍去脈如何？僅能作慣性制約的反應，反正「好」就是馬馬虎虎過得去，尚稱心如意，沒有多大糾葛困擾的糢糊感覺你都可以統稱為「好」吧！

這種糢糊的感覺應用在處事上，就是與人無忤的糢糊態度，最具體的表徵，正展現在後漢司馬徽這位「好好先生」上，他既不談人短，對應人家的言語，不管好的壞的都說「好」，《譚㮣》記載：「有人問徽安否？答曰：好。有人自陳子死，答曰：大好。妻責之曰：人以君有德，故此相告，何聞人子死反亦言好？徽曰：如卿之言亦大好。」（《通俗編・品目・好好先生》）這種漫無是非，似是而非，不置可否的取巧卻似中和的態度，本是孔子亟欲撻伐的「鄉愿」呀！（《論語・陽貨》；《孟子・盡心下》）怎可稱之為「好好」先生呢？而且一字不足，還要補上一句，這若不是隱藏著中國人惡意戲謔的幽默，變成一種反諷，否則就是對「好」字的相沿成俗，一知半解造成的。

所以在我們周遭常碰觸到的這個「好」，到底是「好」個什麼呢？除非我們迷迷糊糊的去對應，否則還真該拿來探究一番呢！

467

二　「好」個什麼？

就生物來說，生命的蕃衍是窮其一生精力的最重大目標；人也不例外，原始人類的求偶、婚配，如果不完全是與他們的家庭以及生兒育女有著重要關係的話，也是與人類的種群發展需要關係密切的。但不同的是，人卻非生物那種天然本能所能規範的，他還遵循一種文化特有的行為，以及超生理的社會屬性所制約的。而這種制約，也反應在文化的產物──文字上。

人類社會的最初形態，大抵是「只知其母，不知其父」的母系氏族社會，據說中國大約在六、七千年前各地不約而同的同步跨進了母系氏族社會，留下了裴李崗、磁山、大地灣、仰韶等新石器文化。但從五、六千年前開始，各地卻不平衡的發展而先後的進入了父系氏族社會，這其間大約相當於傳說中的夏代。（劉起釪《古史續辨》）而這種文化的進程，我們似乎也可透過「好」字來略窺個中的端倪。

「好」字出現在商代晚期的甲骨文字上作「𪐴、𡛫、𡥈、𡛸、𡥉」，是從女從子，與《說文解字》「𡥉」字的小篆結構相同。若按照傳統六書的分類來看，它是個會意字。會意既是「比類合誼，以見指撝」，那麼，它的意旨就潛藏在匯聚而成的結構中。但自來說解「好」字者，每個人所會的意似乎不盡相同，也可間接看出這個字隨著人類的進化而不斷的引申發展，有著蓬勃開拓的生命力。

東漢許慎說「好」是「美也」，我們現在用慣的一個詞彙──「美好」，原來是個同義複合詞。但我們不禁也要問：好為什麼是美？好事一樁為什麼也是美事一樁呢？這就看得出來，許慎所解釋的，並不是它的本義，而是它的引申義，也沒有幫我們解決最根本的問題，否則我們也就不用追根究柢了。

那麼，從「好」的字形觀察起來，古今無異，都是從女子。唯這裡的「女」

可是別有所指的。它不是用來指稱稚嫩而無生產能力的少女，而是特指具有生育能力的成熟女性。諸位若不信的話，可先從甲骨文的「毓（育）」字作「𠫓、𡗜」看起，那是描繪成熟女性生育時的最後完成景象，嬰孩剛脫離母體的剎那。在這裡，「𠬝」正是一個具有生育能力的成熟女性的象徵。準此而論，那麼在代表殷商晚期的甲骨文中，甚或更早的年代，中國人對「好」的觀念，純粹就生命蕃衍的能力這種價值觀來論斷的。能生小雞的母雞才算是好雞，不管那小雞是公的還是母的。人也是一樣，能生小孩的女人就是「好」的，而不在意那個小孩是個男孩或女孩。因為「子」只是個小孩罷了，沒有性別的區隔。以故在殷商大墓的考古挖掘中，會有「婦好」出現吧！但在這裡我們還需注意一點，當一個社會的生產力經濟力已達某一水準時，才可能將「生小孩」這件事視為是「好」事的，因為在生活條件惡劣，沒有能力照顧多餘的人口時，殺嬰的現象在世界各地的原始部落中是屢見不鮮的。

　　根據考古學家與歷史學家的歷史重建，我們得知五千年前的中國正是母系氏族與父系氏族的一個分界點。在之前的漫漫年代中，女性是氏族的重心，也是原始共產經濟的主持者，更擔負著氏族蕃衍的重責大任。在子女「知母不知父」的情況下，氏族內部血統是依女方計算，不只子女屬於母親的氏族，連丈夫都屬於他自己母親的氏族，以故體現在當時的葬俗上，並未有成年男女合葬的景象，而大抵是男子合葬或女子合葬，其中較特異的是「母子合葬」，尤其在幼兒夭折時，大多用甕棺埋葬在母親住屋的附近，有的與母親合葬在公共墓地裡。（黎邦正《中國古代史》）可見，一個成熟具生育能力的女性能生兒育女在母系氏族時期是多麼「好」的一件事情呀！

　　其後因生產方式的改變，男子成為原始鋤耕農業的主人，在經濟中逐漸居於主導地位，婚姻制度也由對偶婚轉向一夫一妻制甚或一夫多妻制（在甘肅武威娘娘臺的齊家文化遺址中，發現一男二女的合葬墓，男性仰身直肢居於當中，二女曲肢位於左右兩旁。這反映出當時已有少數富裕的男子過著一

夫多妻的婚姻生活，從而推知婦女社會地位的下降）。人類歷史中最劇烈的扭轉變動於焉產生，自然而然地過渡到父權社會，男子乃成了生產活動中的核心要幹，而女人也由「茶壺」而漸漸成了配備的杯子了。於是「好」字也不只是能生小孩的女人即好了，最好是，她必須生個「男」的，注意，是「男」的喔！

這種想法，可真有「五」千年的悠久歷史呀！孟子不是說過：「不孝有三，無後為大。」（《孟子·離婁》）趙歧注解說：「不娶無子，絕先祖祀。」這裡頭的那個「子」字，不再指稱女孩子了，而是用來傳宗接代的男孩。從這句話中，我們也充分看出沒有子嗣在中國有史的年代中是多麼一件嚴重的缺憾呢！加上這時男子是家庭的主要勞動力，無論田獵耕作、征伐徭役，皆由男人負擔，尤其在戰爭階段，更凸顯出「生子」的重要性。而這種觀念早在商代的甲骨卜辭中已然透露出來，當時人問及生男還是生女時，男嬰稱為嘉，女嬰稱為不嘉。當然生女的就沒什麼「好」的囉！以至到西周時，在《詩經》的〈斯干〉這一篇，提到生男生女的差別待遇是：「乃生男子，載寢之床，載衣之裳，載弄之璋。……乃生女子，載寢之地，載衣之裼，載弄之瓦。」床地璋瓦的區別可是蠻大的。沿此而下，我們知道當春秋吳、越相爭時，越王勾踐曾下一道詔令說：「令壯者無取（娶）老婦，令老者無取壯妻；女子十七不嫁，其父母有罪；丈夫二十不取，其父母有罪。」這是基於生育繁殖的考量，而婦女分娩得報告官方，生男的給「二壺酒一犬」，生女的給「二壺酒一豚」的獎勵（李萬春《漢字與民俗》），這其中已輕重有別，豚比犬是略遜一籌的獎賞。無怪乎南唐徐鍇注《說文解字》時所會悟到的意是：「子者，男子之美稱。」也即是這種觀念的延續。一直到今天，生男育女的妙方那般的多，而且偏重在男孩，無不是根源於此悠久的傳統，而它也是跟整個族群的經濟發展社會觀念息息相關的。

當然，中國人是最現實的，基於現實利益的考量，在五千年的悠久歷史

中難免會有一些異數，譬如白居易在〈長恨歌〉中所詠歎的楊貴妃造成的旋風與社會影響說：「姊妹弟兄皆列土，可憐光彩生門戶，遂令天下父母心，不重生男重生女」的異常現象，那倒有些是反諷的味道了。

　　至此，男性為了方便宰制女性，為了讓茶杯的配置得宜，於是女性非但在社會地位上矮化了，而且工作也只是：「精五食，羃酒漿，養舅姑，縫衣裳」（《列女傳》中孟母之語）而已。至其德性的最高指導原則是：「年少則從乎父母，出嫁則從乎夫，夫死則從乎子。」以及《詩經‧斯干》篇所說的：「無非無儀，唯酒食是議，無父母貽罹。」刻意凸顯暗示其往柔順溫婉，服貼聽話的「三從」而不作主張、不持異議的方向走，再加上女子天生的麗質，於是「女子」的溫婉姣美就稱之為「好」，清代的文字學大家段玉裁也不禁把許慎的訓解改為女子色好的「媄」，並解釋說：「好本謂女子，引申為凡美之稱。」嘻嘻，女子至此，原始意義剝落殆盡，而不得不走向「以色事人」，為「悅己者容」的地步了。

三　結語

　　現代人的許多觀念正不斷的在顛覆著傳統，而傳統的許多觀念也在作絕地的反撲或蛻變，以取得一些協調。「好」字也由生小孩的人人喜好之事中，變而專指生男孩，後又以指稱好女孩，唯在現代則又回返到「男孩女孩一樣好」的公平對待中，唯從歷史脈絡中去觀察，只要父系社會一直持續發展著，那麼，「男孩女孩一樣好」的假象依舊會存在的吧！其實對「好」字，我倒是欣賞劉熙在《釋名》中所說的：「好，巧也。如巧者之造物，無不皆善，人好之也。」你看，如巧者之造物，多好，多值得珍惜呀！也唯有人人都珍惜一個新生命的誕生，好好教養，細細琢磨，這世界才會變得美好吧！

原文發表於《國語文教育通訊》第三、四期合刊，臺南：國立臺南師範學院國語文教育中心，1993 年 5 月，頁 44-48。（邱郁茹繕打／莊惠茹校對）

真的「我手寫我口」嗎？

一　前言

　　各位或許都觀賞過京劇和歌仔戲，對劇中人又唱又說的情景也不陌生。可能也發現了劇中人「說」的部分比「唱」的部分還貼近口語些。同樣的，各位一早推開窗子，望著纖雲不染的藍天，不禁脫口說道：「喂！快起床呀！今天天氣真好呢！」這就是「口」裡所說的語言，藉著語言，把我們心中存有的意念情思表達出來。如果清早排窗探望，卻是淒風苦雨，愁雲黯淡的天氣，心隨境移，喃喃唸著：「聽風聽雨過清明，愁草瘞花銘。樓前綠暗分攜路，一絲柳，一寸柔情。」似乎也感染到一股癡迷深情所凝聚成的氛圍，而這就靠「手」裡書寫文字的媒介了。那麼，這就讓我們聯想到當年胡適之先生提倡的白話文運動時，引著黃遵憲的一句話，喊得震天價響的「我手寫我口」來。時過境遷，當我們再檢視這句話時，不得不懷疑這其中存留有許多被忽略的罅隙，果真是「我手寫我口」嗎？文字跟語言的的確確是密合無間，水乳交融嗎？那為何在戲文中卻有「唱」、「白」的不同呢？為解決這個問題，我們先來看一個故事。

二　真能「我手寫我口」？

　　身為文化人，免不了要跟各種內涵與不同意象的媒體接觸，就中尤以語言和文字為最。既然在我們的生活中，常與語言文字相左右，也就是受著「口」和「手」的宰制，可惜的是，我們對語言文字的瞭解不夠，甚至對兩者的界說也是模模糊糊的。為探討兩者之間是完全等同？抑有些微差距？我們就先看下面這個民間故事：

　　　鄭板橋年輕時，去揚州應考。因為盤纏少，就想搭條船去，正巧在碼

頭上，有個姓曹的豪門子弟雇了條船去揚州，鄭板橋就試著去問問。
這位曹公子不認識鄭板橋，見他衣著平常，就有點瞧不起他，說了句：
「到後艙去吧！」從興化開船出來，曹公子有點悶得慌，就讓艙公把
那個趕考的叫了出來。曹公子問鄭板橋：「你去趕考，會作詩嗎？」
鄭板橋答：「略知一二。」「那就作一首詩來看看吧！」鄭板橋問：「請
問公子姓氏？」「我姓曹，曹操的曹。」鄭板橋在船上走了幾步，說：
「有了。」接著，唸了一首詩：

> 可恨青龍偃月刀，華容道上未誅曹。
>
> 如今留下奸雄種，逼得詩人坐後艙。

曹公子一聽，火冒三丈，要把鄭板橋轟下去，還是艙公出來解了圍，
艙公說：「公子不必生氣，我看罰他再作一首『船去揚州』，你看怎麼
樣？」曹公子一想：總不能把人趕到水裡去，把這窮小子送到岸上，
又得耽誤時間啦！就順手推舟說：「你再作一首，作得不好，我可真
地不客氣了。」鄭板橋心裡有了主意，說：「詩我是能作出來，只怕
你們寫不出來。」曹公子也是肚子裡有墨水的人，不服氣地說：「你
就唸吧！我來寫。」鄭板橋乃使用揚州方言吟了一首五言詩：

> na na 一小舟，
>
> pang pang 水上游。
>
> zi ga 一聲響，
>
> ti tuo 到揚州。

唸完，裝作很客氣地問：「公子寫出來了嗎？」曹公子滿臉通紅，一
個字也沒寫出來，十分尷尬。艙公又出來打圓場說：「聽得出這是一
首好詩，既然吟出來了，公子也說話算話的。」公子忙說：「那是，
那是。」艙公又說：「公子可能是想看看讀書人你的字怎麼樣，所以
才沒有動筆。」公子又忙說：「是呀！是呀！正要請教。」鄭板橋也

　　老實不客氣的拿起筆來，把詩寫出來：

　　　　　刂卜一小舟，

　　　　　刂卜水上游。

　　　　　尸門一聲響，

　　　　　朿東到揚州。

　　曹公子一看，此人真有學問，就請他到上座來，鄭板橋卻擺擺手說：

　　「不用，不用，我還是回後艙去吧！」

　　在這個故事裡，很明顯地，「文字」和「語言」是有所不同的：語言能表現的；文字卻未必。語言講得出來的；但文字卻寫不出來。甚至雖寫出來了，但你並不能完完全全的認識和瞭解。

　　當然，我們從上面那個故事中，只能約略模糊地感覺到語言跟文字的確是有所不同的。而這種不同，是特就中國來說的。因為在英文中，不管是語言，不管是文字，統稱為 language，這字的字根是 lingua，是拉丁文中的「舌」字，所以 language 的原義應是「語言」，現在意義引申包括「文字」。英文研究語言和文字的學問則混而為一，稱為 Linguistics。這命名並不代表他們的思想跟事實大相逕庭，而是在他們的文化領域裡，語言跟文字是共同體。現今歐洲各國的文字都是拼音字，拼音文字是一種記錄語言而成的文字，也即是黃遵憲所謂的「我手寫我口」──「伊手寫伊口」，是語言的一種錄音，字母即是錄音符號，並不是在字母以外別有一種用線條筆畫為媒介的傳訊系統。所以他們的語言文字是熔為一爐，不分彼此，字法句法即是語法詞法，只不過「語言」是發諸口、形諸聲、傳諸耳的唇舌之上的文字；而「文字」則是發諸手、形諸筆、寓乎目的紙張之上的文字罷了。

　　反觀中國則弗是。中國非但自創語言，而且自創舉世獨一無二的文字，並能統括古今頻繁的政治朝代上的變遷，南北山川河嶽遼闊地域上的阻隔，而自成體系。他的語言、他的文字並非融合無間，「我手即我口」的。舉個

475

最簡單的例子，每個字都有每個字始造之初的本義，所謂：「義出于形，有形以範之，而字義有一定。」（段玉裁〈說文解字敘〉假借下注）所以一個字必有一個義，但你看《詩經》一開頭：「關關雎鳩，在河之洲。窈窕淑女，君子好逑。」這裡的「雎鳩」、「窈窕」是不能拆開來說的「聯綿詞」，也就是必須「連文成義，不可分訓。」其他像「采采卷耳」的「卷耳」、「螽斯羽」的「螽斯」、「十月蟋蟀入我床下」的「蟋蟀」……都不是一個字就能把它的意思解決的。更何況用一個聯綿詞把某個語言的意思界定下來，但還有字形不固定的困擾，如《詩經·靜女》的「愛而不見，搔首踟躕」，一個「踟躕」，尚有：踟躕、歭躇、躊躇、次且、次雎、躑躅、彳亍、躑躅……諸多字形的不同。所以漢代揚雄在他的《方言》一書中，曾提及「老虎」這種動物在各地方言中的稱呼說：

> 「虎」，陳、魏、宋、楚之間或謂之「李父」；江、淮、南楚之間謂之「李耳」，或謂之「於菟」；自關而西或謂之「伯都」。

古時候「虎」是牠的通稱，現在白話文稱「老虎」——不是單音詞，而是個複合詞了。各地的方言都不一樣，表現出的文字也不一樣，但「虎」字，卻不管是古代，不管是現在，不管是南方，不管是北方，卻都能通行無阻。所以，假如你用楚國話告訴我們「鬥穀於菟」這個人，我可能丈二金鋼，摸不著頭腦；但如果用所謂的「雅言」——即官話、普通話相對等的文字「令尹子文」，那麼稍微唸過四書的人，大概都能知曉這號人物吧！

這樣看，中國的「雅言」似乎是能和文字相對應，中間並無鬆緊疏密的不同。對於這個問題，我們只要找一般觀念上能代表的上古、中古、現代雅言的文字資料來看看：有人認為《尚書》是上古布告給一般老百姓周知的公文檔案資料，當然是用一般百姓都能知曉的白話文囉！至於從漢代以來一直到現在，都覺得《尚書》的文章詰曲難懂，晦澀無比，連那些大儒者都得皓首窮經，尚且不能通達無礙的緣故，是因為語言的變遷造成的。那麼，我

們試取〈湯誓〉（湯伐桀之誓師辭，一方面公布敵人的罪狀，以示師出有名；另一方面定刑賞之法，以激勵士氣。）這篇「問答體」的文辭來瞧瞧：

> 王曰格爾眾庶悉聽朕言非台小子敢行稱亂有夏多罪天命殛之……爾尚輔予一人致天之罰予其大賚汝鄉爾無不信朕不食言爾不從誓予則孥戮汝罔有攸赦

再比較看看唐代古文大家柳宗元藉永州地方一個捕蛇者的話，來諷刺批判時政，所謂「苛政猛於虎」的一段：

> 有蔣氏者專其利三世矣問之則曰吾祖死於是吾父死於是今吾嗣為之十二年幾死者數矣言之貌若甚慼余悲之且曰若毒之乎余將告於蒞事者更若役復若賦則何如

再拿來跟現代的小說家張系國，一個研究的是科學，關心的是民族社會，創作的是小說，用他冷靜的腦，揉進熾熱的心，來批判社會的病態，他在《讓未來等一等吧》的後記中說：

> 這些年來困擾著我的始終是同一個問題我們這一群根植於臺灣的中國人究竟是怎樣的中國人我們是甚麼我們應如何安身立命我說根植於臺灣的中國人因為在我看來籍貫不重要出生地點不重要甚至現在身在何處也不重要只要關心臺灣自認是這個社會的一份子就是根植於臺灣的中國人……

　　從上古、中古、到現代的文章中，我們可窺出語言跟文字之間的密度是不同的。愈上古，語言與文字之間的密度愈疏；愈現代，語言與文字的密度愈高。所以，對上面的引文來說，愈往現代的標點愈加容易多了。而語言跟文字對中國來說，可不是完全相等，我手就能寫我口的囉！

三　結語

　　問題又繞回來，兩者之間到底有何基本上的差異，我們可從各方面來探

究：

1、從物理與心理的觀點來看，語言是指傳訊的人先具有了某種思想情感，藉著口舌聲波傳遞，收訊的人以耳朵接收，再把聲波的訊號在大腦中加工，轉化成接收者可以意會的語言系統，則謂之「聽得懂」；而文字所欲表達的思想情感則一，但媒介的工具卻不同，它利用手筆在紙簡上構成的抽象線條傳訊，接收者以眼目轉送大腦來會意，謂之「看得懂」。

2、從功用來看，語言一出口聲音即消逝，但較不費力氣，速度又較文字來得快（約十倍），所以傳訊的工夫必須即聽即懂，說話懂話都只是剎那之間，無法拖延也無法反覆。所以不能太濃縮太緊密，否則不易聽懂；但文字則不然，一經寫下，非但你可慢慢琢磨，仔細推敲，反覆修改。讀的人也可粗看細讀，各取其便，所以文字的紀錄，可以壓縮得密不透風，而造成優美深遠的意蘊。（文字是語言的精華；語言是溝通的利器。）

3、語言既有時間與空間的限制，所以不可能傳諸廣大而久遠；但文字卻沒有這個局限，既可傳諸廣大，又可傳諸久遠。文字所造成的文明優勢，也即是在這裡吧！無怪乎漢人劉安在《淮南子》一書中提到文字初創造時，天地之間驚恐得「天雨粟，鬼夜哭」了。

原文發表於《國語文教育通訊》第二期，臺南：國立臺南師範學院國語文教育中心，1993 年 1 月，頁 72-77。（邱郁茹繕打／莊惠茹校對）

「清華百年西南地區瀕危文物文獻展暨研討會」
側記

最嚴肅的問題卻用最輕鬆的形式

五月，學期中，千里迢迢趕赴北京清華大學，為這千載難逢、令人興奮期待的盛會，夢裡也在微笑。

可當傳承人嘴一開，淚潸然而下，哽咽述說法螺寶器被偷，文書不見了……想像那翻越荒遙的萬嶺千山，渡涉那絕險的淵潭湍流，來自茶馬古道，藏彝走廊中各式各樣豐美燦麗的文化傳承人，即將在有限的時空錯置中演示掀開那幽邈神秘底蘊下，與現實世界碰觸過程中的不容易與消亡。邀請函中揭示的「東巴哥巴、汝卡聖地、摩梭民情、普米神韻、坡芽歌書、木雅追蹤……」，迥以它們夐絕不凡的民情風俗，獨特迷人的品格姿態，會場中氤氳著熱切焦迫的氣息，雖沒有張皇失措，但急欲人知人解的情懷，卻在清華古老圖書館內瀰漫開，緊緊護持著那一線生機。

另一方面，在眾多與會專家面前，雲南麗江蘆沽湖邊的女兒國，傳承人漲滿的自信，神閒氣定，游刃有餘的話語掌控權，來賓凝神傾聽，觀眾擊掌稱快，可見她擄獲絕大多數人的心聲，引發相當大的共鳴，如漣漪般漾盪著，而或唱或說，或畫或做，傳承人儘可能在短短的十餘分鐘裡，讓人貼近那古老悠遠的傳統，山川地理形塑的文物，一窺究竟；即如是個晚宴，也不同流俗，此起彼落歡愉的奇異歌聲，似跋山涉水，萬流歸宗般，齊聚一堂。如陽光明朗釀定的酒，花亮亮地傾瀉衷腸，豪邁磊落，真率淳厚，足以讓人沉醉。

但沉醉不是目的，發皇才是要理。其實，並非專家專業的我，哪有置喙的餘地？失卻專業發語權的我，緣於會場氣氛深深的感染，浸潤膚受，不得不尋找個立足點。還好的是，研究古漢字的我多少可以沾那麼一點邊，也就可以略說幾句話了。

民族文化圈本身就像個拼圖，遺落任何一塊版塊都不會是完整的。不完整的拼圖代表結構的不對稱穩固，脫落罅隙本身就不是完成式，永遠值得有心人去尋覓追索補苴，建壘營寨，精心蒐集，開發傳布。推而言之，在現代學術思潮的定位下，語言文字已不是「小學」的小問題而已，它深深侵入人們的思維，關涉文化的內涵，像個細胞核多面向的結合，綻現它充沛的影響能量。德國語言學家威廉·馮·洪堡特（Wilhelm von Humboldt, 1767-1835）認為，世界上的語言沒有優劣之分，即使是最野蠻的部落的語言也不該予以歧視，或貶低它的價值，因為每種語言都是人類原有的創造語言能力的表現，理應獲得充分的尊重和保存。而這種合同而尊異，完整拼圖的努力，我們從聯合國教科文組織於 1999 年提出倡議，自 2000 年開始，每年 2 月 21 日為「世界母語日」，目標是向全球宣導保護語言的重要，促進母語傳播的運動，避免地球上大部分語言的消失的宣示，也可窺見一斑。

在臺灣，語言是夾纏著歷史情感和意識型態的。臺灣 171 所公私立大專院校中，稱「中國文學系」有 18 所，「中國文學學系」2 所，「中國語文學系」7 所，「文學系」2 所，「國文學系」2 所，「國語文學系」2 所、「華文學系」2 所，「華語文教學系」1 所，「應用中文學系」2 所，「應用華語文學系」2 所，總共 40 所。但不管怎麼稱呼系所，「文字學」或類「文字學」係屬必修課程，是不能作選擇的。但是談「文字」，則必涉及起源形成的問題，而談起源形成的問題，又必以先商陶文或刻畫符號伊始，「並參考某些時代較晚的原始文字的情況」，如裘錫圭先生在《文字學概要》中舉雲南納西族的納西文、雲南紅河哈尼族的契約木刻、雲南景頗族的樹葉信……等等來類比，企圖透過相互的激盪以釐清漢字形成的可能面貌，由此可知西南地區文物文獻的重要性與被重視的程度。

換言之，當我們考察文字伊始時，常常碰到一些無法突破的瓶頸，尤其在確立文字或圖畫或符號之間游移不決。在會場論文發表中，曾言及西南地

區的文物文獻裡，一個「圖畫或符號」可以用來表示一個字，或一個詞，或一個句子，或一篇文章時，突然聯想到先商陶器上孤零零的圖畫符號來，難道那是在文字伊始中扮演著優選的「提示語」作用？僅僅是浩瀚語海中的一個「浮標」，以釣起一長串的語族？它是領字？是座標？是定音鼓？性質內容旨在召喚提醒重要事務的標記？後來經過語言的不斷試驗表述而漸趨完整？一連串問題的興發，不正是專家學者持續摸索前探的路徑。

　　然而，教育才是探索路徑最重要的前導，西南地區瀕危文物文獻的發掘、發布和發皇，我們在僕僕風塵、攀嶺越嶂、不避艱難險阻的趙麗明教授身上，得到了如 3D 動畫般鮮明的體現，她既帶領著一批優秀的學生積極投入，上山下海，不辭辛勞地扮演田調覓圖人的工作，並且與當地人民結合，開拓了語言恢宏寬闊的向度，精神是值得效法推崇的。他們所撐闢開來的無限天地，塑造出個個都是傳承人，所標舉的嚴明理念，更是令人肅然起敬呀！

二○一一年六月書於會後

原文發表於「清華百年——中國西南地區瀕危文字展暨學術研討會」，北京：清華大學，2011 年 5 月 7-9 日。（邱郁茹繕打／莊惠茹校對）

黃宗義教授華甲書法展序

《說文解字》說「秝」字「稀疏適秝」，可眼前鋪開的卻是那字林大軍，氣勢磅礴，直馳橫奔，不可一世的氣概，比諸秦始皇陵那直挺挺的兵馬俑，總不如這活靈活現，變化萬千的墨林大軍騰空蛟龍，收放合度，游走自如。

提起臺南大學黃宗義教授跟成功大學中國文學系的關係，如丁香花瓣一層層地裹覆著，芳香濃郁，密緻深厚：系友一層，學生家長一層，系上兼任老師再疊一層，華誕和成功大學校慶同天又更添一層，如此巧洽輻湊，真是人間少有！初次在臺南大學書法教室相遇，櫛比鱗次的學生作品正在評比，視窗上閃爍著歷史法書，一位灑脫靈動的人物正專注昂揚地解說著……

讀出那林林總總刻劃出來的，是運筆如舞的墨線流轉，乃生命曼妙姿態的展現，人格高懷的落實。是哲思的反射，也是美感的對話。它既真淳率性，又刻意經營，不著痕跡，羚羊掛角。它帶給名利場中競逐的人們灌頂的醍醐，也給困頓疲憊的人生休憩的豐實清靜，俯仰之間，商甲周金、戰國簡帛，舉目神馳，已然上下千古，盱衡萬里，何其坦蕩，何其愜意呀！

於是在字林大軍的簇擁下，感謝書寫者呼喚而來的高雅與尊貴，酣暢與淋漓，斯為序。

原文發表於《黃宗義教授華甲書法展導覽手冊》，臺南：明宗書法藝術館，2011 年 11 月，頁 11；又收入黃宗義：《毛筆字會說畫——2018 年台南市傑出藝術家巡迴展》，臺南：天隱廬，2018 年 3 月 31 日，頁 24。（莊惠茹校對）

1976-2018 年著作年表

1976 年	6 月 1 日	〈且將團扇作一解〉（筆名阿寶），《淡江文學》第七期，臺北：淡江學院中文學會，頁 40-41。
		〈織愛掠影〉（筆名落落），《淡江文學》第七期，臺北：淡江學院中文學會，頁 62。
1980 年	7 月	1980 年 7 月至 1982 年 11 月，擔任教育部「次常用國字標準字體研訂委員會」之《次常用國字標準字體表》助理編輯。
1981 年	8 月	〈從「顏氏家訓」談顏之推崇儒尚質的文學論〉，《孔孟月刊》，第 19 卷第 12 期，頁 26-32。
1982 年	5 月	1982 年 5 月至 1983 年，擔任周何總主編、邱德修副主編之《國語活用辭典》撰著者。
1983 年	6 月	《商周金文錄遺考釋》，臺北：國立師範大學國文研究所碩士論文，頁 1-1028。
1986 年	6 月	擔任編撰（與周益忠合撰）〈養生論〉（頁 298-306）、〈遷都議〉（頁 354-357）、〈征高麗詔〉（頁 362-369）、〈尚書正義序〉（頁 400-406）、〈為徐敬業討武曌檄〉（頁 414-419）、〈論關中事宜狀〉（頁 420-431）、〈論迎佛骨表〉（頁 447-452）、〈平淮西碑〉（頁 453-463）、〈封建論〉（頁 464-474）、〈罪言〉（頁 515-524），收入龔鵬程等編著：《國史鏡原——改變中國的劃時代文獻（下）》，臺北：時報文化出版企業有限公司。
1987 年	1 月	周何總主編、邱德修副主編：《國語活用辭典》，

		臺北：五南圖書出版公司。（擔任編撰者之一）
1990 年	6 月	《王筠之金文學研究》，臺北：國立臺灣大學中國文學研究所博士論文，頁 1-448。
1993 年	1 月	〈真的「我手寫我口」嗎？〉，《國語文教育通訊》第二期，臺南：國立臺南師範學院國語文教育中心，頁 72-77。
	5 月	〈「好」個什麼——「好」字的歷史〉，《國語文教育通訊》第三、四期合刊，臺南：國立臺南師範學院國語文教育中心，頁 44-48。
	6 月	〈「沉檀輕注」句解〉，《王叔岷先生八十壽慶論文集》，臺北：大安出版社，頁 331-328。
	10 月	〈釋「凡」與「吕凡屮疾」〉，《第二屆國際中國古文字學研討會論文集》，香港：香港中文大學中國語言及文學系，頁 109-131。
	11 月 20-21 日	〈論段玉裁《說文解字注》的金文應用〉，《第一屆國際清代學術研討會論文集》（初印本），高雄：國立中山大學中國文學系，頁 431-450；又收入《第一屆國際清代學術研討會論文集》，高雄：國立中山大學中國文學系、中國文學研究所，1993 年 11 月，頁 629-648。
1994 年	5 月 7 日	〈論戴侗《六書故》的金文應用〉，臺北：國立政治大學中文系所主辦：《第五屆文字學全國學術研討會論文》（初稿），頁 271-296。
1995 年	11 月 18-19 日	〈從黃生與方以智的交集面談明末清初的小學風貌〉，《第四屆清代學術研討會論文集（初

		稿)》，高雄：國立中山大學中國文學系，頁 197-214。
1996 年	5 月	〈由桂馥《說文解字義證》的取證金文談「專臚古籍，不下己意」的問題〉，《成大中文學報》第四期，臺南：國立成功大學中國文學系，頁 167-184。
	9 月	〈從古文字學方面來評判清代文字聲韻訓詁之學的得失〉補正──談朱駿聲《說文通訓定聲》與《補遺》中的金文應用〉，吉林大學古文字研究室編：《于省吾教授誕辰 100 周年紀念文集》（封面題名《于省吾教授百歲誕辰紀念文集》），1996 年 9 月，長春：吉林大學出版社，頁 357-360，並發表於吉林大學主辦：「紀念于省吾教授百年誕辰暨中國古文字學研討會」，1996 年 11 月 22-25 日。
1997 年	4 月 19-20 日	〈訓詁學的多邊關係──由唐人「父自稱」或「子稱父」為「哥哥」談起〉，國立中山大學中國文學系、中國訓詁學會主辦：「第一屆國際暨第三屆全國訓詁學學術研討會」論文集，高雄：國立中山大學中國文學系，頁 691-713。
	5 月	〈訓詁學的多邊關係──由唐人「父自稱」或「子稱父」為「哥哥」談起〉，中國訓詁學會、國立中山大學中國文學系主編：《訓詁論叢》第三輯（第一屆國際暨第三屆全國訓詁學學術研討會論文集），臺北：文史哲出版社有限公司，

		頁 691-713。
	10月15-17日	〈甲骨文「䎔」字新解〉，第三屆國際中國古文字學研討會，香港：香港中文大學中國語言及文學系，頁 33-145；又收入香港中文大學中國語言及文學系編：《第三屆國際中國古文字學研討會論文集》，1997年10月，頁 133-145。
1998年	12月5-6日	〈文字的視覺意象與訓詁的另類思考——以甲骨文字人首部件「𐐅」為例〉，臺北：臺灣師範大學國文學系、中國訓詁學會主辦：《「第二屆國際暨第四屆全國訓詁學學術研討會」論文》，臺北：國立臺灣師範大學國文學系。
1999年	9月	〈文字的視覺意象與訓詁的另類思考——以甲骨文字人首部件「𐐅」為例〉，中國訓詁學會、國立臺灣師範大學國文學系主編：《訓詁論叢》第四輯（第二屆國際暨第四屆全國訓詁學學術研討會論文集），臺北：文史哲出版社有限公司，頁 455-466。
2001年	8月	〈西周金文重疊詞探析——以《殷周金文集成》簋鐘類銘文為例〉，《王叔岷先生學術成就與薪傳學術研討會論文集》，臺北：臺灣學生書局，頁 269-285。
2002年	5月	〈感覺幸福〉，《傳統與創新——第二屆成大藝文季成果專輯》，臺南：國立成功大學藝術中心，頁 57。
	7月	〈西周金文重文現象探究——以《殷周金文集

		成》簋類重文為例〉，《古文字研究》第二十四 輯，北京：中華書局，頁 307-311。
	11 月	〈談青銅簋類器自名前的修飾語問題——以 《殷周金文集成》為例〉，龍宇純先生七秩晉五 壽慶論文集編輯委員會：《龍宇純先生七秩晉五 壽慶論文集》，臺北：臺灣學生書局，頁 239-254。
2003 年	10 月	參與建置「殷周金文暨青銅器資料庫」與「參考 文獻資料庫」，網址：http://www.ihp.sinica.edu. tw/~bronze/index.php，臺北：中央研究院歷史語 言研究所、資訊科學研究所。
	10 月 15-17 日	〈從先秦金文論重疊詞的起源問題——由「子 子孫孫」談起〉，《第四屆國際中國古文字學研討 會論文集——新世紀的古文字學與經典詮釋》， 香港：香港中文大學中國語言及文學系，頁 139- 151。
	12 月 19-20 日	〈論先秦「几」的識別功能與形制的南北差異〉， 「中國南方文明學術研討會」論文集（慶祝中央 研究院歷史語言研究所成立七十五週年），臺 北：中央研究院歷史語言研究所。
2004 年	4 月	〈論戴侗《六書故》的金文應用〉，中國文字學 會主編：《文字論叢》第二輯，臺北：文史哲出 版社有限公司，頁 259-285。
	5 月	《先秦金文重疊詞研究》，92 學年度第 1 學期 國立成功大學中國文學系休假報告書。
	6 月	《桂馥的六書學》，臺北：里仁書局。

	9 月	〈談桂馥《說文解字義證》中增補的古文〉，《許鍰輝教授七秩祝壽論文集》，臺北：萬卷樓圖書股份有限公司，頁 297-310。
	10 月	〈〈宋右師延敦〉「佳嬴嬴冨冨易天惻」解〉，《古文字研究》第二十五輯，北京：中華書局，頁 129-132。
	12 月 4 日	〈由《未谷遺箸二種》摘鈔顧南原《隸辨》談桂馥的書鈔〉，逢甲大學中國文學系主辦：「第七屆中區文字學學術研討會」，臺中：逢甲大學中國文學系，收入逢甲大學中國文學系編：《第七屆中區文字學學術研討會論文集》，臺北：聖環圖書股份有限公司，2004 年 12 月，頁 27-49。
2005 年	12 月	《商周金文錄遺考釋》，《古典文獻研究輯刊》初編第 30、31、32 冊，臺北：花木蘭文化工作坊。
2006 年	4 月 8-9 日	〈段、桂注證《說文解字》古文引《汗簡》、《古文四聲韻》的考察〉，「漢學研究之回顧與前瞻」國際學術研討會，臺北：國立臺灣師範大學國文學系，收入《漢學研究之回顧與前瞻國際學術研討會論文集（國立臺灣師範大學創校暨國文學系創系六十週年紀念）》，臺北：國立臺灣師範大學國文學系，2006 年 4 月，頁 217-235。
	9 月 22-24 日	〈論殷墟花園莊東地甲骨「死」字與匕器的形義發展關係〉，「第一屆古文字與古代史學術討論會」，臺北：中央研究院歷史語言研究所，頁 9-

		1-24。
	11 月	〈戰國行氣玉器的用途與銘文性質芻議〉,《古文字研究》第二十六輯,北京:中華書局,頁 396-400。
		〈高枝何由見〉,《國立成功大學校刊》第 219 期,臺南:國立成功大學,頁 13-14。
2007 年	5 月 25-29 日	〈從《說文解字》到《康熙字典》──以釋「小兒」諸字為對象的考察〉,「海峽兩岸《康熙字典》學術研討會」,山西晉城:中國訓詁學研究會、中國文字學會、葉聖陶研究會、晉城市政府、陽城縣政府聯合主辦。
	9 月	〈殷墟花園莊東地甲骨「𢼸」字與匕器的形義發展關係〉,陳昭容主編:《古文字與古代史》第一輯(中央研究院歷史語言研究所會議論文集之七),臺北:中央研究院歷史語言研究所,頁 93-115。
2008 年	3 月 24 日	〈在權威的縫隙中──以古文字研究為例〉(演講稿),國立臺灣師範大學國文學系演講,臺北:國立臺灣師範大學國文學系。
	4 月	〈「人鬲」新解〉,張光裕、黃德寬主編:《古文字學論稿》,合肥:安徽大學出版社,頁 106-113。
	9 月	《王筠之金文學研究》,《古典文獻研究輯刊》七編第 14 冊,臺北:花木蘭文化工作坊。
	12 月 17 日	〈古今共構,內外互補──以臺灣《中文大辭

		典》、《異體字字典》的編纂為例〉，收入『漢韓大辭典』完刊記念辭典學國際學術會議——東亞細亞辭典의歷史의未來」研討會論文集，首爾：檀國大學校東洋學研究所，頁 7-33。（翻譯文另見同名別冊，頁 9-30。）
2009 年	1 月	從《說文解字》到《康熙字典》——以釋「小兒」諸字為對象的考察〉，北京師範大學辭書研究與編纂中心、山西皇城相府集團中華字典博物館編：《中華字典研究》第一輯，北京：中國社會科學出版社，頁 207-217。
	8 月	〈古今共構，內外互補——以臺灣《中文大辭典》、《異體字字典》的編纂為例〉，〔韓〕檀國大學校東洋學研究院編：《東洋學》第四十六輯，頁 285-309。
	9 月 19 日	〈試論上博七〈吳命〉簡的抄手與底本的時代地域特徵〉，日本女子大學文學部、同大學院文學研究科主辦：「戰國秦漢出土文字資料と地域性——漢字文化圈の時空と構造——」研討會論文集，日本東京：日本女子大學，頁 1-18。
	11 月	〈緣起〉，沈寶春主編：《《首陽吉金》選釋附 2008 年金文學年鑑》，臺北：麗文文化事業股份有限公司，頁 IV-V。
	12 月 7 日	〈郭店《語叢》四「一王母保三嬰婗」解〉，武漢大學簡帛網：http://www.bsm.org.cn/show_article.php?id=1190。

	12 月 11-12 日	〈談西周時代的華語教學——以《周禮》、《禮記》與西周金文互證〉，玄奘大學中國語文學系、應用外語系、海華基金會聯合主辦：「2009 華語文與華文化教育國際研討會」，新竹：玄奘大學中國語文學系，頁 119-128。
2010 年	3 月 31 日	〈試論上博七〈吳命〉簡的抄手與底本的時代地域特徵〉，〔日〕出土資料と漢字文化研究會編：《出土文獻と秦楚文化》第五號，東京：東京大學文學部東洋史學研究室，頁 64-82。
	5 月 15-16 日	〈金文釋讀與史實的互涉——以〈何尊〉「初遷宅」為例〉，「商周文明學術研討會」論文集，北京：北京師範大學歷史學院，頁 73-79。
	6 月	〈郭店《語叢》四「一王母保三嬰婗」解〉，《中國文字》新三十五期，臺北：藝文印書館，頁 43-45。
	10 月 26-28 日	〈段注轉注音轉說探究〉，第二屆許慎文化國際研討會，河南：漯河市科敎文化藝術中心。
	11 月	《2009 年金文學題要與年鑑》（主編合撰），臺南：國立成功大學圖書館。 國立成功大學圖書館機構典藏： http://ir.lib.ncku.edu.tw/handle/987654321/101997（題要PDF）。 http://ir.lib.ncku.edu.tw/handle/987654321/101998（年鑑PDF）。
2011 年	3 月 14 日	〈論清華簡〈程寤〉篇太姒夢占五木的象徵意

		涵〉，武漢大學簡帛網：http://www.bsm.org.cn/show_article.php?id=1412。
	3 月 20 日	〈論合體結構中的文字位移現象——以「心」部為對象的考察〉，行政院國家科學委員會人文處主辦：《國科會中文學門小學類 92-97 研究成果發表會論文集》，臺北：國立臺灣師範大學文學院、國文學系，頁 251-266。
	3 月 31 日	〈從夫婦合葬、「塼」與「至俑」論上博（四）〈昭王毀室〉中「君子」的身份問題〉，《出土資料と漢字文化圈》，東京：汲古書院，頁 342-321（左翻頁 51-72）。
	5 月 7-9 日	〈「清華百年西南地區瀕危文物文獻展暨研討會」側記〉，「清華百年——中國西南地區瀕危文字展暨學術研討會」，北京：清華大學。
	7 月	〈論清華簡〈程寤〉篇太姒夢占五木的象徵意涵〉，《東海中文學報》第二十三期，臺中：東海大學中國文學系，頁 141-156。
	11 月	〈黃宗義教授華甲書法展序〉，《黃宗義教授華甲書法展導覽手冊》，臺南：明宗書法藝術館，頁 11；又收入黃宗義：《毛筆字會說畫——2018 年台南市傑出藝術家巡迴展》，臺南：天隱廬，2018 年 3 月 31 日，頁 24。
	12 月	〈我們都為記憶負責——第 23 屆鳳凰劇展序〉，《第二十三屆鳳凰劇展成果集》，臺南：國立成功大學中文系，頁 1。

2012 年	4 月 21 日	〈論晚唐詩人的字學——以李商隱《字略》為例〉，國立成功大學中國文學系主辦、國立臺灣大學中國文學系合辦：「古典召喚與現代詮釋學術研討會——臺大、成大中文論壇」，臺南：國立成功大學中國文學系，頁 225-244。
	5 月 26-27 日	〈由出土文物重論「輔車相依，唇亡齒寒」的「輔車」問題〉，臺灣師範大學國文學系主辦：「紀念林尹教授國際學術研討會」，臺北：國立臺灣師範大學國文學系，頁 281-300。
	6 月	〈第四十屆鳳凰樹文學獎序〉，《第四十屆鳳凰樹文學獎得獎集》，臺南：國立成功大學中國文學系，頁 5。
	8 月	〈第四十屆鳳凰樹文學獎〉，《國立成功大學校刊》第 238 期，臺南：國立成功大學，頁 60-61。
	9 月	〈小學於今盡坦途——記伯元師二三側影〉，《國文天地》第 328 期，臺北：萬卷樓圖書股份有限公司，頁 59-60。
	12 月	《語言迴旋圈——101 年度台灣南區大學中文系聯合學術會議語言文字學術專業會後論文集》（主編），臺南：國立成功大學中國文學系。
	12 月 17-18 日	〈《說文解字》成書「考之於逵」辨〉，「香港中文大學中國語言及文學系五十周年系慶活動——承繼與拓新：漢語語言文字學國際學術研討會」，香港：香港中文大學中國語言及文學系。
2013 年	1 月 26 日	〈古今共構，內外互補——以臺灣《中文大辭

		典》、《異體字字典》的編纂為例〉，檀國大學校東洋學研究院編纂：《東亞細亞漢字辭典與《漢韓大辭典》》，首爾：檀國大學校出版部，頁544-582（中文）。 〈고금을 아우르고 나라 간에 상호보충하다－臺灣《中文大辭典》괴 《異體字字典》의 편찬을 예로 하여〉，단국대학교 동양학연구원 편찬실：《동아시아 한자사전과 『 한한대사전 』》，서울：단국대학교출판부，p.501-543。
	7月	〈由出土文物重論「輔車相依，唇亡齒寒」的「輔車」問題〉，《傳承——紀念林尹教授國際學術研討會論文集》，新北：財團法人景伊文化藝術基金會，頁281-300。
	10月5-6日	〈從古文字的構形規律談「信」字六書的歸屬問題〉，馬來亞大學中文系、馬來亞大學中文系畢業生協會主辦：「跨古今說中文：中國語言文字國際學術研討會（馬來亞大學中文系50周年系慶暨中國語言文字國際學術研討會）」，吉隆坡：馬來亞大學中文系，收入崔彥、潘碧絲主編：《跨越古今——中國語言文字學論文集（古代卷）》，馬來亞大中文系學術文叢15，吉隆坡：馬來亞大學中文系，2013年10月，頁79-99。
	12月9-10日	〈饒宗頤先生與《說文解字》〉，《「第二屆饒宗頤與華學暨香港大學饒宗頤學術館成立十周年慶典」國際學術研討會論文集》（上），香港：香港大學饒宗頤學術館、華僑大學文學院、西泠印

		社、天一閣博物館、故宮博物院故宮學研究所，頁 75-84。
2014 年	5 月 24-25 日	〈有溫度的學問——王叔岷先生論學書札管窺〉，王叔岷先生百歲冥誕國際學術研討會，臺北：國立臺灣大學中國文學系。
	6 月	〈論《汗簡》、《古文四聲韻》引李商隱《字略》書名異稱溯因〉，〔日〕東方學研究論集刊行委員會編集：《東方學研究論集（高田時雄教授退休紀念）〔中文分冊〕》，京都：臨川書店，頁 205-219。
	9 月	〈由容庚先生談史信父（仲枏父）鬲〉，《古文字研究》第三十輯，北京：中華書局，頁 35-40。
	11 月 22-23 日	〈由周法高先生金文三編按語談起——以「𣫭」字為例〉，《合古今中外而冶之——紀念周法高先生百年冥誕國際學術研討會論文集》，臺中：東海大學中國文學系，頁 625-638；又收入《東海中文學報》第二十八期，臺中：東海大學中國文學系，2014 年 12 月，頁 35-54。
	12 月	〈《說文解字》成書「考之於達」辨〉，何志華、馮勝利主編：《承繼與拓新：漢語語言文字學研究》（上卷），香港：商務印書館，頁 303-317。
2015 年	2 月	〈段注轉注音轉說探究〉，王蘊智、吳玉培主編：《許慎文化研究（二）：第二屆許慎文化國際研討會論文集》，北京：中國社會科學出版社，頁 179-188。

3 月	〈卜算子〉，《陳新雄教授八秩誕辰紀念論文集》，臺北：萬卷樓圖書股份有限公司，2015 年 3 月，頁 51。
5 月	〈有溫度的學問──王叔岷先生論學書札管窺〉，國立臺灣大學中國文學系編印：《王叔岷先生百歲冥誕國際學術研討會論文集》，頁 53-76。
7 月 13-14 日	〈由古文字用例談「誠」字的演變〉，恆生管理學院中國語言及文化研習所與中文系主辦：「中國古代泉幣與經貿國際學術研討會」，香港：恆生管理學院，頁 263-272。
10 月 16-17 日	〈由重疊形式談《清華簡（壹）·祭公》「惎＝厚顏忍恥」〉，香港大學中文學院主辦：「出土文獻與先秦經史國際學術研討會」，香港：香港大學，頁 230-240。
11 月 12-13 日	〈王叔岷先生小學管窺〉，中央研究院中國文哲研究所主辦：「戰後臺灣的經學研究（1945～現在）」第二次學術研討會，臺北：中央研究院，第八場第四篇，頁 1-18。
12 月 5-7 日	〈談饒宗頤先生詩詞中的古文字命題〉，恒生管理學院、香港大學、香港中文大學、香港公開大學、香港城市大學、香港科技大學、香港能仁專上學院、香港浸會大學、香港理工大學、香港教育學院、香港樹仁大學、珠海學院、新亞研究所、嶺南大學合辦：「饒宗頤教授百歲華誕國際學術研討會」會議論文集（第一冊），香港：香港大

		學，頁 122-133。
2016 年	6 月	〈饒宗頤先生與《說文解字》〉，鄭煒明主編：《饒學與華學——第二屆饒宗頤與華學暨香港大學饒宗頤學術館成立十周年慶典國際學術研討會論文集》（上冊），上海：上海辭書出版社，頁 72-92。
		〈談饒宗頤先生詩詞中的古文字命題〉，鄭煒明主編：《饒宗頤教授百歲華誕國際學術研討會論文選集》，香港：紫荊出版社，頁 108-119。
	10 月	〈《邦人不稱》補釋〉，《古文字研究》第三十一輯，北京：中華書局，頁 321-322。（與高佑仁合撰）
2017 年	3 月 9 日	〈從古文字現象談漢字美醜觀的流變〉（Les anciens caractères épigraphiques chinois: évolutions et variations - Les études sur 〈Dengtuzi haose fu 登徒子好色賦〉et les tablettes du bambou des Han de l'Quest xinchu 新出 《Beijing daxue cang xihan zhujian（4）- wangji　北京大學藏西漢竹書（肆）·妄稽》pian 篇; Changing Aesthetics in Chinese Characters: A Paleographical Approach），藝術和文學：中國和其他地方的碑銘研究肖像（ART ET LITTÉRATURE: ÉTUDES ÉPIGRAPHIQUES ET ICONOGRAPHIQUES DE CHINE ET D'AILLEURS），阿拉斯：阿爾

		多瓦大學（Université d'Artois, Arras, France）。
	11 月 21-23 日	〈史實與依託──由雲林蒲姓談「蒲」字與「河東角獸」〉，華僑大學、香港大學、中國社會科學院文學研究所主辦，華僑大學文學院、香港大學饒宗頤學術館承辦：「中華文化與絲路文明暨第三屆饒宗頤與華學國際學術研討會」論文集，廈門：華僑大學，頁 268-279。
2018 年	6 月 17 日	〈一樹長存萬古青──談許錟輝老師的古文字學〉，林文慶、陳姞淨、陳怡如主編：《悼許教授錟輝逝世紀念文集》，頁 76-77。
	11 月	〈花氣渾如百和香──龍宇純先生側記〉，《國文天地》第 402 期（龍宇純、杜其容教授九十雙壽祝賀專輯），臺北：萬卷樓圖書股份有限公司，頁 19-24。

後記

　　下山了，回想那一路上的風景，凌頂遠眺，不盡的千山萬壑，雲嵐霧霞，總有些心領神會，啟迪發想，若縈懷不去的，只好命筆為文，稍作解人。

　　聚會了，總為這年度盛事，剪裁適度而限定的款式，文織句排，敷色潤章，用來底襯那思慮再三，千呼萬喚始獻曝的唱辭，希冀不至於荒腔走板。

　　體制下，疆域嚴明，定義精準，恰似邑郊野林門般依序列整，栽進去就難以掙脫那框架，如何不畫地自限，移居那「無何有之鄉，廣莫之野」呢？有如風雲卷舒，不拘一形，不辨東西？還好「古文獻」之「古」，是相對而非絕對，可含藏所有之「故」，容得下思想之故、典籍之故、人物之故、方法之故、詞彙之故……，而「文獻」又廣袤無垠，包容所有，以此編輯，祈願文章能側面勾勒個人的書寫歷程，自行言說。

　　人文化成，有待博涉，而良師啟迪於前，高標典範；眾友論略於後，疑義相析。使本性駑鈍如我者，也能偶有所獲，擁敝帚而自珍。然日居月諸，唯恐小小心得，消散遺佚，故不揣窮陋，裒集舊作新稿，裁成斯編。

　　感謝　丁老師邦新院士的署耑，那謙謙君子的風神，獎掖後進鼓盪學術的氣韻，是長者無比仁厚的高懷，令人生敬！而莊惠茹、陳雅雯、高佑仁、郭妍伶、張宇衛、邱郁茹、龐壯城、葉書珊、陳厚任、洪鼎倫諸君在百忙之間，不計得失，熱心協助，繕打校正，不厭其煩，也讓人感動。當然，一本書的順利出版，還得感謝推廣學術，極力促成的萬卷樓眾多策畫執事者，謹以拳拳之心，再三致意焉！

　　　　　　　　　　二〇一九年二月二十日沈寶春識于臺南潛園

文獻研究叢書・出土文獻譯注研析叢刊 0902016

沈寶春學術論文集（古文獻卷）

作　　者　沈寶春
責任編輯　林以邠

發 行 人　陳滿銘
總 經 理　梁錦興
總 編 輯　陳滿銘
副總編輯　張晏瑞
編 輯 所　萬卷樓圖書股份有限公司
印　　刷　維中科技有限公司
封面設計　百通科技股份有限公司

發　　行　萬卷樓圖書股份有限公司
　　　　　臺北市羅斯福路二段 41 號 6 樓之 3
　　　　　電話 (02)23216565
　　　　　傳真 (02)23218698
　　　　　電郵 SERVICE@WANJUAN.COM.TW
香港經銷　香港聯合書刊物流有限公司
　　　　　電話 (852)21502100
　　　　　傳真 (852)23560735

如何購買本書：
1. 劃撥購書，請透過以下郵政劃撥帳號：
　　帳號：15624015
　　戶名：萬卷樓圖書股份有限公司
2. 轉帳購書，請透過以下帳戶
　　合作金庫銀行 古亭分行
　　戶名：萬卷樓圖書股份有限公司
　　帳號：0877717092596
3. 網路購書，請透過萬卷樓網站
　　網址 WWW.WANJUAN.COM.TW
大量購書，請直接聯繫我們，將有專人為您
服務。客服：(02)23216565 分機 610

如有缺頁、破損或裝訂錯誤，請寄回更換
版權所有・翻印必究
Copyright©2019 by WanJuanLou Books CO.,
Ltd.
All Right Reserved　　　Printed in Taiwan

ISBN 978-986-478-278-9
2019年4月初版
定價：新臺幣 720 元

國家圖書館出版品預行編目資料

沈寶春學術論文集. 古文獻卷 / 沈寶春著.
-- 初版. -- 臺北市：萬卷樓, 2019.04
面；　公分. -- (文獻研究叢書.出土文獻譯
注研析叢刊；902016)
ISBN 978-986-478-278-9(平裝)
1.文獻學　2.文集

011.07　　　　　　　　　108003436